マスタリング TCP/IP
SSL/TLS編

Eric Rescorla 著
齋藤孝道・鬼頭利之・古森 貞 監訳

Ohmsha

Authorized translation from the English language edition, entitled SSL AND TLS: DESIGNING AND BUILDING SECURE SYSTEMS, 1st Edition, ISBN: 0201615983 by, RESCORLA, ERIC, published by Pearson Education, Inc, publishing as Addison Wesley Professional. Copyright © 2000 by Addison-Wesley.

All rights reserved. No part of this book may be reproduced or transmitted in any form or by any means, electronic or mechanical, including photocopying, recording or by any information storage retrieval system, without permission from Pearson Education, Inc.

Japanese language edition published by Ohmsha, Ltd., Copyright © 2003

本書に掲載されている会社名、製品名は、一般に各社の登録商標または商標です。

本書は、「著作権法」によって、著作権等の権利が保護されている著作物です。本書の複製権・翻訳権・上映権・譲渡権・公衆送信権（送信可能化権を含む）は著作権者が保有しています。本書の全部または一部につき、無断で転載、複写複製、電子的装置への入力等をされると、著作権等の権利侵害となる場合がありますので、ご注意ください。
本書の無断複写は、著作権法上の制限事項を除き、禁じられています。本書の複写複製を希望される場合は、そのつど事前に下記へ連絡して許諾を得てください。

(株)日本著作出版権管理システム（電話 03-3817-5670、FAX 03-3815-8199）

JCLS ＜(株)日本著作出版権管理システム委託出版物＞

献 辞

Lisa に捧げる

まえがき

　SSL(Secure Sockets Layer)は、世界中で最も広く使われているセキュリティプロトコルです。市販されているほとんどのWebブラウザとサーバは、SSLによる安全なWeb取引に対応しています。「安全な」Webページでオンラインショッピングをするとき、そこではほぼ確実にSSLが使われているはずです(Web上でのこうした取引による総額は、2000年には推定200億ドルに上る見込みです)。

　SSLは、安全なWeb通信に利用されるのがもっとも一般的ですが、実際にはより汎用性のあるプロトコルであり、さまざまな通信のセキュリティに適しています。SSL、またはその後継プロトコルであるTLS(Transport Layer Security)によってセキュリティを実現しているアプリケーションには、ファイル転送(FTP)、リモートオブジェクトアクセス(RMI、CORBA、IIOP)、電子メール転送(SMTP)、リモートターミナルサービス(Telnet)、ディレクトリアクセス(LDAP)、その他いろいろなものがあります。

　これらのプロトコルを安全にする試みを見てみると、いくつかの重要な教訓に気が付きます。まず第一に、プロトコルをSSL/TLSで保護するためには、SSL/TLSの仕組みを深く理解しなければなりません。SSL/TLSは、これさえあればセキュリティの心配がなくなる魔法のブラックボックスではないのです。

　第二に、アプリケーションが多少異なっても、安全にしたいアプリケーションに共通したセキュリティ上の課題があることに気付きます。例えば、アプリケーション層のどのプロトコルでも、安全なバージョンとそうでないバージョンを同時に利用できるようにする方法を考える必要があります。こうした問題に出来合いの解決策はありません。しかしセキュリティの専門家達は、SSL/TLSを使ってこれらの問題を解決すべく、一連の共通技術の開発をはじめています。

　こうした技術を用いれば、最小限の変更だけで、アプリケーション層のまったく新しいプロトコルにもSSL/TLSが適用できるはずです。これは、いわば、プロトコルを安全にするための「デザインパターン」の開発ともいえます。システムを安全にする作業の大半は、そのシステムにどのパターンが最も良く適合するかを見極め、その手法を実践するだけになるでしょう。

　本書の目的は、今述べた二つの要点について深く紹介することです。本書を読めば、SSL/TLSを使ってシステムを安全にするために必要な、(すべてではないにせよ)大部分の知識を得ることができます。SSL/TLSについて十分な知識を持てば、このプロトコルでどのようなセキュリティの機能が利用でき、何が実現できないかがわかります。また、SSL/TLSを使用するときの共通したデザインパターンに習熟し、それを新しい状況に適用することもできます。

本書の内容

本書は、SSL/TLS を理解して利用したいすべての読者を対象にしています。

・設計者のためには、SSL/TLS を使用するシステムの設計についての情報と、すでに使われて実績のある手法のライブラリを提供しています。
・SSL/TLS でプログラミングするプログラマのために、ライブラリが舞台裏で何をしているかを示し、また、呼び出された関数が実際には何を行うかについての情報を提供しています。こうした詳細を理解しているかどうかで、許容範囲内もしくは予測範囲内のアプリケーションパフォーマンスが得られるかどうかが決まります。
・SSL/TLS の実装者のためには、標準にあたる際のガイドブックとして、曖昧さが残るセクションの解説や、一般的な習慣とその由来について記述しています。

想定している読者

本書は、TCP/IP プロトコルの仕組みについての基本的な理解がある読者を前提としています。TCP/IP に不慣れな読者は、いずれかの TCP/IP 解説書に目を通しておいてください。すぐれた解説書の1つとして『TCP/IP Illustrated, Volume 1』［Stevens, 1994］（日本語版は『詳解TCP/IP Vol.1』）をお勧めします。また、TCP/IP の参考資料としては、RFC 791［Postel1991a］、RFC 792［Postel1991b］、RFC 793［Postel1991c］をあたってください。本書の一部は、TCP/IP の深い知識なしでも理解できますが、パフォーマンスについての説明は、TCP の動作をよく理解していないとついていくのが困難でしょう。

SSL/TLS は暗号技術に関するプロトコルであり、これを正しく理解するには、少なくとも公開鍵暗号化方式、共通鍵暗号化方式、ダイジェストアルゴリズムなど、暗号技術に関するアルゴリズムの基本を理解しておく必要があります。第1章で暗号と通信の入門的な事柄を説明しますが、スペースが限られているため完全な解説はできません。SSL/TLS の理解のために欠かせない暗号技術に関する詳細についてはできるだけ網羅するつもりですが、より詳しい暗号技術に関する問題についてもっと幅広く理解したい読者は、［Schneier1996a］や［Kaufman1995］などの解説をお勧めします。

本書の構成

本書の目的は、先にも述べたとおり、プロトコルを理解することと、その使い方を理解することの2つです。これに合わせて、本書の構成も大きく2つに分かれています。前半（第1章〜第6章）では、SSL と TLS そのものについて説明します。動作方法の技術的詳細のほか、セキュリティとパフォーマンスの性質についてそれぞれ個別に取り上げます。

後半(第7章～第11章)では、セキュリティをSSL/TLSに依存しているアプリケーション層のプロトコルとシステムの設計を取り上げます。まず、SSL/TLSを使用する際の一般的なガイドラインを示してから、すでにセキュリティの確保にSSL/TLSを使用しているいくつかのプロトコルについて説明します。

「第1章　セキュリティの概要」では、暗号技術と通信セキュリティの問題について、SSL/TLSを中心に据えて説明します。通信セキュリティの問題にすでに通じている読者は、この章をスキップしてもかまいません。セキュリティに馴染みがない場合は、この章を注意深く読んでください。ここで得た知識が、以降の章で必要となります。

「第2章　SSLの概要」では、SSL/TLSの歴史を概観し、SSL/TLSがどのようなセキュリティ機能を持っているかを説明します。また、SSL/TLSでセキュリティが確保されている各プロトコルについて、本書執筆時点での状況を紹介します。

「第3章　SSLの基礎的な技術」では、最もよく利用されているSSL/TLSの動作モードを取り上げ、SSL/TLS接続の全体を、はじめから終わりまで説明します。本章を読めば、SSL/TLSが現実にどのように動作するかがよく分かります。また、本書で解説している動作モードを理解すれば、ほかの動作モードについても容易に理解できるでしょう。

「第4章　SSLの高度な技術」では、その他の主要な動作モードを取り上げます。具体的には、セッション再開やクライアント認証ですが、そのほかに現在ようやくSSL/TLSで対応が進んでいるアルゴリズムとして、DH/DSSとKerberosも紹介します。

「第5章　SSLのセキュリティ」では、SSLを使うことにどのようなセキュリティ上のメリットがあるか、また、より重要なこととして、SSLでは何ができないかを説明します。これ以前の各章がSSL/TLSが動作する仕組みに焦点を当てていたのに対し、本章では、SSL/TLSを使用してシステムのセキュリティを確保するために何が必要か、を中心に据えることになります。

「第6章　SSLのパフォーマンス」では、TLSに基づいたシステムのパフォーマンス特性を紹介します。セキュリティ対策がシステムのパフォーマンスに高い負荷を強いることはよく知られていますが、この負荷がプロトコルの特定の部分に限定されていることはあまり理解されていません。本章では、セキュリティを確保しながらパフォーマンスも維持するにはどうしたらよいかを中心に述べていきます。

「第7章　SSLを用いた設計」は、SSL/TLSでアプリケーション層プロトコルのセキュリティを確保するためのガイドです。必要なセキュリティの特性を探り、その実現に使用されるよく知られた設計手法を説明します。

「第8章　SSLのコーディング」では、SSL/TLSを使用するソフトウェアを書くときに必要な、一般的なプログラミングの手法について説明し、OpenSSLとPureTLSというツールキットを使って、C言語とJava言語で完全に動作するサンプルプログラムを書いてみます。

「第9章　HTTP over SSL」では、出発点となったアプリケーションに関して説明します。SSLは、もともとHTTPで機能するようにNetscape社が設計したものです。本章では、従来のやり方と、いま提案されている新しいやり方の両方を取り上げます。

「第10章　SMTP over TLS」では、電子メールの転送に使われるSimple Mail Transfer Protocol（SMTP）のセキュリティをTLSでどう確保するかを説明します。SMTPとTLSは相性がよくありません。本章では、SSLとTLSに見られるいくつかの限界にも触れます。

「第11章　さまざまな手法との比較」では、アプリケーションを安全にする際に利用される、その他の方法について見ておきます。SSL/TLSが常に最良の解決策というわけではありません。プロトコルの使い方を知っているということは、いつ使ってはならないかを知っているということでもあります。本章では、その他の選択肢としてIPsec、S-HTTP、S/MIMEを取り上げ、SSL/TLSと対比します。

本書の読み方

本書は、技術力も目的も異なるさまざまな読者を対象にしています。興味のおもむくままに読んでいただいてかまいませんが、具体的な目的があるときは、該当部分を集中的に読むとよいでしょう。

■プロトコル設計者の皆さんへ

アプリケーション層の新しいプロトコルの設計、もしくは、既存プロトコルのSSL/TLSによるセキュリティ保護を目指している方は、第1章〜第6章の各章の冒頭部分を読んで、SSL/TLSの動作の仕組みをざっと理解したのち、SSL/TLSの設計原理への手引きとして第7章全体を注意深く読むことをお勧めします。設計の実装を意図しているのでないかぎり、第8章は読み飛ばしてかまいませんが、第9章と第10章は必ず読んでください。ここでは、SSL/TLSを実際にどう使用すべきか、またどう使用すべきでないかを示す実例を紹介しています。最後に、設計に取りかかる前に第11章を読み、自分の設計にSSL/TLSが適切であるかどうか、別のセキュリティプロトコルのほうが適切ではないかを確認してください。

■アプリケーションプログラマの皆さんへ

既存のSSL/TLSツールキットを使ってアプリケーションを書きたいという方は、第1章〜第6章については冒頭部分を読むだけでかまいません。加えて、各章の末尾にある「まとめ」にも目を通しておくと良いでしょう。これを読むだけで、SSL/TLSとその実装技術について概要を知ることができます。SSL/TLSツールキットの動作を理解するには、これだけで十分でしょう。第7章と第8章は熟読してください。特に、第8章で論じているプログラミング手法には十分な注意を払ってください。HTTP over SSLまたはSMTP over SSLの実装を目指しているときは、これらのプロトコルに関連する章も読んでください。

■SSL/TLS実装者の皆さんへ

ゼロからのSSL/TLS実装を考えている方は、本書全体を読んでください。暗号技術に精通していれば第1章を読み飛ばしてかまいませんが、暗号技術についてさほど詳しくないという方は、この章も全体を読んでください。第2章〜第6章は熟読が必要です。ここでは、SSL/TLSそのものと、その安全かつ高速な実装のために必要なさまざまな実装手法が詳述されています。

■単なる好奇心からという方へ

ただ単にSSL/TLSのことを知りたいという方は、本書のあちこちを拾い読みするだけで十分でしょう。暗号技術のことを知らなければ第1章の全体を読み、次いで第2章〜第6章でSSL/TLSの動作の仕組みを学んでください。残りは、興味のおもむくまま、これと思うところに目を通してください。ほかのセキュリティプロトコルと対比してSSL/TLSを知るという意味で、第11章は読んでおく価値があるかもしれません。

SSL/TLSのバージョン

そろそろSSL/TLSという名前が鼻につきはじめたころでしょうか。これまでは意図的にこの呼び方を使い、バージョンを曖昧にしてきました。現在、SSLには広く使われているバージョンとして、バージョン2 (SSLv2)とバージョン3 (SSLv3)の2つがあります。TLSはSSLv3を手直ししたもので、IETF (Internet Engineering Task Force)によって1999年に標準化されました。名前とはうらはらに、SSLv2とSSLv3はまったく異なるプロトコルです。TLSは、SSLv3によく似ています。SSLv2は、実質的にはすでに廃れたと言ってよく、また、本書を執筆している時点ではTLSはさほど普及していないことから、本書でSSLといったらSSLv3/TLSと同義と考えてください。どちらか一方を特定したいときは、その名前を明示することにします。バージョン2に言及するとき（あまりありませんが）は、SSLv2の名前を使用します。

表記上の約束

本書には、実際のSSLセッションまたはTLSセッションのネットワーク上のトレースがいくつか収められています。そのようなトレースでは、プログラムの出力を等幅フォント(CONSTRUCTED)で示し、後から挿入されたコメントを斜体(*Comment*)で示すことにします。ネットワークのトレースの一部としてプロトコルデータを16進表現で示すこともあり、これには太字の等幅フォント(**01 02 03**)を使います。また、暗号化されたデータを平文で示すときは、斜体の等幅フォント(*data*)を使います。

インターネットRFCなどの標準やプロトコル構造定義からの抜粋を本文に含めるときは、ヘルベチカフォント(helvetica)を使います。図中では、読みやすさを優先してTimesフォントを使うことにします。コードの断片には等幅フォント(int)を使い、長い

行を折り返して示さなければならないことがあるときは、」記号でテキストの継続を表すことにします◆出版社注。◇

> ◇　歴史的なエピソードなどは、枠囲みの小さなフォントで表記します。

ネットワークのトレース

　本書に収めてあるネットワークのトレースは、実際のセッション（ほとんどは筆者のネットワーク）から取得したものです。クライアントプログラムとサーバプログラムには、OpenSSL、Netscape Navigator、Internet Explorer、qmail など、さまざまなものを使用しています。tcpdump プログラムでキャプチャして、ディスクに保存したのち、筆者による ssldump という SSL デコードパッケージを用いて、本文中に示す形のトレースを得ました。tcpdump は http://www.tcpdump.org/ から、ssldump は http://www.rtfm.com/ssldump/ からダウンロードできます。

◆出版社注　　日本語版では、図中のフォントには主にゴシック系の文字を使用します。また、ここでは説明されていませんが、ssldump などのツールの表記にも、原書に従って等幅フォントを使います。

ソースコード

本書には、断片的なソースコードがいくつか含まれています。第 8 章と第 9 章のソースコードは筆者自身が書いたもので、筆者が著作権を保有します（Copyright ©1999-2000 Eric Rescorla）。目的のいかんを問わず、無償で複製し使用できますが、いかなる保証もありません。ソースコードのデータは、筆者の Web サイト http://www.rtfm.com/sslbook/examples からダウンロードできます。

なお、第 5 章の Java のソースコードは、PureTLS（Java による SSL/TLS の実装）の一部です。http://www.rtfm.com/puretls からダウンロードできますが、次の著作権条項が適用されます。

```
Copyright (C) 1999, Claymore Systems, Inc.
All Rights Reserved.

ekr@rtfm.com Tue May 18 09:43:47 1999

This package is a SSLv3/TLS implementation written by Eric Rescorla
<ekr@rtfm.com> and licensed by Claymore Systems, Inc.

Redistribution and use in source and binary forms, with or without
modification, are permitted provided that the following conditions
are met:
1. Redistributions of source code must retain the above copyright
   notice, this list of conditions and the following disclaimer.
2. Redistributions in binary form must reproduce the above copyright
   notice, this list of conditions and the following disclaimer in the
   documentation and/or other materials provided with the distribution.
3. All advertising materials mentioning features or use of this software
   must display the following acknowledgement:
   This product includes software developed by Claymore Systems, Inc.
4. Neither the name of Claymore Systems, Inc. nor the name of Eric
   Rescorla may be used to endorse or promote products derived from this
   software without specific prior written permission.

THIS SOFTWARE IS PROVIDED BY THE REGENTS AND CONTRIBUTORS ``AS IS'' AND
ANY EXPRESS OR IMPLIED WARRANTIES, INCLUDING, BUT NOT LIMITED TO, THE
IMPLIED WARRANTIES OF MERCHANTABILITY AND FITNESS FOR A PARTICULAR PURPOSE
ARE DISCLAIMED. IN NO EVENT SHALL THE REGENTS OR CONTRIBUTORS BE LIABLE
FOR ANY DIRECT, INDIRECT, INCIDENTAL, SPECIAL, EXEMPLARY, OR CONSEQUENTIAL
DAMAGES (INCLUDING, BUT NOT LIMITED TO, PROCUREMENT OF SUBSTITUTE GOODS
OR SERVICES; LOSS OF USE, DATA, OR PROFITS; OR BUSINESS INTERRUPTION)
HOWEVER CAUSED AND ON ANY THEORY OF LIABILITY, WHETHER IN CONTRACT, STRICT
LIABILITY, OR TORT (INCLUDING NEGLIGENCE OR OTHERWISE) ARISING IN ANY WAY
OUT OF THE USE OF THIS SOFTWARE, EVEN IF ADVISED OF THE POSSIBILITY OF
SUCH DAMAGE.
```

●日本語対訳（参考）

　本パッケージは、Eric Rescorla <ekr@rtfm.com>によって書かれ、Claymore Systems社からライセンス供与されるSSLv3/TLS実装です。次の条件が満たされるかぎり、ソース形式とバイナリ形式の別を問わず、また変更の有無を問わず、自由に再配布し使用してかまいません。

1. ソースコードの再配布に当たっては、上記著作権表記とこの4条件、ならびに下記免責条項を残すこと
2. バイナリコードの再配布に当たっては、上記著作権表記とこの4条件、ならびに下記免責条項を、再配布に属するドキュメントもしくはその他の資料に含めること
3. 本ソフトウェアの機能もしくは使用に言及する広告には、次の断り書きを含めること
「本製品には、Claymore Systems社が開発したソフトウェアが含まれています。」
4. 事前に書面による許可を得ないかぎり、本ソフトウェアから派生した製品の承認もしくは販売促進にClaymore Systems社あるいはEric Rescorlaの名前を使用しないこと

　本ソフトウェアは、権利代行者と尽力者によって「現状のまま」提供されるもので、明示的であるか暗示的であるかを問わず、いっさいの保証がありません。ここで言う保証には、市場適性や特定目的への適性への保証も含まれますが、それに限りません。たとえ本ソフトウェアを使用して何らかの直接的・間接的・偶発的・特殊的・懲戒的・結果的損害（代替品またはサービスの調達、使用機会・データ・利潤の喪失、業務の中断を含みますが、それに限りません）が発生したとしても、その発生原因のいかんを問わず、また責任の根拠が契約であるか、厳格責任であるか、本ソフトウェアの使用から生じた不法行為（過失その他）であるかを問わず、権利代行者と尽力者には責任が及ばないものとします。たとえ、本ソフトウェアの使用からそのような損害が生じる可能性があることを事前に知らされていたとしても、上記が適用されます。

付録 A に示す SSL セッションのキャッシュ例には、Ralf S. Engelschall (rse) の mod_ssl パッケージを使用しました。これは http://www.modssl.org/ から入手できます。使用したバージョンは 2.6.1-1.3.12 です。次の著作権条項が適用されます。

```
======================================================================
Copyright (c) 1998-1999 Ralf S. Engelschall. All rights reserved.

Redistribution and use in source and binary forms, with or without
modification, are permitted provided that the following conditions
are met:

1. Redistributions of source code must retain the above copyright
   notice, this list of conditions and the following disclaimer.

2. Redistributions in binary form must reproduce the above copyright
   notice, this list of conditions and the following
   disclaimer in the documentation and/or other materials
   provided with the distribution.

3. All advertising materials mentioning features or use of this
   software must display the following acknowledgment:
   "This product includes software developed by
   Ralf S. Engelschall <rse@engelschall.com> for use in the
   mod_ssl project (http://www.modssl.org/)."

4. The names "mod_ssl" must not be used to endorse or promote
   products derived from this software without prior written
   permission. For written permission, please contact
   rse@engelschall.com.

5. Products derived from this software may not be called "mod_ssl"
   nor may "mod_ssl" appear in their names without prior
   written permission of Ralf S. Engelschall.

6. Redistributions of any form whatsoever must retain the following
   acknowledgment:
   "This product includes software developed by
   Ralf S. Engelschall <rse@engelschall.com> for use in the
   mod_ssl project (http://www.modssl.org/)."

THIS SOFTWARE IS PROVIDED BY RALF S. ENGELSCHALL ``AS IS'' AND ANY
EXPRESSED OR IMPLIED WARRANTIES, INCLUDING, BUT NOT LIMITED TO, THE
IMPLIED WARRANTIES OF MERCHANTABILITY AND FITNESS FOR A PARTICULAR
PURPOSE ARE DISCLAIMED. IN NO EVENT SHALL RALF S. ENGELSCHALL OR
HIS CONTRIBUTORS BE LIABLE FOR ANY DIRECT, INDIRECT, INCIDENTAL,
SPECIAL, EXEMPLARY, OR CONSEQUENTIAL DAMAGES (INCLUDING, BUT
NOT LIMITED TO, PROCUREMENT OF SUBSTITUTE GOODS OR SERVICES;
LOSS OF USE, DATA, OR PROFITS; OR BUSINESS INTERRUPTION)
HOWEVER CAUSED AND ON ANY THEORY OF LIABILITY, WHETHER IN CONTRACT,
STRICT LIABILITY, OR TORT (INCLUDING NEGLIGENCE OR OTHERWISE)
ARISING IN ANY WAY OUT OF THE USE OF THIS SOFTWARE, EVEN IF ADVISED
OF THE POSSIBILITY OF SUCH DAMAGE.
======================================================================
```

●日本語対訳(参考)

　本ソフトウェアは、次の条件が満たされるかぎり、ソース形式とバイナリ形式の別を問わず、また変更の有無を問わず、自由に再配布し使用してかまいません。

1. ソースコードの再配布に当たっては、上記著作権表記とこの6条件、ならびに下記免責条項を残すこと
2. バイナリコードの再配布に当たっては、上記著作権表記とこの6条件、ならびに下記免責条項を、再配布に付属するドキュメントもしくはその他の資料に含めること
3. 本ソフトウェアの機能もしくは使用に言及する広告には、次の断り書きを含めること
本製品には、Ralf S. Engelschall<rse@engelschall.com>がmod_sslプロジェクト(http://www.modssl.org/)用に開発したソフトウェアが含まれています。
4. 事前に書面による許可を得ないかぎり、本ソフトウェアから派生した製品の承認もしくは販売促進に「mod_ssl」の名前を使用しないこと。書面による許可については、rse@engelschall.com宛に連絡のこと
5. 事前にRalf S. Engelschallから書面による許可を得ないかぎり、本ソフトウェアから派生した製品を「mod_ssl」と呼んだり、その名前に「mod_ssl」を使用したりしないこと
6. 再配布に当たっては、配布形式のいかんを問わず、次の免責条項を含めること

　本ソフトウェアは、Ralf S. Engelschallによって「現状のまま」提供されるもので、明示的であるか暗黙裏であるかを問わず、いっさいの保証がありません。ここで言う保証には、市場適性や特定目的への適性への保証も含まれますが、それに限りません。たとえ本ソフトウェアを使用して何らかの直接的・間接的・偶発的・特殊的・懲戒的・結果的損害(代替品またはサービスの調達、使用機会・データ・利潤の喪失、業務の中断を含みますが、それに限りません)が発生したとしても、その発生原因のいかんを問わず、また責任の根拠が契約であるか、厳格責任であるか、本ソフトウェアの使用から生じた不法行為(過失その他)であるかを問わず、Ralf S. Engelschallと尽力者には責任が及ばないものとします。たとえ、本ソフトウェアの使用からそのような損害が生じる可能性があることを事前に知らされていたとしても、上記が適用されます。

謝　辞

　書籍(特に技術書)の執筆には、多くの人々の協力が不可欠です。この場を借りてお礼を述べたいと思います。

　技術レビュアーの方々は、内容の正誤をチェックするだけでなく、私の文章が可能な限り明瞭であるように尽力してくれました。原稿のレビューをしてくれたのは以下の皆さんです。Joshua Ball、Joe Balsama、Douglas Barnes、Debasish Biswas、Andrew Brown、Robert Bruen、Megan Conklin、Russ Housley、Paul Kocher、Brian Korver、Chris Kostick、Marcus Leech、Robert Lynch、Joerg Meyer、D. Jay Newman、Tim Newsham、Stacey O'Rourke、Radia Perlman、Mark Schertler、Win Treese、Tom Weinstein、Tom Woo。

　多くの方が、執筆中の技術的な疑問に対して気前よく答えを差し出してくれました(質問に答えたという自覚のない人もいるかもしれません)。中でも、John Banes、Steve Bellovin、Burt Kaliski、Paul Kocher、Bodo Moeller、Dan Simon、Robert Zuccheratoには特にお礼を言いたいと思います。彼らは私に欠けている知識を補うため力を貸してくれました。Terence Spiesは、原稿の全編にわたって有意義なコメントを与え、MicrosoftのSSL実装に関して数え切れないほどの質問に答えてくれました。

　本書ではSSLのトラフィックを実演するため、OpenSSLを最大限に活用しています。OpenSSLが現存するのは、SSLeay作成の際のEric YoungとTim Hudsonの尽力と、新天地をもとめてEric Youngが旅立った後のOpenSSLチームによる維持と改良のおかげです。

　Network Alchemy/NokiaのBrian KorverとStacey O'Rourkeは、第6章のパフォーマンスデータの一部を収集する手伝いをしてくれました。彼らが、機器とネットワークの使用を許可してくれただけでなく、設定を微調整してくれたおかげで、特殊な状態を再現することができました。

　面識はないのですが、W. Richard Stevens(故人)も本書の貢献者です。プロトコルを説明するためにネットワークの経路を示すというアイデアは、彼の秀作「TCP/IP Illustrated」シリーズから拝借しました。本書の全編にわたって、彼の明瞭で理解しやすいスタイルを見習おうと努力しています(この努力が実ったのはほんの一部でしたが)。

　出版社がなければ、何も出版できません。Addison-Wesleyと仕事ができたことは本当に喜ばしいことでした。特にMary Hartに感謝します。最初にこの企画を与え、本書がわずか200ページから400ページ以上に激増するあいだ、原稿が何度遅れても辛抱強く待ち続けてくれました。

　本書の直接の関係者ではありませんが、Allan Schiffman、Marty Tenenbaum、Jay Weberにも感謝したいと思います。JayとMartyは、能力があっても経験がなかった時期に、私にチャンスを与えてくれました。知り合ってから8年になりますが、Allanはコンピュータ科学について計りしれないほどたくさんのことを教えてくれました。同様に、私が何かしら有益なことをできているとすれば、それは両親がものごとの考え方を教えてくれたおかげです。

Jennifer Gates は、執筆中の私の正気を保つ役割を担ってくれました（これは大変な仕事だったことでしょう）。ここ数年、彼女とご主人の Lee は期待以上の友情ともてなしを何度も与えてくれました。

　もう 1 つの大きな心の支えは、トライアスロンでした。Kevin Joyce と Kyle Welch は、趣味を継続するために有意義なアドバイスと刺激をくれました。

　最後に Lisa Dusseault と Kevin Dick に感謝します。Lisa と Kevin は 2 人とも原稿を通読して、大まかな草稿を各章に分け、読むに耐える文章に変える手助けをしてくれました。彼らがいなかったら、おそらく本書は完成しなかったし、文章も明らかに今より劣ったものになっていたことでしょう。

　完全版下原稿は、著者が James Clark の Groff パッケージを使用して作成しました。読者からの感想、提案などの電子メールを歓迎します。出版後に発見された誤りは、すべて Web ページ http://www.rtfm.com/sslbook/errata.html に掲載します。

カリフォルニア州マウンテンビューにて
2000 年 9 月

Eric Rescorla
ekr@rtfm.com

監訳者序文

本書は、Eric Rescorla 著『SSL and TLS : designing and building secure systems』の日本語訳を「マスタリング TCP/IP」シリーズの「SSL/TLS 編」として出版するものです。本書では、SSL（Secure Sockets Layer）および、その上位バージョンである TLS（Transport Layer Security）（併せて SSL/TLS と表記します）の概要から歴史的な変遷、内部の詳細、特にパフォーマンスといった運用にかかわる詳細が説明されています。さらに、この種の書籍としては珍しく、他の技術との比較に関する記述もあります。

本書を手に取った読者は、おそらく SSL/TLS という言葉を一度は耳にしたことがあるか、実際に利用したり運用したりした経験があることでしょう。よって、SSL/TLS 自体については本編に譲るとして、ここではその周辺について述べさせて頂きたいと思います。

ご存知のとおり SSL/TLS は、通信中に「真正性」「完全性」「機密性」を確保するためのセキュリティ技術であり、さまざまなレベルの議論や攻撃にも耐えてきた最高水準のセキュリティプロトコルです。通信セキュリティを知る上では、この SSL/TLS を無視するわけにいきません。ただし、SSL/TLS は、TCP 層の上でのすべての通信に利用できると謳ってはいるものの、実際には本編にあるとおり HTTP（HyperText Transfer Protocol）用にチューニングされたもので、「なんとかの一つ覚え」と言われないよう慎重に使うべきだと本編でも示唆しています。

また、SSL/TLS は、いくつかのセキュリティ技術の集大成です。つまり、「共通鍵方式の暗号化」「メッセージダイジェスト」「公開鍵方式の暗号化」「電子署名」という 4 大セキュリティ技術が、個々に、相応に安全であると仮定した上で、他の技術とも併せて適切に組み立てられているものです。たとえるなら、レース用の自動車のようなもので、暗号技術がもっとも重要なエンジンだとするならば、その他の技術がタイヤやサスペンション、ブレーキなどに相当するといえるでしょう。エンジンだけ立派でも、その他がダメであれば、レースには勝てないということです。このことは本編からも読み取れます。

原著者は、関連する RFC 策定に携わり、いくつかの SSL/TLS 関連の実装も手がけている専門家です。このため本書は、他の同様な文献と比べても、すべてのトピックスを網羅的に、かつ相応の深さで扱っている良書になっています。何度読み返しても面白い内容です。ただ、1 つだけ不思議な点もあります。SSL/TLS 以外のセキュリティプロトコルにも言及し、さまざまに比較している中で、なぜか SSH（Secure SHell）については触れられていないのです。推測の域を出ないため、その理由については控えますが、個人的には何かを暗示しているように感じられ、非常に興味深いものでした。

なお、原著は 2000 年に発行されたため、監訳時点で本書を読む際には注意が必要な点もあります（特に Java 周辺の状況は、執筆当時と現在では少し様子が変わっています）。しかし、この本を丸々一冊マスターするだけで、通信セキュリティの基礎体力は獲得できるでしょう。しかしながら、専門家、もしくは逆に初学者にとってみると、もう少し詳しさや丁寧さが欲しいところもあります。専門家にはあえて言うまでもないので、初

学者のために、いくつか「日本語」の参考図書を示しておきます。本書だけでもかなりの知識は得られますが、もし必要とあれば参考にしてください。

　暗号関係では、最近のトピックスまでも含めた『暗号のすべて——ユビキタス社会の暗号技術』（電波新聞社）や、原著はすこし古いですが最近翻訳された『暗号技術大全』（ソフトバンク）などがよいでしょう。また、もう少し広い範囲のセキュリティ技術としては、『インターネットセキュリティ——基礎と対策技術』（オーム社）があります。特に認証周辺では、『認証技術 パスワードから公開鍵まで』（オーム社）にも詳しいトピックスがあります。一方、ネットワーク技術に関しては、最近の技術までを含めて網羅的な『ネットワーク・スーパーテキスト 上・下』（技術評論社）などがあります。また、原著で推薦されている『詳解TCP/IP Vol.1～3』（ピアソンエデュケーション）も有名です。

　監訳をするにあたり、（監訳者が知らないだけかもしれませんが）日本語の定訳が見当たらない用語には、妥当な訳語だけでなく、元の英単語も併記するようにしました。うまい用語がない場合は直訳調に訳した部分もあり、多少まどろっこしい表現があるかもしれませんが、お許し願いたいと思います。その代わり、多くの翻訳本に見られがちな「文法は正しいけれど日本語として意味不明」な文章は、原文の意味から離れないようにしつつ、訳を工夫して極力排除したつもりです。ただ、原著には英語としてやや「独特な表現」も目立ち、それらの大幅な修正は翻訳の域を越えると考え、原文のニュアンスを残した箇所もあります。当然ながら、日本語訳に関する責任は監訳者に帰すものです。

　上述のとおり、監訳者として、時間と能力の限り（この種の訳本にしては）訳文にもこだわりました。それゆえ、オーム社開発部の皆さんや翻訳スタッフには、多大な面倒をおかけしました。この場を借りてお詫びしたいと思います（実は、訳文を翻訳スタッフに一度つき返しています・・・ごめんなさい）。また、無事出版できたことへのお礼も申し上げます。

　　　2003年11月

　　　　　　　　　　　　　　　　　　　　　　　　監訳者を代表して　齋藤孝道

目　　次

第1章　セキュリティの概要

- 1.1　はじめに ·· 2
- 1.2　インターネット脅威モデル ······························ 2
- 1.3　登場人物について ·· 4
- 1.4　セキュリティ技術が目指すこと ······················· 4
    - 1.4.1　機密性　4
    - 1.4.2　メッセージ完全性　4
    - 1.4.3　エンドポイント真正性　5
    - 1.4.4　実社会での例　5
- 1.5　セキュリティ確保のための道具 ······················· 7
    - 1.5.1　暗号化　7
    - 1.5.2　メッセージダイジェスト　9
    - 1.5.3　MAC　10
    - 1.5.4　鍵の管理問題　10
    - 1.5.5　鍵の配布　10
    - 1.5.6　公開鍵暗号化方式　11
    - 1.5.7　証明　12
    - 1.5.8　識別名　14
    - 1.5.9　拡張　15
    - 1.5.10　証明書の失効　15
    - 1.5.11　ASN.1・BER・DER　16
- 1.6　組み合わせて使用 ·· 17
- 1.7　シンプルなセキュアメッセージングシステム ···· 18
- 1.8　安全でシンプルな通信路 ······························ 20
    - 1.8.1　簡単なハンドシェイク　21
    - 1.8.2　簡単なデータ転送プロトコル　22
    - 1.8.3　鍵の作成　23
    - 1.8.4　データレコード　23
    - 1.8.5　シーケンス番号　25
    - 1.8.6　制御情報　26
    - 1.8.7　ここまでのまとめ　27
- 1.9　輸出状況 ·· 28
    - 1.9.1　石器時代　28
    - 1.9.2　中世　29
    - 1.9.3　現代　29
- 1.10　暗号技術に関するアルゴリズムの実際 ·········· 30
- 1.11　共通鍵暗号化方式（ストリーム暗号） ·········· 30
    - 1.11.1　RC4　32

1.12	**共通鍵暗号化方式（ブロック暗号）** ·································	**32**
	1.12.1　DES　　34	
	1.12.2　3DES　　35	
	1.12.3　RC2　　36	
	1.12.4　AES　　37	
	1.12.5　ここまでのまとめ　　37	
1.13	**ダイジェストアルゴリズム** ··	**38**
1.14	**鍵の確立** ··	**39**
	1.14.1　RSA　　39	
	1.14.2　DH　　41	
1.15	**電子署名** ··	**43**
	1.15.1　RSA　　43	
	1.15.2　DSS　　43	
	1.15.3　ここまでのまとめ　　44	
1.16	**MAC** ··	**46**
1.17	**鍵長** ··	**46**
	1.17.1　共通鍵暗号化アルゴリズム　　47	
	1.17.2　公開鍵暗号化アルゴリズム　　47	
1.18	**まとめ** ··	**48**

第2章　SSLの概要

2.1	**はじめに** ··	**52**
2.2	**標準と標準化団体** ··	**52**
2.3	**SSLの概要** ··	**53**
2.4	**SSL/TLSの設計目標** ··	**54**
	2.4.1　SSLv2の設計目標　　54	
	2.4.2　SSLv3の設計目標　　55	
2.5	**SSLとTCP/IPプロトコルスイート** ································	**55**
2.6	**SSLの歴史** ··	**57**
	2.6.1　PCT　　57	
	2.6.2　SSLv3　　58	
	2.6.3　TLS　　59	
2.7	**WebのためのSSL** ···	**62**
2.8	**SSL上でのプロトコル** ··	**63**
2.9	**SSLの入手** ··	**64**
	2.9.1　実装の内容　　65	
2.10	**まとめ** ···	**66**

第3章　SSLの基礎的な技術

- 3.1 はじめに 68
- 3.2 SSLの概要 68
- 3.3 Handshake 69
  - 3.3.1 Handshakeメッセージ　71
- 3.4 SSL Recordプロトコル 72
  - 3.4.1 Recordヘッダ　72
  - 3.4.2 コンテントタイプ　73
- 3.5 部品の組み立て 74
- 3.6 接続の実際 75
- 3.7 接続の詳細 77
- 3.8 SSLの仕様記述言語 79
  - 3.8.1 基本型　79
  - 3.8.2 ベクタ型　79
  - 3.8.3 列挙型　80
  - 3.8.4 構造体型　81
  - 3.8.5 バリアント型　81
- 3.9 Handshakeメッセージの構造 82
- 3.10 Handshakeメッセージ 83
  - 3.10.1 ClientHelloメッセージ　83
  - 3.10.2 ServerHelloメッセージ　87
  - 3.10.3 Certificateメッセージ　88
  - 3.10.4 ServerHelloDoneメッセージ　90
  - 3.10.5 ClientKeyExchangeメッセージ　90
  - 3.10.6 ChangeCipherSpecメッセージ　92
  - 3.10.7 Finishedメッセージ　93
  - 3.10.8 Finishedメッセージ処理のプログラミング上の注意　94
- 3.11 鍵の生成 96
  - 3.11.1 PRF　96
  - 3.11.2 輸出可能なアルゴリズム　98
  - 3.11.3 SSLv3における鍵の生成　99
- 3.12 Recordプロトコル 100
  - 3.12.1 ストリーム暗号　103
  - 3.12.2 ブロック暗号　103
  - 3.12.3 Null暗号　103
- 3.13 Alertと終了 104
  - 3.13.1 終了　105
  - 3.13.2 その他のAlert　105
- 3.14 まとめ 106

第4章　SSLの高度な技術

- 4.1　はじめに ……………………………………………………… 108
- 4.2　セッション再開 ……………………………………………… 108
  - 4.2.1　セッション vs. コネクション　109
  - 4.2.2　セッション再開の仕組み　109
- 4.3　クライアント認証 …………………………………………… 110
- 4.4　一時的RSA …………………………………………………… 111
- 4.5　再Handshake ………………………………………………… 112
- 4.6　Server Gated Cryptography ………………………………… 113
- 4.7　DSSとDH ……………………………………………………… 115
- 4.8　楕円曲線暗号スイート ……………………………………… 116
- 4.9　Kerberos ……………………………………………………… 117
- 4.10　FORTEZZA …………………………………………………… 118
- 4.11　ここまでのまとめ …………………………………………… 120
- 4.12　セッション再開の詳細 ……………………………………… 120
  - 4.12.1　セッションIDの検索　121
- 4.13　クライアント認証の詳細 …………………………………… 122
  - 4.13.1　CertificateRequest メッセージ　122
  - 4.13.2　Certificate メッセージ　124
  - 4.13.3　CertificateVerify メッセージ　124
  - 4.13.4　エラー状況　126
- 4.14　一時的RSAの詳細 …………………………………………… 126
- 4.15　SGCの詳細 …………………………………………………… 129
  - 4.15.1　Step-Up　129
  - 4.15.2　SGC　132
- 4.16　DH/DSSの詳細 ……………………………………………… 136
  - 4.16.1　ClientKeyExchange メッセージ　137
  - 4.16.2　長期的DH鍵　138
- 4.17　FORTEZZAの詳細 …………………………………………… 138
- 4.18　エラーAlert ………………………………………………… 141
- 4.19　SSLv2との下位互換性 ……………………………………… 148
  - 4.19.1　バージョン　149
  - 4.19.2　乱数　149
  - 4.19.3　セッションID　149
  - 4.19.4　暗号スイート　149
  - 4.19.5　ロールバック保護　150
  - 4.19.6　互換性　151
- 4.20　まとめ ………………………………………………………… 151

第5章　SSLのセキュリティ

- 5.1　はじめに　……………………………………………………… 154
- 5.2　SSLの機能　…………………………………………………… 154
- 5.3　master_secretの保護　………………………………………… 155
- 5.4　サーバの秘密鍵の保護　………………………………………… 155
- 5.5　良質の乱数の利用　……………………………………………… 156
- 5.6　証明書チェーンの確認　………………………………………… 157
- 5.7　アルゴリズムの選択　…………………………………………… 158
- 5.8　ここまでのまとめ　……………………………………………… 158
- 5.9　master_secretの危殆化　……………………………………… 159
  - 5.9.1　機密性に対する攻撃　　160
  - 5.9.2　完全性に対する攻撃　　160
  - 5.9.3　ここまでのまとめ　　161
- 5.10　メモリ内の秘密情報の保護　…………………………………… 161
  - 5.10.1　ディスクストレージ　　162
  - 5.10.2　メモリのロック　　162
  - 5.10.3　コアダンプ　　162
- 5.11　サーバの秘密鍵のセキュリティ　……………………………… 163
  - 5.11.1　長期的な鍵　　163
  - 5.11.2　一時的な鍵　　163
  - 5.11.3　秘密鍵の保存　　165
  - 5.11.4　パスワードに基づく暗号化　　166
  - 5.11.5　ストレージを使用しない鍵の復元　　168
  - 5.11.6　ハードウェアを用いた暗号　　168
  - 5.11.7　パスフレーズの入力　　170
  - 5.11.8　バイオメトリクス　　170
  - 5.11.9　結論　　171
- 5.12　乱数生成　……………………………………………………… 171
  - 5.12.1　疑似乱数生成器　　172
  - 5.12.2　ハードウェアの乱数生成器　　173
- 5.13　証明書チェーンの検証　………………………………………… 174
  - 5.13.1　サーバの本人性　　174
  - 5.13.2　クライアントの本人性　　175
  - 5.13.3　ルートの選択　　175
  - 5.13.4　証明書チェーンの深さ　　176
  - 5.13.5　KeyUsage拡張領域　　178
  - 5.13.6　その他の証明書の拡張領域　　179
- 5.14　部分的な危殆化　……………………………………………… 180
  - 5.14.1　電子署名アルゴリズム　　181
  - 5.14.2　鍵確立アルゴリズム　　181
  - 5.14.3　失効　　182
  - 5.14.4　暗号化アルゴリズム　　182
  - 5.14.5　ダイジェストアルゴリズム　　183
  - 5.14.6　最弱のリンクの原則　　184
- 5.15　既知の攻撃手法　……………………………………………… 185

- 5.16 タイミング暗号解析 ································· 185
  - 5.16.1 攻撃の概要　185
  - 5.16.2 適用の可能性　186
  - 5.16.3 対策　187
- 5.17 ミリオンメッセージ攻撃 ·························· 187
  - 5.17.1 攻撃の概要　187
  - 5.17.2 適用の可能性　188
  - 5.17.3 対策　189
- 5.18 小さな部分群攻撃 ································· 189
  - 5.18.1 攻撃の概要　189
  - 5.18.2 適用の可能性　190
  - 5.18.3 対策　190
- 5.19 輸出方式へのダウングレード ··················· 191
  - 5.19.1 攻撃の概要　191
  - 5.19.2 適用の可能性　191
  - 5.19.3 対策　192
  - 5.19.4 類似の攻撃手口　192
- 5.20 まとめ ·· 193

第6章　SSLのパフォーマンス

- 6.1 はじめに ·· 196
- 6.2 SSLは遅い ·· 196
- 6.3 パフォーマンスに関する原則 ····················· 197
  - 6.3.1 Amdahlの法則　197
  - 6.3.2 90/10の法則　198
  - 6.3.3 I/Oのコスト　198
  - 6.3.4 遅延 vs. スループット　199
  - 6.3.5 サーバ vs. クライアント　200
- 6.4 暗号技術に関する処理は高コスト ················ 201
  - 6.4.1 サーバのHandshake　201
  - 6.4.2 クライアントのHandshake　201
  - 6.4.3 ボトルネック　202
  - 6.4.4 データ転送　202
- 6.5 セッション再開 ······································ 203
  - 6.5.1 セッション再開のコスト　203
- 6.6 Handshakeのアルゴリズムと鍵選択 ············ 204
  - 6.6.1 RSA vs. DSA　204
  - 6.6.2 高速か強度かの選択　205
  - 6.6.3 一時的RSA　205
- 6.7 バルクデータの転送 ································· 206
  - 6.7.1 アルゴリズムの選択　206
  - 6.7.2 最適なレコードサイズ　206
- 6.8 SSLのパフォーマンスに関する基本方針 ········ 206
- 6.9 ここまでのまとめ ··································· 207

6.10 Handshake の時間配分 ･････････････････････ 207
- 6.10.1 テスト環境　　207
- 6.10.2 並列処理　　208

6.11 通常の RSA モード ････････････････････････ 209
- 6.11.1 Certificate メッセージ（クライアント）　　210
- 6.11.2 ClientKeyExchange メッセージ（クライアント）　　211
- 6.11.3 ClientKeyExchange メッセージ（サーバ）　　211

6.12 クライアント認証を伴う RSA モード ･････････････ 211

6.13 一時的 RSA ･････････････････････････････ 213
- 6.13.1 ServerKeyExchange メッセージ（サーバ）　　213
- 6.13.2 ServerKeyExchange メッセージ（クライアント）　　214
- 6.13.3 ClientKeyExchange メッセージ（クライアント）　　214
- 6.13.4 ClientKeyExchange メッセージ（サーバ）　　214

6.14 DHE/DSS ････････････････････････････････ 215
- 6.14.1 ServerKeyExchange メッセージ（サーバ）　　215
- 6.14.2 Certificate メッセージ（クライアント）　　216
- 6.14.3 ServerKeyExchange メッセージ（クライアント）　　216
- 6.14.4 ClientKeyExchange メッセージ（クライアント）　　216
- 6.14.5 ClientKeyExchange メッセージ（サーバ）　　217

6.15 クライアント認証を伴う DHE/DSS ･････････････ 217

6.16 DH によるパフォーマンスの向上 ･････････････ 218
- 6.16.1 小さな秘密鍵の使用　　218
- 6.16.2 一時的な鍵の再利用　　219
- 6.16.3 DH 鍵生成のための事前計算　　220
- 6.16.4 長期的 DH　　220

6.17 レコードの処理 ･････････････････････････ 221
- 6.17.1 アルゴリズムの選択　　221
- 6.17.2 レコードの最適サイズ　　222

6.18 Java ･･････････････････････････････････ 223
- 6.18.1 OS　　223
- 6.18.2 ネイティブコードによる高速化　　224

6.19 負荷のかかった状況における SSL サーバ ･････ 225

6.20 ハードウェアアクセラレーション ･･･････････ 228

6.21 インラインハードウェアアクセラレータ ････ 229
- 6.21.1 構成　　230
- 6.21.2 複数のアクセラレータ　　230
- 6.21.3 チェーン化されたアクセラレータ　　231
- 6.21.4 クラスタ化されたアクセラレータ　　231

6.22 ネットワーク遅延 ････････････････････････ 233

6.23 Nagle アルゴリズム ･･････････････････････ 236
- 6.23.1 Nagle アルゴリズムの無効化　　237
- 6.23.2 正しいレイヤ　　237

6.24 Handshake のバッファリング ･････････････ 238
- 6.24.1 並列化の推進　　240

6.25 SSL の高度な機能を利用する際のパフォーマンスの原則 ････ 241

6.26 まとめ ････････････････････････････････ 241

第7章　SSLを用いた設計

- 7.1 はじめに ………………………………………………… 244
- 7.2 何を守るのかを考える …………………………………… 244
  - 7.2.1 機密性　245
  - 7.2.2 メッセージ完全性　245
  - 7.2.3 サーバ認証　245
  - 7.2.4 クライアント認証　246
  - 7.2.5 経験則　246
- 7.3 クライアント認証の方式 ………………………………… 246
  - 7.3.1 ユーザ名とパスワード　246
  - 7.3.2 ユーザ名とパスワードの変形　247
  - 7.3.3 SSLクライアント認証　247
  - 7.3.4 経験則　247
- 7.4 参照情報における整合性 ………………………………… 248
  - 7.4.1 サーバ識別情報　248
  - 7.4.2 セキュリティ特性　248
  - 7.4.3 経験則　249
- 7.5 SSLに向かない処理 ……………………………………… 249
  - 7.5.1 否認防止　249
  - 7.5.2 エンドツーエンドのセキュリティ　250
- 7.6 プロトコルの選択 ………………………………………… 250
  - 7.6.1 ポートの分離　251
  - 7.6.2 上方向ネゴシエーション　251
  - 7.6.3 経験則　253
- 7.7 Handshakeオーバヘッドの軽減 ………………………… 253
- 7.8 設計戦略 …………………………………………………… 253
- 7.9 ここまでのまとめ ………………………………………… 254
- 7.10 ポートの分離 ……………………………………………… 255
- 7.11 上方向ネゴシエーション ………………………………… 256
- 7.12 ダウングレード攻撃 ……………………………………… 257
  - 7.12.1 ポートの分離　257
  - 7.12.2 上方向ネゴシエーション　258
  - 7.12.3 対抗策　260
- 7.13 参照情報における整合性 ………………………………… 260
  - 7.13.1 IPアドレス　261
  - 7.13.2 代替DNS名　261
  - 7.13.3 人間が理解できる名前　263
- 7.14 ユーザ名とパスワードを用いた認証方式 ……………… 263
  - 7.14.1 ユーザ名とパスワード　263
- 7.15 SSLクライアント認証 …………………………………… 264
  - 7.15.1 証明書の発行　264
  - 7.15.2 アクセス制御　265
  - 7.15.3 失効　266
  - 7.15.4 ホスト間通信　266

7.16 ユーザ名とパスワードを用いた相互認証 ······················ 267
　7.16.1 man-in-the-middle 攻撃　267
　7.16.2 効果がないアプローチ　267
　7.16.3 有効なアプローチ　269
　7.16.4 能動的辞書攻撃　270
7.17 再Handshake ·· 271
　7.17.1 クライアント認証　271
　7.17.2 暗号スイートのアップグレード　272
　7.17.3 鍵素材の補給　272
　7.17.4 クライアントの振る舞い　273
7.18 2番目の通信路 ··· 273
7.19 接続の終了 ··· 274
　7.19.1 不完全な終了　274
　7.19.2 未完遂な終了　276
7.20 まとめ ··· 277

第8章　SSLのコーディング

8.1 はじめに ··· 280
8.2 SSLの実装 ·· 280
8.3 サンプルプログラム ·· 280
　8.3.1 プラットフォームに関する情報　281
　8.3.2 クライアントプログラム　281
　8.3.3 サーバプログラム　282
　8.3.4 プログラムの振る舞い　282
　8.3.5 プログラムの表記に関して　283
8.4 コンテキストの初期化 ··· 283
　8.4.1 クライアントの初期化　284
　8.4.2 サーバの初期化　284
　8.4.3 初期化（Java）　285
　8.4.4 初期化（C）　286
　8.4.5 Cによるサンプルに共通のコード　288
　8.4.6 サーバの初期化　289
8.5 クライアントの接続 ·· 289
　8.5.1 クライアントの接続（Java）　289
　8.5.2 クライアントの接続（C）　291
　8.5.3 クライアントのSSL Handshake（C）　292
8.6 サーバでの接続の受け入れ ·· 294
　8.6.1 サーバでの接続の受け入れ（Java）　294
　8.6.2 サーバでの接続の受け入れ（C）　295
8.7 単純なI/O処理 ··· 296
8.8 スレッドを使った多重化I/O ······································ 300
8.9 select()を使った多重化I/O ·· 304
　8.9.1 読み取り　304
　8.9.2 書き込み　307
　8.9.3 OpenSSLの書き込み処理　308

　　　　8.9.4　もう1つの非ブロック手法　　309
　　　　8.9.5　select()を用いた完全な解決法　　310
　8.10　終了 ·· 312
　　　　8.10.1　終了（OpenSSL）　　312
　　　　8.10.2　終了（PureTLS）　　313
　8.11　セッション再開 ·· 315
　　　　8.11.1　セッション再開（Java）　　315
　　　　8.11.2　セッション再開（C）　　316
　8.12　補足 ·· 317
　　　　8.12.1　より優れた証明書チェック　　317
　　　　8.12.2　/dev/random　　318
　　　　8.12.3　並列化処理　　318
　　　　8.12.4　優れたエラー処理　　318
　8.13　まとめ ·· 319

第9章　HTTP over SSL

　9.1　はじめに ·· 322
　9.2　Webを安全にする ··· 322
　　　　9.2.1　基本的な技術　　323
　　　　9.2.2　実際上の考慮事項　　323
　9.3　HTTP ·· 325
　　　　9.3.1　リクエスト　　325
　　　　9.3.2　レスポンス　　326
　9.4　HTML ·· 328
　　　　9.4.1　アンカー　　328
　　　　9.4.2　インライン画像　　328
　　　　9.4.3　フォーム　　329
　　　　9.4.4　動的なコンテンツ　　330
　9.5　URL ·· 330
　　　　9.5.1　URLの例　　331
　　　　9.5.2　URI vs. URL　　331
　9.6　HTTP接続の振る舞い ·· 332
　9.7　プロキシ ·· 332
　　　　9.7.1　キャッシュプロキシ　　333
　　　　9.7.2　ファイアウォールプロキシ　　334
　9.8　仮想ホスト ··· 334
　9.9　プロトコルの選択 ··· 335
　9.10　クライアント認証 ·· 335
　9.11　参照情報における整合性 ··· 336
　　　　9.11.1　接続のセマンティクス　　336
　9.12　HTTPS ·· 337
　9.13　HTTPSの概要 ·· 337

9.14 URLと参照情報における整合性 ・・・・・・・・・・・・・・・・・・・・・・・ 340
- 9.14.1 ダウングレード攻撃　340
- 9.14.2 エンドポイント真正性　341
- 9.14.3 失敗の際の振る舞い　342
- 9.14.4 ユーザ優先の選択　343
- 9.14.5 参照情報のソース　346
- 9.14.6 クライアントの識別情報　346

9.15 接続の終了 ・・・・・・・・・・・・・・・・・・・・・・・・・・・・・・・・・・・・・・ 346
- 9.15.1 セッション再開　347
- 9.15.2 エラー処理　347
- 9.15.3 プログラミングエラーと思われるもの　347
- 9.15.4 強制切断攻撃　348

9.16 プロキシ ・・・ 349
- 9.16.1 CONNECTメソッド　349
- 9.16.2 man-in-the-middleプロキシ　351
- 9.16.3 暗号スイートの変換　352

9.17 仮想ホスト ・・・・・・・・・・・・・・・・・・・・・・・・・・・・・・・・・・・・・・・ 353
- 9.17.1 複数の名前　354

9.18 クライアント認証 ・・・・・・・・・・・・・・・・・・・・・・・・・・・・・・・・・・ 355
- 9.18.1 パフォーマンスへの影響　358
- 9.18.2 そのほかの方法　359

9.19 Referrerヘッダ ・・・・・・・・・・・・・・・・・・・・・・・・・・・・・・・・・・・ 360

9.20 置換攻撃 ・・・ 360
- 9.20.1 ユーザによる上書き　361

9.21 アップグレード ・・・・・・・・・・・・・・・・・・・・・・・・・・・・・・・・・・・・ 361
- 9.21.1 クライアントが要求するアップグレード　361
- 9.21.2 サーバが要求するアップグレード　362
- 9.21.3 プロキシとの相性　363
- 9.21.4 専用の参照がない　363

9.22 プログラミングの問題 ・・・・・・・・・・・・・・・・・・・・・・・・・・・・・・ 365

9.23 プロキシのCONNECT ・・・・・・・・・・・・・・・・・・・・・・・・・・・・ 365
- 9.23.1 書き込み関数　367
- 9.23.2 読み取り関数　368
- 9.23.3 プロキシに接続する　368
- 9.23.4 リクエストを書き込む　368
- 9.23.5 レスポンスを読み取る　368
- 9.23.6 main()　368

9.24 複数のクライアントの処理 ・・・・・・・・・・・・・・・・・・・・・・・・・・ 369
- 9.24.1 マルチプロセスサーバ　370
- 9.24.2 SSLを使用したマルチプロセスサーバ　371
- 9.24.3 SSLセッションキャッシュ　372
- 9.24.4 マルチプロセスサーバのセッションキャッシュ　373
- 9.24.5 サーバの高度な構成　374

9.25 まとめ ・・・ 375

第10章　SMTP over TLS

- 10.1　はじめに　……………………………………………………… 378
- 10.2　インターネットメールのセキュリティ　…………………… 378
  - 10.2.1　基本的な技術　379
  - 10.2.2　実際上の考慮事項　379
  - 10.2.3　セキュリティ上の考慮事項　380
- 10.3　インターネットメールの概要　……………………………… 381
- 10.4　**SMTP**　……………………………………………………………… 382
- 10.5　**RFC 822 と MIME**　……………………………………………… 385
  - 10.5.1　Received 行　386
  - 10.5.2　送信者の識別情報　386
- 10.6　電子メールアドレス　…………………………………………… 387
- 10.7　メールの中継　…………………………………………………… 388
  - 10.7.1　部署ごとのサーバ　388
  - 10.7.2　スマートホスト　389
  - 10.7.3　オープンリレー　390
- 10.8　仮想ホスト　……………………………………………………… 391
- 10.9　MX レコード　…………………………………………………… 391
- 10.10　クライアントからのメールアクセス　……………………… 393
- 10.11　プロトコルの選択　…………………………………………… 393
- 10.12　クライアント認証　…………………………………………… 393
- 10.13　参照情報における整合性　…………………………………… 394
- 10.14　接続のセマンティクス　……………………………………… 394
- 10.15　STARTTLS　…………………………………………………… 395
- 10.16　STARTTLS の概要　…………………………………………… 395
- 10.17　接続の終了　…………………………………………………… 399
  - 10.17.1　その他の状況　399
  - 10.17.2　再開　399
- 10.18　TLS を要求する場合　………………………………………… 400
  - 10.18.1　送信に TLS を要求する場合　400
  - 10.18.2　受信に TLS を要求する場合　400
- 10.19　仮想ホスト　…………………………………………………… 401
- 10.20　セキュリティインジケータ　………………………………… 401
  - 10.20.1　インジケータの解釈　402
  - 10.20.2　最終ホップ　402
- 10.21　認証された中継　……………………………………………… 403
- 10.22　送信元の認証　………………………………………………… 404
- 10.23　参照情報における整合性の詳細　…………………………… 405
  - 10.23.1　安全な参照情報　405
  - 10.23.2　セキュリティの強制　406
  - 10.23.3　中継 vs. セキュリティ　406

- 10.24 CONNECT を使えない理由 ································ 408
  - 10.24.1 技術上の問題　408
  - 10.24.2 管理上の問題　409
- 10.25 STARTTLS の利点 ··· 409
  - 10.25.1 パッシブ攻撃　410
  - 10.25.2 送信側認証の欠如　410
- 10.26 プログラミングの問題 ······································ 411
- 10.27 STARTTLS の実装 ··· 411
  - 10.27.1 状態　411
  - 10.27.2 ネットワークアクセス　411
- 10.28 サーバの起動 ·· 412
  - 10.28.1 鍵素材　413
  - 10.28.2 高速な初期化　413
- 10.29 まとめ ·· 414

第11章　さまざまな手法との比較

- 11.1 はじめに ·· 416
- 11.2 エンドツーエンド通信の特性 ·································· 416
- 11.3 エンドツーエンドの議論と SMTP ······························ 417
  - 11.3.1 最終ホップ配送　417
  - 11.3.2 中継　418
  - 11.3.3 エンドツーエンドによる解決策　418
- 11.4 その他のプロトコル ·· 418
- 11.5 IPsec ·· 419
  - 11.5.1 注釈　420
- 11.6 Security Association ·· 420
- 11.7 ISAKMP と IKE ·· 420
  - 11.7.1 識別情報の保護　421
  - 11.7.2 2つのフェーズによる処理　422
  - 11.7.3 ISAKMP の転送　423
- 11.8 AH と ESP ·· 423
  - 11.8.1 AH　423
  - 11.8.2 ESP　424
  - 11.8.3 トンネルモード　424
- 11.9 IPsec の全体像 ·· 425
  - 11.9.1 ポリシー　425
- 11.10 IPsec vs. SSL ··· 426
  - 11.10.1 エンドポイント真正性　427
  - 11.10.2 中間媒体　427
  - 11.10.3 仮想ホスト　427
  - 11.10.4 NAT　428
  - 11.10.5 結論　428
- 11.11 Secure HTTP ·· 429
  - 11.11.1 メッセージ形式　430

                11.11.2　暗号化オプション　　　430
                11.11.3　注釈　　　430
        11.12　**CMS** ･･ 431
                11.12.1　SignedData　　　431
                11.12.2　EnvelopedData　　　431
                11.12.3　署名と暗号化　　　432
        11.13　**メッセージ形式** ･･ 432
        11.14　**暗号技術に関するオプション** ･･････････････････････････ 433
                11.14.1　鍵素材　　　433
                11.14.2　ネゴシエーションヘッダ　　　434
        11.15　**S-HTTPの全体像** ･････････････････････････････････････ 435
                11.15.1　クライアント認証　　　437
                11.15.2　参照情報における整合性　　　437
                11.15.3　自動オプション生成　　　438
                11.15.4　ステートレスな操作　　　438
        11.16　**S-HTTP vs. HTTPS** ･･･････････････････････････････････ 439
                11.16.1　柔軟性　　　439
                11.16.2　否認防止　　　440
                11.16.3　プロキシ　　　440
                11.16.4　仮想ホスト　　　440
                11.16.5　ユーザにとっての使い勝手　　　441
                11.16.6　実装の容易さ　　　441
                11.16.7　結論　　　442
        11.17　**S/MIME** ･･ 443
                11.17.1　注釈　　　443
        11.18　**基本的なS/MIME形式** ･･････････････････････････････････ 444
        11.19　**署名のみ** ･･ 444
                11.19.1　multipart/signed　　　445
                11.19.2　S/MIME と S-HTTP　　　446
        11.20　**アルゴリズムの選択** ････････････････････････････････････ 446
                11.20.1　能力属性　　　446
                11.20.2　アルゴリズムの選択　　　447
                11.20.3　能力属性ディスカバリー　　　447
        11.21　**S/MIMEの全体像** ･････････････････････････････････････ 448
                11.21.1　エンドポイントの識別　　　448
                11.21.2　メッセージの送信　　　448
                11.21.3　送信者の認証　　　449
                11.21.4　複数の署名者　　　449
                11.21.5　複数の受信者　　　449
                11.21.6　開封確認　　　450
        11.22　**普及の障害** ･･･ 450
                11.22.1　証明書　　　450
                11.22.2　証明書の入手　　　451
        11.23　**S/MIME vs. SMTP over TLS** ･････････････････････････ 451
                11.23.1　エンドツーエンドのセキュリティ　　　451
                11.23.2　否認防止　　　452
                11.23.3　中継ホスト　　　452
                11.23.4　仮想ホスト　　　452
                11.23.5　結論　　　453

11.24 適切な解決策の選択 453
　　11.24.1 直接接続　　453
　　11.24.2 TCPのみの場合　　453
　　11.24.3 二者間のみの通信　　454
　　11.24.4 単純なセキュリティサービス　　454
11.25 まとめ 455

付録A　サンプルコード

A.1　第8章のサンプルコード 458
　　A.1.1　CによるサンプルプログラM　　458
　　A.1.2　Javaによるサンプルプログラム　　467
A.2　第9章のサンプルコード 472
　　A.2.1　HTTPSの例　　472
　　A.2.2　mod_sslセッションのキャッシュ　　475

付録B　SSLv2

B.1　はじめに 490
B.2　SSLv2の概要 490
　　B.2.1　セッションの再開　　492
　　B.2.2　クライアント認証　　492
　　B.2.3　データ転送　　492
B.3　欠けている機能 493
　　B.3.1　証明書のチェーン　　493
　　B.3.2　米国内用と輸出対応用のクライアントに同じRSA鍵を利用する　　493
B.4　セキュリティ上の問題 494
　　B.4.1　輸出可能なバージョンのメッセージ認証　　494
　　B.4.2　脆弱なMAC　　494
　　B.4.3　ダウングレード　　494
　　B.4.4　強制終了攻撃　　495
　　B.4.5　クライアント認証の転写　　495
B.5　PCT 497
　　B.5.1　Verify Preludeフィールド　　497
　　B.5.2　メッセージ完全性の強化　　497
　　B.5.3　クライアント認証の改善　　497
　　B.5.4　分離された暗号スイート　　498
　　B.5.5　下位互換性　　498
　　B.5.6　結論　　499
B.6　SSLv1について 500

■参考文献 501

■索引 511

第1章
セキュリティの概要

1.1 はじめに

　本章では、通信セキュリティと暗号技術についての入門的な事柄を説明します。通信セキュリティは複雑なトピックであり、多くの優れた解説書が書かれています。本章の目的は、通信セキュリティのすべてを網羅的に説明することではなく、第2章以降に備えて、さまざまな概念と用語を理解してもらうことです。すでに暗号技術や通信セキュリティに詳しい読者は、本章を読み飛ばしても構いません。

　まず、憂慮すべきさまざまな脅威と、数種類のセキュリティ技術について説明します。次に、暗号化アルゴリズムについて概説し、これらをどう組み合わせてセキュリティ技術を実現するかを考えます。最後に、SSL/TLSで利用されるアルゴリズムについて、ある程度詳しく説明します。

1.2 インターネット脅威モデル

　まず最初に「脅威モデル（threat model）」を定義しなければなりません。一般的な脅威モデルでは、攻撃者がどのようなリソースを保有し、どのような攻撃を仕掛けてきそうかを記述します。あらゆる脅威に対して万全なセキュリティシステムは、まずあり得ません。例えば、絶対に破壊不可能な金庫があり、そこに書類を保管するとしましょう。一見、万全であるかのように思えます。しかし、何者かがオフィスにビデオカメラを取り付けたらどうでしょう。その書類を金庫から出して使おうとするたびに、機密情報を盗み見られる危険があります。ですから、破壊不可能な金庫といっても、思うほど万全ではありません。

　したがって、脅威モデルの定義では、どのような攻撃を恐れるかだけでなく、どのような攻撃を恐れないでよいかについても考えておかなければなりません。これはきわめて重要な方針付けで、これを見誤ると、設計者は考えられるあらゆる脅威への対応策を打ち出さねばならず、結局は暗礁に乗り上げてしまいます。重要なことは、どの脅威が現実の脅威であり、現有のツールで立ち向かえる脅威であるかを見極めることです。

　インターネット関連のセキュリティプロトコルを設計する技術者の間では、多かれ少なかれ同じような脅威モデルを共有しています。まず、プロトコルを実行する通信の端点にあるシステム（以降、エンドシステムといいます）は安全である、という前提に立ちます。これは、エンドシステムのどちらか一方でも攻撃者の支配下にある場合、攻撃からシステムを守ることは、不可能とは言わないまでもきわめて困難だからです。ただし、この前提に関連して、2つほど注意すべき点があります。まず、1つのエンドシステムの障害により、全体のセキュリティが危険にさらされるべきではありません。いわゆる「単

一障害点」があってはなりません。例えば、攻撃者がシステム A に侵入した場合、AB 間の通信が危殆化◆監訳注1しても、BC 間の通信は安全でなければなりません。どうしても単一障害点が避けられないときは、その防御をとりわけ堅固にする必要があるでしょう。二番目に注意すべき点は、攻撃者の制御下にあるシステムが正規のエンドシステムを装う可能性がある、ということです。一般的なユーザは、自分のマシンが攻撃者によって危殆化されていないと信じているものです。このことを忘れてはなりません。

さらに、攻撃者は任意の 2 つのマシン間の通信路をほぼ完全に制御できるものと見なします。攻撃者は任意にアドレスを書き換えることができ、送信者もしくは受信者どちらに対してもパケットを送信することができます。さらに、ネットワーク上に存在する任意のパケットを読み取ることや、任意のパケットをネットワークから取り除くことができます。受信するパケットは、攻撃者から送信された可能性があると想定すべきで、送信するパケットはどれも途中で改竄される危険があります。攻撃者がネットワークへデータを送信するタイプの攻撃を「アクティブ攻撃(active attack：能動的な攻撃)」、ネットワークからデータを読み取るだけのタイプの攻撃を「パッシブ攻撃(passive attack：受動的な攻撃)」といいます。

攻撃者が通信のやり取りを改竄できるという前提に立てば、当然、攻撃者はすべての関連するパケットを取り除いて、任意の 2 台のマシン間の通信を完全にせき止めることができます。これは「DoS 攻撃(Denial of Service attack：サービス拒否攻撃)」の一種です。DoS 攻撃の別の形態としては、接続要求に対する応答を無数に強要し、そのマシンの CPU リソースを使い尽くさせるという攻撃も考えられます。プロトコルの設計者は、通常、DoS 攻撃にあまり注意を払いません。これは、この種の攻撃が大した問題でないからではなく、阻止することがきわめて難しいからです。

脅威モデルで最も重要な点の 1 つは、セキュリティの対策費用がその対価を上回らないように配慮することです。セキュリティ対策を実施するための費用が、予想されるリスクを超えるようであってはなりません。この判断を誤ると、一切のリスクを容認できないという状況に陥ってしまい、結果的にあらゆるシステム設計を容認できなくなってしまいます。

リスクの計算では、攻撃者が攻撃を仕掛けるときに傾ける努力を忘れてはなりません。一般に、攻撃を 1 つ阻止するごとに費用は増大していきます。どのようなセキュリティシステムであれ、あらゆる攻撃をはね返すことはできません。セキュリティモデルの意義は、阻止する価値がある攻撃はどれなのかを、設計者自身が判断する点にあります。

どれだけのセキュリティ対策が必要かを正確に見積もるには、攻撃者の能力を正確に見積もらなければなりません。これまで現実的でないと考えられていた攻撃が、実は簡単にできることが発見されることもあります。その場合、セキュリティモデルが調整・実現されるまでの間、その弱点が白日の下にさらされる期間が生じてしまいます。

◆1. 盗聴や成りすましが行われる可能性がある状態を指します。

1.3 登場人物について

本章ではいくつもの例を挙げて話を進めていきます。理解しやすいよう、登場人物には同じ名前を使うことにします。慣例に従い、2者間の通信において、通信主体の2者を「Alice」と「Bob」(最初のRSA論文[Rivest 1979]で使われた名前)と呼び、攻撃者はそのまま「攻撃者」と呼ぶことにします。

1.4 セキュリティ技術が目指すこと

ほとんどの人は、セキュリティとは一枚岩のような性質を持つ手続きであるかのように考えます。これまでの説明からわかるとおり、これは正しくありません。データのセキュリティに対する攻撃のリスクは、攻撃者の能力に応じてさまざまに変化します。通信セキュリティは、明確に異なるいくつかの性質から構成されます。しかも、各性質は微妙に関連し合っています。性質をどう分類するかは人によってさまざまですが、筆者が最も有用と考えるのは、「機密性」、「メッセージ完全性」、「エンドポイント真正性」という3つのカテゴリに分ける方法です。

1.4.1 機密性

セキュリティと聞けば、ほとんどの人は「機密性(confidentiality)」を考えるでしょう。機密性とは、意図されない聴者に対し、データが秘密に保たれることです。この意図されない聴者とは、たいていは盗聴者です。政府が電話を盗聴するのも、機密性に対するリスクの1つです。ちなみにこれはパッシブ攻撃です(FBIが回線上でこちらの声色をまねし始めない限り)。

秘密を持っている人は、当然、誰にもその秘密を知られたくないはずです。つまり、最低限、機密性を望んでいます。映画に登場するスパイは、しばしばバスルームの水やシャワーを出しっぱなしにして盗聴を防ごうとします。このときスパイが求めていることこそが、機密性です。

1.4.2 メッセージ完全性

2つ目に重要なことは「メッセージの完全性(message integrity)」です。要するに、受信するメッセージが送信者の送ったメッセージと同じであることを確信したい、ということです。紙媒体の通信では、ある程度のメッセージの完全性が自動的に実現されます。

すなわち、ペンで書かれた文字を紙から取り除くことは困難なので、ペンで書かれた手紙を受け取れば、文章の一部が攻撃者によって削除されていないことはほぼ確信できます。ただ、逆に攻撃者が紙に新しい記号を付け加え、メッセージの意味を完全に変えてしまうことは簡単でしょう。

　一方、電子の世界では、情報を書き込んだ人の特徴が出ないことから、転送中のメッセージに手を加え、改竄するのは簡単です。電線からメッセージを抜き取ったり、必要な部分だけをコピーしたり、所望するデータを何でも付け加えて新しいメッセージを作れますが、受信者には手が加えられたことなどわかりません。これは、書かれた手紙を攻撃者が横取りし、新しい紙を買ってきて、そこにメッセージの必要部分を書き写し、新しいデータを付け加えるのと同じです。ただ、情報を書き込んだ人の特徴が出ない分、電子的な改竄のほうが容易です。

1.4.3　エンドポイント真正性

　三番目の性質は「エンドポイント真正性(endpoint authentication)」です。要するに、通信に関与しているエンドポイントの一方(一般には送信側)が間違いなく意図されたエンドポイントであることを確認する、ということです。エンドポイント認証なしでは、機密性もメッセージ完全性も実現困難でしょう。例えば、BobがAliceからメッセージを受信するとき、攻撃者ではなくAliceが送信したものであるとBobが確認できなければ、メッセージ完全性は何の役にも立ちません。同様に、機密のメッセージをBobに送信しようとして、実際には攻撃者宛に送っていたのでは、機密のメッセージの意味がありません。

　エンドポイント真正性は、非対称であることに注意してください。誰かに電話をかける場合、相手が意図している人物であることはかなりの程度まで確信できます。少なくとも、かけた電話番号の電話口にいる誰かであることは確かです。一方、電話を受けた人物は、それが誰からの電話なのかを知ることはできません(発呼者のIDが表示されれば確認できるかもしれません)。誰かに電話をするのは、受信者認証のケースに該当します。つまり、電話の受け手が誰であるかはわかりますが、受け手には誰からの電話かがわかりません(電話網を操作するのは不可能ではありませんが、困難です)。

　これに対し、現金は送信者認証のケースに該当します。1ドル札は、いわば政府が署名したメッセージです。ある1ドル札が誰の手に渡るかなど、政府にはとうていわかりません。しかし、紙幣の偽造は相当難しいことから、どの1ドル札も政府の造幣局で印刷されたものであると、ほぼ確信できます。

1.4.4　実社会での例

　もう少しわかりやすくするために、3つの性質をすべて持つ実社会のシステムを例にとり、さまざまなセキュリティ機能がどう作用し合って各性質を実現しているか見てみることにしましょう。まず、セキュリティ機能を持たないシステムから出発し、徐々に

変更を加えていって、最終的にすべてのセキュリティ機能を実現します。

　ある日、郵便で葉書が配達されます。宛先はあなた、差出人は Alice となっています。さて、この葉書とその内容について何がわかるでしょうか。実は、確実なことはあまりわかりません。誰かが盗み読みしたかもしれませんし、その際、内容が改竄された可能性もあります。

　Alice が葉書でなく手紙にして、封筒に入れて送っていたらどうでしょうか。少しは状況が改善されるでしょうか。実は、これでも大して変わらないのです。封筒を調べてみたところ、どうやらいたずらされた形跡はありません（蒸気で開封された恐れはありますが、それを許さない封筒もあります）。とすれば、内容の機密性とメッセージ完全性は保たれたと考えてよいでしょうか。いいえ、必ずしもそうとは言えません。例えば、攻撃者が元の封筒を開き、内容を読むか改竄して、新しい封筒に入れ直したかもしれません。これでは、機密性はないも同然です。よって、送信者認証のないところでは、メッセージ完全性も機密性もあり得ないことがわかります。

　Alice から見ると、状況はいっそう悲観的です。Alice にわかるのは、郵便収集車が封筒を引き取っていった後、どこかの時点で手紙が開封されるということだけです。この問題をどう解決すればよいかは、後ほど説明します。

　手紙が宛先に至るまでのどこかで開封されるのを阻止するため、かつては封筒を蝋で封印する方法が取られていました。そのような封印は、いったん開封してから付け直すことも可能ですが、ここでは、それはできないものとしておきましょう。もう少し現代的な方法では、送信者が封に署名をします。署名の偽造は困難なので、封印なり送信者の署名なりが目で見て間違いないと確認できれば、その手紙が未開封のまま配達されたことをある程度は確信できます。

　しかしその確信を持てるのは、そのメッセージの差出人を、何らかの手段で確認できる場合に限られます。攻撃者がこっそり開封して、自分の封筒に入れ直し、封印し直して、封に自分の署名をしたらどうでしょうか。署名が Alice のものでなければならないことを知らなかったら、この行為を攻撃として認識することすらできません。

　例えば、封筒に何かの注文書が入っているとしましょう。Alice のクレジットカード番号も記されています。攻撃者はメッセージを書き直します。たぶん、荷物の送り先を自分の住所に変え、Alice のクレジットカード番号をそのまま残して、封印をします。これで注文の品は攻撃者に送られ、Alice には請求だけが届きます。この攻撃を、これまで見てきた技術だけで阻止するのは困難です。

　これまで取り上げてきたメカニズム（封筒、封印など）は、どれも改竄検知（tamper-evident）のためのメカニズムです。内容に手が加えられていれば受信者にわかりますが、不正を阻止することはできません。この新しい攻撃をやめさせる最も簡単な方法は、耐タンパ（tamper-resistant）包装を使うことです（よく改竄防止（tamper-proof）などの表現が用いられますが、これは楽観的すぎる言い方です）。例えば、封筒ではなく金庫に入れて手紙を送り、金庫を開ける鍵は、送信者である Alice と受信者であるあなただけが持っているようにします。

これで問題はほぼ解決されます。Bob（あなた）は、金庫の2つの鍵のうち1つはAliceが持っており、自分の手元に届いた手紙が自分自身で送ったものではないと知っているので、受け取った手紙の入った金庫はAliceが送ったに違いないと確認できます。つまり、送信者認証ができたことになります。あなたとAlice以外に金庫を開けられる人はいないので、途中で開けられ、中身が読まれたり改変されたりしたはずはありません。したがって、機密性とメッセージ完全性も保たれています。同様に、あなた以外に金庫は開けられないことがAliceにもわかっているので、ここでは受信者認証もでき、機密性とメッセージ完全性が保たれていることを確信できます。

このアプローチには、（少なくとも）1つの重大な問題があります。それは、通信したいすべての人との間に鍵を一対ずつ用意し、これを持ち合わなければならないことです。一般的な企業が1日にいくつのメッセージを送り出すかを考えれば、この方法がいかに不便であるかがわかるでしょう。

ここで示した例からは、2つのことがわかります。まず、どのようなセキュリティの水準が望まれるか、という点です。そして、脅威モデルの概念もわかります。何か用事があるたびに金庫を発送するのでは、かなり費用もかかります。これがあまり現実的な方法でないことに異論はないでしょう。普通の人がセキュリティ水準の低さに目をつぶり、郵便局を信じてみようとするのは、そのためです。特別に機密性の高い情報については、専門の宅配業者を頼むこともあるでしょう。ただし、それ以上の対策をすることは、一般にはありません。つまり、標準的な企業が想定する脅威モデルでは、郵便物を開いて内容を改竄できる攻撃者の存在というものが考慮されていません。送り出すメッセージの1つひとつに高度なセキュリティ対策を施すのでは、費用が高くつきすぎて、どんな企業でも対応しきれないでしょう。

1.5 セキュリティ確保のための道具

これまでの例では、暗号にまったく触れていません。これからその話題に入ります。セキュリティ確保のためにさまざまなアルゴリズムを設計する理論を「暗号学（Cryptology）」といい、そのアルゴリズムを使って実際にシステムとプロトコルのセキュリティを確保する方法を「暗号技術（Cryptography）」といいます。本節では、現在どのような暗号技術に関するアルゴリズムが存在するのかを概説します。次節では、それをどう使ってセキュリティを実現するかを見ていきます。

1.5.1 暗号化

暗号化は、概念的に最も理解しやすいアルゴリズムです。考え方は単純です。暗号化アルゴリズムは、あるデータ（「平文」といいます）を受け入れ、それをある鍵を用いて

「暗号文」に変換します。暗号文は、一見するとランダムなデータであり、鍵なしでは、そこから平文についての有用な情報を(強いて言えば、長さ以外の情報を)引き出すことができません。鍵は無作為な短い文字列であることが多く、一般には8～24バイトの長さです。これらの要素間の関係を図1.1に示します。

図1.1
暗号化と復号

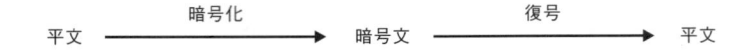

平文 —暗号化→ 暗号文 —復号→ 平文

　暗号化アルゴリズムは、純粋に機密性を確保すると考えられています。暗号文が改竄されたとき、それが(復号した)平文にどう影響してくるかは、使用した暗号化アルゴリズムによって異なります。しかし、そうした改竄はときに発見が難しいため、暗号化されただけのメッセージを受け取っても、それがはたして改竄されていないかどうかはわかりません。

　優れた暗号化アルゴリズムは、可能な鍵の数によって完全に決定されるセキュリティを持っています。攻撃者にとって最も手っ取り早い攻撃方法は、「総当たり探索(exhausted search)」でしょう。ある暗号文が与えられたとき、攻撃者はそれらしい暗号を生む鍵が見つかるまで、すべての鍵を1つずつ試していきます。アルゴリズムのセキュリティは、鍵が秘密に保たれるかどうかで決まり、アルゴリズム自体が秘密である必要はありません。

　暗号文に対応する平文が攻撃者にわかっているとき、その攻撃を「既知平文攻撃(known plaintext attack)」といいます。攻撃者が平文を知らないときの攻撃を、「暗号文攻撃(ciphertext only attack)」といいます。細部はともかく、平文について何かがわかっていれば、攻撃者はそれを利用して、暗号文攻撃を仕掛けてくることができます。例えば、平文がASCII文字であることがわかっているとします。その場合、復号で非ASCII文字が発生するようなら、使用した鍵が間違っているとわかります。

　この例では、送信者と受信者が同じ鍵(この鍵は秘密にしておく)を使用しています。そのため、ここで述べた暗号化方式を「共通鍵暗号化方式(secret key cryptography)」といいます。双方が用いるのは同じ鍵です。これに対して「公開鍵暗号化方式(public key cryptography)」と呼ばれるものもあります◆監訳注2。これについては後ほど説明します。

　暗号化アルゴリズムの設計はきわめて活発に行われており、使用できるアルゴリズムは何十(ひょっとしたら何百)を数えます。最もよく見るものとしては、「DES(Data Encryption Standard)[NIST1993a]」、「3DES(Triple-DES：3回繰り返されるDES)」、「RC2[Rivest 1998]」、「RC4」(正式なRC4の仕様は発表されていません。概要については[Schneier 1996a]を参照)があります。

◆2.　原文では「暗号化」を意味する用語として「cryptography」「encryption」「wrapped」などが用いられています。日本語版では、それぞれ「暗号化」に訳語を統一しています。ただし「cryptographic」という用語については、単に「暗号化」とせず、「暗号技術に関する～」という訳語を当てている場合があります(「暗号技術に関する鍵(cryptographic key)」など)。これは、暗号化とMACの両方の意味が含まれているからです。

1.5.2 メッセージダイジェスト

メッセージダイジェストとは、任意の長さのメッセージを入力として受け入れ、そのメッセージに対応する固定長の文字列を出力する機能をいいます。メッセージダイジェストの最も重要な性質は「不可逆性」です。つまり、ダイジェスト値が与えられたとき、そこから元のメッセージを計算することがきわめて困難でなければなりません。ダイジェスト値から得られるデータが元のメッセージの生成に不十分であることは、数えてみるだけで簡単に証明できます。すなわち、任意の長さを持つ生成可能なメッセージの数は、固定長ダイジェストの数よりずっと多く、1つのダイジェストに数多くのメッセージがマッピングされるので、ダイジェスト機能を逆にたどることは不可能です。しかし、ダイジェストが安全であるためには、ダイジェスト値にマッピングされる複数メッセージの「どの1つ」を生成するのも困難でなければなりません。ここでいう「困難」の意味は、一致するメッセージテキストを探し出すために、ダイジェストサイズに比例するサイズのメッセージ空間を探索する必要がある、ということです。

メッセージダイジェストが持つ、もう1つの重要な性質は、ダイジェスト値が同じになるような2つのメッセージ M および M' を得るのが困難でなければならないことです。この性質を「非衝突一致性(collision-residence)」といいます。衝突に対するメッセージダイジェストの耐性は、ダイジェストサイズの半分しかありません。つまり、128ビットダイジェストの衝突に対する強度は64ビットにすぎず、約264回の操作で衝突が起こります。したがって、ダイジェストの長さを選択するときには、可逆性に対する強さより衝突に対する強さに重きを置くのが普通です。

メッセージダイジェストの主な用途は、電子署名とMAC(Message Authentication Code：メッセージ認証コード)の計算です。どちらについても本章で後ほど取り上げますが、その前に、誰でもわかる簡単なダイジェストの使い方を1つ紹介しましょう。それは、秘密を持っていることを、その秘密を明かさずに証明する、という使い方です。何か新しいものを発明したとして、それが何であるかを誰にも明かさずに、とにかく何かを発明したことだけを証明したいとします。この場合、その秘密を文章にしてダイジェストを計算し、そのダイジェストを新聞の広告欄に発表するとよいでしょう。こうしておけば、最初の発明者であることを疑う声が出ても、元の文章を示し、ダイジェストを個別に検証してもらうことができます。

最も広く使われているメッセージダイジェストアルゴリズムは、MD5(Message Digest 5)［Rivest 1992］と SHA-1(Secure Hash Algorithm 1)［NIST 1994a］です。ダイジェストアルゴリズムは表面的に通常のハッシュアルゴリズムと似ているため、よく、「ハッシュアルゴリズム」という言葉が「メッセージダイジェスト」の同義語として使われます。本書でも、「ハッシュ」と「ダイジェスト」は同義語として扱います。

1.5.3 MAC

AliceとBobが同じ鍵を共有していて、AliceからBobへ、Aliceからのものとわかるメッセージを送りたいとします。Aliceがメッセージを暗号化することには何の問題もありません。Bobと共有している鍵を暗号化鍵として使えばよいでしょう。しかし、先にも述べたとおり、これではAliceからのメッセージであることが証明されるだけで、途中でメッセージに手が加えられていないことの証明にはなりません。必要なのは新しいツール、MACです。MACは、一般にダイジェストアルゴリズムから作成されますが、その計算に鍵を用いており、メッセージダイジェストされています。

ダイジェストアルゴリズムを基にしてMACを作成しようという試みは数多くありましたが、インターネットセキュリティにかかわるコミュニティでは、どうやらHMAC［Krawczyk 1997］と呼ぶ方式に向かいつつあるようです。これは、ある程度合理的な数の仮定を満たす任意のダイジェストを基にした証明可能なセキュリティに関する性質を持つMACを生成します。SSLv3にはHMACの変形が使われ、TLSにはHMACそのものが使われています。

1.5.4 鍵の管理問題

MACにより、本章の冒頭で触れた金庫の郵送と同等の電子的なシステムを手に入れたことになります。Aliceはメッセージを書き、共通鍵で暗号化し、同じ共通鍵を用いたMACも追加して、それをBobに送ります。復号に必要な共通鍵はBobしか持っていないので、メッセージを読めるのはBobしかいないことがAliceにはわかっています。同様にBobには、Aliceしかそのメッセージを送れたはずがないことがわかっています。メッセージに含まれるMACの作成に必要な共通鍵は、Aliceしか持っていないからです。こうしてBobは、メッセージの送信者がAliceであること、メッセージが途中で改竄されていないことを確信します。

これで万事めでたし、でしょうか？いいえ、違います。確かにメッセージは金庫より軽く、送るのも安上がりだとはいえ、通信する相手一人ひとりと鍵を共有しなければならないという問題は残っています。つまり、鍵があちこちに飛び交っているような状態で、実に不便です。それよりさらに問題なのは、通信したい相手全員と事前に会って、鍵を交換しておかなければならないことです。例えば、インターネット上で何かを買いたくても、前もってベンダと顔を合わせておかないと買えません。この不都合を、「鍵管理問題（key management problem）」といいます。

1.5.5 鍵の配布

鍵管理問題の解決方法として最も一般的なのは「公開鍵暗号化方式（PKC：Public Key Cryptography）」ですが、これについては次項で取り上げることにして、ここでは既知のツールだけを用いた方法を紹介しておきましょう。「信頼できる第三者」を使い、その第

三者に他者の認証を任せる、という考え方に基づいた方法です。この第三者は、通常はネットワーク上の安全なマシンとして用意され、このマシンを「KDC (Key Distribution Center)」といいます。安全な通信をしたい人は、全員がKDCと鍵を共有します。今、AliceがBobと通信したいとすれば、まず、KDCとの間で共有している鍵を使ってメッセージを保護し、それをKDCに送って、Bobとの通信を要求します。KDCはAliceとBobの通信用に新しい暗号化鍵を生成し、それを「チケット」というメッセージに入れて返します。

　チケットとは、2つのメッセージを1つにしたものです。1つ目はAlice宛のメッセージで、ここに新しい鍵が入っています。2つ目はBob宛のメッセージで、Bobとの鍵で暗号化されており、やはり新しい鍵が入っています。AliceがBobの分のチケットをBobに送信すると、両者間で同じ鍵が共有されます。このプロトコルの基本形はNeedhamとSchroederによって考案されましたが ([Needham 1978])、広く知られているのはそれを変形したKerberosで、MITなどでも認証と暗号化に広く使われています ([Miller 1987])。

　この方式には2つの欠点があります。まず、KDCが常時オンラインでなければならないことです。オフラインだと、通信がまったく始まりません。両者間でやり取りされるすべての通信をKDCが読めてしまうのも問題です。KDCは、両者間の通信を偽造できます。さらに悪いことに、KDCが危殆化すると、KDCを利用している2人のユーザ間でやり取りされるすべての通信も危殆化されます。このような問題は決して好ましくありませんが、クローズドシステムでは、この方法を採用したプロトコルにかなりの関心が持たれています。

1.5.6　公開鍵暗号化方式

　1976年に、Stanford大学の賢者たちが、鍵管理問題を解決する良い方法がないかを考えました。そして、Whitfield DiffieとMartin Hellmanが『New Directions in Cryptography』[Diffie 1976] で提案したのが、現在の公開鍵暗号化方式です◇。

> ◇　公開鍵暗号化方式は、1970年から1974年にかけてイギリスの諜報機関CESG (Communications-Electronics Security Group) でも考案され、「NSE (Non-Secret Encryption)」の名で呼ばれていました。興味深いことに、考案された手法には後述するDH (Diffie-Hellman) とRSA (の変形) がともに含まれており、これらが暗号の根幹であることをうかがわせます。しかしNSEは機密とされたため、これら2つの方式は学術的な世界で (再) 発明されることになりました。これらがすでに諜報機関に存在していたという事実が明らかにされたのは、1998年になってからのことです。NSEの歴史は [Ellis 1987] に詳しく述べられています。NSEの実現可能性については [Ellis 1970] に、個々の手法については [Cocks 1973、Williamson 1974、Williamson 1976] に記述されています。

　基本的な考え方は、暗号化と復号に異なる鍵を使うというものです。暗号化鍵は公開しますが (「公開鍵」)、復号鍵は秘密に保ちます (「秘密鍵」)。公開鍵と秘密鍵が異なることから、公開鍵暗号化方式は非対称暗号化方式 (asymmetric cryptography) とも呼ばれ、共通鍵暗号化方式は対称暗号化方式 (symmetric cryptography) とも呼ばれます。公開鍵暗

号化方式により、相手と顔を合わせず秘密にメッセージを送信できるようになり、機密性に関する問題が解決されます。また、鍵を事前に交換しておくという不便さからも逃れられます。

実は、公開鍵暗号化方式には真正性問題の解決法も含まれています。それは、秘密鍵を使って「電子署名(digital signature)」を作るというやり方です。電子署名とMACの間の関係は、ちょうど公開鍵暗号化方式と共通鍵暗号化方式の間の関係がそのまま当てはまります。つまり、送信者が秘密鍵を使ってメッセージに「署名」をすると、受信者が公開鍵を使ってその署名を「検証(verify)」します。ただ、電子署名には、MACにはない重要な性質が1つあることに注意してください。それは、「否認防止(nonrepudiation)」です。MACは送信者と受信者のどちらからでも生成できますが、電子署名は署名者しか生成できません。したがって、受信者は送信者が署名したことを証明でき、送信者はそれを否定できません。

1.5.7 証明

鍵管理問題の解決に必要なツールは得られたものの、これまでのところでは、残念ながら問題を完全には解決できていません。いったいどこが悪いのでしょうか。それを知るために、当事者2人が互いの公開鍵をどうやって入手するのかを考えてみましょう。鍵が電子的に公開されるか、当事者間で交換される場合には、送信途中で攻撃者がその鍵を改竄できます。当事者間での通信が始まると、攻撃者は2人の鍵を改竄(tamper)して、自分の鍵をそれぞれに送ります。こうして当事者は、どちらも攻撃者宛に暗号化を行い、それを攻撃者に送信し、攻撃者は真の受信者宛に再暗号化を行い、真の受信者に送信します(図1.2)。これを man-in-the-middle 攻撃◆監訳注3 といいます。

図1.2
man-in-the-middle 攻撃

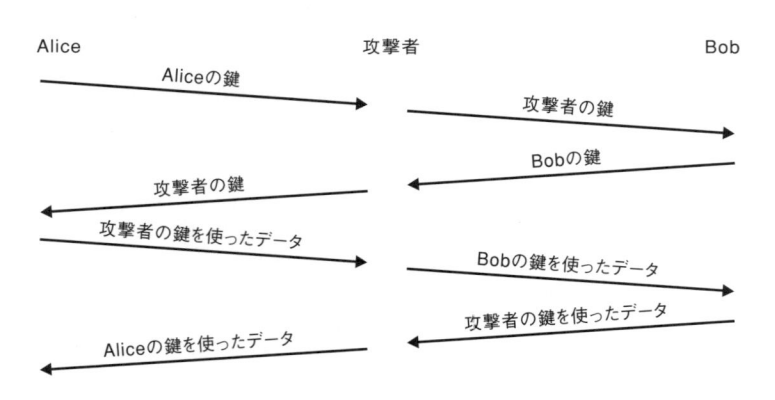

しかし、鍵を手渡しなど物理的に公開するのはとても不便なので、ここでもやはり信頼できる第三者を用意することが解決策になります。この第三者を「証明機関(CA：

◆3. あえて訳すなら、中間者攻撃となります。

Certificate Authority)」といいます。CAは、鍵の所有者の名前とその公開鍵を併せたメッセージに署名します。これを、一般に「(公開鍵)証明書」といいます。そこから証明機関という名前が付けられました。証明書の標準規格はX.509 [ITU 1988a] です。また、RFC 2459 [Housley 1999a] にもまとめられています◆監訳注4。

CAの公開鍵は何らかの物理的形態で公開されますが、CAの数はさほど多くなく、鍵変更の頻度も高くないので、その限りでは大きな問題にはなりません。実際のところCA鍵は、それを必要とするソフトウェアの中にバンドルされ、ソフトウェアとともに配布されるのが普通です。このやり方は、そのソフトウェアがCD-ROMやフロッピーで配布される限り、きわめて合理的に思えます。しかし、ソフトウェアがダウンロードされるときはどうでしょう。その場合はすべてが水の泡で、出発点に逆戻りです。

図1.3は、公開鍵証明書を展開したところです。細部は重要ではありません。基本構造に注目してください。証明書には、発行者名(issuer：証明書への署名者の名前。ここでは「Secure Server...」)、所有者名(subject name：この証明書で証明される鍵の所有者の名前。ここでは「www.amazon.com...」)、サブジェクト公開鍵(subject public key：鍵そのもの)、その他、有効期限やシリアル番号やデータ全体に対する署名などの制御のための情報があります。

図1.3
公開鍵証明書

```
version:                      v1
serial number:                2A 17 EF 73 97 07 74 7B E2 4B FB
    61 95 DB 4D 77
signature
    algorithm: md5WithRSAEncryption
issuer:
    C=US
    O=RSA Data Security, Inc.
    OU=Secure Server Certification Authority
validity
    not before: Sat Jan 28 02:21:56 1995
    not after: Thu Feb 15 02:21:55 1996
subject:
    C=US
    ST=Washington
    L=Seattle
    O=Amazon.com, Inc.
    OU=Software
    CN=www.amazon.com
subject public key
    algorithm: rsaEncryption
    modulus
        bit length: 1024
        value:
            00 C8 1B 8B FA 40 C3 5B E3 46 3F 17 10 56 19 64 C4 F4 F9
            CC AE CA F7 0B 02 1C C3 2D 27 60 91 16 C0 A1 23 8B CA 90
            77 31 25 CA D9 DE B0 87 F5 25 C9 12 7A 95 DF DC 6C E4 1C
            C3 31 9F 77 BE 69 3E 9F BB 35 BF F3 3D BA 7A 72 DA 5D 0C
            60 91 29 F8 89 67 50 5C 32 46 63 F2 FF 42 9D 24 F2 DC 6F
            E5 CA D3 CD 3A AB 9D 5F A9 4D B0 82 91 E3 D3 EA AA EF 78
            8A C1 06 B6 6D EA 56 B8 7E 68 5D AF 4D 85 AF
    public exponent:
        bit length: 2
        value: 03
```

◆4. 本書監訳時点(2003年11月)では、RFC 2459はRFC 3280によりObsoleteされています。

```
signature
   value:
          03 43 60 4B 5B 4B F1 78 56 BF B4 9B 81 E6 EE 0D 19 1B 4E 43 BD
          D9 C7 62 62 55 32 C7 15 A4 33 3A CA 0E 60 E5 FE D7 53 94 C6 AC
          17 D0 CE 7B 11 27 0C 3B 26 19 6D 35 55 4C D8 26 F4 5F F0 90 0D
          90 7F FC 39 47 FE EE B4 72 92 93 BF 93 7F 5C 56 38 10 F5 E5 58
          B5 6C 3E E0 B4 55 8D 74 BE 84 F1 53 67 49 5B 14 12 E6 A7 59 A9
          97 9E 6C E4 59 A6 8F 4E 7E B5 D9 2D 80 3F 38 3C 4C 11 A7 37
```

公開鍵の問題を証明書により解決するためには、やはり信頼できる第三者（CA）の関与が必要でした。しかし、KDCベースのシステムで指摘した大問題はこれで解決されます。つまり、ある人の公開鍵を他者に対して証明するとき、誰に対しても同じ証明書を使用できることから、CAがオンラインでなくてもAliceとBobは互いに通信できます。また、CAは誰の秘密鍵にもアクセスできないので、どのメッセージも読むことはできません。

1.5.8　識別名

証明書にある所有者名と発行者名は、どちらもX.500における「識別名（DN：Distinguished Name）」です（［ITU 1988b］）。識別名の背後には、あらゆるネットワーク主体に一意の名前を割り当てるという考え方があります。そのため、DNは階層構造になっていて、一連の「相対識別名（RDN：Relative Distinguished Name）」から構成されています。RDNはDNS（Domain Name System）における名前の構成に似ており、ある主体の名前を、ほかの主体の名前空間の中で指定します。したがって、最高位のRDNはグローバルに一意でなければなりませんが、その下にある各RDNは、いずれも上位のRDNの範囲内で一意であるだけで構いません。RDNにも内部構造があります。どのRDNも、一連の「属性・属性値（AVA：Attribute-Value Assertion）」から成り立っています。AVAは、基本的には鍵と値の対で表します。図1.4にDNの例を示します。

図1.4
DN例

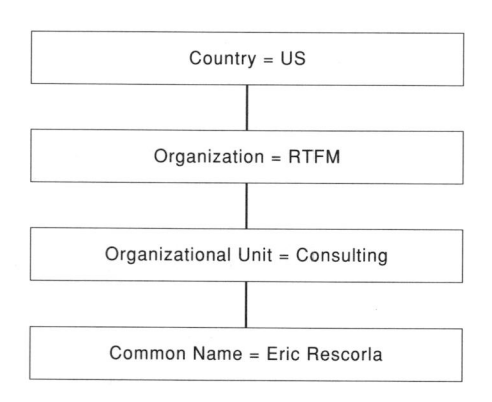

```
┌─────────────────────────────────┐
│       Country = US              │
└─────────────────────────────────┘
              │
┌─────────────────────────────────┐
│     Organization = RTFM         │
└─────────────────────────────────┘
              │
┌─────────────────────────────────┐
│ Organizational Unit = Consulting│
└─────────────────────────────────┘
              │
┌─────────────────────────────────┐
│  Common Name = Eric Rescorla    │
└─────────────────────────────────┘
```

図1.4に示す枠は、それぞれRDNを表します。最上位のRDNを例にとると、ここには1つのAVAが含まれていて、その属性名は「Country」、属性値は「US」です。それ以外も同様です。理論上は1つのRDNに複数のAVAが含まれていても構いませんが、

実際はほとんどの場合1つだけです。同様に、理論上はどのレベルにどのAVAがあっても構いませんが、実際には、最も抽象的なもの（Country）から最も具体的なもの（共通名（CN：Common Name）。多くは氏名や電子メールアドレス）へ順次移行していきます。識別名はテキスト形式で表現されることも多く、その場合は簡略表記形が用いられます。例えば、図1.4にある名前は次のように表現されます。

C=US, O=RTFM, OU=Consulting, CN=Eric Rescorla

1.5.9 拡張

証明書には標準の値がいくつか含まれますが、それ以外の情報が含まれることも珍しくありません。X.509バージョン3の仕様は、任意の「拡張」が許されています。拡張はいずれも、タイプ（型）と値の対という単純な形を取ります。X.509ではローカルでの拡張が認められていますが、標準的な拡張もいくつか用意されています。本書の目的において重要なものは、次の3つになります。

- subjectAltName
  ユーザの別名が入る。別名は、ほかのDNでも、dNSName（DNSホスト名）やemailAddress（電子メールアドレス）などDN以外の名前形式でもよい
- keyUsage
  署名、暗号化など、この鍵の使用可能な目的を示すビットマスクが入る
- extendedKeyUsage
  任意のオブジェクト識別子（OID：Object IDentifier）の一覧であり、この鍵の使用目的を詳しく列挙する（「1.5.11 ASN.1・BER・DER」を参照）

1.5.10 証明書の失効

ユーザの鍵が失われたり漏洩したりして、危殆化された場合を考えてみましょう。公開鍵とそれを証明している証明書はもはや信頼できないということを、ほかのユーザに知らせなければなりません。そのための手段が必要です。この問題への対処方法として最もよく使われるのが「証明書失効リスト（CRL：Certificate Revocation List）」です（CRLは「クリル」と発音します）。

CRLは、失効されたすべての証明書の一覧に署名と日付を付加したものです。つまり、ここに示されている証明書は、もはや有効ではありません。あるCAがCRLを発行した場合、証明書が有効かどうかを検証するためには、適切な（最新の）CRLを入手し、その証明書がそこに含まれていないことを確認しなければなりません。

残念ながら、2つの理由からCRLはあまりうまく機能しません。最初の理由は、CRLが定期発行を必要とすることです。これは、1つのCRLが発行されてから次のCRLが発行されるまでの間に脆弱性が存在することを意味します。鍵が危殆化しても、そのこと

を知らせるはずのCRLがまだ発行されていなければ、ユーザにはわかりません。もう1つの理由は、CRLの配布に関する問題です。CRLはかなり大きくなることがあります。プロトコルでそれを運ぶか、ユーザがCAから取得するようにしなければなりませんが、後者ならCAをオンラインにしておく必要が生じます。

　CAをオンラインにしておけば、CAはオンラインで証明書の状態を提供でき、常に最新の失効状況を提供することができます。ユーザがある証明書の状態をCAに問い合わせると、CAが署名を添付した回答を返します。この目的にはOCSP（Online Certificate Status Protocol）というオンラインで証明書の状態を確認するためのプロトコルを使用できますが（[Myers 1999]）、回答の1つひとつに署名をしなければならないことから、サーバのCPU負荷が大きくなってしまいます。これは望ましいことではありません。この負荷を軽減するための最適化が提案されていますが（[Kocher 1996a]）、あまり広く使われているとはいえません。

1.5.11　ASN.1・BER・DER

　ASN.1（Abstract Syntax Notation 1）は、「きわめて不快ながら、どうしても知らなければならないこと」の1つに分類されるでしょう。基本セキュリティツールの多く（特にX.509証明書）は、最終的にASN.1で定義されています。ASN.1は、ITU（International Telecommunication Union: 国際電気通信連合）によるOSI（Open Standards Interconnect）計画の一環であり、OSIプロトコル群の仕様記述言語として設計されました。基本的な考え方は、データエンコーダ／デコーダの機械的な生成（いわゆる「コーデック」）ができるようなデータ構造の記述システムを作ることでした。

　この試みは、CのstructやJavaのクラスのように、データフォーマットを構造体として記述できる言語があるため、当時は良い考えのように思えました。ASN.1では、構造体から通信回線上のデータエンコードへのマッピング方法が記述できます。これにより、次の2つの目的を持ったコンパイラが書けるはずです。

1. ASN.1構造体から任意の言語へのマッピングを生成する
2. 構造体に対応したコーデックを自動的に生成する

　残念ながらASN.1は複雑で、直感的でない構造を持っているため、ASN.1仕様を書くこと自体が難しいばかりでなく、コンパイラも複雑なものになってしまいました。さらに悪いことに、ASN.1を設計した人々は、通信回線上にデータをレイアウトするためのエンコード規則を、1セットならず4セット以上も定義しました（おそらく、理論的には良かれと思ったのでしょう）。各エンコード規則は、少しずつ異なる目標を実現するのに役立っていますが、その結果は混乱以外の何物でもありません。

　本書では、BER（Basic Encoding Rules）とDER（Distinguished Encoding Rules）という2つのASN.1のエンコード規則を取り上げます。BERでは、どのようなデータについても何通りかのエンコードが可能です。一方、DERはBERのサブセットで、1つのエン

コード方法を選び、それで押し通すので、構造体が同じであれば、どのコーデックでエンコードしても同じ結果が得られます。BERを使う利点は、DERに比べてエンコード効率が良いことです。しかし、データに電子署名を行うなら、意味的に同じメッセージのエンコード方法は同じものに統一したいでしょう。その場合はDERが必要です。

ここでは、ASN.1の詳細な読み方の説明はしません。しかし、おおよその考え方としては、Cの構造体のようなもので、型定義と名前が逆向きになると思えば間違いないでしょう。つまり、名前が先で、データ型が後になります。図1.5にASN.1構造体の一例を示しておきます。これが意味していることは、Fooがbarとmumbleという2つの要素の並びで、そのうちbarはINTEGER型、mumbleはBIT STRING型、ということです。

図1.5
ASN.1 構造体の例

```
Foo ::= SEQUENCE {
  bar INTEGER,
  mumble BIT STRING
}
```

この例だけで、ASN.1構造体の意味はだいたい把握できるでしょう。もっと詳しいことに興味のある方は、［RSA 1993a］を参照してください。標準は、［ITU 1988c］と［ITU 1988d］です。

本書を読み進む上では、もう1つ、「オブジェクト識別子（OID：Object Identifier）」を知っておけば十分です。OIDは、アルゴリズムや鍵の用途など、あらゆる種類のオブジェクトに割り当てられるグローバルに一意な文字列です。OIDの空間は、いわば連邦制になっていて、ISO（International Standards Organization）がさまざまな主体にOID空間の一部を割り当て、その主体がそれをさらに細分化してほかの主体に割り当てています。したがって、多くの組織がOIDを割り当てることができ、プライベートで一意のOIDを割り当てたい組織は、独自のOID部分空間（「アーク（arc）」といいます）を取得できます。

1.6 組み合わせて使用

ここまでで、簡単なセキュリティシステムを構築するのに十分な材料が集まりました。ここで説明しようとするシステムは複雑に思えるかもしれません。しかし、使用する通信セキュリティ技術の多くは、ほとんどが4つの単純な要素、つまり、「暗号化」、「ダイジェスト」、「公開鍵暗号化方式」、「電子署名」から構成されています。その意味で、この4つを「セキュリティプリミティブ」ということがあります。複雑な構造も、プリミティブの組み合わせから構成されます。

例えば公開鍵方式では、秘密鍵方式よりもずっと処理に時間がかかります。そこでこの2つを組み合わせ、秘密鍵の交換に公開鍵を使うようにすれば、時間を短縮できます。いま、Aliceがメッセージを暗号化するとします。まず、無作為な共通鍵（「セッション

鍵◆監訳注5」、「メッセージ暗号化鍵」、「コンテンツ暗号化鍵」、「データ暗号化鍵」など、さまざまな呼び名があります）を生成し、Bobの証明書から得たBobの公開鍵でそれを暗号化します。次に、セッション鍵を使って、共通鍵暗号化アルゴリズムでメッセージを暗号化します。このように公開鍵暗号化方式と共通鍵暗号化方式を組み合わせることで、証明書ベースの鍵管理の利点を利用しながら高速なメッセージの暗号化を実現できます。

同様に、電子署名アルゴリズムも動作が遅いことから、小さなメッセージにしか使用できません。しかし、これをメッセージダイジェストと組み合わせれば、大きなメッセージにも効率よく署名できます。例えば、Aliceはメッセージのダイジェストを計算し、そのダイジェストに秘密鍵を使って署名します。メッセージダイジェストと電子署名を組み合わせることで、鍵の共有なしでもメッセージの完全性と送信者認証を実現できます。

1.7 シンプルなセキュアメッセージングシステム

まずは、電子メールメッセージを安全に送信できる、シンプルなセキュアメッセージングシステムを設計してみましょう。そのようなプロトコルは数多く設計されていて、例えば、S/MIME（Secure MIME）［Dusse 1998］、PGP（Pretty Good Privacy）［Atkins 1996］、PEM（Privacy Enhanced Mail）［Linn 1993、Kent 1993、Balenson 1993、Kaliski 1993］などがあります。いずれも基本モデルは同じで、以下に述べるとおりです。

送信プロセスは図1.6のようになります。これは、前節の説明にほぼ沿っています。

1. Aliceがメッセージダイジェストを計算する
2. Aliceがメッセージダイジェストに署名し、得られた電子署名と自分の証明書をメッセージに添付する
3. Aliceが無作為なセッション鍵を生成し、それを使って、署名入りメッセージと証明書と署名を暗号化する
4. 最後に、AliceがBobの公開鍵を使ってセッション鍵を暗号化し、暗号化されたセッション鍵をメッセージに添付する。これで、Bobに送信するメッセージができあがる

◆5. 通信（セッション）の暗号化に用いる共通鍵を「セッション鍵（session key）」といいます。

図 1.6
メッセージの送信プロセス

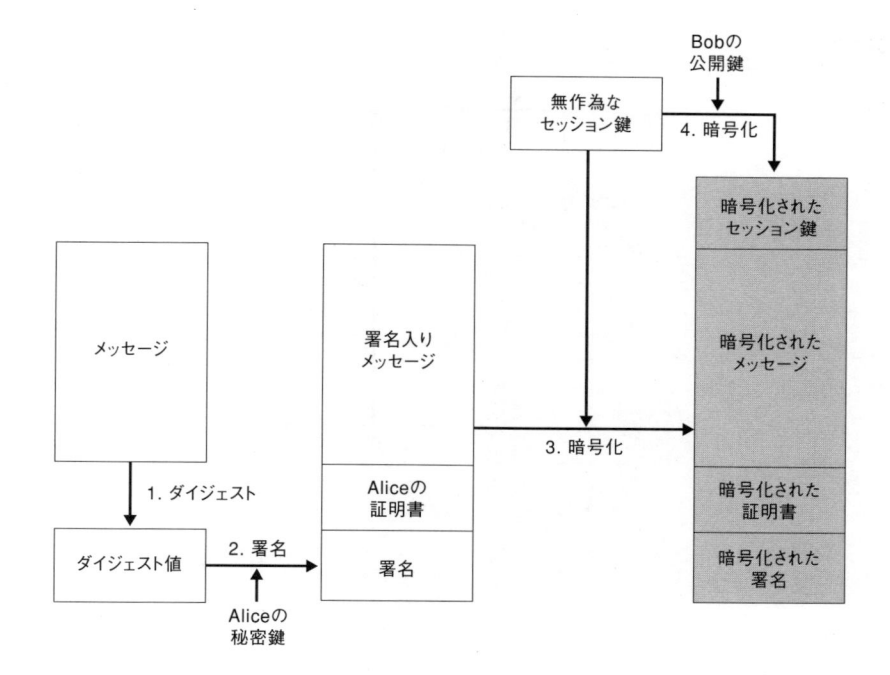

受信プロセスは図 1.7 に示すとおりです。上記の手順を逆に行います。

1. Bob が自分の秘密鍵を使ってセッション鍵を復号する
2. Bob がセッション鍵を使い、暗号化されたメッセージと証明書と電子署名を復号する
3. Bob が自分でメッセージダイジェストを計算する
4. Bob が Alice の証明書を検証し、Alice の公開鍵を取り出す
5. Bob が Alice の公開鍵を使い、Alice の電子署名を検証する

図1.7 メッセージの受信プロセス

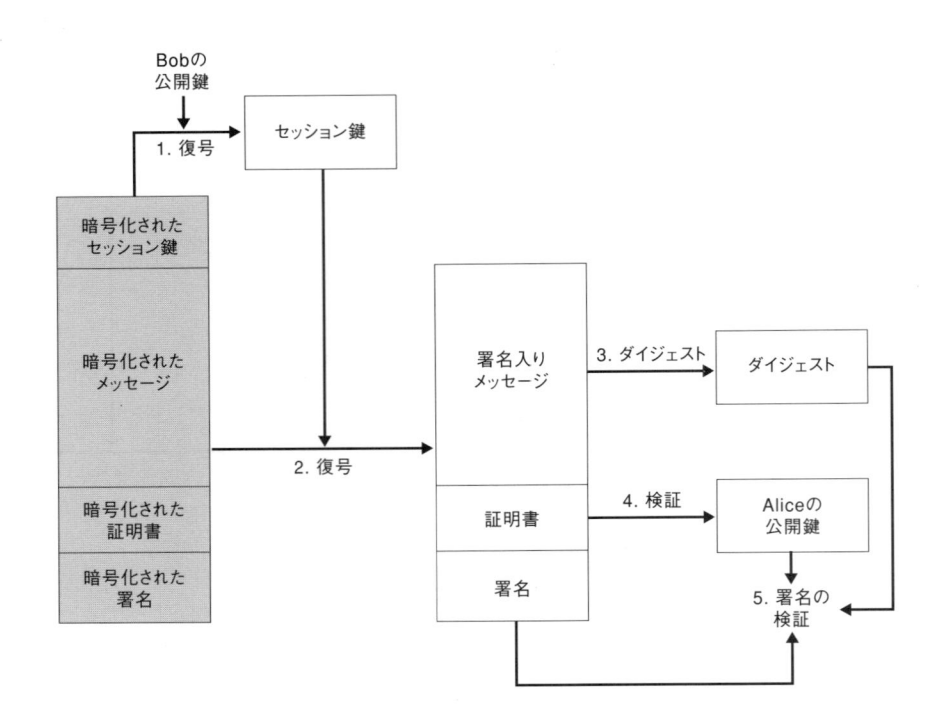

1.8　安全でシンプルな通信路

　このようなシステムは、例えば電子メールのような単一メッセージを送信するだけなら、特に問題なく機能します。しかし、きちんとした通信路を用意し、そこを通して任意のメッセージを送りたいということになると、たちまち限界を露呈します。接続している間に利用し続けることができる、一組の共通鍵が必要なのです。そうすれば、パケットごとに高負荷な公開鍵に関する操作を行わなくて済みます。対話型アプリケーションでは、キーボードを打つごとにパケットが生成されたりするので、この点が特に重要です。

　もう1つ改善したい点は、対話型プロトコルに証明書獲得機能を付け加えることです。前節で述べたメッセージングプロトコルでは、AliceがまずBobの証明書を入手しないと、Bob宛にメッセージを送信できませんでした。証明書の入手方法は、CAに問い合わせるか、証明書入りの非暗号化メッセージを送るようBobに頼むかのどちらかです。対話型プロトコルでは、Bobの初期作業としてAliceに証明書を送信させることになります。

　このような対話型システムの設計では、一般にハンドシェイクフェーズを設けます。AliceとBobは、このフェーズで相互認証を行い、一組の鍵を設定します。続いてデータ転送フェーズに移行し、その鍵を用いて実際に送信したいデータを送信します。本節ではこれ以降、これらを実現する簡単なプロトコルを作成してみます。このプロトコルをお遊びセキュリティプロトコル（TSP：Toy Security Protocol）と呼ぶことにしましょう。

このプロトコルの基本構成は次のとおりです。

- **ハンドシェイク**
  AliceとBobがお互いの証明書と秘密鍵を用いて相互認証を行い、共有秘密を交換する
- **鍵の生成**
  AliceとBobにより合意された共有秘密を使用し、暗号技術に関する鍵を一組生成する。この鍵が通信の保護に使用される
- **データ転送**
  転送するデータを一連の「レコード」に分割し、その1つひとつを個々に保護する。これにより、準備ができたレコードから順次送信でき、受信側でも、受信後ただちにそれを処理できる
- **接続終了**
  保護された特別な終了メッセージを使って、接続を安全に終了する。これにより、攻撃者が接続の終了を偽造して、転送中のデータを切り捨てる危険を防止する

1.8.1　簡単なハンドシェイク

　Aliceはまず、通信の用意ができたというメッセージをBob宛に送ります。ここには暗号化された内容はなく、ただの文字列である「Hello」しか含まれていません。Bobは証明書で応答します。これで証明書獲得機能が実現されたので、後は以前と同様に個々のメッセージを送信する方式を実現できますが、もっと良い方法があります。このフェーズの目的は、AliceとBobが1つの秘密を共有することです。この秘密を「マスターシークレット（MS：Master Secret）」といいます。MSを共有した2人には、このMSを知っているのは相手しかいないことがわかっています。次に、このMSを使って、データの暗号化に使う鍵を作成します。

　最初のステップは、MSとなる乱数をAliceが生成することです。実際にこれを行うには、暗号論的に安全な乱数発生器が必要で、思っているより大変です。やり方はいくつもありますが、どれも魔法の世界に足を踏み入れているようなものなので、ここでは取り上げません。AliceがMSを生成したら、後はそれをBobの公開鍵で暗号化します（暗号化されたマスターシークレット（EMS：Encrypted MS））。これで、必要な作業の半分が終わりです。Aliceには、MSを持っているのは自分とBobしかいないことがわかっています。BobがAliceの身元を気にしなければ、AliceはそのEMSをBobに送るだけで通信を開始しても構いません。これを「一方向認証」といいます（図1.8）。この種の認証は、例えばBobがインターネット上に店舗を開いていて、Aliceのクレジットカード番号だけ知りたいようなときに便利です。

図1.8
一方向認証によるハンドシェイク◆監訳注6

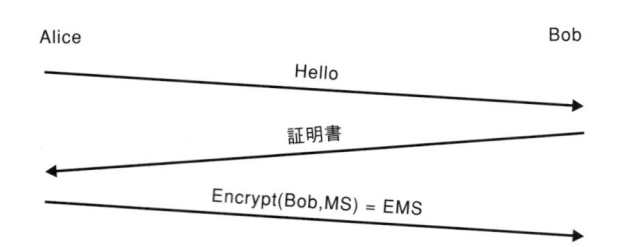

```
Alice                                    Bob
  |────────── Hello ──────────────────────>|
  |<───────── 証明書 ─────────────────────|
  |────── Encrypt(Bob,MS) = EMS ──────────>|
```

　一方、Bobの関心事がAliceの身元であるときは、Bobに対して身元を明らかにするための機能をプロトコルに追加しなければなりません。例えば、Aliceが自分の秘密鍵でEMSに署名すれば、Bobはその署名を検証し、送られてきたEMSがAliceからのものであることを確信できます。

　この新しいプロトコルでは、1つ新しい巧妙な技が使われています。Bobが自分の証明書と一緒に、「Nonce」と呼ばれる乱数をAliceに送信することです（図1.9）。この目的は、攻撃者がAliceのメッセージ全体をBobに再送信し、あたかも新しいやり取りであるかのように思い込ませることを阻止することにあります。この種の攻撃を「再送攻撃（replay attack）」といいます。鍵を作成するときにNonceを使えば、このハンドシェイクで作成された鍵が、ほかのハンドシェイクで作成された鍵と異なったものになることが保証されます。

図1.9
相互認証によるハンドシェイク◆監訳注7

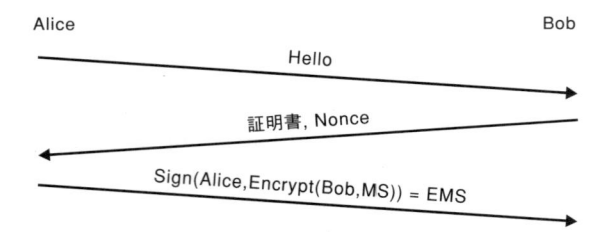

```
Alice                                    Bob
  |────────── Hello ──────────────────────>|
  |<───────── 証明書, Nonce ──────────────|
  |── Sign(Alice,Encrypt(Bob,MS)) = EMS ──>|
```

1.8.2　簡単なデータ転送プロトコル

　ハンドシェイクが終わった時点で、AliceとBobはマスターシークレットを共有していますが、それで何かいいことがあるのでしょうか。ここでの目的は、AliceとBobとでデータを転送させることであり、乱数を転送させることではありません。そして、データ転送のためには、そのためのまったく別のプロトコルが必要です。以降では、そのプロトコルの簡易版を作成してみましょう。

◆6　図1.8中の「Encrypt(Bob, MS)」という表記は、Bobの公開鍵で暗号化したマスターシークレットを示しています。なお実際には、この図に示された処理だけでは、「一方向認証」が完了したとはいえないと考えられます。

◆7　図1.9中の「Sign(Alice, Encrypt(Bob, MS)) = EMS」という表記は、Bobの公開鍵で暗号化したマスターシークレットと、Bobが送信したNonceから生成したAliceの秘密鍵による署名を、EMSとして送信することを示しています。なお実際には、この図に示された処理だけでは、「相互認証」が完了したとはいえないと考えられます。

1.8.3 鍵の作成

最初に、鍵を作成します。一般に、種類の異なる操作に同じ鍵を使うことはよくないとされています。その理由については、後述するストリーム暗号の箇所で触れますが、一種の保険と考えておけばよいでしょう。いま、攻撃者があるアルゴリズム (例えば暗号化アルゴリズム) の破り方を編み出したとします。MAC と暗号化に同じ鍵を使用していて、暗号化が破られたとすれば、その通信の安全はまったく保証されません。しかし、別々の鍵を使っていれば、暗号化が破られても MAC はまだ安全です。

ここでは、各方向への暗号化に 1 つずつ、各方向への MAC に 1 つずつ、合計 4 つの鍵が必要です。これらの鍵の作成には、今までの説明にはないツールを使います。一般には、KDF (Key Derivation Function) と呼ばれている関数が使われます。KDF は、マスターシークレットと、通常は何らかの乱数データを受け入れて、そこから適切な鍵を作成します。ここでは、マスターシークレットと Bob からの Nonce を KDF への入力とします。KDF は、メッセージダイジェストから作成されるのが普通ですが、その詳細は割愛します。

これらの鍵を、便宜上、次のように表します。

- E_{cs}
  クライアントからサーバに送られるデータの暗号化鍵
- M_{cs}
  クライアントからサーバに送られるデータの MAC 鍵
- E_{sc}
  サーバからクライアントに送られるデータの暗号化鍵
- M_{sc}
  サーバからクライアントに送られるデータの MAC 鍵

1.8.4 データレコード

次に、データのパッケージング方法を記述しなければなりません。TCP のような信頼性の高いプロトコルを使うなら、単純にデータを暗号化してストリームとしてネットワークに送り出せばよいと思うかもしれません。では、MAC はどこに挿入すればよいでしょうか。最後に送信するというなら、すべてのデータを処理し終わるまで、メッセージ完全性が望めないことになります。受信したデータに不正がなかったかどうかがわからず、安心して処理できないというのでは困ります。

この問題は、データをいくつかのレコードに分割し、どのレコードにもそれ自身の MAC を持たせることで解決できます。レコードを 1 つ読み、その MAC を検査して不正がなかったことがわかれば、すぐにその処理にとりかかれます。以下では、この解決方法に使う最小限のレコードフォーマットを説明します。

通信でデータを読み取るとき、どのデータバイトが暗号化されたデータで、どれが

MACかがわからないと困ります。どのレコードにも一定量のデータを詰めることにすれば簡単に判別できますが、これはあまりうまくいきません。場合によっては、一度に1バイトのデータだけを送信したいこともあります。もしレコード長が20バイトに固定されていれば、送信時にデータを20倍にも膨らませなければならないことを意味します。大量のデータを送信したいときには、とても受け入れられるやり方ではありません。

固定長レコードが非効率であるなら、可変長レコードを使用できるような方法を考えなければなりません。長さフィールド(Length)を設け、どこまでがレコードデータかを示すようにすればよいでしょう。このフィールドをレコードの前に置き、どれだけのデータを読めばよいかがわかるようにします。MACは前でも後ろでも構いませんが、一般には後ろに置かれ、メッセージの計算後に末尾に付加されます(プログラミング上の便宜の問題)。こうして、図1.10のようなレコードフォーマットが得られます。

図1.10
簡単なレコードフォーマット

長さ(Length)	データ(Data)	MAC

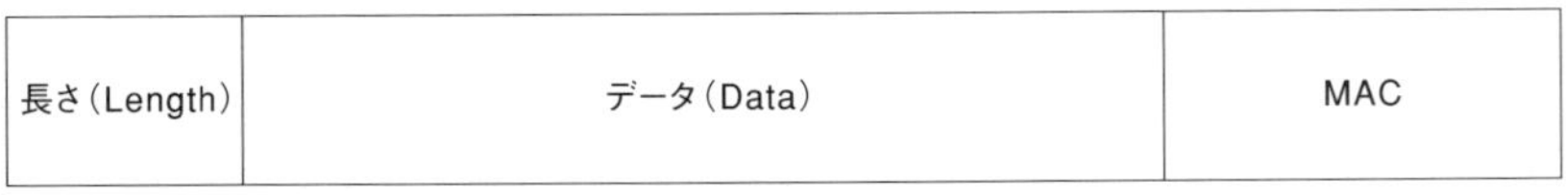

クライアントが長さ L のデータブロック D を暗号化したい場合、次の手順を実行します。

1. M_{cs} を使ってデータからMACを計算する。これをMAC M とする
2. E_{cs} を使って D を暗号化する。これを C という。ここでは、暗号化データとデータの長さは等しいものとするが、「1.13 ダイジェストアルゴリズム」で見るとおり、この想定は必ずしも正しくない
3. $L \,||\, C \,||\, M$ を送信する(「$||$」は連結を表す)

このデータを読み取るとき、サーバは逆の手順を実行します。

1. 通信回線から L を読み取る。D が L バイトであることがわかる
2. 通信回線から C と M を読み取る
3. E_{cs} を使って C を復号し、D を得る
4. M_{cs} を使って D に対するMAC M' を計算する
5. $M' = M$ なら、問題がないのでレコードを処理し、それ以外ならエラーを報告する

言い換えると、MACの計算については図1.11に示すとおりになります。図中の x は、データの送信方向に応じて cs または sc になります。

図 1.11
MAC の計算

送信側：
$$M = \text{MAC}(M_x, D)$$

受信側：
$$M' = \text{MAC}(M_x, D)$$
M と M' を比較

1.8.5 シーケンス番号

残念ながら、この簡易プロトコルにはセキュリティ上の欠陥があります。レコードに送信順序に従ったラベル付けが行われていないため、攻撃者が通信回線からレコードを抜き取り、それを受信者に再送することができます（前述した「再送攻撃」です）。なぜ再送攻撃ができるのかを理解するために、メッセージが金融取引のデータで、攻撃者が支払いを2回受けようとする場合を考えてみましょう。再送攻撃への対策が講じられていないと、攻撃者は支払いを要求するメッセージを再送するだけで目的を達成できます。

私たちのプロトコルの現状では、攻撃者が途中でレコードを抜き取り、並べ替えることができます。こうした並べ替えや再送攻撃が有効な状況は、それこそ無数に存在するので、練習のつもりで考えてみてください。この問題を解消する簡単な方法は、「シーケンス番号」を使うことです。どちら側も最初に送るレコードを1とし、次に送るレコードを2とします。以後、同様です。レコードを受信したときは、そのシーケンス番号が正しいかどうか確認して、違っていればエラーを報告します。

もちろん、攻撃者がシーケンス番号を変更することがないよう、シーケンス番号はMACへの入力の一部としなければなりません。最も簡単な方法は、D を暗号化して MAC を計算する前に、D の頭にシーケンス番号 $Sequence$ を付加することです。しかし、TCP のような信頼性の高いプロトコルを使って通信するときは、シーケンス番号がプロトコルに内在しているため、あらためて送信する必要はありません。メッセージは常に順序どおりに配送されます。この場合は、双方にカウンタを用意しておき、MAC 計算の一部として使うだけで十分でしょう。

$$M = \text{MAC}(M_x, Sequence \parallel D)$$

攻撃者が Alice の「すべての」メッセージを再送する気になれば、いくらシーケンス番号を使っても、それを阻止できないことに注意してください。しかし、Bob は Alice とのハンドシェイクのたびに新しい Nonce を生成するため、攻撃者がこの攻撃を仕掛けると、Bob は異なる鍵のセットを生成することになります（Nonce が異なるため）。その結果、データレコードの復号を試みたときに平文にないゴミが発生して、MAC の確認ができません。

1.8.6 制御情報

解決しなければならないセキュリティ問題がもう1つ残っています。攻撃者はパケットを簡単に偽造できることを思い出してください。TCPにおける接続の終了メッセージもやはりパケットなので、攻撃者はこれを簡単に偽造できます。つまり、攻撃者は「強制切断攻撃(truncation attack)」を仕掛け、実際より少ないデータしかないと一方(または両方)に思い込ませることができます。この問題を防ぐには、AliceからBobに対し(あるいは逆方向に)、データの送信が終わったことを伝えられるようにする必要があります。こうすれば、攻撃者がTCPの終了を偽造しても、被害者はデータメッセージの終わりが着信しないことから、何かがあったことを察知できます。

この攻撃の防止にはいくつもの方法が使えます。例えば、長さゼロのレコードに終了の意味を持たせる、などです。しかし一般には、データストリームの一部ではない「制御メッセージ」を送信できる方法があれば、それに越したことはありません。例えば、エラーがあったらそれを報告するなどの方法です。これを簡単に実現する方法として、各レコードを、含んでいるデータの種類(通常のデータか制御なのか)によって「タイプ(型)付け」するというやり方があります。具体的には、各レコードにタイプフィールド(Type)を追加します。もちろん、タイプフィールド *Type* も、保護のためにMACの計算に含まれなければなりません。図1.12を参照してください。

MACは次のとおり計算されます。

$$M = \text{MAC}(M_x, Sequence \;||\; Type \;||\; D)$$

図1.12
改善されたレコードフォーマット

長さ(Length)	シーケンス番号(Sequence)	タイプ(Type)	データ(Data)	MAC

もちろん、前もっていくつかの型を定義しておかなければ、タイプフィールドは何の役にも立ちません。ごく簡単に定義しておきましょう。タイプフィールドが0なら、そのレコードを通常のデータとして処理します。1なら、そのレコードは制御情報です。プロトコルはレコードのデータ部分を調べて、次の行動を決めなければなりません。ここでは、すべての制御データが単純な数値からなっているものとします。0は接続の閉鎖を意味し、0以外はエラーを表すものとします。図1.13を参照してください。

図 1.13
改善されたお遊びセキュリティプロトコル (TSP) による接続

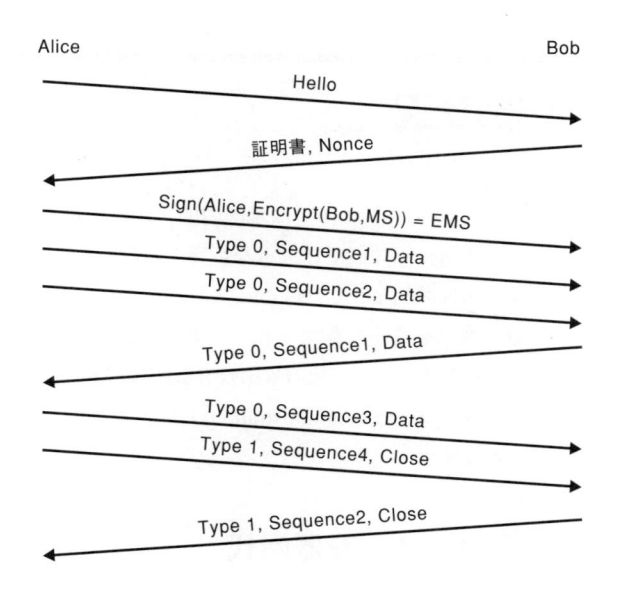

```
Alice                                           Bob
  |------------------ Hello ------------------->|
  |<-------------- 証明書, Nonce ---------------|
  |---- Sign(Alice,Encrypt(Bob,MS)) = EMS ----->|
  |-------- Type 0, Sequence1, Data ----------->|
  |-------- Type 0, Sequence2, Data ----------->|
  |<------- Type 0, Sequence1, Data ------------|
  |-------- Type 0, Sequence3, Data ----------->|
  |-------- Type 1, Sequence4, Close ---------->|
  |<------- Type 1, Sequence2, Close -----------|
```

1.8.7 ここまでのまとめ

鋭い読者はお気付きでしょうが、今作成しているTSPは、SSLの基本機能のほとんどを備えています。ハンドシェイク、鍵交換、相互認証、安全なデータ転送は、いずれもSSLの機能です。このほかに足りないものは何でしょうか。

まず、TSPはまだ完全ではなく、仕様の詳細が決まっていないので、このままでは実装できません。一口に詳細といっても、どうでもよい詳細もあります。例えば、長さフィールドの長さはどれくらい必要でしょうか。2バイトか、3バイトか、それとも可変長か。これによってレコード全体の長さが変わってくるので、決して重要でないわけではありませんが、十分に大きくすべきであるという点に関しては誰も異論がないでしょう。もっと重要度の高い詳細もあります。例えば、鍵交換や認証にはどのアルゴリズムを使うのでしょうか。いずれにせよ、実装までにはまだ決めなければならない細かい仕様が数多くあります。

詳細が決定していないことよりもっと問題なのは、いくつかの必要な機能がTSPに欠けていることです。最も重要なのが、「ネゴシエーション」の欠如でしょう。また、基本機能として、複数のアルゴリズムを選択できるようにしたいものです。そうすれば、1つのアルゴリズムが破られても、簡単にほかのアルゴリズムに切り替えられます。クライアントを認証するのか匿名にとどめるかも、選択できるようにしたほうがよいでしょう。このように不満足な点はありますが、TSPは、SSLのほとんどの機能を備えており、興味深く「教育的な」おもちゃです。

1.9 輸出状況

多くのソフトウェアは米国内で書かれているため、米国の輸出規制は通信セキュリティシステムの設計に大きな影響を及ぼしてきました。米国の輸出政策は、歴史的に国家安全保障局(NSA：National Security Agency)が決定してきました。NSAには、米国政府の通信を安全に保ちながら、他者の通信を傍受するという責務が負わされています。輸出政策の施行は、他の米国政府機関(最初は国務省、現在は商務省の輸出管理局(BXA：Bureau of Export Administration))に委ねられていますが、重要な決定はすべてNSAで行われます。

1.9.1 石器時代

1998年9月まで、輸出政策の背後にある基本的な考え方は単純明快でした。認証用の暗号化技術の輸出は認めるが、機密性には厳しい制約を加える、というものです。機密性(に関する技術)を含んでいる製品は、それがどのような機密であれ、事前の審査なしでは輸出できませんでした。この審査に適用される判断基準は公表されませんでしたが、一般には、暗号化鍵の鍵長は40ビット、鍵交換用の鍵長は512ビットまでが限界とされていました。

この基準内に収まる技術は、いわゆる「汎用品」に分類されました。これは、商務省に一般輸出許可を申請しさえすれば、後は特別の承認なしでソフトウェアを輸出できるということを意味します。ソフトウェアを市場製品として広く販売したいときや、ネット上でダウンロードさせたいときは、この承認が必要でした。ただ、汎用品に分類されたソフトウェアでも、特定の輸出禁止国(キューバ、イラン、イラク、リビア、北朝鮮、スーダン、シリア)には輸出できませんでしたし、フランスのように暗号化技術を厳しく規制している国もありました。

またNSAでは、RC2とRC4という2つの暗号化技術については特別の承認プロセスを定めていました。RC2もしくはRC4で鍵交換用の鍵長を512ビット、暗号化用の鍵長を40ビットで使う製品の場合、審査が速やかに進み、ほぼ確実に承認が得られました。ほかのアルゴリズムでも、特に問題なく承認が得られることがありました。例えばIBM社には、CDMF(Commercial Data Masking Facility)と呼ばれる短い鍵長のDES［Johnson 1993］の輸出が認められました。しかし一般には、RC2かRC4を使ったほうが万事滞りなく承認を得られました。その理由として、NSAがRC2とRC4を徹底的に研究しており、ひょっとしたら(暗号解析攻撃(cryptanalytic attack)やカスタムハードウェアによる)暗号文の復号方法を知っていたからではないかという噂までありました。いずれにせよ、NSAはRC2とRC4の輸出をしやすくし、ほかの暗号化技術の輸出を厳しく制限していました。現在、多くのシステムにRC2とRC4が使われているのはそのためです。

当時は、弱い暗号化技術しか輸出が認められないのが通例でしたが、例外が1つだけ

ありました。金融取引専用のシステム(つまり、基本的に銀行だけが使用するシステム)を輸出する場合にのみ、強い暗号化技術の使用が認められていました。

▌ 1.9.2　中世

1998年9月、暗号化技術の輸出規則が改められ、暗号化では56ビット、鍵交換では1024ビットまでが認められるようになりました。依然として、事前審査は義務付けられていましたが、少なくともそれなりに強力なアルゴリズムの使用が可能になりました。もっとも、当時からDESは弱いアルゴリズムであることが知られていたので、真に強いアルゴリズムの輸出が許可されていたとはいえません。

▌ 1.9.3　現代

1998年の規制緩和以来、暗号化技術の輸出規制が撤廃されるという噂が何度も流れましたが、実際に大幅な規制緩和が実現したのは、ようやく2000年1月になってからのことです。これにより、公開されているソースコード(オープンソースソフトウェア)はネット上にアップロードできるようになりました。市販のソフトウェアについても、1回限りの技術審査が義務付けられているものの(審査の目的は不明)、すでに強い暗号化技術を使用しているいくつかの市販製品の輸出がBXAによって承認されています。実質的に、米国から他国への強い暗号化技術の輸出が合法化されたといってよいでしょう。ただし、先に述べた輸出禁止7カ国への輸出は、依然として禁止されています。

こうした規制緩和にもかかわらず、輸出規制の影響は尾を引いており、多くのプロトコルがかつての輸出可能だった環境で動作するように設計された機能を含んでいます。SSLも例外ではありません。まず、SSLではその実装を輸出できるようにするため、強いアルゴリズムと並んで弱いアルゴリズムをいくつか含んでいます。また、一時的RSA(ephemeral RSA)やSGC(Server Gated Cryptography)など、輸出可能な範囲内でできるだけ高度なセキュリティを維持しようとするいくつかの工夫を取り入れています(どちらも第4章で取り上げます)。

1.10 暗号技術に関するアルゴリズムの実際

本書ではこれまで、暗号技術に関するアルゴリズムの種類が同じなら、アルゴリズム自体もほぼ同じであるかのように扱ってきました。しかし残念ながら、それは正しくありません。例えば、異なる電子署名アルゴリズムはそれぞれ少しずつ違いますし、鍵交換アルゴリズムや共通鍵暗号化アルゴリズムでも同様のことがいえます。こうした細部の違いは、第5章で説明しますが、セキュリティにも関係してきます。本章の残りでは、よく利用されているアルゴリズムをいくつか取り上げ、その概要を示します。本書でいずれ触れることの多いアルゴリズムですから、ここで慣れておいてください。

細かな点はどうでもいいという方は、これ以降を飛ばして、本章末尾の「1.18 まとめ」に進んでください。ほかの章でもセキュリティ問題に関する議論を取り扱いますが、アルゴリズムの詳細を知らなくても、議論の内容とその意味するところは十分に理解できるはずです。

1.11 共通鍵暗号化方式(ストリーム暗号)

共通鍵暗号化方式には、大きく分けて「ストリーム暗号」と「ブロック暗号」の2種類があります。ストリーム暗号のほうが理解しやすいので、先にこちらを説明します。ストリーム暗号のアルゴリズムはきわめて単純です。一度に1バイトずつデータを発生する関数があって、発生するデータの流れを「鍵ストリーム」といいます。この関数への入力は暗号化鍵であり、発生する鍵ストリームはこの鍵によって厳密に制御されます。この鍵なしでは、鍵ストリームを予測することができません。鍵ストリームからデータを1バイトずつ取り出し、それを平文の1バイトと組み合わせて、暗号文の1バイトを得ます。正確な組み合わせ方は大した問題ではありませんが、最もよく使われるのは排他的論理和(XOR)です。

$$C[i] = KS[i] \oplus M[i]$$
$$M[i] = KS[i] \oplus C[i]$$

この表記は、これ以後ずっと使い続けるものなので、ここで説明しておきましょう。$C[i]$は、暗号文のi番目の単位を表します(この場合の単位はバイト)。同様に、$KS[i]$は鍵ストリームのi番目の単位であり、$M[i]$はメッセージのi番目の単位です。$\oplus$は排他的論理和を表す記号です。したがって、上記の式の意味は、鍵ストリームの第iバイト目とメッセージの第iバイト目とで排他的論理和をとり、暗号文の第iバイト目を得る、と

いうことです。また、$A \oplus B \oplus A = B$ なので、暗号文は鍵と排他的論理和をとるだけで復号できます。

　残念ながら、ストリーム暗号には暗号化と復号の対称性があるため、セキュリティ上危険ないくつかの性質を持っています。最も重大なのは、2つの異なるメッセージの暗号化に、鍵ストリームの同じ部分を「絶対に」再使用してはならないということです。その理由として、2つのメッセージ M と M' を同じ鍵で暗号化した場合を考えてみましょう。攻撃者に M が知られてしまうと、$M \oplus C$ の計算によって、簡単に KS がわかってしまいます。そして KS がわかり、攻撃者が C' を取得した場合、M' を計算できてしまいます。

$$M' = (M \oplus C) \oplus C'$$

　こうした状況は、驚くほど頻繁に発生します。多くの通信フォーマットが予測可能かつ反復的なデータを大量に含んでいることから、攻撃者は1つのメッセージを得ると、そこからかなり多くの内容を推測できてしまいます。そこへ同じ鍵で暗号化された新しいメッセージが与えられれば、得た知識を利用して、その新しいメッセージを復号できます。

　さらに、2つの暗号文の排他的論理和をとれば鍵の影響が完全に取り除かれるので、たとえどちらのメッセージからも平文が得られなくても、攻撃者は攻撃を仕掛けることができます。

$$C \oplus C' = M \oplus M'$$

　排他的論理和をとった2つの平文の復号方法がよく知られている現在、そのような暗号文が2つそろうのは大変危険です。複数のテキストをストリーム暗号で暗号化するときは、それぞれに別の鍵を使うか、鍵ストリームの別の部分を使用しなければなりません。

　1つの鍵ストリームを一度しか使用しない場合でも、ストリーム暗号で暗号化されているデータを改竄することは驚くほど簡単です。攻撃者がメッセージ M を知り、暗号文 C を知ったとします。このメッセージを変更し、復号したときに新しいメッセージ M' になるようにしたいとすれば、それを行うための暗号文 C' は、次のように簡単に計算できます。

$$C' = C \oplus (M \oplus M')$$

　平文そのものがわからなくても、暗号文と平文の間にはビットレベルで一対一の対応関係があることから、加えるべき変更は予測できます。つまり、暗号文中のあるビットを反転させれば、平文中の対応ビットが反転します。そのため、ストリーム暗号を使う場合には、必ず、強い MAC を併用しなければなりません。

1.11.1　RC4

　ストリーム暗号の中で広く注目され、普及しているものは、RC4 だけです。RC4 は Ron Rivest によって考案され、長い間 RSA Data Security 社（RSADSI 社）独自の暗号化方式として同社の製品に使用されてきました。1994 年に、何者かが匿名で Cypherpunks のメーリングリスト◆監訳注8 に暗号化方式を投稿し、RC4 であると主張しました。その後のテストの結果、投稿された暗号化方式と RSA 社の RC4 実装との間に整合性があることが実証され、この暗号化方式はきっと RC4 コードの逆アセンブル版からリバースエンジニアリングされたものか、RSA 社のソースから何者かによってリークされたものだろうといわれました。RC4 という名前自体は RSADSI 社の登録商標であるため、その暗号化方式は一般に Alleged RC4（推定 RC4）や Arcfour と呼ばれました。

　RC4 は鍵長が可変の暗号化方式であり、鍵長は 8 ビットから 2048 ビットまで、どのような長さでも構いません。長さの大小にかかわらず、その鍵は一定サイズの内部状態テーブルに展開されますから、鍵長に依存せず、アルゴリズムの処理速度が遅くなることはありません。SSL と TLS で使用する RC4 は、鍵長を常に 128 ビット（16 バイト）として RC4 を使います。RC4 はきわめて高速で、400MHz の Pentium II で 45 メガバイト／秒（45MBps）ほどの処理速度が得られます。

1.12　共通鍵暗号化方式（ブロック暗号）

　共通鍵暗号化方式でストリーム暗号と同じように有力なのが、「ブロック暗号」です。ブロック暗号は、巨大なルックアップ表と考えることができます。データは、数バイト（普通は 8 ～ 16 バイト）からなるブロックという単位で処理され、発生しうる平文のブロック 1 つひとつが表中の 1 行に対応します。鍵は、この表から 1 つの列を選択するために用いられます。つまり、あるブロックを暗号化するときは、まず、鍵に対応する列を見つけます。次にその列を下っていって、暗号化したいブロックに対応する行を見つけます。その交点のエントリが暗号文となります。もちろん、そのような表は巨大すぎて管理不可能なので、実際には何らかの関数に計算を代行させますが、考え方としては、無作為に配列された表を関数でシミュレートします。

　見方を変えると、ブロック暗号化方式は 2 つの変数（鍵と入力ブロック）を引数に持つ関数ともいえます。2 つの関数 E（暗号化用）と D（復号用）があって、M は平文、C は暗号文とすると、次のように表せます。

◆8.　Cypherpunks は、暗号を利用したプライバシー保護に興味を持つグループで、主にメーリングリストを中心に活動しています。

$$C = E(K, M)$$
$$M = D(K, C)$$

これまでのところでは、ほんの 8 バイト程度のデータを暗号化できるようになったにすぎません。実際に暗号化するメッセージは、ずっと大きいのが普通です。どうすればよいでしょうか。すぐに思いつくのが、ECB（Electronic CodeBook）モードという方法です。簡単にいうと、メッセージをブロックサイズの断片に分割し、その 1 つひとつを暗号化アルゴリズムで暗号化します。

$$C[i] = E(K, M[i])$$
$$M[i] = D(K, C[i])$$

素直な考え方ですが、明らかな欠点があります。例えば、$M[j]$ と $M[k]$ というブロックがあり、その 2 つがまったく同じだったとします。この場合、$C[j]$ と $C[k]$ も同じになります。あるパターンが繰り返し現れるようなメッセージでは、攻撃者がそのパターンを検出し、何らかの平文の情報を学びとることができます。この欠点はないほうがよいでしょう。

この問題は、CBC（Cipher Block Chaining）モードで解決できます。CBC モードでは、各平文ブロックの暗号化が、先に求めた暗号文ブロックに依存します。具体的には、平文ブロックと先に求めた暗号文ブロックの排他的論理和をとってから暗号化します。

$$C[i] = E(K, M[i] \oplus C[i-1])$$
$$M[i] = D(K, C[i]) \oplus C[i-1]$$

CBC モードでは、たとえまったく同じ平文ブロックが 2 つあっても、先行する暗号文ブロックが同じでない限り、暗号化の結果はまず同じにはなりません。$M[j]$ と $M[k]$ が同じで、$M[j-1]$ と $M[k-1]$ が異なる場合を考えてみましょう。ここでは、$C[j-1] \neq C[k-1]$ なので、$C[j] \neq C[k]$ となります。

残る問題は、最初の暗号文ブロックをどうするか、です。先に求めた暗号文ブロックとの排他的論理和をとりたくても、それが存在しないため、別のやり方が必要です。すべてゼロに初期化したブロックを使うこともできますが、2 つのメッセージの最初の暗号ブロックが同じだと、攻撃者にわかってしまいます。そこで、この問題の解決には、乱数ブロックを生成することにします。これを「初期化ベクタ（IV：Initialization Vector）」といいます。暗号化に先だって、この IV とメッセージの最初の暗号ブロックとの排他的論理和をとります。普通は、IV をメッセージと一緒に送信しますが、両者で何らかの値を共有しておき、そこから生成してもよいでしょう。IV は秘密である必要はありませんが、メッセージごとに違っていなければなりません、つまり、フレッシュであるべきです。

ブロック暗号には、このほかにも、OFB（Output FeedBack）モード、CFB（Cipher FeedBack）モードなど数多くの種類がありますが、CBC モードが一番利用されており、

SSLではこのCBCモードのみ使用します。

　CBCモードのブロック暗号では、必ずデータ量が少し増えます（ストリーム暗号では、そのようなことは起こりません）。つまり、データ入力がブロックサイズの倍数でなければならないのに、ほとんどのデータはそうなっていないため、最後のブロックに「パディング」して、ブロック境界に合わせることが必要です。これは少し気を使う作業です。というのも、復号時にはデータ自体に触れず、パディングだけをすべて取り去らなければならないからです。普通は、パディングのバイト数をメッセージに付加します。もし、メッセージが偶然にブロック境界で終わっていると、1ブロック分のパディングが必要になります。メッセージが大きければ、暗号化に伴うデータ量の増加は大した問題になりませんが、一度に1バイトずつ暗号化するようなときは、入力の1バイトに対して1つの暗号ブロックが出力されるので、データが大きく膨張し、ネットワークの帯域幅を浪費することになります。

　CBCモードのブロック暗号は、ストリーム暗号より安全に使えます。異なるデータに同じ鍵を使っても、同じIVを使用しなければ危険はありません。また、たとえ同じIVを使用したとしても、その結果として攻撃者が知りうるのは、せいぜい2つのメッセージが同じであることだけです。これに対してストリーム暗号では、同じ鍵を再使用すると暗号文が危殆化されてしまいます。

　ブロック暗号は完全性攻撃（integrity attack）に対する耐性も持っています。攻撃者が暗号文を変更しても、変更した当のブロックだけでなく次のブロックも変化してしまうことから、平文には攻撃者の狙いどおりの変更は生じません。ただし、最初のブロックだけは例外です。IVがメッセージに含まれていて、完全性が保護されていないと、攻撃者はIVを書き換えることで最初のブロックを狙いどおりに変更することができます。IVはXORで組み込まれているので、攻撃者はIVのいずれかのビットを反転させることで、ブロック中の対応ビットを反転させることができます。一般には、ブロック暗号を使用するときもMACの重要性は変わりませんが、攻撃者はストリーム暗号で暗号化されたデータのときのような思い通りの改竄はできません。

　CBCモードでは、CBCロールオーバー（CBC rollover）攻撃に気を付けなければなりません。例えば、2つのデータブロック$M[i]$と$M[j]$が、暗号化で同じ値Cになる場合を考えてみましょう。$M[i+1] = M[j+1]$なら、$C[i+1] = C[j+1]$なので、攻撃者は$M[i+1] = M[j+1]$であることを察知できます。ブロックサイズがXビットの場合、2つの暗号文の値が一致する確率は、平均して、$2^{X/2}$（DESでは2^{32}）ブロックに1回です。したがって、この量を超えるデータを1つの鍵で暗号化してはなりません。

1.12.1　DES

　最も広く使用されている共通鍵暗号化方式は、なんといってもDES（Data Encryption Standard）です。DESは、1970年代に商務省標準局（NBS：National Bureau of Standards。現在は標準技術協会（NIST：National Institute of Standards and Technology）に改組）の要請に応じてIBM社が設計した暗号化方式です。IBM社が特許権を持っていますが、同社

はその自由な使用に同意しており、[NIST 1993a] で標準化されています。

DES は 64 ビットのブロック暗号であり、56 ビット長の鍵を使います。つまり、データは 8 バイトのブロック単位で暗号化され、鍵空間は 56 ビットです。しかし、実際の DES の鍵長は 64 ビットで、各バイトの最下位 1 ビットがパリティビットとして、伝送エラーや鍵の暗号化と復号の検出に使用されています。ただ、DES の鍵は公開鍵暗号化方式で暗号化されるのが普通なので、実際にはパリティチェックは不要です。パリティビットも、一般には無視されます。

DES は、アルゴリズムが公開されている暗号化方式の中で、間違いなく最も研究されている暗号化方式です。DES が提案されたとき、NSA が設計の手助けをしたことが知られています。設計上の決定のいくつかは理由が不明で、説明もなされませんでした。DES を開発した IBM 社の暗号研究者は、当時、どのような攻撃を念頭に置いていたかを語りませんが、DES の潜在的弱点（世界中の誰も知らない弱点）を知っていたことは明らかです。DES が意図的に弱体化されているのではないかという懸念の声があがったのは、当然のことです。

最初に注目されたのは、S ボックスと呼ばれるアルゴリズム部分です。S ボックスの構造は、長い間、NSA のために設けられた暗号解析のための「裏口（バックドア）」ではないかと疑われてきました。しかし、1990 年から 93 年にかけて、Eli Biham と Adi Shamir が独自の差分解析法を DES に試したところ、S ボックスが差分攻撃に抵抗できるよう最適化されていることが明らかになりました（[Biham 1991a、Biham 1991b、Biham 1993a、Biham1993b]）。それでも、極度に疑い深い少数の人だけは、いまだに S ボックスを疑っています。

DES に対する真に強力な解析攻撃は知られていません。しかし、鍵長が 56 ビットという短さであり、コンピュータの高速化が進んでいることから、DES は今日では弱い暗号化方式と見なされています。1997 年には、インターネット上の多数のマシンに探索空間を割り振るという分散方式の総当たり探索によって、1 個の DES 鍵の取り出しに成功しています。また 1998 年には、Deep Crack と名付けられた特別な仕様の DES 探索マシンが、56 時間で DES 鍵を取り出しました。本書を執筆している現在、その記録は 24 時間を割るまでになっています。DES はもはや、あまり価値がないか、寿命の短い情報にしか使えない暗号化方式です。

1.12.2　3DES

DES は、果敢な解析にもよく耐えた暗号化方式でした。そこで、DES の鍵長が短すぎることが明らかになったとき、DES の暗号化を繰り返す方法が提案されました。これを多重暗号化（superencryption）といいます。多重暗号化は魅力的な提案に思われました。残念ながら、DES 処理を 2 回繰り返しただけでは（2DES）、DES より大幅に安全になるわけではありません。meet-in-the-middle 攻撃◆監訳注9 と呼ばれる攻撃があって、2^{56} ブ

◆9.　あえて日本語に訳せば、中間一致攻撃となります。

ロック分のメモリ◇があれば、DES を破るのと同じ時間で 2DES を破ることができます。そのため、多重暗号化を行うなら、データの DES 処理を 3 回繰り返すことを余儀なくされました(3DES)。3DES の実効強度は 112 ビットです。一見すると 2DES の強度のように思えますが、そうではありません。

> ◇ meet-in-the-middle 攻撃では、実は時間とメモリ量の間にトレードオフ関係があり、CPU 時間がかかってもよければ、必要なメモリ量を減らすことができます。時間とメモリ量の積は、2^{112} で一定です([Menezes 1996] を参照)。

ここで述べたことだけでは、3DES の全貌が見えません。DES 処理を 3 回といっても、すべてが暗号化処理である必要はありません。最もよく利用されているのは、「暗号化・復号・暗号化(EDE:Encrypt-Decrypt-Encrypt)」と呼ばれるモードです。つまり、鍵 1 で暗号化し、鍵 2 で復号し、鍵 3 で暗号化します。これは、「暗号化・暗号化・暗号化(EEE:Encrypt-Encrypt-Encrypt)」とセキュリティが変わらない上、3 つの鍵をすべて同じにすれば 1 回の DES 処理と同じになる、という大きな利点があります。つまり、3DES ハードウェアと DES ハードウェアの相互運用が可能です。この方式を、一般に、3DES-EDE といいます。

3DES 処理には、当然、DES 処理のほぼ 3 倍の時間がかかります。DES そのものがあまり高速ではないので、パフォーマンス最優先のアプリケーションでは 3DES が敬遠される傾向にあります。また、鍵関連に 192 ビット(168 ビットの鍵と 24 ビットのパリティ)を使いながら、セキュリティの強度が 112 ビットしかないというのも、一部では不評です。3DES で 2 つの鍵を使う(2 回の暗号化を同じ鍵で行い、復号を別の鍵で行う)方法もありますが、2 つの鍵を使う 3DES には、$O(t)$ の空間と $2^{120-\log_2 t}$ 回の操作で破られるという弱点があることが知られています。現実にこの攻撃が仕掛けられることはなさそうですが、3 つの鍵を使う 3DES にはその攻撃を仕掛けること自体が不可能なので、安全志向でいくなら 3 つの鍵を使う 3DES を使うべきでしょう。

1.12.3　RC2

RC2 は、RC4 の考案者 Ron Rivest が考案したブロック暗号です。RC4 同様、RSADSI 社の企業秘密でしたが、やはり何者かによって公表されました。その後、Ron Rivest 本人が、RC2 を解説する RFC を書いています。しかし、RC2 という名前は RSADSI 社の商標なので、RFC ではこれを RC2(r)と呼んでいます。

RC2 は、ひとひねり加えられた可変長暗号です。また、有効鍵長(effective key length)も可変です。64 ビット鍵で使用できますが、その場合は 2^{40} 回の操作で破ることができます。このため、輸出するときには都合がいいものとなります。DES 同様、ブロックサイズは 64 ビットです。SSL で RC2 を使うときは、常に 128 ビット鍵で 128 ビットの有効鍵長を使用します。

1.12.4 AES

DESは、先にも述べたとおり暗号技術に関する重大な脆弱性こそ見つかっていませんが、鍵長が短すぎます。新しい暗号で置き換えるべき時期にきています。そこでNISTは、1997年、AES（Advanced Encryption Standard）の提案を呼びかけました。AESは新しい標準となるべき暗号化方式の提案を求めるもので、最小ブロックサイズが128ビットで、鍵長として128ビット、192ビット、256ビットの3通りを利用できるものとされました。また、予測できる将来にわたって十分な強度を持つものが要求されました。さらにAESアルゴリズムは、ソフトウェア的にも計算処理が高速であることが求められました。実際、ほぼすべての提案が速度でDESを上回りました。

本書を執筆している現在、NISTは最終候補をMARS［Burwick 1999］、Serpent［Anderson 1999］、Twofish［Schneier 1998］、Rijndael［Daemen 1999］、RC6［Rivest 1995］の5つに絞り込んでいます。最終決定は2000年と見られています◆監訳注10。応募要項には、選ばれたときはアルゴリズムを無償で提供する、という条件が付いていました。そのため、AESは無料で使用できるでしょう。

1.12.5 ここまでのまとめ

図1.14に、これまで説明してきた各種の共通鍵暗号化方式のアルゴリズムをまとめておきます。それぞれの計算処理速度を比較すると、RC4が断然の速さを誇り、3DESとRC2は相当に遅いことがわかります。RC2とRC4は可変長の鍵を使用しますが、鍵長に依存せず速度は変わりません。これに対し、3DESはDESよりずっと遅いものの、セキュリティの強度はそれだけ高くなっています。128ビット長の暗号の輸出が許可されている現在、セキュリティ面でもパフォーマンス面でも3DESに対して特に優位のないRC2は、ほぼ出番がなくなったと言ってよいでしょう。あるとすれば、40ビットのシステムとの整合性を維持したい場面だけです。

図1.14
よく使われている暗号技術に関するアルゴリズム（OpenSSL、FreeBSD、Pentium II 400）

暗号	鍵長	速度(MBps)
DES-CBC	56	9
3DES-CBC	168	3
RC2-CBC	可変	9
RC2-CBC	可変	3*
RC4	可変	45

*RC2のベンチマークのうち速いほうは、Celeron 450でWindows 2000を稼働させたときのもの（[Dai 2000]）。ほかのベンチマークはOpenSSLで得られたもの

◆10. 2000年10月2日、NISTはRijndaelをAESに選定しました。その後AESはFIPS 197（Federal Information Processing Standard: 米国連邦情報処理標準）として承認され、米政府が取り扱う機密文書の暗号化技術として使われています。

1.13 ダイジェストアルゴリズム

プロトコル設計の観点で見ると、どのダイジェストアルゴリズムも大変似通っていて、違いは出力のサイズくらいです。最もよく使われているアルゴリズムは、Ron Rivest（何度もお目にかかる名前です）が設計した MD5 と、NIST が（おそらく NSA の助けを借りて）設計した SHA-1 の 2 つです。

MD5 と SHA-1 は、どちらも共通の原型である MD4（やはり Rivest が考案したものです）から派生しています。基本的に、MD5 は MD4 の強化版と言ってよいでしょう。MD5 の出力は、MD4 と同じく 128 ビットです。SHA-1 も MD4 を基礎にしていますが、出力が 160 ビットで、その分だけ強力になっています。後述する「誕生日のパラドックス」のため、ダイジェスト値が同じ値になる（衝突を起こす）ような 2 つのメッセージを見つけることの困難さは、鍵空間の平方根にほぼ等しくなります。したがって、MD5 では約 2^{64} 回の操作で衝突が見つかり、SHA-1 では 2^{80} 回の操作で見つかります。最近、総当たりでなく、もっと簡単に MD5 で衝突を発生させる方法があるらしいことがわかってきました（[Dobbertin 1996]）。そこで、堅実な設計では必ず SHA-1 が使用されます。

「誕生日のパラドックス」という名前は、数学的な座興から来ています。無作為に選ばれた 23 人が 1 つの部屋に集まると、そのうちの 2 人が同じ誕生日である確率は 50% を超えるというものです。ほとんどの人は 128 人くらいの人数が必要だろうと考えていて、この結論を聞かされると驚きます。ここで注意すべきなのは、2 人の誕生日が同じであることの確率が問題なのであって、誰かの誕生日が特定の日であることの確率ではないことです。また、すでに誰かに割り当てられている誕生日空間は、人が 1 人増えるたびに枯渇していくことにも注意しなければなりません。ハッシュ衝突でも、2 つのメッセージが同じダイジェストになるという確率が問題なわけなので、規模はもっと大きくなりますが、同じことがいえます。

非常に古い証明書への署名には、ときに MD2 という、MD4 に似たアルゴリズムが使われていました。最近のシステムでは MD2 は使用されません。また、SHA というアルゴリズムが使われていましたが、脆弱性があったため、これを改善した SHA-1 が設計されました。図 1.15 に MD5 と SHA-1 を比較しておきます。

図 1.15
ダイジェストアルゴリズムの比較（OpenSSL、FreeBSD、Pentium II 400）

ダイジェスト	出力サイズ(ビット数)	速度(MBps)
MD5	128	65
SHA-1	160	31

1.14 鍵の確立

公開鍵暗号化方式の主な用途は、鍵の確立と電子署名です。本節で鍵の確立、次節で電子署名を取り上げます。

鍵の確立には、「鍵交換」または「鍵配送」というものと、「鍵合意」というものがあります。前者では、一方が共通鍵を生成し、それを他方の公開鍵で暗号化します。後者では、両者が協力して共通鍵を生成します。以降では、RSA と DH という 2 つのアルゴリズムについて説明します。RSA は鍵配送アルゴリズムとして使えます。また、DH は鍵合意アルゴリズムに相当します。

1.14.1 RSA

公開鍵暗号化方式と聞くと、ほとんどの人は RSA のことを考えます。RSA は、Ron Rivest、Adi Shamir、Len Adelman の 3 人によって 1977 年に考案された公開鍵アルゴリズムです([Rivest 1979])。3 人のイニシャルにちなんで RSA といいます。RSA の仕組みそのものは、きわめて単純です。各ユーザが公開鍵と秘密鍵を持っていて、公開鍵は自由に配布できますが、秘密鍵は秘密にしておかなければなりません。

RSA の公開鍵は、実際は 2 つの数からなっています。1 つは「法(モジュロ)」(n)、もう 1 つは「公開指数」(e)です。法は、きわめて大きな 2 つの素数(p と q)の積です。p と q も秘密にしておく必要があります。RSA のセキュリティは、n を因数分解して p と q を得ることの難しさに依存します。

秘密鍵はまた別の数で、通常は d と呼ばれます。d は、p、q と e を知らないと計算できません。RSA 鍵の鍵長というとき、それは法の長さを意味します。RSA の公開指数 e においては、e と $(p-1)(q-1)$ とが互いに素でなければなりません。便宜上、e にはいくつかの小さな素数(普通は 3、17、65537)のうち 1 つが選択されます。e を小さくすることで、公開鍵での操作が高速に実行されます。e が決まると、d は次のように計算されます。

$$d = e^{-1} \bmod (p-1)(q-1)$$

RSA で公開鍵 (e, n) を使ってメッセージ M を暗号化するには、$C = M^e \bmod n$ を計算します。$\bmod n$ は、n を法として計算することを意味します。つまり、M の e 乗を n で割って、余りを求めます。メッセージの復号には、対応する秘密鍵が必要です。例えば、$2^5 \bmod 10 = 2$ で、$2^5 \bmod 7 = 4$ です。メッセージを復号するには、$M = C^d \bmod n$ を計算します。これでちゃんとうまくいくことは、信じていただくしかありません。

上では説明しませんでしたが、メッセージは数値であると想定しています。実際にはバイト列でしょうから、そのメッセージを数値に変換する何らかの規則が必要です。こ

の数は、nとほぼ同じ大きさの数でなければなりません（nより大きくてはなりません）。その理由は、確実に$M^e > n$としたいからです。さもないと、$C = M^e \bmod n = M^e$となり（つまり、$\bmod n$は意味をなしません）、攻撃者はCのd（整数）乗根をとることで、Mを復元できます。しかし、$M^e > n$なら、そのような攻撃はできません。Mをnとほぼ同じ大きさの数にすれば、確実に$M^e > n$となります。

　この変換の標準的な手順は、PKCS #1（Public Key Cryptography Standards #1）［RSA 1993b］に仕様化されています。しかし、この手順をSSLに適用すると、セキュリティ上の問題が発生することがわかっています。PKCS #1 バージョン2 ［Kaliski 1998a］ではその問題が修正されていますが、現在、広く使われているとはいえません。

　ここで手順をまとめておくことにしましょう。まずは、フォーマットされた暗号化ブロックがどれほどの大きさでなければならないかを計算します。nがLビットの数なら、暗号化ブロックは$L/8$バイトの長さ（切り上げ）です。最初（最上位）のバイトは常に0です。2番目のバイトは「ブロックタイプ」に応じて設定され、暗号化なら2、署名なら1となります。これで、作られる数がnよりわずかに小さくなります。

　メッセージは、暗号化ブロックの下位数バイトに入り、頭に1バイトの0が付加されます（図1.16を参照）。中間の各バイトは「パディング」で埋められます。ブロックタイプ1では、255の値（バイト単位）がパディングとして使われます。ブロックタイプ2では、ゼロでない乱数のバイト列がパディングとして使われます。こうすることの背景には、メッセージに何度署名しても署名は同じだが、メッセージを何度も暗号化するときは暗号化ブロックがそのつど異なること、という考えがあります。暗号化ブロックを復元するときは、3バイト目から出発して右へ移動し、最初のゼロ（バイト単位）を見つけることで、データがどこから始まるかがわかります。ゼロの直前が最後のパディングです。

　暗号化では、平文推測攻撃（plaintext guessing attack）を防ぐために、少なくとも8バイトのパディングが必要です。パディングがないと、攻撃者は適当な平文を公開鍵で暗号化してみて、当該暗号文が得られるかどうか試すことができます。パディングを含めれば、平文ごとに2^{64}通りのパディングの組み合わせを試さなければならず、攻撃がずっと難しくなります。

　暗号化ブロックのフォーマットが定まったら、それを整数に変換します。その際、最初のバイトを最上位、最後のバイトを最下位とします。つまり、ビッグエンディアンのバイトオーダ（順序）です。

図 1.16
PKCS #1 のパディング

00	01	ff ff ff ff ff ...	00	データ

ブロックタイプ1

00	02	非ゼロの疑似乱数のバイト列	00	データ

ブロックタイプ2

RSAについては米国で特許権が成立しており、RSADSI社が特許権の保有者でしたが、その特許権は2000年9月20日で失効しました([Rivest 1983])。特許権の失効以前から、RSAは公開鍵暗号化方式の事実上の標準となっており、公開鍵を使うほぼすべての企業に使用ライセンスが認められていました。

鍵配送にRSAを使うときは、無作為なセッション鍵を生成し、それを(適切にパディングして)受信者の公開鍵で暗号化します。受信者がメッセージを解読し、パディングを取り除けば、送信者と受信者の間でセッション鍵が共有されます。

1.14.2 DH

DH(Diffie-Hellman)は、最初に発表された公開鍵アルゴリズムです([Diffie 1976])。鍵交換アルゴリズムというより鍵合意アルゴリズムなので、送信者が鍵を生成し、暗号化して受信者に送るのではなく、送信者と受信者が協力して共通鍵を生成します。送信者と受信者がそれぞれに鍵を持ちます。合意された鍵を計算するには、送信者が自分の秘密鍵を受信者の公開鍵と組み合わせ、受信者が自分の秘密鍵を送信者の公開鍵と組み合わせます。DHの公開鍵は、合意の下で双方が共有することから、「共通鍵」とも呼ばれます。

▼modular exponentiation

DHでもRSAと同様にべき剰余▼を使用しますが、DHの法は大きな素数(文字pで表す)です。この法となる値は公開され、送信者と受信者とで共有されます。もう1つ、生成元(原始元)という数(文字gで表す)があり、これも送信者と受信者とで共有されます。gは、任意の値$Z < p$に対して、$g^W \bmod p = Z$となる値Wが存在するように定められます。これにより、gは、1から$p-1$までのすべての数を生成します。鍵を生成するには、pよりも小さな乱数Xを生成し、$Y = g^X \bmod p$を計算します。Xが秘密鍵、Yが公開鍵です。以下では、送信者の秘密鍵と公開鍵をそれぞれXsとYs、受信者の秘密鍵と公開鍵をそれぞれXrとYrと表すことにします。

送信者は、次のように共通鍵ZZを計算します。

$$ZZ = Yr^{Xs} \bmod p = (g^{Xr})^{Xs} \bmod p = g^{XrXs} \bmod p$$

また、受信者は次のように計算します。

$$ZZ = Ys^{Xr} \bmod p = (g^{Xs})^{Xr} \bmod p = g^{XsXr} \bmod p$$

この2つの数が同じであり、送信者と受信者が同じ値を共有していることは、容易に納得できるでしょう。しかし、攻撃者がZZを計算できないことを立証するのは難しくなります。実際のところ、本当に計算できないのかどうかは証明されていませんが、計算にはXsかXrが必要であると広く信じられており、それを知るには、Yが与えられたときにXを計算できなければなりません。これは離散対数と呼ばれる値を求める問題(離散対数問題)であり、現在のところ、離散対数を効率よく計算する方法は知られてい

ません。

　RSAとDHの間に見られる手続き上の最も重要な違いは、DHではすべての通信当事者がgとp（2つ合わせて「グループパラメータ」、または単に「グループ」といいます）を共有しなければならないことです。そのため、あるコミュニティの全員が同じグループを使うことになるでしょう。しかし、受信者が独自のグループを無作為に生成することも可能であり、その場合は、gとpを送信者に送信する手順が必要です。一般的には、証明書に入れて送ることが多いようです。送信者は受信者のグループで一時的な鍵を生成し、受信者宛の暗号化だけにそれを使用します。これを一時的－長期的モードのDH（ephemeral-static DH）といいます。受信者側でもこのトランザクションのためだけに鍵を作るなら、それは一時的－一時的モードのDH（ephemeral-ephemeral DH）になります。

　一時的－一時的モードには、セキュリティ上の利点が1つあります。通信終了後に当事者双方が鍵を削除すれば、たとえその後にマシンへの侵入があっても、そのマシンには秘密鍵が存在しないため、攻撃者は古い通信内容を読み取ることができません。鍵の1つが固定であると、攻撃者はその鍵でマシンに侵入して、それを復元するかもしれません。この性質を「Perfect Forward Secrecy（PFS）」◆監訳注11といいます。DHでは、RSAと異なり、受信者が送信者の公開鍵を知らないとメッセージを復号できません。

　DH鍵の強度は、pとXの大きさによって決まります。しかし、Xはpとほぼ同じ大きさになるように選ばれることが多いため、実質的にはpの大きさだけが問題です。ただ、パフォーマンス上の理由から、Xがpよりずっと小さく設定されることもあり、その場合はXの長さを、ZZから生成したい共通鍵の長さの約2倍になるように設定しなければなりません。例えば、DESでの鍵合意をしようとしているのであれば、Xには少なくとも112ビットの長さが必要です。ただし、これはXが2^{112}より大きくなければならないという意味ではありません。単に、少なくとも2^{112}の大きさの空間から無作為に選ばれた値でなければならないという意味にすぎません。また、攻撃に対してpと同程度の強さを発揮できる大きさであるように選ぶことが望ましいでしょう（[Menezes 1996]）。それでも、Xへの攻撃はpへの攻撃に比べてずっと困難であり、Xはpよりずっと小さくて構いません。pが1024ビットなら、Xは160ビットで適切でしょう。ということは、裏返せば、1024ビットのDH鍵では3DES鍵の安全を守りきるには短すぎるという意味にほかなりません。1本の鎖にたとえれば、DH鍵が最弱のリングです。1024ビットのRSA鍵を使って安全な3DES鍵を保護するときにも、同様のことがいえます。

◆11. 一般にForward Secrecyは、鍵が破られたとき、それ以降の通信の秘匿性を意味します。一方、それ以前の通信の秘匿性をBackward Secrecyといいます。

1.15 電子署名

1.15.1 RSA

電子署名でのRSAの使い方は、鍵配送での使い方とほとんど同じですが、公開鍵と秘密鍵の役割が逆転します。電子署名する側は、メッセージダイジェストを計算して、それを自分の秘密鍵で暗号化します。電子署名を検証する側は、ダイジェストを「復号」して、自分が手元でメッセージから計算したメッセージダイジェストと比較します。両者が一致すれば、その署名は有効です。

RSA署名で少しわかりにくい点があるとすれば、ブロックフォーマットの方法でしょう。単純にメッセージダイジェストを暗号化するのではなく、DERでエンコードしたDigestInfo構造体を暗号化します([RSA 1993b])。DigestInfo構造体は、アルゴリズムの組み合わせ(例えば、MD5またはSHA-1)を「アルゴリズム識別子」として表したもので、固有のバイト列とダイジェスト値そのものからなっています(図1.17を参照)。

図 1.17
DigestInfo 構造体

```
DigestInfo ::= SEQUENCE {
digestAlgorithm DigestAlgorithmIdentifier,
digest Digest }

DigestAlgorithmIdentifier ::= AlgorithmIdentifier

Digest ::= OCTET STRING
```

なぜこうするかを理解するために、ダイジェストに直接署名すると何が起こるかを考えてみましょう。署名に広く使用されるダイジェストアルゴリズム $H1$ があって、それが壊滅的に破られた(つまり、ダイジェスト値が特定値と同じになるような適当なメッセージを生成できるようになった)とします。さらに、メッセージ M を、まだ強さを保っている別のダイジェストアルゴリズム $H2$ で署名したとします。この場合、攻撃者は、$H1(M') = H2(M)$ となるような新しいメッセージ M' を生成できます。その M' に本物の署名を付け、(破られた)ハッシュ $H1$ で署名したようにラベル付けすれば、その署名は、検証により正しい署名と認識されてしまいます。つまり、攻撃者は好きなメッセージを作り出し、そこに本物の署名があるかのように見せかけることができます。ダイジェストの識別子を署名自体に含めるのは、このような置換攻撃(substitution attack)を阻止するためです。

1.15.2 DSS

DSA(Digital Signature Algorithm)はNSAによって考案され、NISTにより1991年に提案されました。その狙いは、電子署名に使えて、鍵の確立には使えないアルゴリズム

を作ることにあったようです。つまり、RSAは両方に使えたので、このアルゴリズムでRSAを置き換える意図があったと思われます。NSAの目標は、認証技術を広く普及させる一方で暗号化技術を規制することだったので、その目標に適っています。DSAは、DSS（Digital Signature Standard）という名前で、連邦情報処理標準（FIPS-186）として標準化されました。このため、現在ではDSSと呼ばれています。

暗号数学（cryptomath）では、DSSはDHと同じ部類とされています。つまり、素体（prime field）におけるべき剰余を利用します。かなり複雑な上、細部は本章の主題とあまり関係がないので、詳しくは説明しません。重要な点は、鍵がDHの鍵と多かれ少なかれ同じであるものの、p（大きな素数）の定め方に顕著な違いがあることです。pは、$p-1$が別の（より小さな）素数qで割り切れるように定められます。これによりアルゴリズムが高速化します。

DSS署名は、2個の大きな数（160ビット）、rとsから構成されています。どのようなダイジェストとでも使えるRSAと異なり、DSSはSHA-1としか使用できません（実際はどのような160ビットダイジェストにでも使えますが、標準ではSHA-1のみとなっています）。DSS署名にはダイジェスト識別子が含まれません。したがって、複数のダイジェストを許すと、置換攻撃を受けやすくなります。

DSSでは、署名の検証方法もRSAとは違っています。RSAでは、メッセージダイジェストを署名から復元して、計算したメッセージダイジェストと比較しました。DSSでは、メッセージダイジェストと署名に基づいてある計算をし、イエスかノーの答を返します。送信者が計算したメッセージダイジェストを獲得する方法はありません。RSAベースのプロトコルと実装をDSSに移行させる際には、このことが原因で混乱が生じたことがあります。

DSSの特許の状況がどうなっているかは明らかではありません。NISTはフリーであるとの立場ですが、RSADSI社は、Claus Schnorr特許にDSSも含まれていると主張してきています（[Schnorr 1991]）。もちろんRSADSI社は、同特許の独占的ライセンスを与えられています。

1.15.3　ここまでのまとめ

図1.18に、RSA、DH、DSSのパフォーマンスをまとめておきます（Windows 2000ベータ3の稼働するCeleron 450で、Wei DaiのCrypto++ [Dai 2000] を実行）。まず注目すべきは、RSAの公開鍵の操作（暗号化と署名検証）が秘密鍵の操作（暗号化と署名検証）よりずっと速いことです。これは、一見するとRSAに内在する性質のように思えますが、そうではなく、実は人間がRSA鍵を選ぶときの選び方の問題です。しかし、ある選び方をすれば公開鍵操作が速くなるとわかっていれば、誰もが同じ方法で鍵を選ぶでしょう。その意味では、内在的性質と考えてもいいかもしれません。

図 1.18
公開鍵アルゴリズムの比較(Celeron 450)

アルゴリズム	鍵長	ms/操作
RSA 暗号化	512	0.2
RSA 復号	512	4
RSA 暗号化	1024	1
RSA 復号	1024	27
DH 鍵合意	512	5
DH 鍵合意	1024	19
RSA 署名	512	4
RSA 検証	512	0.3
RSA 署名	1024	27
RSA 検証	1024	0.7
DSS 署名	512	4
DSS 署名(事前計算あり)	512	2
DSS 検証	512	5
DSS 署名	1024	15
DSS 署名(事前計算あり)	1024	5
DSS 検証	1024	18

　DSSのパフォーマンスは、RSAよりずっと対称的です。鍵長が小さいときは、秘密鍵の操作も公開鍵の操作もRSAの秘密鍵の操作より劣勢ですが、鍵長が大きくなると優勢になります。DHはどちら側でも同じなので、パフォーマンスに対称性があります(ただし、例外もあります。第6章で特殊なケースを取り上げます)。一般に、パフォーマンスを重視するならRSAが良い選択肢でしょう。しかし、本当にパフォーマンスを重視するのであれば、暗号技術に関するハードウェアを購入する選択肢もあります。ハードウェアなら、スピードの違いは問題になりません。

1.16 MAC

　本書で使用するMACアルゴリズムは、HMAC［Krawczyk 1997］です。これはダイジェストアルゴリズムを用いて、証明可能なセキュリティに関する性質を持つMACを作成します。HMACが登場した1996年まで、プロトコル設計者はその場しのぎにさまざまなMACを使ってきましたが、そのセキュリティ能力に全幅の信頼を置くまでには至りませんでした。唯一の例外がDESに基づくDES-MACというアルゴリズム（［ANSI1986］）です。これは広く分析されていましたが、速度面で物足りません。現在は多くのアプリケーションで、HMACがほかのアルゴリズムに取って代わりつつあります。

　HMACは、ネストした鍵付きダイジェストを使用します。すなわち、鍵とデータの両方を入力としてダイジェストを計算し、そのダイジェスト値をさらに鍵を用いたダイジェストへの入力として使います。アルゴリズムは次のとおりです。

$$\text{HMAC}(K, M) = H(K \oplus opad \,||\, H(K \oplus ipad \,||\, M))$$

H：使用しているダイジェストアルゴリズム
$ipad$：バイト 0x36 からなるバイト列
$opad$：バイト 0x5c からなるバイト列

　Kは、すべてのメッセージダイジェストで64バイトです。Kが64バイトより短いときは、右側にゼロのバイト列をパディングします。

1.17 鍵長

　アルゴリズムの強さについて語るとき、よく鍵長が引き合いに出されます。一口に鍵長といっても、いつも同じ意味で使われるとは限らないので、本質を見誤る恐れもありますが、鍵長が有効な尺度であることは間違いありません。それに、最もよく使用される尺度でもあります。ここでは、ある暗号を攻撃するとき、どれほどの計算リソースが必要とされるかを概説することにします。鍵長は、攻撃の難しさの上限を定め、ブルートフォース（総当たり、単純な計算力の投入）で暗号を破ることの難しさを測定します。

　コンピュータが高速化し、攻撃能力を増すにつれ、アルゴリズムが徐々に弱体化していることを忘れてはなりません。一般に、コンピュータの速度は18～24カ月ごとに倍増すると予測されています。これは、最初にこの現象に気付いたGordon Mooreにちなみ、「Mooreの法則」と呼ばれています。いずれはパフォーマンスの伸び率が鈍化すると

きがくるのでしょうが、それがいつかについては、これまで多くの予測がなされ、はずれてきました。速度の伸びが近々止まるだろうと予測するのは、非常に危険です。

　Moore が言ったのは、正しくは、1 つのチップに載るコンポーネントの数が 24 カ月ごとに倍増する、ということですが、やがて Moore の法則として一人歩きを始め、コンピュータパフォーマンスの傾向に関する一連の経験則がその名前で呼ばれるようになりました。

1.17.1　共通鍵暗号化アルゴリズム

　きちんと設計された共通鍵暗号化アルゴリズムを攻撃する方法はただ 1 つ、鍵を 1 つひとつ試していって、正しい鍵を見つけることしかありません。その場合は、鍵の長さが暗号強度に直結します。鍵長が 40 ビットなら、2^{40} 個の異なる鍵が得られ、すべての鍵を調べつくすには 2^{40} 回の暗号技術に関する操作を実行しなければなりません。56 ビット鍵なら 2^{56} 回と、長いほど操作回数が増します。

　ここで注意しなければならないのは、鍵長が増すにつれ、暗号強度は線形でなく指数関数的に増大するという点です。56 ビット暗号は、40 ビット暗号の約 65000 倍（2^{16} 倍）も強力であり、攻撃に 2^{16} 倍も多くのリソースを必要とします。40 ビット暗号を破るのに X 台のマシンで Y 時間かかり、56 ビット暗号を破るのに aX 台のマシンで bY 時間かかったとすると、積 ab は 2^{16} に等しくなります。

　1996 年、7 人の暗号研究の専門家（Matt Blaze、Whitfield Diffie、Ron Rivest、Bruce Schneier、Tsutomu Shimomura、Eric Thompson、Michael Weiner）が集まり、暗号研究における G7（先進 7 カ国）会議が開かれました。そこで出された結論は、今後 20 年間は 90 ビットで十分なセキュリティが得られるだろう、というものでした［Blaze 1996］。また、ライフタイムが短くても構わない情報には 75 ビットか 80 ビットで十分だろうが、70 ビット未満だと疑わしく、56 ビットより短いと商業的に攻撃者を食い止められない、とも結論されました。現在広く流通している暗号には 128 ビット鍵を持つものがあるので、これなら確実です。新しい AES（Advanced Encryption Standard）でも、鍵長は 128 ビットとされています。

　暗号の強度を決めるものは、鍵長だけではないことを忘れないでください。長い鍵を持つ暗号で、新しい分析手法によって破られたものはいくつもあります。例えば、DES の前身である LUCIFER は 128 ビット鍵を持っていましたが、差分解析法（differential cryptanalysis）で破られました。それでも、鍵が短すぎる暗号化を使うことは、間違いなく危険です。

1.17.2　公開鍵暗号化アルゴリズム

　公開鍵暗号化の鍵長と共通鍵暗号化の鍵長とは、そのまま比べられません。公開鍵暗号化では、使われている数学が違うことから、鍵が非常に長くなる傾向があります。RSA や DH などの暗号では、512 ～ 2048 ビットが普通です。その 1 点だけを根拠に、512 ビッ

ト RSA のほうが 128 ビット RC4 より強力であると見なすことは決してできません。むしろ事実は逆で、RSA のほうがずっと弱いでしょう。

どれほど弱いかは、残念ながら断言できません。共通鍵暗号では、力ずくの攻撃がどのような形をとるかが比較的明らかです。つまり、すべての鍵を調べつくして、正しい鍵を見つけるやり方です。非対称暗号では、そういう形をとりません。例えば、RSA で最もよく知られている攻撃方法は、RSA で使う法(モジュロ)の因数分解です。新しい因数分解アルゴリズムが開発されたり、現行の因数分解アルゴリズムが改善されたりするだけで、既存の鍵は自動的に弱くなります。

とは言うものの、RSA の強さについてはおおよそのことがわかっています。RSADSI 社は因数分解コンテストを行っていて、課題となる数字を多数公表し、その数の因数分解に成功した人に賞金を出しています。これまでのところ、因数分解に成功したことが明らかになっている最大の法は、RSA-155 です。これは 155 桁(512 ビット)の数です。Eurocrypt 1999 の席上では、Adi Shamir が、RSA 鍵を破る Twinkle というアルゴリズムに言及しています。Twinkle は、512 ビットの数の因数分解ができるようです([Shamir 1999])。こうした結果から、現在の技術水準で破れる RSA 鍵は、ぎりぎり 512 ビットまでと言えそうです。一般的には、768 〜 1024 ビットが受け入れられる最低限度の鍵長でしょう。

DH 鍵と DSA 鍵は、同じ長さの RSA 鍵とほぼ同等の強さです。現在得られる情報を総合すると、1024 ビットの公開鍵暗号と 80 ビットの共通鍵がほぼ同等の強さというところでしょう。

1.18 まとめ

本章は、通信セキュリティ入門という位置付けです。そのため、一通りの基本事項を説明しました。第 2 章以降を読み進むには、本章の内容をある程度理解しておいてください。

- 通信セキュリティには、機密性、メッセージ完全性、エンドポイント真正性という 3 つの性質があります。機密性とは、送信するデータが秘密に保たれることです。メッセージ完全性とは、送信途中でメッセージに手が加えられたとき、その事実を検出できることです。エンドポイント真正性とは、話しかけている相手が当人であると確信できることです。
- ネットワークは信頼できません。インターネットセキュリティを考える上では、攻撃者がネットワークを支配しているかもしれないという想定から出発します。そのような環境でセキュリティを確保するための技術が、暗号に関する技術です。

- 扱うアルゴリズムの基本的な種類は、共通鍵暗号化方式、メッセージダイジェスト、公開鍵暗号化方式、電子署名の4種類です。もっと複雑なアルゴリズムもありますが、それもこの4つのプリミティブから構築されています。どの種類にも数多くのアルゴリズムがあります。
- 公開鍵暗号化方式は、普通は共通鍵暗号化方式と組み合わせて用いられます。公開鍵暗号化方式には、共通鍵方式では得られないいくつもの機能がありますが、これを単独で使うのは効率が悪すぎます。
- 非対話型（メッセージング）アプリケーションでは、自己完結型のメッセージを生成します。すなわち、メッセージの暗号化に使用する共通鍵を、公開鍵暗号で暗号化します。また、メッセージ完全性の目的で、メッセージダイジェストを電子署名の機能と併用します。
- 対話型アプリケーションでは、ハンドシェイクで鍵を確立してから、共通鍵暗号化アルゴリズムを使用します。ハンドシェイクでは、公開鍵暗号によって両者を認証し、鍵を交換します。次いでそれらの鍵を使い、共通鍵暗号化技術によって個々のデータレコードを保護します。

第2章
SSLの概要

2.1 はじめに

　本章では、SSLとTLSの概要、および、次章以降での解説に必要な予備知識をまとめます。最初に、SSLの動作について概説します。それから、SSLの歴史（SSLから派生して最終的にTLSに至る各種のバリエーションの歴史）をひもときます。また、各バージョンの実装と導入の状況についても触れます。

　さらに本章では、SSLをHTTP（HyperText Transfer Protocol）で利用する方法についても、簡単に説明します。HTTPは、World Wide Webでの使用を前提に開発されたプロトコルであり、SSLとの相性が最も良いプロトコルでもあります。Web以外のサービスを提供するほかのプロトコルへのSSLの導入については、本章の最後でその動向を説明します。

2.2 標準と標準化団体

　本書の説明に登場する標準の大半は、IETF（Internet Engineering Task Force）によるものです。IETFの公式なドキュメントには「RFC ####」という名前が付いているため、簡単に識別することができます。例えば、TLSのドキュメントは「RFC 2246」です。なお、IETFのRFCとして発行されているドキュメントは、必ずしも標準（standard）を定めたものとは限りません。中には、公式の記録として発行された、単なる情報提供用（informational）のドキュメントもあります。ベンダが、自社の独自プロトコルを、永続的かつ公開された方法で文書化することもできるのです。

　標準化過程（Standards Track）にあるドキュメントでも、実際には、Proposed Standard（標準化への提唱）、Draft Standard（標準化への草案）、Standard（標準）という3つの段階を経ます。ドキュメントの内容は、これらの各段階で変更される可能性があります。Standardの段階にあるドキュメントが本来の「標準」です。しかし、ドキュメントを昇格させる手続きには非常に時間がかかるため、Proposed StandardやDraft Standardのドキュメントであっても、実装者からは標準として扱われるのが一般的です。本書でもそれにならいます。

　IETFのドキュメントには、ほかの標準化団体から発行されるドキュメントにはない、実用的な特徴が2つあります。1つ目は、ドキュメントの執筆者の多くが実装者自身、またはそれに近い立場の当事者であり、タイムリーな話題が扱われるという点です。もう1つは、IETFドキュメントはフリーであり、世界中のWebサイトやFTPサイトからダウンロードできるという点です。その中心となるサイトは`http://www.ietf.org`です。

本書では、IETF ドキュメントのほかに、ANSI（American National Standards Institute：米国規格協会）や ITU 発行の標準ドキュメントも扱います。ANSI 標準の名称は、例えば「X9.42」（DH 鍵交換の標準）のようなスタイルです。また、ITU 標準の名称は、「X.509」（証明書の標準）といったスタイルです。ANSI や ITU の標準については、ドキュメントを購入する必要に迫られない限り（ANSI も ITU も、ドキュメントをフリーでは配布していません）、どのドキュメントに何が書いてあるかを知らなくても特に問題ないでしょう。

個人的な意見ですが、ドキュメントをフリーで提供することの重要性は、いくら強調しても足りません。IETF のプロトコルを実装する技術者の多くは、依存するプロトコルのドキュメントがフリーでなかった場合、あえてドキュメントを購入しようとはしないものです。事情により購入できない場合もあります。その結果、ドキュメントの非合法なコピーや抜粋が横行し、実装したつもりの標準（往々にして非常に複雑な標準）が厳密には標準に準拠していない、といった事態を招きかねません。

このようなドキュメントに関する事情や、そのほかの文化的な理由から、IETF の関係者は ANSI や ITU を見下す傾向があります（特に ITU）。ただ、両団体が発行した多数のドキュメントは重要な領域をカバーしており、IETF ドキュメントでも参照されることがあるため、注意を払っておく必要はあります。

2.3　SSL の概要

SSL は、2 台のマシン間を結ぶ安全な通信路を提供するプロトコルです。転送中のデータを保護するだけでなく、通信相手が正しいマシンであるかどうかを確認するための手段を提供します。SSL による安全な通信路は、透過的（transparent）です。つまり、通信路上ではデータを変更しません。クライアントとサーバを結ぶ安全な通信路ではデータが暗号化されていますが、一方が出力するデータと他方が受け取るデータはまったく同じものです。このような透過性により、TCP 上で動作するほとんどすべてのプロトコルは、最小限の修正だけで SSL 上でも動作できます。

SSL の仕様は、バージョン 1 から IETF によって標準化された TLS に至るまで、現在までに何度か改訂されています。IETF で標準化される以前の SSL は、Netscape Communications 社によって設計されたものです。バージョン 1 はあまり利用されなかったので、バージョン 2（SSLv2）から説明を始めることにします。バージョン 1 については、付録 B で簡単に触れます。

2.4 SSL/TLS の設計目標

2.4.1 SSLv2 の設計目標

　SSLは、当初からWorld Wide Webという環境を念頭に置いて設計されました。Netscape社の目的は、Web、メール、メールニュースなどの通信セキュリティの問題を一挙に解決する技術を提供することでした。中でも当面の課題はWeb通信のセキュリティであり、SSLもWebに最適化されて設計されました。Webで利用されている主なプロトコルはHTTP［Fielding1999］です。このためSSLには、HTTPと連携して動作することが求められました。

　SSLv2が最初に設計された1994年当時、Webセキュリティの最大の懸案は、いかにして第三者からの攻撃にさらされずにクライアントからサーバへ情報を受け渡すか、という点でした。典型的な事例は、クレジットカード番号を入力して買い物をするオンラインショッピングのセキュリティです。それゆえ、SSLの設計でも、クライアントとサーバとの間の通信に「機密性」を与えることが最初の目標になりました。

　クレジットカードの例についてもう少し考えていくと、機密性以外にもいくつかの設計目標が見えてきます。まず、クレジットカード番号は大切なデータであり、取り引きをしようとしている相手（正しい相手）以外に漏洩するようなことがあってはなりません。そのためには、顧客（Webブラウザ）が正しい業者（Webサーバ）にクレジットカード番号を送信していることを確信できる仕組みが必要です。一方の業者は、顧客が実際に誰なのかを知る必要はありません。代金を徴収するための個人情報としては、クレジットカード番号だけで十分だからです。つまり、SSLの2番目の大きな設計目標は、「サーバ認証（server authentication）」ということになります。SSLでは、さらに「クライアント認証（client authentication）」もサポートされています。

　また、顧客が初めての業者と取り引きするケースも多くあります。その際に顧客であるユーザの負担をなるべく抑えるには、初めての取り引きに必要な手続きを、プロトコルが自動的に処理できるようにすることも重要です。この設計目標は「自発性（spontaneity）」といわれるものです。

　Netscape社では、あらゆるセキュリティの問題をSSLによって解決しようとしていました。このためSSLは、HTTP以外のプロトコルでも正しく動作する必要がありました。インターネットの主要なほとんどのプロトコルは、TCPの接続上で動作します。そこで設計に当たった技術者たちは、安全で透過的な通信路を提供するプロトコルを開発すれば、HTTP以外のアプリケーションプロトコルに対してもセキュリティを提供できると考えました。透過性があれば、アプリケーションプロトコルをSSL上で実行するだけで、セキュリティを提供することができます。この透過性こそが、おそらく、SSLが成功を収めた最大の勝因でしょう。実際にNetscape社は、SSLのリリース直後、HTTP通信だけでなくNNTP（Network News Transfer Protocol）を使ったUsenetニュース通信に対して

もSSLを適用しました。

ただし、中にはこのようなセキュリティを必要としないプロトコルもあります。また、プロトコルをSSL上で実行すると、セキュリティやパフォーマンスの面で望ましくない結果になることもあります。本書では、読者が単に仕様どおりのSSLを導入するよりも高いパフォーマンスやセキュリティを実現できるように、システム設計に必要な情報をまとめていきます。

2.4.2 SSLv3の設計目標

SSLv2は広く普及しました。そこでSSLv3 ［Freier1996］の設計でも、SSLv2の設計目標はすべて受け継がれました。SSLv3の設計では、SSLv2におけるセキュリティ上の問題(詳細は付録Bを参照)をいくつか修正することに主眼が置かれました。これは、より強固で、かつ、より単純なシステムの設計を意味しています。特にSSLv3の設計で検討されたのは、暗号技術に関する複数のアルゴリズムを安全にネゴシエーションする仕組みでした。その結果SSLv3では、SSLv2よりはるかに多くのアルゴリズムがサポートされています。最終的にSSLv3は、プロトコルとしての基本的な性格をSSLv2から受け継いだものの、SSLv2とはまったく異なるプロトコルになりました。

2.5　SSLとTCP/IPプロトコルスイート

SSLとTLSのすべてのバージョンに共通するのは、2つの通信プログラム間を結ぶ安全な通信路を用意して、その上で任意のアプリケーションデータを送信できるようにするという方法です。理論上、SSLの接続は安全なTCPの接続であるように機能します。Secure Sockets Layerという名前からもわかるように、SSLの接続は、TCPの接続によって接続されたソケットのように動作することが意図されています。

SSLのデータ形式がTCPのデータ形式と似ているのは、主にアプリケーションプログラマの作業を容易にするためです。最も普及しているネットワーキングAPI(Application Programming Interface)はバークレイソケット(Berkeley socket)ですが、SSL実装でも、ほとんどの場合バークレイソケットをモデルにしたAPIを採用しています。図2.1は、SSL(OpenSSL)における典型的なAPIの呼び出しと、それに相当するUNIXでのAPIの呼び出しの例です。

図 2.1
ソケット API と SSL
API の比較

ソケット API
```
int socket(int, int, int)
int connect(int, const struct sockaddr *, int)
ssize_t write(int, const void *, size_t)
ssize_t read(int, void *, size_t) int
```

OpenSSL
```
SSL *SSL_new(SSL_CTX *)
int SSL_connect(SSL *)
int SSL_write(SSL *, char *, int)
SSL_read(SSL *, char *, int)
```

アプリケーションプログラマの仕事は、ソケット呼び出しをすべて SSL 呼び出しに置き換えるだけで済めば理想的です。アプリケーションを安全にするには、セキュリティの機能以外は通常とまったく同じライブラリを再リンクするだけです。ただし、残念ながら理想と現実にはギャップがあります。SSL のデータ形式は、TCP のデータ形式と完全には一致しないのです。この不一致には混乱の芽が潜んでいます（第 8 章を参照）。

SSL がプロトコルスタックに占める位置（アプリケーションの下、TCP の直上）を図 2.2 に示します。

図 2.2
プロトコルスタックにおける SSL の位置

アプリケーション		アプリケーション
		SSL
TCP		TCP
IP		IP
普通のアプリケーション		SSL を利用したアプリケーション

SSL では、下位層におけるパケット配送のメカニズムに信頼性があることを前提にしています。つまり、ネットワークに出力されたデータが通信相手のプログラムに同じ順序で配送されることと、転送中にパケットの欠損や重複が起こらないことについて、保証が必要です。理論上は、このサービスを提供できる転送プロトコルはいくつもありますが、実際に SSL が動作する転送プロトコルは TCP です。SSL は、UDP 上や IP の直上では動作しません。

SSL によるデータの配送に信頼性のある転送プロトコルが必要であるという制約は、過去に争点になったことがあります。少なくとも 2 つの提案が、この依存性を打破するために提出されました。Microsoft 社の STLP（Secure Transport Layer Protocol）と、Wireless Applications Forum の WTLS（Wireless Transport Layer Security）［WAP1999a］です。どちらも、UDP などのデータグラム型の転送プロトコル上で SSL を動作させようとしたもので、SSL 実装のバリエーションの 1 つです。細かい点は異なりますが、どちらの実装も、受信確認と再試行のタイムアウトを調整し、喪失したメッセージの再送信の仕組みを提供する点が共通しています。

2.6 SSL の歴史

　SSL のさまざまなバリエーションについて、図 2.3 に系統図を示します。図 2.3 では、初期の SSL（SSLv2）を原点とし、最新の SSL（WTLS）を最下流に位置付けています。SSLv2 の仕様は、1994 年 11 月に初めて公開され、それから間もない 1995 年 3 月に、Netscape Navigator 1.1 へ実装されました。SSLv2 は、Netscape 社の技術者である Kipp Hickman を中心に設計され、社外の意見が反映される余地はあまりありませんでした◇。

> ◇　Netscape Navigator による SSLv2 の実装は、非常に不完全でした。この実装では、疑似乱数の生成に時刻のような情報を使っていたのです。Wagner と Goldberg は、Navigator 1.1 から生成した SSL の接続を、わずか 1 時間足らずで破る方法を公表しました [Goldberg1996]。

　SSL は、他ベンダからの情報提供がほとんどないまま開発されました。そのため、各ベンダが自社製品への実装を始めると、さまざまな実装上の問題が発生しました。各ベンダでは、問題を修正するため、互換性の低いバリエーションを別々に開発しました。その中で最も重要なのが、Microsoft 社の PCT（Private Communications Technology）[Benaloh1995] です。これは 1995 年の 10 月に発表されました。

2.6.1　PCT

　PCT の開発チーム（Josh Benaloh、Butler Lampson、Daniel Simon、Terence Spies、Bennet Yee）は、暗号技術で培った豊富な経験を、SSL の改良に投じました。PCT のセキュリティは、SSL よりも考え抜かれた性質を備えています。その上、PCT は SSL との下位互換性を維持していました。

　SSLv2 にはバージョン番号が付いていますが、SSL のバージョン管理は Netscape 社の一存の下にあり、サーバが未サポートの新バージョンをどう認識するかは明確に規定されていません。そこで、PCT により通信することを通知するために、暗号リストに特別な PCT_SSL_COMPAT という暗号スイート◆監訳注1 を指定するようにした実装もありました。SSLv3 では、バージョンのアップグレードについて、SSLv2 よりも明確に規定されました。しかし、特定の新機能を備えたバージョンであることを示す手段は、依然としてありませんでした。試験的な機能を追加するのに適した方法もなかったのです。TLS と SSLv3 の実装でも、バージョンの通知に暗号スイートを使う方法が使われることがあります。

◆1.　「暗号スイート（cipher suite）」とは、鍵交換アルゴリズム、暗号化アルゴリズム、圧縮アルゴリズムの総称です。

図2.3
SSLバリエーションの系統図

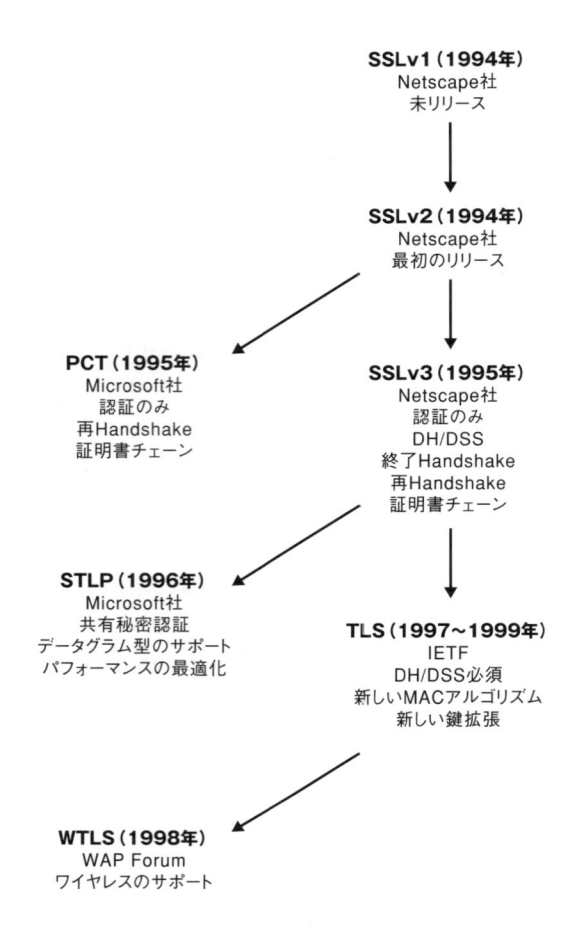

SSLv1（1994年）
Netscape社
未リリース

↓

SSLv2（1994年）
Netscape社
最初のリリース

↓

PCT（1995年）
Microsoft社
認証のみ
再Handshake
証明書チェーン

SSLv3（1995年）
Netscape社
認証のみ
DH/DSS
終了Handshake
再Handshake
証明書チェーン

↓

STLP（1996年）
Microsoft社
共有秘密認証
データグラム型のサポート
パフォーマンスの最適化

TLS（1997〜1999年）
IETF
DH/DSS必須
新しいMACアルゴリズム
新しい鍵拡張

↓

WTLS（1998年）
WAP Forum
ワイヤレスのサポート

　PCTには、SSLv2からの大きな変更点が3つあります。まず、データの認証しか行わない非暗号化動作モードがサポートされました。次に、鍵拡張（key expansion）に使われる変換式が強化されました。SSLv2では、米国輸出規制によって暗号化鍵長を40ビットに制限している輸出対応モードがあります。さらに不幸なことに、暗号化と認証において同じ鍵を使っていたので、認証においても40ビットという制限が課せられていました。これに対しPCTでは、弱い暗号化と強力な認証を両立しています。3つ目の変更点は、必要なラウンドトリップ◆監訳注2数が削減され、パフォーマンスが向上したことです。SSLv2とPCTについては、付録Bでさらに詳しく解説します。

2.6.2　SSLv3

　SSLv2の改良版としては、「SSLv2.1」という恵まれないドラフトがありました。Netscape社の周囲では、しばらくSSLv2.1の検討を続けていましたが、結局すべてご破

◆2.　ここでいうラウンドトリップとは、メッセージのやり取りを意味します。

算にして一からやり直すことにしたようです。著名なセキュリティコンサルタントの Paul Kocher が招かれ、Allan Freier、Phil Karlton と共同で、新たなバージョン、つまり SSL バージョン 3（SSLv3）の開発に取り組みました。SSLv3 がリリースされたのは 1995 年末です。

PCT では、プロトコルの仕様記述言語に SSLv2 と同じものを採用していました。また、メッセージの多くも SSLv2 と共通でした。しかし SSLv3 では、まったく新しい仕様記述言語、新規のレコードタイプとデータエンコーディング方式を導入しました。さらに PCT の利点も取り入れ、認証専用モードを追加し、鍵拡張に使用する変換式を完全に設計し直しています。

▼ Digital Signature Standard
▼ Diffie-Hellman
▼ National Security Agency

また SSLv3 には、PCT にはない多数の新機能が盛り込まれました。DSS▼、DH▼、NSA▼の FORTEZZA といった新しい暗号技術、データストリームに対する「強制切断攻撃」を防ぐ終了 Handshake（closure handshake）のサポートなどが例として挙げられます。SSLv2 では、攻撃者が TCP による接続の終了手順を捏造し、実際よりも少ないデータしか転送されていないように偽装することができました。SSLv3 の終了 Handshake を使用することにより、この攻撃を検知できます。PCT と同じように、SSLv3 には SSLv2 との下位互換性があります◇。

◇　SSL における下位互換性は、昔からかなり限定されています。「下位互換性がある」というのは、SSL クライアントと SSL サーバでそれぞれバージョンが異なっていても、共にあるバージョンをシェアしていれば安全に通信できることを意味します。前のバージョンで使えるメッセージが、それより新しいバージョンでも常に使えるという意味ではありません。実際、これまでも伝統的にそうなっていません。

2.6.3　TLS

1996 年 5 月、IETF では、TLS ワーキンググループを発足して、SSL と似た機能を持つプロトコルの標準化に乗り出しました。ワーキンググループの公式な趣意書には明記されませんでしたが、周囲はこれを Microsoft 方式と Netscape 方式を融和させる試みだと受け取りました。両方式のほかにも多くの方式が提案されましたが、基本的にはどれもサポートされませんでした。TLS ワーキンググループの活動は、1996 年末の完了を予定していました。

Microsoft 社は、STLP を SSLv3 の修正版として提案しました。このプロトコルには、同社が重要視した機能が追加されています。主な新機能は、UDP のようなデータグラム型通信のサポートと、共有秘密（shared secret）を使ったクライアント認証のサポートです。これまでも、共有秘密を暗号化された SSL による接続で送信することは可能でしたが、米国外への輸出に対応した実装の場合には、40 ビットの鍵長でしか暗号化できませんでした。STLP には、これよりもずっと強力な共有秘密に基づいてクライアント認証を実行するモードが組み込まれました。また、多少のパフォーマンス向上がなされています。暗号の拡張性も向上し、「TCP クライアント」を「STLP サーバ」として動作させることが可能でした。

ワーキンググループの活動が完了するころには、残務処理を行う少数のメンバーだけがミーティングに参加するはずでした。しかし、1996年末ごろ、主要なメンバー(および若干のマイナーなメンバー)がPalo Altoに集まり、暗号学者Bruce Schneierが議長を務める臨時のミーティングが開かれました。通常、IETFのワーキンググループは、年3回開催されるIETFの総会でしか直接顔を合わせません。ただし、仕事が特に切迫している場合は、非公式に集まることもあります。このミーティングも、そういった性格のものでした。

メンバーが急に集まらざるを得なかったのは、若干の明白な(そして重要性の低い)バグの修正を除き、SSLv3がまったく支持されていないことが判明したからです。特に、Microsoft社から提案された方式には、主に下位互換性の面で大きな抵抗がありました。しかし、どうやら最も盛り上がりを見せた議題は、新しいプロトコルの名前だったようです。SSLかPCTのどちらかの名称を採用するのは、Netscape社とMicrosoft社いずれかの勝利を宣言するに等しいように思われました。ただし、どの名前になったとしても、新しいプロトコルがSSLv3のちょっとした手直しでしかないことは明白でした。

結局、数回のミーティングを経て、TLSワーキンググループはプロトコルの名称を「TLS」に決定しました。この決定については、すべての当事者が等しく不満でした。ドキュメントには重要性の低い修正がいくつか施され、セキュリティの向上を名目に、鍵拡張とメッセージ認証における計算処理がSSLv3とはまったく互換性のないものに変更されました。さらに、下位互換性はほぼ完全に台無しとなりました。

TLSへの変更で最も意見が対立したのは、DH、DSS、3DES(トリプルDES)のサポートを必須と定めた点です。この決定には、2つの理由で問題がありました。1つは、Netscape社が認証と鍵交換にRSAしか実装していなかったことです。Netscape社は当時、WebブラウザのシェアXXXXXXXXXXXX最大手だったので、最低限そのSSL実装と相互運用できることがデファクトスタンダードとして要求されました。古いクライアントおよびサーバと相互運用できることが市場から求められたため、ベンダ各社は、RSAとDH/DSSの両方を実装しなければならなくなりました。

これよりも難題だったのは、3DESのサポートが必須とされた点です。当時、米国政府の輸出規制は、鍵長が40ビットよりも強固な暗号の輸出を全面的に禁止していました。そのため、3DESをサポートしたTLSの実装を輸出することは違法でした。その結果、TLS準拠の実装、または米国輸出規制に抵触しない実装のいずれか一方は可能でも、その両方を兼ね備えた実装の輸出は不可能だったのです。

これほど議論を呼ぶ変更がなぜなされたのか、その事情を理解するには、IETFがどのように活動しているかを理解する必要があります。IETFは、それぞれが特定のタスク(例えばTLSの検討といったタスク)に従事する多数のワーキンググループで構成されています。ワーキンググループは、1つかそれ以上の包括的なエリアに属します。現在、このようなエリアとして、アプリケーション技術エリア(Applications Area)、統括的技術エリア(General Area)、インターネット技術エリア(Internet Area)、オペレーション・運用管理技術エリア(Operations and Management Area)、経路制御技術エリア(Routing Area)、セキュリティ技術エリア(Security Area)、転送プロトコル技術エリア(Transport

Area)、サブIPエリア(Sub-IP Area)の8つがあります。各エリアのディレクターが集まった組織が、IESG(Internet Engineering Steering Group)です。ドキュメントがインターネット公式ドキュメントとしてRFC(Request For Comments)となるには、この組織による承認が必要です。

1995年4月、マサチューセッツ州ダンバースで開かれた会議において、のちにダンバース原則(Danvers Doctrine)と呼ばれることになる方針がIESGにより採択されました。これは、IETFは輸出の可否にかかわらず優秀な工学技術を具現化したプロトコルを設計すべきである、と宣言したものです。当時この原則は、最低でもDESをサポートすることを宣言したものとして受け止められ(そのように明言されたわけではありませんが)、のちには3DESのサポートを意味すると解釈されました。またIETFでは、伝統的に、可能な限り制約のない(つまりフリーの)アルゴリズムを優先的に採用してきました。暗号化アルゴリズムについては、すべての公開鍵暗号をカバーするMerkle-Hellman特許が1998年に期限切れを迎えます。しかし、1998年になってもRSAの特許は引き続き有効です。そこでIESGは、フリーの公開鍵アルゴリズムを採用するよう、ワーキンググループに圧力をかけ始めました。最終的に多くのIETFメンバーは、どの実装でも互いに通信できることを保証するため、複数のオプションを必須にするのが現実的な方策だという考えに傾きました。

1997年後半、TLSワーキンググループは作業を完了し、ドキュメントをIESGに送付しました。IESGは、認証用にはDSS、鍵の合意用にはDH、暗号化用には3DESを必須の暗号化技術に関する方式として追加し、上記の3つの問題を解決するようにという指示を付けて、ドキュメントをワーキンググループに返しました。この件に関して、多くの議論がメーリングリスト上で交わされました。特にNetscape社は、必須のアルゴリズム全般、特に3DESのサポートに異を唱えました。IESGとTLSワーキンググループの軋轢がしばらく続いた後で、しぶしぶながら合意が成立し、ドキュメントは該当箇所を変更されて返されました。

その間にも、また別の障壁が立ちはだかりました。TLSは証明書の仕様に依存していますが、X.509証明書の概要をIETF標準としてまとめていたPKIX(Public Key Infrastructure working group)の作業が最終局面に入ったままずれ込み、その後も作業完了まで予定どおりに進まなかったのです。依存するプロトコルに先行してプロトコルを開発することは、IETFの規則で禁止されています。このため、TLSの開発もPKIXの作業動向に左右されることになってしまいました。

ようやく1999年1月、予定より2年遅れで、RFC 2246 [Dierks1999]としてTLSが公表されました。ただ、本書執筆時点では、TLSの普及はめざましいとはいえません。Internet ExplorerはTLSをサポートしていますが、Netscape Navigatorは未サポートです◆監訳注3。もっとも、ほとんどのツールキットはTLSをサポートしています。

◆3. 本書監訳時点(2003年11月)では、Netscape NavigatorにおいてもTLSがサポートされています。

2.7　WebのためのSSL

　SSLは、主にHTTPを使用したWeb通信の保護に利用されます。詳しい解説は第9章で行いますが、ここでは典型的なSSLを利用したアプリケーションとして、WebにおけるSSLの利用について簡単に紹介します。これにより、なぜSSLが現在のようなプロトコルとして設計されたかがわかるでしょう。

　SSLの動作は単純です。HTTPでは、まずTCPの接続が確立され、その上でクライアントがリクエストを送信します。サーバは、レスポンスとしてドキュメントを返します。SSLでも、クライアントはまずTCPの接続を確立します。それから、そのTCPによる接続上にSSLによる通信路を確立し、その上でHTTPリクエストを送信します。サーバからのレスポンスも、同様にしてSSLの接続上で送信されます。

　SSLのHandshakeは、通常のHTTPサーバにとって、ゴミのように見えます◆監訳注4。正しく機能させるには、サーバがSSLの接続を受け入れる用意があることを、クライアントの側から確認できる手段が必要です。そこで、httpの代わりにhttpsから始まるWebアドレス（技術的にはURL（Uniform Resource Locator）と呼ばれるもの）を使い、SSLによる通信であることを示します。例えば、次のアドレスは、SSLの接続を利用するアドレスです。

https://secure.example.com/

　httpの代わりにhttpsを使うことから、SSL上のHTTPを「HTTPS」ということもあります。

　サーバとクライアントの間のやり取りがすべて順調に進み、お互いに通信することができたら、何らかの形でユーザインタフェースに状況が表示されます。ユーザは、この表示を見て、セキュリティが有効になっているかどうかを確認します。Netscapeの古いバージョンでは、ツールバーの下に青いバーが表示され、ブラウザの左下に鍵のマークが現れます。最近のバージョンのNetscapeでは、左下の開いた錠前のマークが閉じた状態に変わります。Internet Explorerの場合は、画面右下に鍵のマークが表示されます。どのマークも、現在のページがSSLを使って読み取られたことを意味しています。

　Webサーバについては、最近ではほぼすべての商用製品にSSLが実装されています。ただしNetscape社は、SSLに対応した自社のサーバ製品（Netscape Commerce Server）の価格を、当初は通常のサーバよりも割高に設定していました。米国内のフリーなサーバについては、特許の問題があり、RSAを利用するSSLをサポートできないことになっています（ただしRSAの実装はデファクトスタンダードになっており、実際にはまったく

◆4.　HTTPとSSLのHandshakeでは異なるメッセージを交換するため、通常のHTTPサーバにはSSLのHandshakeを解釈できないという意味です。

意味がありません）。なお、サーバにSSLが実装されていても、セキュリティを有効にしないという選択肢はあります。HTTPSは、HTTPと比べてはるかに大きな負荷をサーバマシンに与えます。また、必要な証明書を取得する手続きもかなり面倒です。しかも、証明書は安くありません。現在CA市場の最大手であるVerisign社では、1通の証明書の発行に300ドル以上を請求しています◆監訳注5。

　Netcraft社の調査によれば、2000年1月現在、約150万台のサーバでSSLが使われています。そのうち、名の通ったサードパーティによる証明書を持っているのは、6万台にすぎません（[Netcraft2000]）。それ以外のサーバでは、自己発行の証明書やプライベートCAによる証明書が使われています。このようなサーバに接続するためには、クライアントでも特別な設定が必要になるでしょう。

2.8　SSL上でのプロトコル

　TCP上で動作するプロトコルは、HTTP以外にもたくさんあります。これらの既存プロトコルについても、TCPの接続によく似たSSLの接続上で動作させるだけで、安全にすることができます。これは、とても魅力的な方法です。SSL上でのHTTP（HTTP over SSL、HTTPS）と、SSL上でのNNTP（NNTP over SSL、SNEWS）のほかにも、SSL上でのSMTP［Hoffman1999a］、Telnet［Boe1999］、FTP［Ford-Hutchinson2000］などのインターネットの主要なプロトコルにセキュリティを提供する提案が次々と登場しました。多くのベンダは、自社の独自プロトコルに対しても、SSLを利用してセキュリティを追加しています。

　SSLを使用しないクライアントからの接続に対応するため、サーバでは、そのアプリケーションプロトコルの安全なバージョンと安全でないバージョンを両方とも受け入れる必要があります。両者の接続を区別する方法としては、「ポートの分離」と「上方向（upward）ネゴシエーション」があります（第7章で詳しく解説します）。それぞれ長所と短所があり、前の段落で言及したプロトコルでも、どちらか一方の方法が採用されています。

　ポートの分離は、プロトコルの安全なバージョンと安全でないバージョンに別々のウェルノウンポート（well-known port）を割り当てて、サーバが両方のポートを待ち受けるようにします。安全なバージョンのポートに到達した接続については、アプリケーション通信の処理を開始する前に、自動的にSSLによるネゴシエーションを行います。HTTPSではこの方式を採用しています（詳しくは第9章を参照）。図2.4に、代表的なプロトコルにおけるポートの割り当てを示します。

◆5．本書監訳時点（2003年11月）で、国内では85,000円以上となっています。

図 2.4
SSL 対応プロトコルの
ポート番号の割り当て

名前	ポート	用途
ftps データ	989/tcp	ftp プロトコル、データ、TLS/SSL 経由
ftps データ	989/udp	ftp プロトコル、データ、TLS/SSL 経由
ftps	990/tcp	ftp プロトコル、制御、TLS/SSL 経由
ftps	990/udp	ftp プロトコル、制御、TLS/SSL 経由
nntps	563/tcp	nntp プロトコル、TLS/SSL 経由
nntps	563/udp	nntp プロトコル、TLS/SSL 経由

　上方向ネゴシエーションでは、通信の片側から相手側に対し、SSL の使用を希望するというメッセージを伝えられるようにアプリケーションプロトコルを改良します。そして、相手側が SSL の使用に同意したら、SSL の Handshake を開始するようにします。Handshake が完了したら、その新しい SSL の通信路を使ってアプリケーションメッセージを再開します。この方式は、SMTP over TLS で使われています(詳しくは第 10 章を参照)。

2.9　SSL の入手

　今のところ、SSL の実装を入手する最も簡単な方法は、Web からのダウンロードです。OpenSSL Project(`http://www.openssl.org/`)は、高品質でフリーの SSLv2、SSLv3、および TLS を実装したソースを、世界中どこからでもダウンロードできるように提供しています。OpenSSL は、Eric Young の SSLeay(最初のリリースは 1995 年)をベースに開発されました。ソースコードのほとんどは ANSI C で書かれていますが、これまでにさまざまな言語へと移植されています。OpenSSL は、BSD スタイルのライセンスで提供されているため、商用でも非商用でもフリーで利用できます。つい最近までは、特許の関係から、米国内で OpenSSL を RSA モードで使用することはできませんでした。しかし、RSA の特許が 2000 年 9 月に期限切れになったことで、現在では米国内でも RSA モードの使用が合法になっています。

　また、C/C++ による SSL/TLS ツールキットは、次の各ベンダからも販売されています。

- Certicom(`http://www.certicom.com/`)
- Netscape Communications(`http://home.netscape.com/`)
- RSA Security(`http://www.rsasecurity.com/`)
- SPYRUS/Terisa Systems(`http://www.spyrus.com/`)

　最初に SSL を実装したのは Netscape 社です。RSA 社は Eric Young を招き、SSLeay を

ベースにしたツールキットを開発しました。Consensus社とSPYRUS/Terisa社の実装は、それぞれ独自に開発されたものです。

> ◇ **打ち明け話**：筆者はかつて3年間Terisa社に在籍し、同社のSSL製品開発の中心を担っていました。

Javaによる実装を入手する最も簡単な方法も、やはりWebからのダウンロードです。PureTLSは、筆者が作成したJavaによるフリーのSSLv3/TLSの実装で、`http://www.rtfm.com/puretls`から入手できます。次の各ベンダもJavaによる実装を提供しています。

- Baltimore (`http://www.baltimore.com/`)
- Certicom (`http://www.certicom.com/`)
- Phaos Technology Corporation (`http://www.phaos.com/`)
- Sun (`http://www.javasoft.com/`)

本書執筆時点では、Sun Microsystems社による実装は非商用に限り無償です。ただし、これはバイナリ形式のみでの提供です◆監訳注6。

NetscapeとInternet ExplorerにSSLが実装されているように、Netscape社のWebサーバとMicrosoft社のIIS▼にもSSLが実装されています。Microsoft社については、同社のSSL実装(SChannel)をプログラムが呼び出せるような仕組みも提供していますが、これを利用できるのはWindowsプログラマだけです。また、フリーのHTTPサーバであるApache向けには、フリーソースのSSL実装(OpenSSLをベースとしたもの)が数種類リリースされています。

▼Internet Information Server

- ApacheSSL (`http://www.apachessl.com/`)
- mod_ssl (`http://www.modssl.org/`)

また、次のようなApacheベースのSSL実装が商用で提供されています。

- Raven (`http://www.covalent.net/`)
- Stronghold (`http://www.c2.net/`)

2.9.1 実装の内容

本書執筆時点で入手できるSSLの実装のほとんどすべてが、RSAを採用したSSLv3をサポートしています。よく知られた例外は、SSLv2しかサポートしていない一部の

◆6. 本書監訳時点(2003年11月)では、J2SDK1.4に組み込まれています。

Webサーバ(主に古いバージョンのNetscape Commerce Server)です。ほとんどの実装は下位互換性のためにSSLv2をサポートしていますが、一部の最新の実装ではSSLv2のサポートが省かれています。

たいていのSSLのツールキットはTLSもサポートしていますが、DSSとDHのサポートが含まれていないものもあります。Microsoft社の実装では、PCTとTLSがサポートされています。また、Windows 2000にバンドルされたバージョンのIISとInternet Explorerは、DSSとDHをサポートします。本書の執筆時点では、Netscape社の製品はSSLv3をサポートするだけで、DSSとDHはまだサポートしていません◆監訳注7。

互換性を最大限に確保するには、SSLv2とSSLv3の両方をサポートすることが重要です。TLSしかサポートしない実装は実質的に存在しないので、TLSのサポートは必須ではありませんが、IETF標準なのでサポートするのが妥当です。

2.10 まとめ

本章では、SSLの概要とネットワークの世界における位置付けについて説明し、この後の章で説明する各トピックが全体像のどこに当てはまるのかを示しました。

- SSLとTLSは、TCP上で通信路を安全にする汎用のメカニズムとして動作します。TCPを経由してやり取りされるプロトコル通信は、SSLまたはTLSにより安全にすることができます。
- SSLは、Netscape社によって最初に設計されました。SSLv2とSSLv3は、基本的にはNetscape社固有の規格ですが、TLSはSSLv3に基づいてIETFワーキンググループが作成した規格です。
- SSLは、サーバ認証、暗号化、メッセージ完全性を提供します。さらに、クライアント認証もサポートされます。
- ほとんどのSSLの実装では、標準的なネットワーキングAPIにならってAPIが設計されています。SSLのAPIは、Cの場合にはBerkeley Socketsを、Javaの場合にはJavaソケットを模倣して設計されています。そのため、安全でないアプリケーションをSSLに対応させるのは、非常に簡単です。
- SSLは、主にHTTPの通信に使用されます。ただし、SSL/TLSを利用してセキュリティを追加したプロトコルの数は、HTTPのほかにも増える一方です。TLSは、徐々にSSLに取って代わってきています。
- SSLとTLSの実装は数多くリリースされています。CとJavaの両方についてフリーの実装があり、数多くの商用の実装も入手可能です。

◆7. 本書監訳時点(2003年11月)ではサポートされています。

第3章

SSLの基礎的な技術

3.1　はじめに

　本章では、SSLの最も一般的な使用方法であるRSAを利用したサーバ認証モードについて詳しく説明します。本章のタイトルは「SSLの基礎的な技術」ですが、これはSSLの基本的なモードを解説するという意味であり、SSLについて踏み込んだ説明をしないという意味ではありません。本章では、SSLの最も単純な動作モードについて扱います。第4章では、これよりも複雑な数種類のモードを扱います。

　本章は、大きく2つの部分から成ります。前半では、SSLの仕組みとそれを構成する要素について大局的に説明します。ここでは、各プロトコルのメッセージの意味と一般的な目的を大まかに説明します。後半では、SSLによる接続例を用いて、動作の仕組みを細部に渡って解説します。自動化ツールを利用してセッションのやり取りを表示し、プロトコルメッセージを個別に詳しく説明し、各フィールドがどのように組み合わされてプロトコルの処理を実行するのかを見ていきます。本書を実装の手引きとして読んでいる場合や、SSLの具体的な処理を深く理解したい場合は、本章を最後まで読んでください。SSLの使い方がわかるだけで十分なら、後半は読み飛ばして構いません。

3.2　SSLの概要

　SSLの基本設計は、第1章で設計したお遊びセキュリティプロトコル（TSP）とかなりよく似ています。1つの接続は、Handshake◆[監訳注1]とデータ転送の2つのフェーズに分かれます。Handshakeフェーズでは、サーバを認証し送信データを保護するために使う、暗号技術に関する鍵を確立します。Handshakeが完了しないと、アプリケーションデータの送信を開始できません。Handshakeの完了後、SSLはデータを分解し、保護されたレコードとして送信します。

◆1.　SSL/TLSでは、第1章のTSPで共有秘密を交換するために行ったハンドシェイク処理を、Handshakeプロトコルとして厳密に定義しています。そのため翻訳では、SSL/TLSにおける「Handshake」と一般用語としての「ハンドシェイク」を区別して扱います。

3.3 Handshake

　SSLのHandshakeには、3つの目的があります。まず、クライアントとサーバは、データの保護にどのアルゴリズムを使うか合意する必要があります。また、そのアルゴリズムで使われる暗号技術に関する鍵を共有することも必要です。さらにHandshakeでは、必須ではありませんが、クライアントを認証することもできます（詳細については第4章を参照）。ここでは、最初に個々のプロトコルメッセージについては説明せずに、Handshake処理の全体を見ていきます。その後で、Handshakeを構成するメッセージの説明に進みます。

　Handshake処理の全体は、次のような手順になります（図3.1を参照）。

1. クライアントは、使用可能なアルゴリズムのリストと、鍵を生成する処理に入力として使う乱数をサーバに送信する
2. サーバは、クライアントから送信されたリストから選び出したアルゴリズムと、自身の公開鍵が含まれる証明書をクライアントに送信する。この証明書は、サーバを認証するために身元を確認する情報となる。また、サーバは鍵を生成する処理で使われる乱数もクライアントに送信する
3. クライアントは、サーバの証明書を検証し、サーバの公開鍵を取り出す。次に、pre_master_secretと呼ばれる無作為な秘密の文字列を生成し、サーバの公開鍵を使って暗号化して、それをサーバに送信する
4. クライアントとサーバは、pre_master_secretとクライアントおよびサーバが生成した乱数を使い、それぞれ独自に暗号化鍵とMAC鍵を計算する
5. クライアントは、すべてのHandshakeメッセージのMACをサーバに送信する
6. サーバは、すべてのHandshakeメッセージのMACをクライアントに送信する

　さて、この一連の処理では何をしているのでしょうか。目的が2つあることを思い出してください。1つは、使用するアルゴリズムを取り決めること、もう1つは、一組の暗号技術に関する鍵を確立することです。ステップ1と2は、1つ目の目的を果たします。クライアントは、ここでどのアルゴリズムをサポートしているのかをサーバに告げ、サーバは使用するアルゴリズムをその中から選び出します。クライアントは、サーバがステップ2で送信したメッセージを受け取った時点でどのアルゴリズムを使うかがわかるので、両方がアルゴリズムの使用に関して合意することになります。

　2つ目の目的である、暗号技術に関する鍵の共有を行うのは、ステップ2と3です。ステップ2では、サーバが証明書をクライアントに送信します。クライアントは、この証明書を利用して秘密情報をサーバに送信できます。ステップ3の後で、クライアントとサーバはどちらも同じpre_master_secretを共有します。クライアントがpre_master_secretを持つのは自分自身がそれを生成したからで、サーバがそれを持つ

のは暗号化された pre_master_secret を復号したからです。

　この Handshake でキーとなるのはステップ 3 です。この通信で保護されるデータは、すべて pre_master_secret のセキュリティに依存します。ステップ 3 の過程はごく単純です。つまりクライアントは、共通鍵を暗号化するために（証明書から取り出した）サーバの公開鍵を使用し、サーバは暗号化された共通鍵を復号するために自身の秘密鍵を使用します。Handshake の残りの処理は、主にこの交換が安全に行われることを保証するために費やされます。ステップ 4 で、クライアントとサーバは同じ KDF▼を使い、それぞれ独立して master_secret を生成します（KDF については「3.11 鍵の生成」を参照）。master_secret は、暗号技術に関する鍵を生成するために使います。その際にも KDF を使います。

▼Key Derivation Function

図 3.1
SSL Handshake の概要

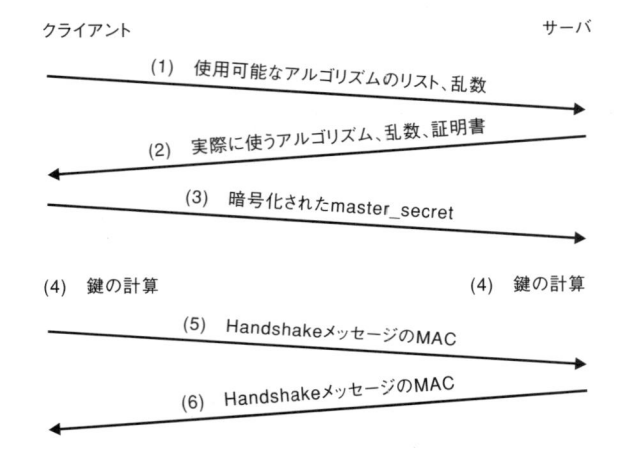

（図：クライアント ⇄ サーバ間のやりとり）
(1) 使用可能なアルゴリズムのリスト、乱数
(2) 実際に使うアルゴリズム、乱数、証明書
(3) 暗号化された master_secret
(4) 鍵の計算　　　　　(4) 鍵の計算
(5) Handshakeメッセージの MAC
(6) Handshakeメッセージの MAC

　ステップ 5 と 6 では、この Handshake そのものを改竄から守ります。例えば、攻撃者がクライアントとサーバで利用されるアルゴリズムを勝手に変えようとしたと想定しましょう。一般にクライアントは複数のアルゴリズムを提示しますが、その中には強いアルゴリズムもあれば弱いアルゴリズムもあります。複数の候補を提示することで、弱いアルゴリズムしかサポートしないサーバとも通信が可能になります。攻撃者がステップ 1 に干渉して、クライアントから提示されたアルゴリズムのリストから強いものを削除し、サーバが弱いアルゴリズムを選択せざるを得ないようにするかもしれません。ステップ 5 と 6 の MAC の交換はこの行為を防止します。クライアント側の MAC は元のメッセージに基づいて計算されるので、攻撃者が送信中のメッセージを改竄すると、それに基づいて計算されるサーバ側の MAC がクライアント側の MAC と一致しません。クライアントが生成した乱数とサーバが生成した乱数が鍵を生成する処理への入力となるので、Handshake に対する再送攻撃を防ぐことができます。これらのメッセージは、新たに取り決められたアルゴリズムと鍵で暗号化される最初のメッセージです。

　この処理が完了すると、クライアントとサーバはどの暗号技術に関するアルゴリズムを使うかに合意し、それらのアルゴリズムで使う一組の鍵を用意できます。それ以上に重要なのは、攻撃者が Handshake を改竄できないということ、そのため、ネゴシエーションに両者の要望が正しく反映されるという確証があることです。

3.3.1 Handshake メッセージ

　Handshake の各ステップでは、1つ以上の Handshake メッセージを送信します。それぞれのステップでどのメッセージが使われ、それにどのような意味があるのかを本節の後半に詳しく見ていきましょう。メッセージの一覧を図 3.2 に示します。

- ステップ 1 は、1つの Handshake メッセージ ClientHello に対応します。
- ステップ 2 は、複数の Handshake メッセージに対応します。最初に、サーバが ServerHello を送信します。ここにはサーバが利用したいアルゴリズムが含まれます。次に、サーバが Certificate メッセージにより証明書を送信します。最後に、サーバが ServerHelloDone メッセージを送信します。これは、Handshake におけるこのフェーズが完了したことを意味しています。ServerHelloDone が必要なのは、Certificate メッセージの後でさらにメッセージを送信する、より複雑な Handshake を行う SSL のバリエーションがあるからです。クライアントは ServerHelloDone メッセージを受け取ると、その種のメッセージがほかにもう送られてこないことがわかるので、自身の側の Handshake を進めることができます。
- ステップ 3 は、ClientKeyExchange メッセージに対応します
- ステップ 5 と 6 は、Finished メッセージに対応します。Finished メッセージは、合意したばかりのアルゴリズムで保護される最初のメッセージです。Handshake を改竄から保護するために、Finished メッセージはそれまでのすべての Handshake メッセージの MAC となります。ただし、Finished メッセージは合意したアルゴリズムで保護されるので、このメッセージそのものも、ネゴシエート（negotiate：折衝）した MAC 鍵を用いて処理されます。

図 3.2
SSL Handshake メッセージ◇

クライアント　　　　　　　　　　　　　　　　サーバ

Handshake:ClientHello →
← Handshake:ServerHello
← Handshake:Certificate
← Handshake:ServerHelloDone

Handshake:ClientKeyExchange →
Handshake:Finished →

← Handshake:Finished

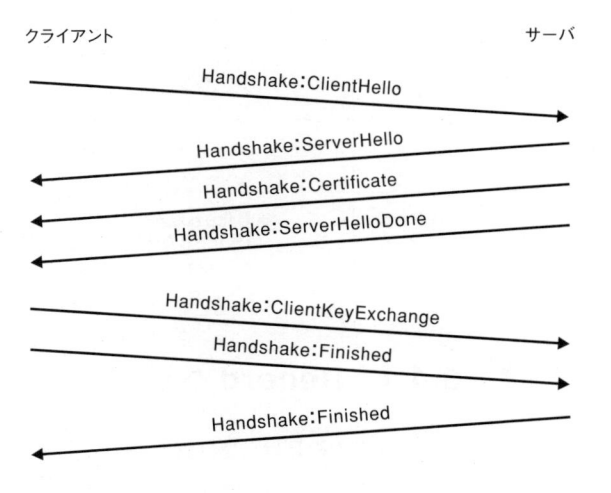

◇　図 3.2 で、2つの ChangeCipherSpec メッセージが省略されている点に注意してください。ChangeCipherSpec については、現段階の説明に関係しないので後で説明します。

3.4　SSL Record プロトコル

これまで一生懸命に試みてきたのは、サーバを認証し、鍵の素材を共有することでした。ここでもう一度思い出してください。SSL を導入するそもそもの目的は、暗号化され認証されたデータをやり取りすることです。Handshake の目的は、保護データの送受信に必要な共有状態を確立することです。SSL では、実際のデータ送信は「SSL Record プロトコル」によって実行されます。

SSL Record プロトコルは、送信するデータストリームを複数の「フラグメント (fragment)」に分割し、各フラグメントを個別に保護して送信します。受信側では、それぞれのフラグメントの暗号化に対する復号と検証が個別に行われます。この仕組みによって、接続の送信側は準備ができたらすぐにデータの送信を開始でき、受信側は受け取ったデータをすぐに処理できます。

フラグメントを送信する際には、それを攻撃から保護する必要があります。完全性を確保するため、送信するデータに基づいて MAC を計算します。MAC をフラグメントとともに送信し、受信側でこれを検証しなければなりません。MAC をフラグメントに添付し、その全体を暗号化して「暗号化ペイロード」を作ります。最後に、このペイロードにヘッダを追加します。こうして作られたものを「レコード (record)」といいます。実際に送信されるのは、このレコードです。送信処理を図 3.3 に示します。

図 3.3
SSL におけるデータの
フラグメント化と保護

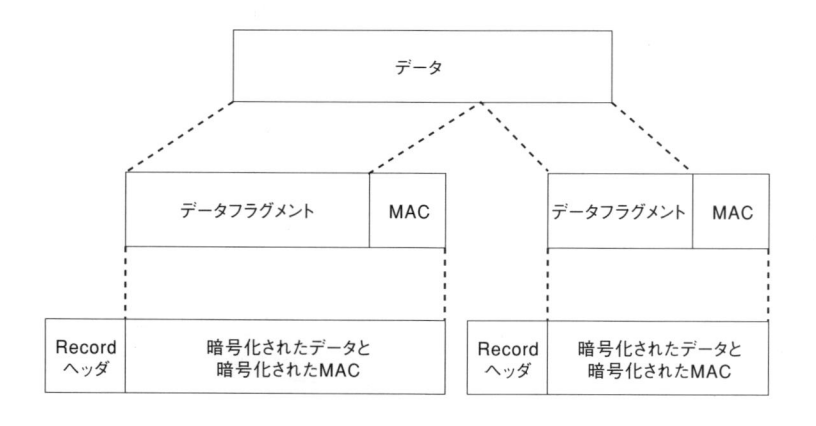

3.4.1　Record ヘッダ

Record ヘッダの役目は、受信側の SSL の実装がレコードを解釈するために必要とする情報を提供することです。具体的には、「コンテンツタイプ (content type)」、「サイズ (length)」、「SSL のバージョン (SSL version)」の 3 つです。受信側は、length フィールドをチェックすることで、あといくつのバイトを読み取ればメッセージを処理できるのかを確認できます。SSL のバージョンは、両者が使用するバージョンについて合意してい

ることを保証するための、単なる確認です。

content typeフィールドは、メッセージの種類（コンテントタイプ）を示します。第1章で説明しましたが、同じ保護された通信路を使ってほかの種類の通信を送信できると便利です。特に、エラーや接続の終了を通知するために保護されたメッセージを送信できると好都合です。content typeフィールドを使うと、制御用の通信を、より高い層のアプリケーション用のデータと区別できます。

3.4.2 コンテントタイプ

SSLがサポートするコンテントタイプは、application_data、alert、handshake、change_cipher_specの4種類です。SSLを用いるソフトウェアが送受信するデータは、すべてapplication_dataとして送信されます。それ以外の3種類は、Handshakeの実行やエラー通知などの制御のための通信に使います。

alertコンテントタイプは、主に各種のエラーを通知するために使います。ほとんどのalertはHandshakeの異常を知らせますが、一部のalertはレコードの暗号化または認証で起きたエラーを通知します。そのほかに、接続を切断することを知らせるalertもあります。これは、「1.8 安全でシンプルな通信路」で説明した強制終了攻撃（truncation attack）を防止するために必要です。

handshakeコンテントタイプは、（当然ですが）Handshakeメッセージを運ぶために使います。接続を確立する初期Handshakeメッセージも、Record層によってhandshakeタイプのレコードとして送信されます。暗号技術に関する鍵がまだ共有されていないので、初期メッセージは暗号化も認証もされませんが、それ以外の処理についてはほかのメッセージと同じです。既存の接続を使って新しいHandshakeを開始することも可能です（「4.5 再Handshake」を参照）。この場合、新しいHandshakeのレコードは、ほかのデータと同じように暗号化および認証されます。

change_cipher_specメッセージには特殊な目的があります。このメッセージは、レコードの暗号化と認証を変更することを意味します。Handshakeによって新しい鍵が取り決められると、新しい鍵を使うことを通知するためにchange_cipher_specレコードが送信されます。詳しくは「3.10 Handshakeメッセージ」で説明します。

3.5 部品の組み立て

このように SSL は、Record 層と Record 層の上位で実行される各種のメッセージタイプから構成される「階層化」されたプロトコルです。そして Record 層は、TCP などの信頼性のあるトランスポートプロトコルの上位で実行されます。このプロトコルの構造を図 3.4 に示します。

以降では、ある特定の SSL における接続を詳細に見ていきます。本章でこれまでに紹介したトピックについて、さらに掘り下げて説明します。ここで扱う題材は、主に特定の Handshake メッセージの内容です。したがって、SSL の実装、SSL の解析、または SSL のバリエーションの設計に関心のある読者は、必ず目を通してください。それ以外の読者は、ほかの Handshake モードについて説明する第 4 章に進んでも構いません。最初に SSL における接続の一般的な機能を説明してから、個々のメッセージについてのより詳細な説明に進みます。

図 3.4
SSL プロトコルの構造

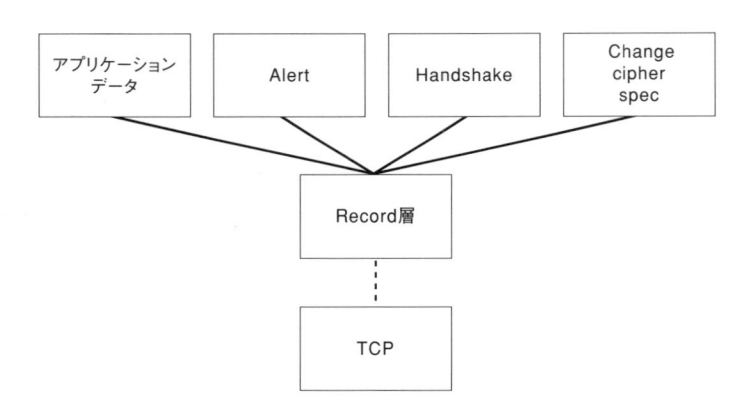

先ほどと同じように、最初に Handshake について説明します。暗号スイートによりアルゴリズムをネゴシエートする過程と、サーバの鍵を使って共有される pre_master_secret（接続用の暗号技術に関する鍵を生成するために使用）を作成する過程をここで紹介します。その後で、SSL Record プロトコルが通信中のデータを保護するために使う暗号技術に関する処理について説明します。

3.6 接続の実際

これから学習する接続のラダー(はしご)図を図3.5に示します。前に使ったラダー図でもそうでしたが、クライアント(speedy)からサーバ(romeo)へ送られるメッセージを左から右、サーバからクライアントへ送られるメッセージを右から左へ表記します。

最初に送信するメッセージはClientHelloです。このメッセージには、クライアントが提示する暗号技術に関するパラメータ(クライアントが使用できる暗号など)を含みます。また、鍵生成に使う乱数もここに含みます。サーバは、3つのメッセージでこれに応答します。まず、選択した暗号化および圧縮のアルゴリズムをServerHelloで送信します。ServerHelloはサーバの乱数を含みます。

SSLに圧縮の機能があるのは、実際の暗号化データが無作為も同然であり、一般的な方法で圧縮するわけにいかないからです。そのため、モデムで実行されるようなリンクレベルの圧縮◆監訳注2はSSLのデータには使えません。送信する前にデータを圧縮したいのなら、暗号化の前に圧縮を実行する必要があります。残念なことに、知的所有権を考慮した結果、SSLv3にもTLSにも圧縮アルゴリズムは定義されていません。

図3.5
SSLメッセージの時系列

```
クライアント                                          サーバ
(speedy)                                            (romeo)
    |──────── Handshake:ClientHello ──────────────────▶|
    |◀─────── Handshake:ServerHello ───────────────────|
    |◀─────── Handshake:Certificate ───────────────────|
    |◀─────── Handshake:ServerHelloDone ───────────────|
    |──────── Handshake:ClientKeyExchange ────────────▶|
    |──────── ChangeCipherSpec ───────────────────────▶|
    |──────── Handshake:Finished ─────────────────────▶|
    |◀─────── ChangeCipherSpec ────────────────────────|
    |◀─────── Handshake:Finished ──────────────────────|
    |──────── application_data ───────────────────────▶|
    |◀─────── application_data ────────────────────────|
    |──────── Alert:warning, close_notify ────────────▶|
```

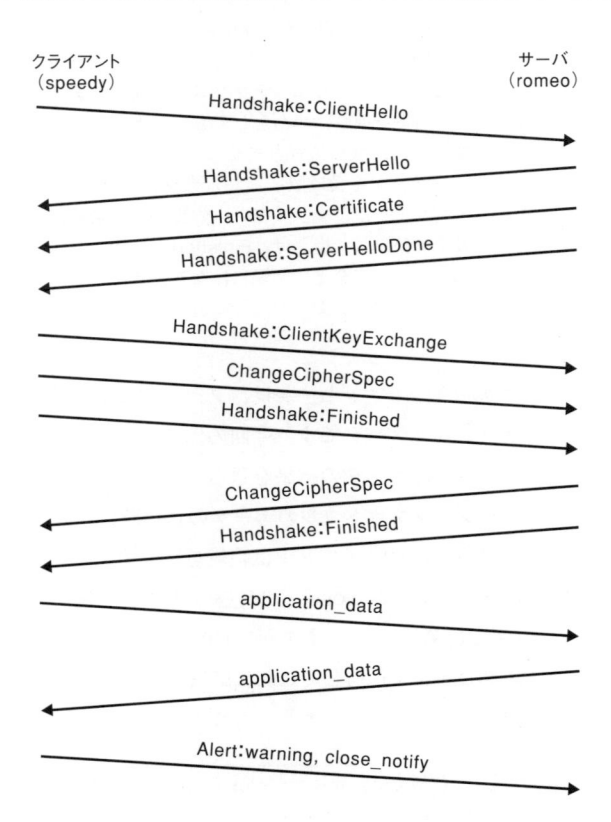

◆2. データリンク層における圧縮のことを指すと思われます。

したがって、SSLで圧縮が使われることはまずありません。例外はOpenSSLです。圧縮がサポートされているので、両側がOpenSSLをベースとする実装であり、適切に設定されていれば、圧縮を使用できます。

次に、サーバはCertificateメッセージを送信します。ここにはサーバの公開鍵が含まれます。今回の例ではRSA鍵を使います。最後に、サーバはServerHelloDoneメッセージを送信します。このメッセージは、Handshakeのこのフェーズで送信するメッセージがもうないことを意味します。

その次には、クライアントがClientKeyExchangeメッセージを送信します。ここには無作為に生成された鍵が含まれ、サーバのRSA鍵で暗号化されています。その後に送信するChangeCipherSpecメッセージは、後続のすべてのメッセージを、今取り決めた暗号スイートで暗号化することを通知します。Finishedメッセージには、接続全体のチェック値を含みます。それによりサーバは、暗号スイートが安全に取り決められたと確信できます。

クライアントのFinishedメッセージを受け取った後で、サーバはChangeCipherSpecおよびFinishedメッセージを送信します。これで、接続を通じてアプリケーションデータの送信を始められる状態になります◇。

> ◇　SSLv3の仕様では、Finishedメッセージを送信した直後にアプリケーションデータの送信を開始できます。ただし、この方法を使うと、接続が攻撃されている場合にクライアントのデータにセキュリティリスクが発生します。攻撃者がHandshakeを改竄し、弱い暗号スイートを取り決めたとしても、クライアントはサーバのFinishedメッセージを受け取るまでこの改竄に気付きません。この問題を修正するため、TLSでは、サーバのFinishedメッセージを受け取ってからクライアントが最初のアプリケーションデータを送信します。サーバが、クライアントの提示した暗号化アルゴリズムのリストの中から最も強い暗号を選び出した場合は、Finishedメッセージを待たずにアプリケーションデータの送信を開始しても安全上の問題にはなりません。しかし、サーバがどの暗号化アルゴリズムを選んだか確認するよりも、常にFinishedメッセージを待つほうが安全です。

次の2つのメッセージは、クライアントとサーバによってそれぞれ送信されるアプリケーションデータです。今回の例では、クライアントプログラムとサーバプログラムに入力されたデータの結果を送信しますが、実際のトランザクションにおいては、アプリケーションプロトコルのデータの送信時に、これらのメッセージがやり取りされます。

最後に、クライアントは接続を閉じます。しかし、その前に、接続をこれから閉じることを通知するclose_notifyメッセージを送信します。close_notifyメッセージの後に、(図では省略していますが)TCP FINメッセージが送信されます。サーバは、TCP FINメッセージを送信してこれに応答します。2つのFINは、ホストのTCPの実装が自身の側の接続を閉じたことと、これ以上データを送信しないことを示します◇。

> ◇　仕様では、サーバがclose_notifyメッセージ送信が必須かどうかについての記述が、やや曖昧になっています。しかし万全を期して、サーバとクライアントの両方がclose_notifyメッセージを送信すべきです。

3.7 接続の詳細

これから説明するプロトコルメッセージを理解するためには、各種のメッセージを分解し、その内容を表示するソフトウェアがあると便利です。本書では、ssldumpプログラムを使いました。

簡単なSSLの接続で使われるすべてのメッセージをssldumpで出力した結果が図3.6です。各メッセージの詳しい説明は少し後回しにします。ここでは肩慣らしとして、全体の接続における出力を見ていきましょう。

本書にssldumpによるトレースが登場するのはこれが初めてなので、出力形式について簡単に説明します。1行目は、SSLセッションに使われるTCP接続の基本的なセットアップを示しています。今回の例では、テスト用ネットワークで動作中の2台のマシン、romeoとspeedyの間の接続がこれに相当します。TCPの接続を開始したホスト（connect()関数を呼び出したホスト）の名前（romeo）が最初に表示され、TCPの接続を受け入れたホスト（accept()関数を呼び出したホスト）の名前（speedy）が2番目に表示されます。通常のSSLの実行では、開始側のホストがクライアントの役割をして、受け入れ側のホストがサーバの役割をします。

番号が振られた行がSSLレコードです。つまり、この接続は12個のレコードで構成されます。最初の数値は、処理されたシーケンスに含まれるレコードの数です。その後に2つのタイムスタンプがあります。1つ目はTCPの接続の確立からの経過時間で、2つ目は最後のレコードからの経過時間です。どちらも、小数点以下4桁までの秒を単位として表記されます。その次に、レコードが送信された向きが表示されます。C>Sはクライアントからサーバ（この例ではromeoからspeedy）へ、S>Cはサーバからクライアント（speedyからromeo）への送信を意味します。その次に表示されるのは、レコードタイプです。前節で説明した階層の1つがこれに相当します。

図 3.6
単純なSSLの接続◆監訳
注3

```
New TCP connection: speedy(3266) <-> romeo(4433)
1 0.0456 (0.0456) C>S    Handshake
      ClientHello
        Version 3.1
        cipher suites
                TLS_DHE_RSA_WITH_3DES_EDE_CBC_SHA
                TLS_DHE_DSS_WITH_3DES_EDE_CBC_SHA
                TLS_RSA_WITH_3DES_EDE_CBC_SHA
                TLS_RSA_WITH_IDEA_CBC_SHA
                TLS_RSA_WITH_RC4_128_SHA
                TLS_RSA_WITH_RC4_128_MD5
                TLS_DHE_RSA_WITH_DES_CBC_SHA
                TLS_DHE_DSS_WITH_DES_CBC_SHA
                TLS_RSA_WITH_DES_CBC_SHA
                TLS_DHE_RSA_EXPORT_WITH_DES40_CBC_SHA
                TLS_DHE_DSS_EXPORT_WITH_DES40_CBC_SHA
```

◆3. 図3.6では、本文の説明とは逆に、speedyがクライアント、romeoがサーバとして動作している状態が掲載されています。1行目を逆に読み替えてください。

```
                          TLS_RSA_EXPORT_WITH_DES40_CBC_SHA
                          TLS_RSA_EXPORT_WITH_RC2_CBC_40_MD5
                          TLS_RSA_EXPORT_WITH_RC4_40_MD5
            compression methods
                          NULL
 2 0.0461 (0.0004)  S>C   Handshake
       ServerHello
            session_id[32]=
               74 6d 09 76 1d 2a c9 02 4a a1 a3 4e
               27 5c 18 63 8a d9 4a 59 f9 c3 14 a5
               c4 b3 a4 f6 61 ef f5 cd
            cipherSuite            TLS_RSA_WITH_DES_CBC_SHA
            compressionMethod              NULL
 3 0.0461 (0.0000)  S>C   Handshake
       Certificate
 4 0.0461 (0.0000)  S>C   Handshake
       ServerHelloDone

 5 0.2766 (0.2304)  C>S   Handshake
       ClientKeyExchange
            EncryptedPreMasterSecret[64]=
               17 4d 00 32 bc b2 af 95 09 0a 45 24
               97 d8 34 dc 73 20 4d 00 91 a5 0d ed
               c3 f0 b4 f5 32 6f 13 cc ea 41 00 5e
               bb 05 f1 b7 e2 c4 fa 1b 40 c1 2a f3
               00 20 83 43 2d 8c 2a 53 3b 33 cc 5f
               0b bc db a2
 6 0.2766 (0.0000)  C>S   ChangeCipherSpec
 7 0.2766 (0.0000)  C>S   Handshake
       Finished
 8 0.2810 (0.0044)  S>C   ChangeCipherSpec
 9 0.2810 (0.0000)  S>C   Handshake
       Finished
10 1.0560 (0.7749)  C>S   application_data
11 6.3681 (5.3121)  S>C   application_data
12 7.3495 (0.9813)  C>S   Alert
       level         warning
       value         close_notify
Client FIN
Server FIN
```

　実際には、ssldumpではさらに詳細にレコードタイプがデコードされ、もう一段階インデントした行に表示される場合があります。特にレコードタイプがHandshakeの場合、ssldumpは、かなり多くの量をデコードします。次の行はHandshakeタイプで、後続の行には関連フィールドのデコードが含まれます。この部分にどの情報を表示するかは、コマンドラインからフラグにより指定できます。今回のトレースでは、ほどほどの量の情報しか表示しないようにしました。本節では、メッセージの流れを示すことが目的なので、一部のフィールドをトレースから省いています。後で各メッセージを詳細に解説するときに、メッセージを構成するすべてのフィールドを紹介します。

　例えば、1つ目のレコードはHandshakeメッセージです。その次の行は、romeoからspeedyへ送信されたClientHelloを示しています。ClientHelloはいくつかの暗号スイート（一時的DH/3DESからRSA/RC4-40まで）を提示していますが、圧縮方式は1つ（NULL）しか提示しません。

　ssldumpは、本書で使う出力を生成することを目的の1つとして書かれたツールなので、出力の内容はプログラムでの出力そのものにほぼ忠実です。イタリックになっているのは、追加したコメントの部分です。今回表示されたトレースは、OpenSSLのs_client

とs_serverプログラムを使って生成したものです。どちらも、単純なコマンドラインのクライアントとサーバプログラムです。暗号化データの部分は、等幅のイタリックで表記しています。

3.8　SSLの仕様記述言語

多くのプロトコルでは、プロトコルメッセージのさまざまなフィールドと通信回線におけるその形式を記述するために、仕様記述言語を使います。仕様記述言語を使う狙いは、誤解の余地なく簡便にプロトコルを記述することです。このような言語の1つがASN.1です。

TLSとSSLv3は、どちらも同じ仕様記述言語を使ってメッセージを記述します。構文はCにおける型定義に似ていますが、この言語はSSLv3用に新たに作成されたもので、仕様では定義のみが定められています◇。

> ◇　TLSの仕様では、言語の構文を「やや緩く定義した」と書かれており、ほとんどの仕様は明確なものの、新しい構造体が十分に説明されないまま何度か現れています。1カ所では、デコーダを機械的に生成する狙いで、記述仕様言語の文法により駆動されるパーザ（YACCを使用）を書くことが試みられました。この試みは、うまくいかずに放置されています。

3.8.1　基本型

仕様では、opaque、uint8、uint16、uint24、uint32の5種類の基本型を利用します。opaqueは、内容が解釈されない1バイトを意味します。uint8、uint16、uint24、uint32は、それぞれ符号なしの8、16、24、32ビット整数を意味し、通信回線においてはそれぞれ1、2、3、4バイトのシーケンスとなります。すべての数値はネットワークバイトオーダー（上位バイト先行）で表現されます。つまり、数値1をuint32として表すと16進数バイト00 00 00 01となります。また、Cと同じく、/*と*/で囲まれた部分がコメントとして扱われます。

3.8.2　ベクタ型

ベクタとは、特定の型の要素を並べたものを指します。ベクタには、固定長と可変長の2種類があります。固定長ベクタは[ ]を使って表し、可変長ベクタは< >を使って表します。長さの単位がバイトであり、要素の数ではないことに注意してください。したがって、uint16 foo[4]という宣言は、16ビットの整数2個のことであり、4個ではありません。こうすることで、デコーダを階層化することができます。つまり、ある階層

で構造体をopaque型の文字列として扱い(長さがわかっているため)、それを別の階層に引き渡して解析を任せることができます。

可変長ベクタは、最大と最小の長さを両方とも指定するか、最大長のみを指定して表すことができます。例えば、次のように指定します。

```
opaque stuff<1..20>  /* 1～20バイトの文字列 */
uint32 numbers<16>   /* 最大4個の32ビット整数 */
```

通信回線において固定長ベクタをエンコードする場合、最初の要素が先頭に来るようにエンドツーエンドで要素を連結する方式を取ります。可変長ベクタも、lengthフィールドが先頭に付加されることを除けば、固定長ベクタと同じ方式でエンコードされます。lengthフィールドは、最大長のベクタをエンコードするのに十分な大きさの整数型です。例えば、opaque vec<300>はuint16型のlengthフィールドを使います。

3.8.3 列挙型

列挙型は、特定の値が連続して構成されるフィールドです。それぞれの値は名前を持ちます。例えば、次のように指定します。

```
enum { red(1), blue(2), green(3) } colors;
```

この宣言は、colorsという名前の型がred、blue、greenの3つの値を持つことができ、それぞれの値が通信回線においては整数1、2、3として表されることを意味します。通信回線にエンコードされると、enumはそこに格納できる最大長の値を保持するのに十分な大きさの整数型として表されます。したがって、colorsはuint8、つまり1バイトとして表されます。

enumの最大長を明示的に指定することも可能です。それには、次のような無名の値を指定します。

```
enum { warning(1), fatal(2), (255) } AlertLevel;
```

例外として、値を1つも持たないenumを定義することもできます。これは、実装で内部的に使用する状態を値として指すために、仕様記述言語でときどき使われる方法です。以下のようなenumは、当然通信回線にエンコードされません。値をどうエンコードするかが定義されていないからです。

```
enum { high, low } security;
```

3.8.4 構造体型

構造体型は、structの定義を使って作ります。Cのstruct構文と非常によく似ています。

```
struct {
  type1 field1,
  type2 field2,
  type3 field3,
  ...
} name;
```

structは、通信回線においては、定義された順序そのままに各フィールドを連結してエンコードされます。また、structの定義は入れ子にすることもできます。別のstructに直接入れる場合は、structのnameフィールドを省いても構いません。

3.8.5 バリアント型

構造体は、外部情報に依拠して変化するバリアント型によって定義されます。その構造の見た目はCのswitch文に似ていますが、実際にはCのunionやASN.1のCHOICEに近いものです。

```
select (type) {
  case value1: Type1
  case value2: Type2
  ...
} name;
```

selectの内容を制御する型は常にenumです。次の使用例を見てください。

```
struct {
  select (KeyExchangeAlgorithm) {
    case rsa: EncryptedPreMasterSecret;
    case diffie_hellman: DiffieHellmanClientPublicValue;
  } exchange_keys;
} ClientKeyExchange;

enum { rsa, diffie_hellman } KeyExchangeAlgorithm;
```

この例では、KeyExchangeAlgorithmの値に基づいて構造体ClientKeyExchangeの定義が切り替わります。KeyExchangeAlgorithmがrsaの場合は、値の型はEncryptedPreMasterSecretとなります。diffie_hellmanの場合は、値の型はDiffieHellmanClientPublicValueとなります。KeyExchangeAlgorithmの値は、メッセージのどこにも現れず、システムに依存していることに注意してください。しかし、バリアント型の中には、メッセージ中のほかのフィールドを指すものもあります。

3.9 Handshake メッセージの構造

　SSLにおけるHandshakeメッセージは、単純なヘッダと本体で構成されます。本体の構造は、メッセージタイプによって異なります。Handshakeメッセージの構造を図3.7に示します。

　ヘッダのサイズは4バイトで、1バイトのtypeフィールドと3バイトのlengthフィールドで構成されます。lengthフィールドは、Handshakeメッセージの残りの部分のサイズです（typeフィールドとlengthフィールドは含みません）。メッセージの残りのコンテンツは、msg_typeフィールドの値が違うと完全に異なります。lengthフィールドは、構成要素をよく見ればわかるので、厳密には必要ありません。しかし、lengthフィールドを明示的に持つことで、プロトコルの実装がずっと楽になります。

　SSLを実装する際には、ある階層で連続したHandshakeメッセージの分解を実行し、別の階層でメッセージの処理を実行することができます。注意してほしいのは、HandshakeメッセージとSSLレコードの対応関係が一対一に固定されていないことです。つまり、複数のHandshakeメッセージを1つのレコードに含めることも可能です。理論上は、1つのHandshakeメッセージを複数のレコードに分けることもできますが、実際にはそのような例はありません。

図 3.7
SSL の Handshake メッセージ

```
struct {
  HandshakeType msg_type;
  uint24 length;
  select (HandshakeType) {
    case hello_request: HelloRequest;
    case client_hello: ClientHello;
    case server_hello: ServerHello;
    case certificate: Certificate;
    case server_key_exchange: ServerKeyExchange;
    case certificate_request: CertificateRequest;
    case server_hello_done: ServerHelloDone;
    case certificate_verify: CertificateVerify;
    case client_key_exchange: ClientKeyExchange;
    case finished: Finished;
  } body;
} Handshake;

enum {
  hello_request(0), client_hello(1), server_hello(2),
  certificate(11), server_key_exchange (12),
  certificate_request(13), server_hello_done(14),
  certificate_verify(15), client_key_exchange(16),
  finished(20), (255)
} HandshakeType;
```

3.10 Handshake メッセージ

　SSL 接続を生成する最初のステップが Handshake です。Handshake は、接続で使うアルゴリズムと鍵素材の確立をします。本節では、既に紹介した SSL Handshake を詳しく解説します。それぞれの Handshake メッセージについて、それに対応する仕様記述言語とより詳しいトレースを示します。その後で、各フィールドの意味と値を見ていきます。

　本節の読み方は 2 通りあります。Handshake で実行される処理を具体的に知りたい場合は、説明を手がかりにして仕様をつぶさに読み、`ssldump` の出力と照合してください。全体的なイメージをつかみたい場合は、構造の定義とプロトコルトレースを参考にしながら、説明だけに目を通してください。

3.10.1　ClientHello メッセージ

　最初に送信される Handshake メッセージは、ClientHello メッセージです。ClientHello メッセージの構造は、次のようになります。

```
struct {
  ProtocolVersion client_version;
  Random random;
  SessionID session_id;
  CipherSuite cipher_suites<2..2^16-1>;
  CompressionMethod compression_methods<1..2^8-1>;
} ClientHello;

struct {
  uint8 major;
  uint8 minor;
} ProtocolVersion;

struct {
  uint32 gmt_unix_time;
  opaque random_bytes[28];
} Random;

opaque SessionID<0..32>;
uint8 CipherSuite[2];
enum { null(0), (255) } CompressionMethod;
```

ClientHello メッセージを `ssldump` で出力した結果は、次のようになります。

```
ClientHello
  Version 3.1
  random[32]=
    38 f3 cb de 80 4c b4 79 0a 07 9f b3
    51 ba b8 62 69 e3 8f bf ce c7 ff 25
    3c 3b 84 16 38 b2 5e f7
  cipher suites
          TLS_DHE_RSA_WITH_3DES_EDE_CBC_SHA
          TLS_DHE_DSS_WITH_3DES_EDE_CBC_SHA
          TLS_RSA_WITH_3DES_EDE_CBC_SHA
          TLS_RSA_WITH_IDEA_CBC_SHA
          TLS_RSA_WITH_RC4_128_SHA
          TLS_RSA_WITH_RC4_128_MD5
          TLS_DHE_RSA_WITH_DES_CBC_SHA
          TLS_DHE_DSS_WITH_DES_CBC_SHA
          TLS_RSA_WITH_DES_CBC_SHA
          TLS_DHE_RSA_EXPORT_WITH_DES40_CBC_SHA
          TLS_DHE_DSS_EXPORT_WITH_DES40_CBC_SHA
          TLS_RSA_EXPORT_WITH_DES40_CBC_SHA
          TLS_RSA_EXPORT_WITH_RC2_CBC_40_MD5
          TLS_RSA_EXPORT_WITH_RC4_40_MD5
compression methods
          NULL
```

ClientHelloメッセージの主な目的は、クライアントが希望する接続を確立するために必要とされる複数のパラメータを伝えることです。ClientHelloの送信後、クライアントはサーバからのHelloメッセージを待ちます。SSLv3とTLSの場合、クライアントは受け入れ可能なパラメータを提示し、サーバが実際に使う一組をそこから選び出します。ネゴシエート可能な3つのパラメータは、バージョン(client_version)、暗号技術に関するアルゴリズム(cipher_suites)、圧縮アルゴリズム(compression_methods)です。

client_versionフィールドは、クライアントがサポートする最も高いSSLのバージョン番号を格納します。SSLv3の場合、このフィールドはmajor=3およびminor=0になります。TLSの場合は、major=3およびminor=1です。上記の出力では、クライアントはTLSをサポートすることを通知しました。一般に、実装は下位のバージョンすべてをサポートしていると期待されます。SSLには、前のバージョンをサポートしていない旨を通知する機能はありません。つまり、たとえクライアントがバージョン2.0ではセキュリティが保護されないと知っていても、バージョン3.0以上を使うようにサーバに指示する手段はないのです。できるのは、サーバに打診してみて、サーバがバージョン2.0を選んだ場合に接続を終了することだけです。

接続に際して選択した暗号技術に関する情報は、すべてCipherSuiteの中にバンドルされます。これは、任意に選んだ2バイトの定数で表現されます。CipherSuiteは、サーバ認証アルゴリズム、鍵交換アルゴリズム、バルク暗号化アルゴリズム(bulk encryption algorithm)◆監訳注4、ダイジェストアルゴリズム(メッセージ完全性をチェックする)を指定します。暗号スイートは、クライアントが所望する順序で並べます。TLSの暗号スイートの一覧を図3.8に示します。

◆4. アプリケーションデータ用の暗号化アルゴリズムのことを指します。

図3.8で†記号が付いている暗号スイートは、TLS標準には含まれません。これらは、米国輸出規制が緩和され、1024ビットの鍵配送と56ビットの共通鍵暗号が許可されたのを受けて、[Banes1999]で導入されたものです。これらの暗号スイートを使うと、1024ビットのRSAおよびDHをDESまたは56ビットのRC4と組み合わせることができます。[Banes1999]では、TLS標準では省かれていたRC4-128を使うDH/DSSのサポートも追加されました。

これらのアルゴリズムは広く実装されていますが、米国輸出規制の完全自由化によって必要性がなくなってしまったので、将来標準化される見通しは不明です。これらのアルゴリズムは輸出向けとされているので、「3.11 鍵の生成」で説明する輸出鍵生成の手続きを踏みます。

最後にネゴシエートするパラメータは、圧縮アルゴリズムです。圧縮アルゴリズムは、1バイトの定数で表されます。ただし実際には、主に特許の関係で、SSLにおいて圧縮アルゴリズムが定義されたことはありません。したがって、サポートされる唯一のアルゴリズムは、必須のNULLアルゴリズムです。これはデータを圧縮しないアルゴリズムです。しかし、OpenSSLなどの一部の実装では、独自に圧縮アルゴリズムを実装しています。

ClientHelloメッセージの2つ目のパラメータは、32バイトの値(以後、randomとします)です。これは、鍵を生成する処理の入力として使われる値の1つです。randomの最初の4バイトは、メッセージが生成された日付と時刻(UNIX時間、つまりグリニッジ標準時1970年1月1日午前0時からの経過秒数)で、残りの28バイトは無作為に生成されるべき数値です。最初の4バイトが時刻でなくてもプロトコルは正しく動作することに注意してください。クライアントとサーバのクロックが同期している必要はありません。この乱数のデータを利用する目的は、同じpre_master_secretを使った場合でも、異なる暗号化鍵とMAC鍵が生成されるようにすることです。この仕組みにより、再送攻撃を防ぎます。

図 3.8
TLS で使用できる暗号スイート

暗号スイート	認証	鍵交換	暗号	ダイジェスト	番号
TLS_RSA_WITH_NULL_MD5	RSA	RSA	NULL	MD5	0x0001
TLS_RSA_WITH_NULL_SHA	RSA	RSA	NULL	SHA	0x0002
TLS_RSA_EXPORT_WITH_RC4_40_MD5	RSA	RSA_EXPORT	RC4_40	MD5	0x0003
TLS_RSA_WITH_RC4_128_MD5	RSA	RSA	RC4_128	MD5	0x0004
TLS_RSA_WITH_RC4_128_SHA	RSA	RSA	RC4_128	SHA	0x0005
TLS_RSA_EXPORT_WITH_RC2_CBC_40_MD5	RSA	RSA_EXPORT	RC2_40_CBC	MD5	0x0006
TLS_RSA_WITH_IDEA_CBC_SHA	RSA	RSA	IDEA_CBC	SHA	0x0007
TLS_RSA_EXPORT_WITH_DES40_CBC_SHA	RSA	RSA_EXPORT	DES40_CBC	SHA	0x0008
TLS_RSA_WITH_DES_CBC_SHA	RSA	RSA	DES_CBC	SHA	0x0009
TLS_RSA_WITH_3DES_EDE_CBC_SHA	RSA	RSA	3DES_EDE_CBC	SHA	0x000A
TLS_DH_DSS_EXPORT_WITH_DES40_CBC_SHA	RSA	DH_DSS_EXPORT	DES_40_CBC	SHA	0x000B
TLS_DH_DSS_WITH_DES_CBC_SHA	DSS	DH	DES_CBC	SHA	0x000C
TLS_DH_DSS_WITH_3DES_EDE_CBC_SHA	DSS	DH	3DES_EDE_CBC	SHA	0x000D
TLS_DH_RSA_EXPORT_WITH_DES40_CBC_SHA	RSA	DH_EXPORT	DES_40_CBC	SHA	0x000E
TLS_DH_RSA_WITH_DES_CBC_SHA	RSA	DH	DES_CBC	SHA	0x000F
TLS_DH_RSA_WITH_3DES_EDE_CBC_SHA	RSA	DH	3DES_EDE_CBC	SHA	0x0010
TLS_DHE_DSS_EXPORT_WITH_DES40_CBC_SHA	DSS	DHE_EXPORT	DES_40_CBC	SHA	0x0011
TLS_DHE_DSS_WITH_DES_CBC_SHA	DSS	DHE	DES_CBC	SHA	0x0012
TLS_DHE_DSS_WITH_3DES_EDE_CBC_SHA	DSS	DHE	3DES_EDE_CBC	SHA	0x0013
TLS_DHE_RSA_EXPORT_WITH_DES40_CBC_SHA	RSA	DHE_EXPORT	DES_40_CBC	SHA	0x0014
TLS_DHE_RSA_WITH_DES_CBC_SHA	RSA	DHE	DES_CBC	SHA	0x0015
TLS_DHE_RSA_WITH_3DES_EDE_CBC_SHA	RSA	DHE	3DES_EDE_CBC	SHA	0x0016
TLS_DH_anon_EXPORT_WITH_RC4_40_MD5	-	DH_EXPORT	RC4_40	MD5	0x0017
TLS_DH_anon_WITH_RC4_128_MD5	-	DH	RC4_128	MD5	0x0018
TLS_DH_anon_EXPORT_WITH_DES40_CBC_SHA	-	DH	DES_40_CBC	SHA	0x0019
TLS_DH_anon_WITH_DES_CBC_SHA	-	DH	DES_CBC	SHA	0x001A
TLS_DH_anon_WITH_3DES_EDE_CBC_SHA	-	DH	3DES_EDE_CBC	SHA	0x001B
TLS_RSA_EXPORT1024_WITH_DES_CBC_SHA †	RSA	RSA	DES_CBC	SHA	0x0062
TLS_DHE_DSS_EXPORT1024_WITH_DES_CBC_SHA †	RSA	RSA	DES_CBC	SHA	0x0063
TLS_RSA_EXPORT1024_WITH_RC4_56_SHA †	RSA	RSA	RC4_56	SHA	0x0064
TLS_DHE_DSS_EXPORT1024_WITH_RC4_56_SHA †	RSA	RSA	RC4_56	SHA	0x0065
TLS_DHE_DSS_WITH_RC4_128_SHA †	RSA	RSA	RC4_128	SHA	0x0066

また、ClientHello には session_id パラメータもあります。このセッション ID は、クライアントからの通知に使う最大 32 バイトの文字列で、暗号技術に関する鍵の素材を新規に生成する代わりに、前の接続の素材を再利用したいことを示します。公開鍵を計算する処理には多量のリソースを要するので、session_id を使うことで処理がずっと速くなります。今回のトレースでは、クライアントとサーバには前のセッションがないので、session_id フィールドの値は 0 です。セッション再開については、第 4 章で説明します。

3.10.2　ServerHello メッセージ

　ServerHello メッセージは、クライアントから提示されたオプションから 1 つを選び出すときにサーバが使います。このメッセージの server_version、cipher_suite、compression_method フィールドは、この SSL 接続でこれから使うバージョン、暗号スイート、圧縮アルゴリズムです。

　ServerHello メッセージの構造は、次のようになります。

```
struct {
  ProtocolVersion server_version;
  Random random;
  SessionID session_id;
  CipherSuite cipher_suite;
  CompressionMethod compression_method;
} ServerHello;
```

　ServerHello メッセージを ssldump で出力した結果は、次のようになります。

```
ServerHello
SSL version 3.1
random[32]=
  38 f3 cb d1 33 63 1c c7 2e 8c 56 43
  9e fb 20 70 cc 4b 16 06 4d 5a 8b 15
  e3 9f 0d 47 39 16 5f 5c
session_id[32]=
  74 6d 09 76 1d 2a c9 02 4a a1 a3 4e
  27 5c 18 63 8a d9 4a 59 f9 c3 14 a5
  c4 b3 a4 f6 61 ef f5 cd
cipherSuite TLS_RSA_WITH_DES_CBC_SHA
compressionMethod NULL
```

　今回のトレースでは、クライアントとサーバはどちらも TLS をサポートするので、選ばれたバージョンは 3.1 です。サーバは、暗号スイートとして **TLS_RSA_WITH_DES_CBC_SHA** を選びました。これは、DES-CBC をメッセージ暗号化に使い、SHA をメッセージダイジェストに使う RSA 鍵交換です。ここで注意してほしいのは、サーバはクライアントからの要望が高い暗号スイートをサポートしていても、必ずしもそれを選ぶ義務はないことです。SSL の仕様を見ると、クライアントがサポートしている暗号化アルゴリズムの中からサーバがどれを選ぶか、その判断基準は明確に示されていません。クライアントの要望を尊重するか、自身の希望を優先するか、その判断はサーバの自由で

す。ただし実際には、クライアントでサポートされる暗号スイートの中から、サーバ側での優先度が最も高いものを選ぶのが一般的です。サーバがどの暗号を選ぶかクライアントには予測がつかないので、クライアントの実装者にとってはやや不便です。これはまた、特定の接続を作成した結果に関するフィードバックを、実際に接続処理が開始されるまでユーザに提供できないということも意味しています。

最後に、サーバは使用可能な唯一の圧縮アルゴリズムであるNULLを選択しました。また、サーバは乱数も引き渡しています。この乱数はpre_master_secret(詳しくは後述します)とともに使用し、クライアントの乱数と組み合わせて、これから接続で使用する鍵の素材を生成します。この手順を踏むことで、接続を確立してからクライアントが壊れてしまい、同じ乱数が2つのHandshakeで使われた場合でも、最終的に生成される暗号技術に関する鍵は、別のものになります。これは、「1.8 安全でシンプルな通信路」で述べたとおり、Handshakeを再送する試みを防止するのにも有効です。

通常サーバは、クライアントが後でセッションの再開に使えるsession_idを引き渡します。サーバがセッションの再開を望まない場合は、ゼロ長のsession IDを提供します。今回の例では、サーバが引き渡したsession_idは、このセッションの再開に使えるものです。session IDを具体的にどうやって生成するかは、実装に任されています。純粋に無作為に生成されることも多いのですが、サーバがキャッシュに保存したセッションを検索しやすい構造にすることも可能です。

▼ 3.10.3　Certificate メッセージ

Certificateメッセージは、単にX.509証明書を並べたものです。証明書の順序は決まっています。最初はサーバに属する証明書、2番目は(もし存在すれば)サーバの証明書を保証する鍵が含まれた証明書、といった具合に続きます。一般的なSSLとTLSの暗号スイートでは、サーバは必ず証明書を送信します(サーバが匿名の暗号スイートも若干あります)。証明書に記載されている鍵は、pre_master_secretの暗号化に使うか、ServerKeyExchangeの検証に使います。どちらを使うかは、選択した暗号スイートによって違います。

Certificateメッセージの構造は、次のようになります。

```
struct {
  ASN.1Cert certificate_list<1..2^24-1>;
} Certificate;

opaque ASN.1Cert<2^24-1>;
```

Certificateメッセージをssldumpで出力した結果は、次のようになります。

```
Certificate
  Subject
    C=AU
    ST=Queensland
    O=CryptSoft Pty Ltd
    CN=Server test cert (512 bit)
  Issuer
    C=AU
    ST=Queensland
    O=CryptSoft Pty Ltd
    CN=Test CA (1024 bit)
  Serial 04
  certificate[493]=
      30 82 01 e9 30 82 01 52 02 01 04 30
      0d 06 09 2a 86 48 86 f7 0d 01 01 04
      05 00 30 5b 31 0b 30 09 06 03 55 04
      06 13 02 41 55 31 13 30 11 06 03 55
      04 08 13 0a 51 75 65 65 6e 73 6c 61
      6e 64 31 1a 30 18 06 03 55 04 0a 13
      11 43 72 79 70 74 53 6f 66 74 20 50
      74 79 20 4c 74 64 31 1b 30 19 06 03
      55 04 03 13 12 54 65 73 74 20 43 41
      20 28 31 30 32 34 20 62 69 74 29 30
      1e 17 0d 39 38 30 36 32 39 32 33 35
      32 34 30 5a 17 0d 30 30 30 36 32 38
      32 33 35 32 34 30 5a 30 63 31 0b 30
      09 06 03 55 04 06 13 02 41 55 31 13
      30 11 06 03 55 04 08 13 0a 51 75 65
      65 6e 73 6c 61 6e 64 31 1a 30 18 06
      03 55 04 0a 13 11 43 72 79 70 74 53
      6f 66 74 20 50 74 79 20 4c 74 64 31
      23 30 21 06 03 55 04 03 13 1a 53 65
      72 76 65 72 20 74 65 73 74 20 63 65
      72 74 20 28 35 31 32 20 62 69 74 29
      30 5c 30 0d 06 09 2a 86 48 86 f7 0d
      01 01 01 05 00 03 4b 00 30 48 02 41
      00 9f b3 c3 84 27 95 ff 12 31 52 0f
      15 ef 46 11 c4 ad 80 e6 36 5b 0f dd
      80 d7 61 8d e0 fc 72 45 09 34 fe 55
      66 45 43 4c 68 97 6a fe a8 a0 a5 df
      5f 78 ff ee d7 64 b8 3f 04 cb 6f ff
      2a fe fe b9 ed 02 03 01 00 01 30 0d
      06 09 2a 86 48 86 f7 0d 01 01 04 05
      00 03 81 81 00 95 be f7 e4 19 27 b6
      18 78 03 15 f9 8e b9 ae 08 b2 36 fd
      25 58 48 99 63 00 4a 23 82 96 46 65
      30 44 83 26 3b 2c ce 0f fa f9 df d6
      fb c4 eb 6c e6 e1 6b 3a 65 f7 91 62
      bd 70 55 b9 c6 e3 f5 db 9d 87 b0 0e
      21 9b b5 87 53 00 3e 5c a4 9d cf 54
      77 cd 7a bf 3d c5 7a 30 78 aa a5 28
      69 78 e7 96 4a c8 80 46 eb fe e9 fb
      8d 24 bc e9 63 9e d2 14 61 c0 79 09
      15 41 9c 3d 97 fd 34 3d b6 12 d7 3e
      01
```

　今回のトレースでは、サーバは1つの証明書しか送信しませんでした。「Server Test Cert (512 bit)」がそれです。ここでは、クライアントがすでに「Test CA (1024 Bit)」のCA証明書を持っていると考えています。このトレース例は、最も重要な証明書情報の抜粋です。X.509証明書の構造の詳細については、第1章を参照してください。

3.10.4　ServerHelloDone メッセージ

ServerHelloDone は、サーバがこのフェーズで送信する Handshake メッセージをすべて送信し終えたことを通知する空のメッセージです。このメッセージが必要なのは、Certificate メッセージの後に送信できるオプションのメッセージがあるからです。第 4 章で使用例を紹介します。

struct { } ServerHelloDone;

3.10.5　ClientKeyExchange メッセージ

ClientKeyExchange メッセージは、pre_master_secret の生成に使う素材をクライアントから提供するために使います。これは、RSA 鍵交換を使っている場合に、クライアントが生成した PreMasterSecret 構造体をサーバの RSA 鍵で暗号化することを意味します。pre_master_secret は 48 バイトの数値で、バージョン番号を示す 2 バイトと乱数 46 バイトで構成されます。理論的に、クライアントのバージョンを示すバイト列は、SSL の古いバージョンを強制させるロールバック攻撃（roll back attack）に耐性があります。しかし実際には、多くのクライアントが合意されたバージョンを利用するため、バージョンのバイト列を確認することは相互運用上の問題につながります。暗号論的に安全な RNG（Random Number Generator。詳細については第 5 章を参照）を使って乱数を選び出すことは、重要な意味を持ちます。RFC 1750 ［Eastlake1994］には、乱数生成の手引きが書かれています。Wagner と Goldberg が Netscape の SSLv2 実装の攻撃に成功したのは、Netscape の RNG に弱点があったからです（［Goldberg1996］）◇。強い乱数を生成するヒントを第 5 章で紹介します。

> ◇　Wagner と Goldberg は、Netscape の RNG を逆アセンブルし、RNG が時刻とプロセス ID から生成されていることを突き止めました。どちらの数値もかなり範囲は限られるので、総当たりに検索して SSL のセッション鍵を破るのはかなり簡単でした。当時その解析には 1 時間かかりましたが、今ならもっと短時間で終わるでしょう。

ClientKeyExchange メッセージの構造は、次のようになります。

```
struct {
 select (KeyExchangeAlgorithm) {
  case rsa: EncryptedPreMasterSecret;
  case diffie_hellman: DiffieHellmanClientPublicValue;
 } exchange_keys;
} ClientKeyExchange;

struct {
 ProtocolVersion client_version;
 opaque random[46];
} PreMasterSecret;
```

```
struct {
  public-key-encrypted PreMasterSecret pre_master_secret;
} EncryptedPreMasterSecret;

enum { implicit, explicit } PublicValueEncoding;

struct {
  select (PublicValueEncoding) {
    case implicit: struct {};
    case explicit: opaque DH_Yc<1..2^16-1>;
  } dh_public;
} DiffieHellmanClientPublicValue;
```

ClientKeyExchange メッセージを ssldump で出力した結果は、次のようになります。

```
ClientyExchange
  EncryptedPreMasterSecret[64]=
    17 4d 00 32 bc b2 af 95 09 0a 45 24
    97 d8 34 dc 73 20 4d 00 91 a5 0d ed
    c3 f0 b4 f5 32 6f 13 cc ea 41 00 5e
    bb 05 f1 b7 e2 c4 fa 1b 40 c1 2a f3
    00 20 83 43 2d 8c 2a 53 3b 33 cc 5f
    0b bc db a2
```

EncryptedPreMasterSecret 構造体の public-key-encrypted 演算子は、pre_master_secret フィールドが受信者の公開鍵を使って暗号化されることを意味します。したがって、暗号化鍵は、次のように可変長ベクタで表されます。

opaque encrypted_data<0..2^16-1>

ClientKeyExchange メッセージは、SSLv3 と TLS で定義が異なる 2 つのメッセージのうちの 1 つです。この違いの理由は、Netscape の SSLv3 の実装にバグがあり、それをほかの SSLv3 の実装者が踏襲したからです。ここで、EncryptedPreMasterSecret のサイズは、ClientKeyExchange メッセージのサイズとサーバの RSA 鍵のサイズを見れば間違えようがありません。そのため、RSA を暗号化に使う際、暗号化データのサイズは冗長な情報だと思われがちです。その結果 Netscape における SSLv3 の実装では、EncryptedPreMasterSecret を暗号化するときに length バイトが省かれてしまいました。ほかのほとんどの SSLv3 実装も、この(誤った)先例に従いました。つまり、ほとんどの SSLv3 実装は SSLv3 仕様に反しているのです。TLS 仕様を見ると、実装に関する注意として、ほとんどの SSLv3 実装は仕様に反しており、TLS 実装には正しく length バイトを含める必要があると明記されています。今回のトレースは、TLS モードの実装を使って取得したものなので、length バイトが含まれています。

3.10.6 ChangeCipherSpec メッセージ

ChangeCipherSpec メッセージは、送信側の実装がネゴシエート済みの別のアルゴリズムと鍵の素材に切り替えたこと、そして後続のメッセージがそれらのアルゴリズムで保護されることを通知します。

ChangeCipherSpec メッセージの構造は、次のようになります。

```
struct {
  ChangeCipherSpecType type;
} ChangeCipherSpec;

enum { change_cipher_spec(1), (255) } ChangeCipherSpecType;
```

ChangeCipherSpec メッセージのユニークな点は、Handshake の正規の一部ではなく、独自のコンテントタイプを持つことです。これはパフォーマンスを向上するためであると仕様に書かれています。次の箇所です。

Note：パイプラインの滞りを避けるため、ChangeCipherSpec は独立した TLS プロトコルのコンテントタイプとなっている。TLS Handshake メッセージではない。

しかしながら、この機能を興味深い方法で利用しているのは、筆者の知る限り Netscape の実装だけです。Netscape は、ChangeCipherSpec メッセージを Finished メッセージと別個に送信するためにこの機能を利用します。ChangeCipherSpec メッセージは暗号化してはならないのですが、逆に Finished メッセージは暗号化しなければならないので、2 つを同じレコードに入れて送信することはできません。それぞれのメッセージを別の階層で扱うことで、これを実現できます。

このトリックが役に立つのは、複数の Handshake メッセージを 1 つのレコードに入れて送信しようとする実装の場合に限られます。詳細については第 6 章で説明しますが、複数の Handshake メッセージを同じ TCP セグメントに入れて送信すると、パフォーマンスの面で有利なのです。これを実行する方法の 1 つが、複数の Handshake メッセージを同じレコードに入れることです。ただし、多くの実装は、複数のレコードを同じ TCP セグメントに入れる方法を選んでいます。これでも同じような効果が得られます。この種の実装の場合、上記のプロトコル機能は Handshake の状態マシン（state machine）を複雑にしてしまうというデメリットがあります。

普通の実装では、Handshake の状態マシンに Handshake タイプだけを読み取らせます。ただし、ChangeCipherSpec メッセージの受信にも注意する必要があり、この情報をレコード層での処理で扱わなければなりません。もし ChangeCipherSpec メッセージが Handshake メッセージだったら、Handshake 層がネットワークから ChangeCipherSpec メッセージを読み取ってそれで終わりなのですが、実際にはそれだけでは済みません。ChangeCipherSpec メッセージを解釈する特別な処理をレコード層のコードに用意し、

Handshake が正しい状態にあるかどうかに基づいて Handshake 層に通知するかエラーを通知する必要があります。

ChangeCipherSpec メッセージは、1 種類の型を表すバイトのみで構成されます。現在のところ、指定できる値は 1 だけなので、事実上は固定値です。このメッセージを拡張する提案が公開されたことはありません。

3.10.7 Finished メッセージ

Finished メッセージは、ネゴシエートされた暗号技術に関するパラメータによって暗号化される、最初のメッセージです。このメッセージを使うことで、それまでに送信した Handshake メッセージが攻撃者によって改竄されなかったことを保証できます。

SSLv3 における Finished メッセージの構造は、次のようになります。

```
struct {
  opaque md5_hash[16];
  opaque sha_hash[20];
} Finished;
```

TLS における Finished メッセージの構造は、次のようになります。

```
struct {
  opaque verify_data[12];
} Finished;
```

Finished メッセージを ssldump で出力した結果は、次のようになります。

```
Finished
  verify_data[12]=
    03 3b 69 b7 26 e3 0e 23 fc 03 79 27
```

SSLv3 と TLS では、Finished メッセージの詳細が異なります。ただし、全体的な意味は似ています。クライアントとサーバは、共有された master_secret と連結された Handshake メッセージからダイジェストを作って交換し、手元で計算した結果と同じかどうか比較します。一致しなければ、Handshake が途中で改竄されたとわかります。

図 3.9
SSLv3 の Finished 計算

```
enum { client(0x434C4E54), server(0x53525652) } Sender;

md5_hash = MD5(master_secret + pad2 +
               MD5(handshake_messages + Sender + master_secret + pad1));

sha_hash = SHA-1(master_secret + pad2 +
                 SHA-1(handshake_messages + Sender + master_secret + pad1));
```

SSLv3のFinishedメッセージは、暗号技術に関するメッセージ認証関数として普及しているHMAC［Krawczyk1997］をモデルにしています。HMACは、入れ子のハッシュを使い、あるセキュリティ特性を持つ構造を作ります。図3.9は、SSLv3の計算処理です。プラス記号は連結を意味するので、すべてのHandshakeメッセージ（SSLのレコードのヘッダーやMACではなく）、Senderの定数、master_secret、パディングバイト（pad1はバイト値0x36が48個連続する文字列）が連結されて作られた文字列が、最初のMD5呼び出し（内側の呼び出し）に入力されます。2つ目のMD5の呼び出しには、master_secret、パディングバイト（pad2はバイト値0x5cが48個連続する文字列）、最初のMD5計算の出力が連結された文字列が入力されます。

SHA-1の計算も、パディングバイトが48個ではなく40個連続することを除けば、これとまったく同じです。Senderの定数を使うのは、クライアントとサーバで異なるFinishedメッセージが生成されるようにするためです。こうすると、攻撃者がFinishedメッセージを送信者に折り返したとしても、それを見破れます。

SSLv3のFinishedメッセージはHMACをベースとしていますが、SSLで利用するために一部が変更されています。特に、master_secretはHandshakeの中盤でしか使えないので、Handshakeメッセージを内部ダイジェストの最初の入力として使います。一方、HMACでは、鍵が常に最初の入力として使われます。結果として、HMACにあったセキュリティ特性の一部がありません。この計算がTLSで変更されたのは、主にHMAC設計者からの意見によるものです。

図3.10
TLSのFinished計算

```
verify_data = PRF(master_secret, finished_label, MD5(handshake_messages) +
              SHA-1(handshake_messages)) [0..11];
```

TLSでは、HMACベースの疑似乱数関数（PRF：Pseudo-Random Function）を暗号技術に関する計算で多用します。Finishedメッセージがその一例です（図3.10を参照）。このPRF（詳細については「3.11.1 PRF」で説明します）は、verify_data値の生成に使います。入力は、master_secret、ASCII文字列（「client」または「server」）で表されるfinished_label、HandshakeメッセージのMD5ダイジェストおよびSHA-1ダイジェストです。[0..11]は、PRFの最初の12バイトがverify_dataの作成に使われることを意味します。

MD5とSHA-1の両方がFinishedメッセージの作成に使われることに注意してください。これは、ダイジェストアルゴリズムの弱点を補うためです。これで、攻撃者はMD5とSHA-1の両方を破らないとFinishedメッセージを捏造できなくなります。

3.10.8 Finishedメッセージ処理のプログラミング上の注意

Finishedメッセージには、それまでに送信したすべてのHandshakeメッセージのダイジェストを含めなければなりませんが、それ自身のダイジェストは含めません。ただし、

2つ目のFinishedメッセージに最初のFinishedメッセージをダイジェストとして含めなくてはいけません。このことは、実装に際して興味深いプログラミング上の問題を引き起こします。ナイーブな実装者◆監訳注5は、Handshakeの処理を図3.11のコードのように書くかもしれません。

図 3.11 ナイーブな Finished メッセージの処理コード

```
receive_handshake_message(context,message) {
  digest_handshake_message(context,message);
  switch(message.type){
    case ClientHello:
      handle_client_hello(context,message);
      break;
    ...
    case Finished:
      handle_finished(context,message);
      break;
  }
}
```

残念なことに、受信者(サーバ)がFinishedメッセージの値を計算する段階で、ダイジェストには受信したばかりのFinishedメッセージが含まれることになり、値が一致しません。しかし、サーバはクライアントのFinishedメッセージへの応答に最初のFinishedメッセージのダイジェストを含めなければならないので、ダイジェストの処理をやめるわけにいきません。したがって、サーバは二組のダイジェストを手元に置いておくか、Finishedメッセージを処理する前にダイジェストのオブジェクトをコピーする必要があります(図3.12を参照)。

図 3.12 正しい Finished メッセージの処理コード

```
receive_handshake_message(context,message) {
  if(message.type==Finished){
    digests=copy_digests(context);
  }
  digest_handshake_message(context,message);

  switch(message.type){
    case ClientHello:
      handle_client_hello(context,message);
      break;
    ...
    case Finished:
      handle_finished(context,message,digests);
      break;
  }
}
```

◆5. ここで原著者は、「ナイーブ(naive)」という表現に「愚かな」というニュアンスを込めています。

3.11 鍵の生成

▼Key derivation function

　pre_master_secretをやり取りした後で、それぞれの実装はpre_master_secretを拡張し、暗号化や認証などに使う鍵をそれぞれ作る必要があります。この生成には、KDF▼を使います。SSLv3とTLSのKDFは似ていますが、使用される暗号技術に関する処理は厳密に同じものではありません。最初にTLSのKDFについて説明し、SSLv3の処理との違いについては、その説明の最後で触れます。この処理を視覚的に表したのが図3.13です。

図3.13
鍵の生成

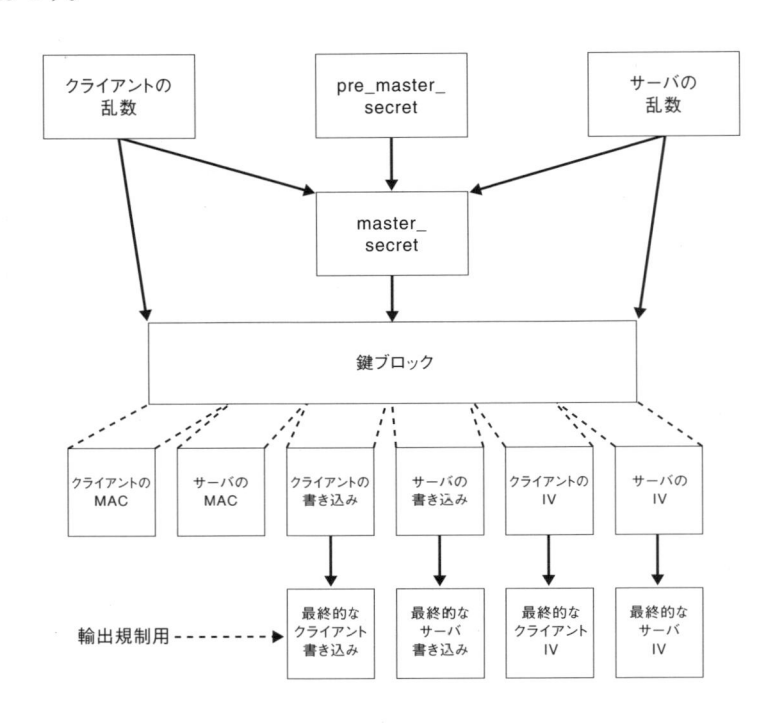

3.11.1　PRF

　TLSでの鍵の生成処理には、PRFがKDFとして使われます。この生成処理では、pre_master_secretを拡張してmaster_secretという別の秘密情報を作り、さらにそれを、さまざまな暗号化アルゴリズムとMACアルゴリズムのために必要な、暗号技術に関する鍵へと拡張します。「1.8 安全でシンプルな通信路」のKDFと同じように、クライアントとサーバはそれぞれ独自に同じKDFを使い、共有されたmaster_secretから鍵を生成します。PRFは、PRF(secret, label, seed)のように、secret（乱数である場合が多い）、label（固定されたASCII文字列）、seed（多くの場合、乱数ではあるが公開された値）の3つの引数をとります。それぞれの鍵に合わせてlabelを変えるだけで、同じmaster_secretから異なる鍵を生成することができます。labelは、対応するASCII文字

列としてダイジェストされます。

　PRFは、任意の長さの疑似乱数バイト文字列を生成します。この文字列を参照するには、TLSのベクタ表記を使います。つまり、PRF()[0..9]と書くとPRFが出力した疑似乱数の最初の10バイトを参照できます。PRFの計算はかなり複雑であり、実装者以外は知る必要はありません。尻切れにしないために説明はしておきますが、読み飛ばしても構いません。TLSの試験があったとしても、問題には出題されないでしょう。

　最初に、secretをS1、S2の2つに分割します。S1はsecretの前半で、S2は後半です。元のsecretのバイト数が偶数の場合、S1の最後のバイトとS2の最初のバイトは同じになります。

　どちらも、HMACに基づく拡張関数P_hashのsecretとして使います。P_hashは、図3.14の処理を実行して任意の長さのバイト文字列を生成します。

図 3.14
P_hash 関数

```
P_hash(secret, seed) = HMAC_hash(secret, A(1) + seed) +
                       HMAC_hash(secret, A(2) + seed) +
                       HMAC_hash(secret, A(3) + seed) + ...

    A()以下により定義される:
        A(0) = seed
        A(i) = HMAC_hash(secret, A(i-1))

HMAC_hash：指定されたハッシュアルゴリズムを使ったHMAC
          例えばHMAC_MD5はMD5を使ったHMACを意味する
```

　以上で関数の定義は完了したので、次にP_MD5とP_SHA-1の排他的論理和をとってPRFを作ります。

PRF(secret, label, seed) = P_MD5(S1, label + seed) ⊕ P_SHA-1(S2, label + seed);

　MD5ダイジェストは16バイト、SHA-1ダイジェストは20バイトなので、P_MD5とP_SHA-1は並び立ちません。そこで、もし80バイトの出力を得たいのであれば、P_MD5を5回、P_SHA-1を4回実行する必要があります。

　KDFには、長さの固定されない3つの値、pre_master_secret、client_random、server_randomを入力します。pre_master_secretはsecretのバイト文字列です。RSA鍵交換を使う場合、pre_master_secretはクライアントが生成した48バイトの文字列です。これがサーバの公開鍵で暗号化されます。pre_master_secretは、この処理における唯一の秘密情報です。ほかの2つの入力client_randomとserver_randomは、それぞれClientHello、ServerHelloメッセージから取り出された乱数です。

　鍵を生成する最初の手続きとして、pre_master_secretをmaster_secretに変換します。これを実行するために、疑似乱数関数PRFをpre_master_secret、client_random、server_randomに適用します。

```
master_secret = PRF(pre_master_secret, "master secret",
                    client_random + server_random) [0..47];
```

次に、これからすべてのアルゴリズムで必要とされる鍵の素材を用意するために、このmaster_secretにPRFを適用します。どの暗号スイートを使うかによって違いはありますが、最大で6つの値（クライアントおよびサーバの暗号化鍵、MAC鍵、IV）が必要です。最初に、必要な値の長さを考慮して、PRFを使ってその合計バイト数を作成します。例えば、DESとMD5を使っている場合は、暗号化鍵のために8バイト、HMAC-MD5のために16バイト、IVのために8バイトが必要なので、合計で64バイトになります。

```
key_block = PRF(master_secret, "key expansion",
                server_random + client_random)
```

client_randomとserver_randomの順序がmaster_secretの計算時とは違うことに注意してください。

鍵ブロックを作成した後で、そこから鍵を1つずつ切り出します。順序は、client_write_MAC_secret、server_write_MAC_secret、client_write_key、server_write_key、client_write_IV、server_write_IVです。

3.11.2　輸出可能なアルゴリズム

SSLv3とTLSの設計当時、米国輸出規制のために、2^{40}回未満の演算で破ることが可能な短い暗号化鍵を使う暗号スイートを輸出用に作成する必要がありました◇。それには、最初に短い中間鍵を作り、それをPRFで再拡張します。この方法により、2^{40}個の鍵すべてを持つ大きなテーブルを作って再計算する攻撃手法を撃退できます。サーバとクライアントの乱数は、この攻撃を退けるためのソルト（salt）となります◆監訳注6。すべての中間鍵を試してみる攻撃方法は使えますが、浪費する時間とメモリに見合うものにならないでしょう。

◇　SSL/TLSの設計後、輸出を取り巻く状況は変わりました。40ビット鍵で暗号化されたデータのセキュリティは、ないも同然です。資金のある凡庸な攻撃者にとって、40ビット鍵を攻撃するのはたやすいことです。1998年、DES鍵検索専用のマシン［Gilmore1998］が組み立てられ、ターゲットに特化した攻撃によって56ビット鍵が破られる恐れがあることが示されました。この報告を背景に、米国政府は56ビット鍵を利用する暗号技術に関するシステムの輸出を許可すると決定しました。TLSでも、56ビットの輸出用暗号をサポートするように仕様を変更することが提案されています。ここでは、512ビットRSA鍵の代わりに1024ビットRSA鍵を使うことができます。2000年1月、米国政府は基本的にすべての輸出規制を撤廃するに至りました。ただし、輸出用モードしか持たない古いソフトウェアがまだたくさん残っているので、このモードに関する知識は必要です。最新の情報は、米国輸出管理局（Bureau of Export Administration）のWebページ `http://www.bxa.doc.gov/Encryption/Default.htm` で入手できます。

◆6.　ソルトについては、本書の「5.11.4 パスワードに基づく暗号化」を参照してください。

また、秘密情報ではないIV（通常のSSLのIVは、部分的に秘密情報から生成されることから、それ自体も秘密になります）の使用も（輸出規制の関係で）求められるので、このようなIVを、公開されたclient_randomとserver_randomの値だけから生成する必要があります。iv_blockの前半は、クライアントがデータを暗号化するために使うIVの生成に利用され、後半は、サーバがデータを暗号化するために使うIVの生成に利用されます（図3.15を参照）。

図 3.15
輸出鍵の素材の生成

```
final_client_write_key =
    PRF(client_write_key, "client write key", client_random + server_random)

final_server_write_key =
    PRF(server_write_key, "server write key", client_random + server_random)

iv_block = PRF(0, "IV block", client_random + server_random)
```

3.11.3　SSLv3における鍵の生成

SSLv3での鍵の生成は、TLSでの鍵の生成と似ていますが、PRFの代わりに、MD5とSHA-1に基づく拡張関数を使います。定数A、BBなどを使うのは、秘密情報が同じ場合でも各ダイジェストの出力が同じにならないようにするためです。この処理を図3.16に示します。

図 3.16
SSLv3での鍵の生成

```
master_secret =
  MD5(pre_master_secret + SHA-1("A" + pre_master_secret +
                                client_random + server_random)) +
  MD5(pre_master_secret + SHA-1("BB" + pre_master_secret +
                                client_random + server_random)) +
  MD5(pre_master_secret + SHA-1("CCC" + pre_master_secret +
                                client_random + server_random))

key_block =
  MD5(master_secret + SHA-1("A" + master_secret +
                            server_random + client_random)) +
  MD5(master_secret + SHA-1("BB" + master_secret +
                            server_random + client_random)) +
  MD5(master_secret + SHA-1("CCC" + master_secret +
                            server_random + client_random)) +
  ...
```

図の2つの計算式では、client_randomとserver_randomの位置が反対になることに注意してください。

TLSと同じで、輸出用暗号を使うときは、鍵の素材を弱くする前処理を実行します（図3.17を参照）。

図 3.17
SSLv3 での輸出鍵の生成

```
final_client_write_key =
    MD5(client_write_key + client_random + server_random);

final_server_write_key =
    MD5(server_write_key + server_random + client_random);

client_write_IV =
    MD5(client_random + server_random);

server_write_IV =
    MD5(server_random + client_random);
```

SSLv3 での鍵の生成における手順は TLS で変更されましたが、SSLv3 での鍵の生成に弱点があったわけではありません。

3.12 Record プロトコル

　SSL Record プロトコルは、かなり単純なカプセル化プロトコルです。暗号化され、完全性が確保されたレコードから成ります。それぞれのレコードは、短いヘッダブロックと暗号化データブロックで構成され、後者にコンテンツと MAC が収められます。図 3.18 にレコードの例を示します。白い部分がヘッダで、灰色の部分が暗号化ペイロードです。ここまでの説明では、この暗号化ペイロードのさまざまな構成要素について、復号された状態を見てきました。

図 3.18
SSL のレコードの構造

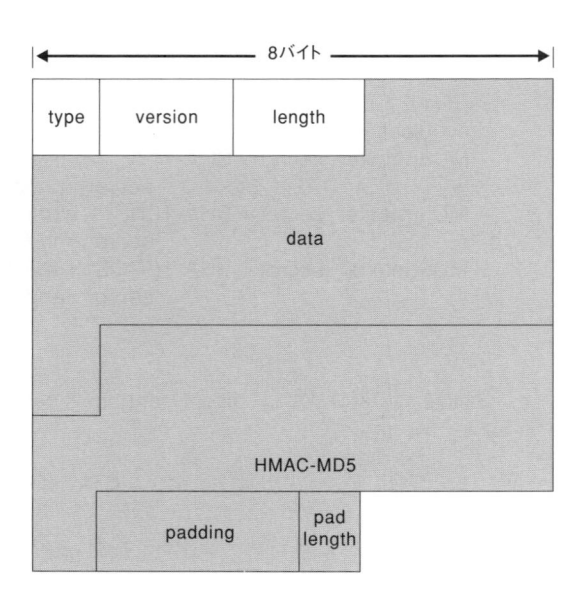

図のレコードは、MD5 を MAC に使い、DES などのブロック暗号で暗号化されています。したがって、レコードの長さを DES ブロック長と同じにするため、足りない部分をパディングで埋める必要があります。暗号化データは常にブロック長の整数倍の長さでなければなりませんが、レコードそのものがブロックの境界に合わせて整列されるわけではありません。

今回のトレースでは、クライアントとサーバにそれぞれ 1 個のレコードを出力させました。ServerHello メッセージからもわかりますが、使われた暗号スイートは TLS_RSA_WITH_DES_CBC_SHA です。

SSL のデータは、複数の「フラグメント」に分解されます。レコードプロトコルでは、フラグメントの最大サイズは指定しますが、フラグメントの境界をどこに設定するかは指定しません。通常は、1 つのアプリケーションデータの書き込み処理の呼び出しが、1 つのフラグメントと一対一に対応しています。ただ、SSL_write()（またはそれに準ずる処理）呼び出しの境界を保つ必要はありません。要するに、レコード層では、1 つの書き込みが複数のレコードにまたがることや、逆に複数の呼び出しからの入力が 1 つのレコードにまとめられることがあります。フラグメントの最大サイズは、MAC と（もしあれば）パディングを含めて $2^{14} - 1$ バイトなので、これよりも大きな書き込みは、2^{14} バイト以下の大きさの複数のフラグメントに分割しなければなりません。length フィールドの大きさが、最大 $2^{16} - 1$ バイトのレコードを示せることに注意してください。実は、古いバージョンの Internet Explorer は、誤って 2^{14} バイトより大きいレコードを生成します。

データはフラグメント化された後で圧縮されます。ただし、これは圧縮アルゴリズムが定義されていればの話です。実際には圧縮アルゴリズムは定義されていないので、圧縮は実行されません。MAC が圧縮後のデータフラグメントを基に計算され、データに連結されます。MAC はデータとヘッダをカバーします。シーケンス番号もここに含まれるので、再送攻撃や並べ替え攻撃 (reordering attack) を防止できます。MAC アルゴリズムを図 3.19 に示します。

図 3.19
MAC の計算式

TLS MAC = HMAC_hash (MAC_write_secret, seq_num + type + version + length + content);

SSLv3 MAC=hash(MAC_write_secret + pad_2 + hash(MAC_write_secret + pad_1 + seq_num + content_type + length + content));

seq_num は 64 ビットのシーケンス番号です。クライアントとサーバそれぞれに割り振られる番号です（つまり、クライアントとサーバの最初のメッセージにはどちらもシーケンス番号 0 が与えられます）。type には、図 3.20 に示したコンテンツタイプのどれかが格納されます。version は、SSL/TLS のバージョン番号を示します。length は、コンテンツ（つまりレコード内のデータ）のサイズです。レコードヘッダ内の length とは一致しません。この length には MAC とパディングのサイズが含まれるからです。

TLS の MAC は、標準の HMAC です。SSLv3 の MAC は、最初のドラフトの HMAC に基づいています。pad_1 は、MD5 の場合にバイト 0x36 を 48 回、SHA-1 の場合に 40 回

繰り返した値です。pad_2 は、pad_1 と同じようにバイト 0x5c を繰り返した値です。パディングの目的は、MAC 鍵とパディングでメッセージダイジェストの最初のブロックが完全に埋まるようにすることです。MD5 と SHA-1 は 64 バイト長なので、鍵が 16 バイトなら 48 バイトのパディングを使うことになります。ここから類推すると、SHA-1（20 バイト鍵）のパディングは 44 バイトになるはずですが、仕様では 40 バイトとなっています。これは SSLv3 の仕様の誤りなのですが、Netscape にはこのまま実装されたので、仕様の変更は行われませんでした。これもまた、Netscape の実装が SSLv3 の本当の基準となっていることを示す事例です。

図 3.20
レコードヘッダ

```
struct {
  ContentType type;
  ProtocolVersion version;
  uint16 length;
} RecordHeader ;

enum {
  change_cipher_spec(20), alert(21), handshake(22),
  application_data(23), (255)
} ContentType;

struct {
  uint8 major;
  uint8 minor;
} ProtocolVersion;
```

　シーケンス番号は、メッセージストリームに対する再送攻撃（攻撃者がレコードを繰り返す）、並べ替え攻撃（攻撃者がレコードの順序を入れ替える）などのさまざまな攻撃を阻止するために役立ちます。ただし注意する必要があるのは、レコード内に含まれていないシーケンス番号によってこのような攻撃が検出できても、訂正はできないことです。したがって SSL は、「信頼性のある」送信を提供するトランスポートプロトコル上（つまり、データの送信順序を保って重複も喪失も起こらないように配信するプロトコル上）で実行しなければなりません。TCP はこの要件を満たします（データの到着順は前後する可能性がありますが、カーネルによって正しい順序に戻されてアプリケーションに渡されます）。UDP はこの要件を満たしません。レコードが喪失したり順序が入れ替わったりするので、SSL を UDP 上で正しく実行することはできません。UDP 上で SSL を動作させると、まるで SSL が攻撃されているかのように見えます。

　TLS の仕様を見ると、レコードの記述の仕方が多少違います。ヘッダと本体に分けられていません。この記述方法は、処理を追いやすくするためのものであり、ネットワークプロトコルの記述形式として一般的に使われます。

　図 3.4 に示したとおり、TLS のレコード層で運ばれるデータには種類ごとに異なるタイプ値が割り当てられています。length フィールドと version フィールドについては前に説明しました。ヘッダ内の length フィールドは、レコードに含まれる残りの全データ（MAC とパディングを含む）の合計サイズです。

3.12.1 ストリーム暗号

ストリーム暗号にはパディングが必要ないので、MACだけをデータに付加してデータのブロック全体が暗号化されます。あるストリームの暗号化鍵ストリームは再利用できないので、暗号化に関する状態をレコード間で保持しなければなりません。論理的には、暗号化されるすべてのデータが1つのパスで暗号化されるかのように見えます。

3.12.2 ブロック暗号

ブロック暗号への入力のサイズは、ブロックサイズ（普通は8バイト）の整数倍でなければなりません。入力データのサイズはまちまちなので、データがブロックの境界に沿って整然と並ぶことはまずなく、パディングのバイト列を追加する必要があります。必要となるパディングは最大で7バイトですが、平文の長さをスニッフィングされないように、最大255バイトまでの追加が可能です。使用するパディングのバイト数を pad length フィールドに記録します。パディングのバイト列の長さは、pad length フィールドの値に等しくなければなりません。

例えばブロックのサイズが8バイト、データのサイズが16バイト、MACのサイズが16バイトの場合、パディングまでのサイズは33バイトになります。33バイトになるのは、pad length フィールドの1バイトが常に最後にあるからです。少なくとも7バイトのパディングが必要ですが、15、23などのパディングも使えます。仮に7バイトのパディングを使うとすると、最後の8バイトは 07 07 07 07 07 07 07 07（パディング7バイトと pad length の1バイト）で、全体のデータ長は40バイトになります。注意する必要があるのは、このパディング構造が標準ブロック暗号におけるパディング（[RSA1993c] を参照）と互換性を持たないことです。標準ブロック暗号におけるパディングには pad length フィールドがなく、パディングバイトの総数をそのままパディング内に記録します。つまり、前の例で言うと、標準アルゴリズムはパディングとして 08 08 08 08 08 08 08 08 を生成します。

▼Cipher Block Chaining

現在のブロック暗号は、どれもCBC▼モードを使います。このモードでは、レコードからレコードへと連続して暗号が行われます。レコードXの暗号ブロックが、レコードX+1のためのIVとして使われます。

3.12.3 Null 暗号

特別なケースとして、Null暗号は入力から出力へとデータをそのまま引き渡します（パディングなし）。開始時の暗号スイート TLS_NULL_WITH_NULL_NULL は、MACも追加しないで、平文をレコードに直接収めます。TLS_NULL_WITH_NULL_NULL を使用できるのは、接続開始時の Handshake 中に限られることに注意してください。ネゴシエートの結果としてこの暗号スイートを採用することは禁じられています。

3.13　Alertと終了

　SSLでは、例外的な状況について相手側に警戒を伝えるAlertプロトコルも設計されました。Alertメッセージは、エラーのレベルと説明を収めたごく単純なメッセージです。致命的なレベルのAlertメッセージを受け取ったSSLの実装は、接続を終了し、セッションを再開できないようにしなければなりません。無視できる警告メッセージもありますが、致命的エラーとして扱うべき場合もあります。TLSのAlertメッセージの構造を図3.21に示します。SSLのAlertメッセージの構造も同一ですが、定義されているAlertの種類はTLSより少なくなっています。Alertの詳細については、第4章を参照してください。

図 3.21
TLSのAlertメッセージ

```
enum { warning(1), fatal(2), (255) } AlertLevel;

enum {
  close_notify(0),
  unexpected_message(10),
  bad_record_mac(20),
  decryption_failed(21),
  record_overflow(22),
  decompression_failure(30),
  handshake_failure(40),
  no_certificate(41), SSLv3 only
  bad_certificate(42),
  unsupported_certificate(43),
  certificate_revoked(44),
  certificate_expired(45),
  certificate_unknown(46),
  illegal_parameter(47),
  unknown_ca(48),
  access_denied(49),
  decode_error(50),
  decrypt_error(51),
  export_restriction(60),
  protocol_version(70),
  insufficient_security(71),
  internal_error(80),
  user_cancelled(90),
  no_renegotiation(100),
  (255)
} AlertDescription;

struct {
  AlertLevel level;
  AlertDescription description;
} Alert;
```

3.13.1 終了

　Alertメッセージのうちclose_notifyは、この接続において送信するデータがもうないことを受信側に通知するために使われます。このAlertの目的は、強制切断攻撃（truncation attack）を防止することです。強制切断攻撃とは、データの送信が完了する前に攻撃者がTCP FINを挿入し、データの受信が完了したと受信側に思い込ませる攻撃手法です。受信側は、close_notifyメッセージが届かない限り、データがもう送られてこないとは思いません。close_notifyメッセージより先にTCP FINを受信した場合、セッション再開を禁じなければなりません。

　実際には、多くのプロトコルは独自のデータ終了マーカを持っているので、これを受信してからclose_notifyメッセージを送信し、close_notifyメッセージを待たずに接続をすぐに閉じるという手順が多くの実装で使われています。この振る舞いは、SSLとTLSの仕様でも暗黙的に認められています。本章の最初に載せた出力にもこの振る舞いが見られます。クライアントはclose_notifyメッセージを送信しますが、サーバは送信しません。通常、終了を示すAlertは警告レベルで送信します。

3.13.2　その他のAlert

　このほかにも、さまざまな種類のエラーを通知するAlertがあります。理屈の上では致命的なAlert以外の場合は処理を続行できるのですが、実際には、致命的なAlertでなくても一方が要求したものを他方が提供できなくなるエラーがあるので、その場合は接続を閉じることになります。TLSの仕様には、使用できるAlertの完全なリストが掲載されています。それぞれのAlertについては、第4章で詳しく説明します。

　Alertで終了した接続のサンプルトレースを図3.22に示します。この例では、クライアントはDH/DSSを要求するように設定されていますが、サーバはRSAしかサポートしていません。そのため、サーバはhandshake_failureというAlertメッセージを送って接続を拒否します。サーバがAlertを送ってすぐに接続を閉じることに注意してください。

図 3.22
Alertにより終了された接続

```
New TCP connection: speedy(1085) <-> romeo(4433)
1 0.0168 (0.0168) C>S Handshake
        ClientHello
            Version 3.0
            cipher suites
                    TLS_DHE_DSS_WITH_DES_CBC_SHA
            compression methods
                    NULL
2 0.0171 (0.0002) S>C Alert
        level fatal
        value handshake_failure
Server FIN
Client FIN
```

3.14 まとめ

　本章では、SSLで最も基本的なモード、つまり、RSAを使ったサーバ認証モードについて詳しく解説しました。ここで学んだ知識は、この基本モードと多くの機能が共通するほかのモードについて学習するための基礎となります。

- SSLのHandshakeは、クライアントとサーバの間で暗号スイートをネゴシエートし、鍵の素材を共有します。クライアントは使用可能な暗号スイートの選択を提示し、サーバは使用するアルゴリズムをそこから選び出します。サーバは、Certificateメッセージを使って公開鍵を引き渡します。
- pre_master_secretは、サーバの公開鍵を使って暗号化されます。pre_master_secretをその接続で使う暗号技術に関する鍵に変換するには、KDFを使います。
- Finishedメッセージは、Handshake全体の完全性を確保するために使われます。FinishedメッセージにはHandshakeメッセージのメッセージダイジェストが含まれており、これがHandshakeの改竄を防止します。
- データストリームは、レコードに分割されます。レコードは1つずつ暗号化され、次にMACが処理され、機密性とメッセージの完全性が確保されます。MACはシーケンス番号を利用して計算されるので、再送攻撃や並べ替え攻撃を防ぎます。
- エラーは、Alertを使って通知します。Alertは、メインデータストリームとは区別される特別な種類のレコードであり、HandshakeのエラーやMAC処理または暗号化に関する問題を知らせるために使います。
- close_notifyメッセージは、接続の終了を通知します。close_notifyメッセージを送信することで、攻撃者が下位のトランスポート層において終了を偽装する強制切断攻撃を防ぎます。

第4章
SSLの高度な技術

4.1 はじめに

　第3章では、RSAを使ったサーバ認証のみの、最も単純なタイプのSSLによる接続について解説しました。本章では、それ以外の主な動作モードを扱います。第3章と同じように、本章も2つの部分に分かれています。前半では各モードの概要を説明し、後半では各種のメッセージについて詳細に説明します。ほとんどの読者は前半の最後まで目を通し、後半は斜め読みすれば十分でしょう。あえて難関に挑もうとするなら、後半も読破してください。

　前半も後半も、同じ順序で説明を展開します。最初にセッション再開について説明します。セッション再開とは、Handshakeを完全に実行しなくても新規のSSLの接続を生成できる機能です。その後でクライアント認証について説明します。クライアント認証は、クライアントが自身の公開鍵と電子証明書を使って自身を証明することです。

　米国では、国外に輸出されるアプリケーションで使用できる鍵長が、輸出規制により制限されていました。このためSSLは、輸出規制の時代に最大限のセキュリティを提供するため、一時的RSA（Ephemeral RSA）およびSGC（Server Gated Cryptography）という2つのモードを備えています。現在は不要となったモードですが、いまだに広く利用されています。本章では、それらの仕組みと利点について解説します。また、TLS標準のDH/DSS鍵交換や、あまり普及していませんが、楕円曲線、Kerberos、FORTEZZAを利用した暗号スイートも紹介します。本章の終盤では、すべてのSSL AlertとSSLv2との下位互換性について詳しく説明します。

　説明の進め方に関して、1つだけ注意があります。タイムラインに沿ってHandshakeを説明するラダー図にはすべてのメッセージを示しますが、詳細については、第3章で扱った基本となるHandshakeになかったメッセージや、基本となるHandshakeと異なる内容のメッセージのみ説明します。

4.2 セッション再開

　第6章でも取り上げるテーマですが、SSLの完全なHandshakeは、CPU処理時間とやり取りに必要な往復の回数といった面で非常にコストがかかります。実行時のコストを減らすため、SSLはセッション再開のメカニズムを備えています。クライアントとサーバが以前に通信していれば、Handshakeを完遂せず一気にデータ転送へと処理を進めることができます。

　Handshakeで一番コストがかかる部分は、pre_master_secretを共有する処理です。多くの場合、この処理は公開鍵暗号化方式を必要とします（Kerberosを使う場合を除き

ます）。Handshakeの再開では、前のHandshakeで確立されたmaster_secretを新規の接続で利用できます。その結果、公開鍵暗号化方式で要求される高コストの演算処理を回避できます。

4.2.1　セッション vs. コネクション

　SSLでは、「コネクション」と「セッション」は厳密に区別されます。コネクションは、1つの特定の通信チャネル（通常はTCPの接続に対応付けられたチャネル）を意味し、暗号スイートの選択、シーケンス番号などの状態が付随します。セッションは、ネゴシエートされたアルゴリズムとmaster_secretによって特定される、仮想的な概念です。新規のセッションは、特定のクライアントとサーバが鍵交換を完遂し、新規のmaster_secretを共有するたびに作られます。

　SSLでは、複数のコネクションを1つのセッションに関連付けることができます。このとき、同じセッションに属するすべてのコネクションは1つのmaster_secretを共有しますが、暗号化鍵やMAC鍵、IVはコネクションごとに異なります。これはセキュリティ上の理由で絶対に必要なことです。共通鍵の素材を再利用するのはきわめて危険だからです。セッションを再開すると、共通のmaster_secretから新規の共通鍵とIVの対が生成されます。新規の共通鍵が得られるのは、コネクションごとにフレッシュな乱数に基づいて生成されるからです。この新しい乱数は、新しい共通鍵を生成するために古いmaster_secretと組み合わされます。

4.2.2　セッション再開の仕組み

　クライアントとサーバは、最初の通信で新しいコネクションと新しいセッションを生成します。セッションを再開できるように設定されているサーバは、ServerHelloメッセージでsession_idをクライアントに渡し、後で参照するためにmaster_secretをキャッシュします。クライアントは、後でこのサーバと新規のコネクションを開始するときに、このsession_idをClientHelloメッセージに含めて送信します。サーバはセッション再開に合意することを通知するため、同じsession_idをServerHelloメッセージに含めて送信します。この時点でHandshakeの残りの処理はスキップされ、保存されていたmaster_secretを使って暗号技術に関する鍵がすべて生成されます。この処理の流れを図4.1に示します。

図 4.1
SSL セッション再開の Handshake

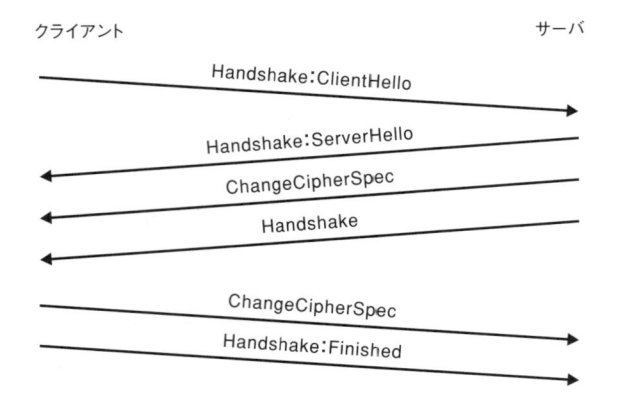

```
クライアント                              サーバ
    ─────── Handshake:ClientHello ───────▶
    ◀────── Handshake:ServerHello ───────
    ◀────── ChangeCipherSpec ────────────
    ◀────── Handshake ───────────────────
    ─────── ChangeCipherSpec ────────────▶
    ─────── Handshake:Finished ──────────▶
```

4.3　クライアント認証

　これまで本書で説明してきたHandshakeは、どれもサーバだけを認証するものでした。SSLには、クライアントを暗号技術に関して認証するメカニズムもあります。クライアント認証の機能は、サーバが一部のサービスへのアクセスを特定の承認済みのクライアントに限定したい場合に便利です。この仕組みの背景にある発想は、クライアントが自分の秘密鍵を使って何かに署名することで、証明書に関連付けられた秘密鍵の所有者であることを証明する、というものです。クライアント認証は、サーバが**CertificateRequest**メッセージをクライアントに送信すると開始されます。クライアントは、**Certificate**メッセージ（サーバが証明書の転送に使うものと同じメッセージ）と**CertificateVerify**メッセージを送信して、これに応答します。**CertificateVerify**メッセージは、クライアントが送信する証明書に関連付けられた秘密鍵で署名された文字列です。クライアント認証は、常にサーバ側から開始されます。クライアント側からクライアント認証を要求する仕組みはありません。図4.2は、この処理を時系列で示したものです。

図 4.2
クライアント認証の
Handshake

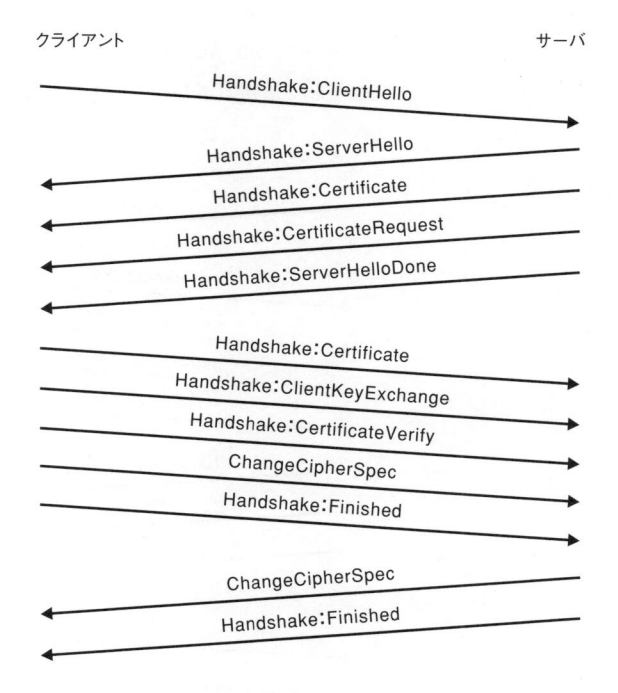

```
クライアント                                        サーバ
   →───── Handshake:ClientHello ─────→
   ←───── Handshake:ServerHello ─────
   ←───── Handshake:Certificate ─────
   ←───── Handshake:CertificateRequest ─────
   ←───── Handshake:ServerHelloDone ─────

   →───── Handshake:Certificate ─────→
   →───── Handshake:ClientKeyExchange ─────→
   →───── Handshake:CertificateVerify ─────→
   →───── ChangeCipherSpec ─────→
   →───── Handshake:Finished ─────→

   ←───── ChangeCipherSpec ─────
   ←───── Handshake:Finished ─────
```

4.4 一時的 RSA

　SSL の設計当時、米国輸出規制により、輸出可能なアプリケーションで使用できる RSA 暗号化鍵の長さは 512 ビットに制限されていました。残念なことに、512 ビットの長期的 RSA（permanent RSA）鍵は、攻撃者にとって絶好の攻撃目標です。そのため、米国内のクライアントと輸出可能なクライアントの両方と通信するサーバは、クライアントができるだけ強い暗号を要望すると想定して、鍵交換用の鍵を 2 種類（1024 ビットと 512 ビット）用意することが望ましかったのです。

　このように SSLv2 の場合、米国内のクライアントおよび輸出可能なクライアントの両方との間で可能な限り安全な通信を望むサーバは、証明された鍵を 2 つ用意しておくしか選択肢がありませんでした。しかし SSLv3 と TLS では、輸出可能なクライアントと米国内にあるサーバが長期的な強い鍵を使って通信できるように、一時的 RSA という機能が用意されました。一時的 RSA は、サーバが一時的な 512 ビット鍵を生成し、それに強い鍵で署名するという仕組みで機能します。ちなみに、米国内のクライアントと通信するときは、第 3 章で説明した手順で強い鍵を使います。

　一時的 RSA モードと普通の RSA モードの Handshake で唯一違うのは、ServerKeyExchange という新しいメッセージの有無です。サーバはこの ServerKeyExchange メッセージを使って、署名した RSA 鍵を送信します。クライアントは ServerKeyExchange メッセージを受け取ると、一時的な鍵に関するサーバの署名

を検証し、それを使って pre_master_secret を第 3 章で説明した手順で暗号化します。
図 4.3 は、この処理を時系列で示したものです。

図 4.3
一時的 RSA の Handshake

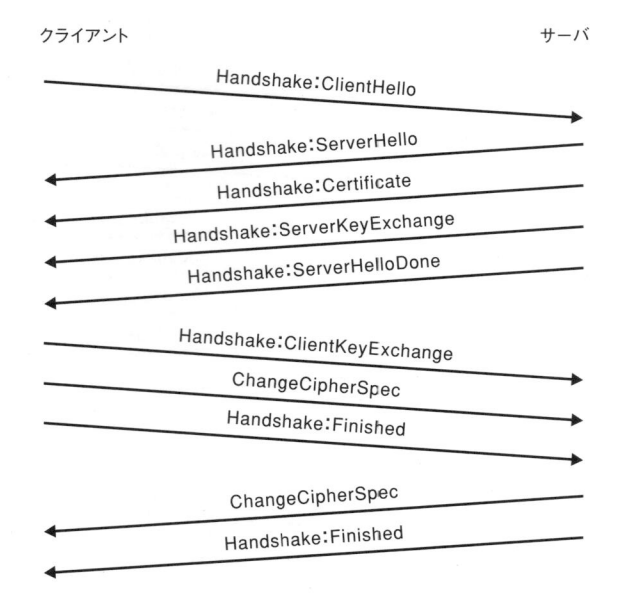

```
クライアント                                           サーバ
    ─────────── Handshake:ClientHello ───────────▶
    ◀────────── Handshake:ServerHello ───────────
    ◀────────── Handshake:Certificate ───────────
    ◀────────── Handshake:ServerKeyExchange ─────
    ◀────────── Handshake:ServerHelloDone ───────
    ─────────── Handshake:ClientKeyExchange ─────▶
    ─────────── ChangeCipherSpec ────────────────▶
    ─────────── Handshake:Finished ──────────────▶
    ◀────────── ChangeCipherSpec ────────────────
    ◀────────── Handshake:Finished ──────────────
```

4.5　再 Handshake

　SSL の接続が一度確立されていれば、後で再 Handshake（rehandshake）を実行することが可能です。再 Handshake とは、保護された現在の接続を使って実行する、新規の SSL Handshake のことです。これにより、新規の Handshake メッセージは暗号化されて送信されます。この新規の Handshake が完了すると、新しいセッション状態を用いてデータが保護されます。

　struct { } HelloRequest;

　クライアントは、新しい ClientHello メッセージを送信するだけで、新しい Handshake を開始できます。サーバが再 Handshake を開始したい場合は、HelloRequest という空の Handshake メッセージをクライアントに送信しなければなりません。通常の Handshake の手続き後に、クライアントは、この HelloRequest メッセージへの応答として ClientHello メッセージを返します。仕様では、クライアントかサーバが再 Handshake に合意することは要求されていません。再 Handshake を望まない実装では、メッセージをそのまま無視するか、no_renegotiation Alert を送信することができます。次節では、クライアントが再 Handshake を開始する場合の例を示します。サーバが開始する再

Handshakeの例については、第8章を参照してください。

4.6 Server Gated Cryptography

　完全に自由化される以前にも、米国輸出規制には、強い暗号の使用を特定の金融取引に認める例外規定がありました。この規定に対応するため、多くのSSLの実装では、通常は弱い暗号を使うクライアントが特別なサーバと通信する状況を検出し、強い暗号技術にアップグレードする機能を持っています。この機能のことを、MicrosoftではSGC（Server Gated Cryptography）といい、NetscapeではStep-Upといいます。SGCとStep-Upは、実際にはそれぞれ異なるSSLのバリエーションです。ただし、現段階の説明では各実装の違いは重要ではないため、ここでは単にSGCと総称することにします。

　SGCが使われるのは、輸出可能なクライアントに強い暗号化方式を提供できることを示す特別な証明書をサーバが持つ場合に限られます。特別な証明書であることは、2つの情報からわかります。1つ目は、信頼性の高い一握りのCAによって発行された証明書だということです。今のところ、認可されているCAはVerisignとThawteのみです。SGCを使わない状況では、CAはユーザから信頼されていればそれで十分です。しかしながら、このような特別な証明書を使うCAは、金融関連以外のサーバに対してSGC対応の証明書を発行しないという点において、米国政府から信頼されている必要があります。2つ目は、証明書に、証明書ホルダー◆監訳注1がSGCに対応していることを示す拡張が含まれていることです。

　これはつまり、SGC対応クライアントが、強い暗号化方式を扱うコードをすべて実装していなければならないことを意味しています。強い暗号化方式を使用できるかどうかは、実際には簡単なテストコードを実行してみないとわかりません。実際、鍵の縮小はHandshakeの段階で行われるため、輸出専用のクライアントであっても強いバージョンの共通鍵暗号化アルゴリズムに対応する必要があります。そのため、Webブラウザなども強い暗号技術を含んでいます。Netscapeの場合、コンパイルされて組み込まれたテーブルに基づいて、どのアルゴリズムを使えるかが判断されます。1998年にリリースされた「Fortify」というプログラムは、バイナリコードの同テーブルにパッチを当てることにより、この仕組みを利用して輸出可能なNetscapeで強い暗号技術を使えるようにするものです。

　SGCは、SSLの再Handshake機能を用いて実行されます。最初のHandshakeで、クライアントは弱い暗号スイートだけを提示します。クライアントは、サーバの証明書を受け取り、SGCを使えることを確かめた後で2回目のHandshakeを開始して、強い暗号スイートをClientHelloメッセージで提示します。2回目のHandshakeでは、保護されてい

◆1. ここではサーバを指しています。

る現在のセッションでメッセージが送信されます。図4.4は、Netscapeクライアントが Step-Upを実行する処理を時系列に示したものです。

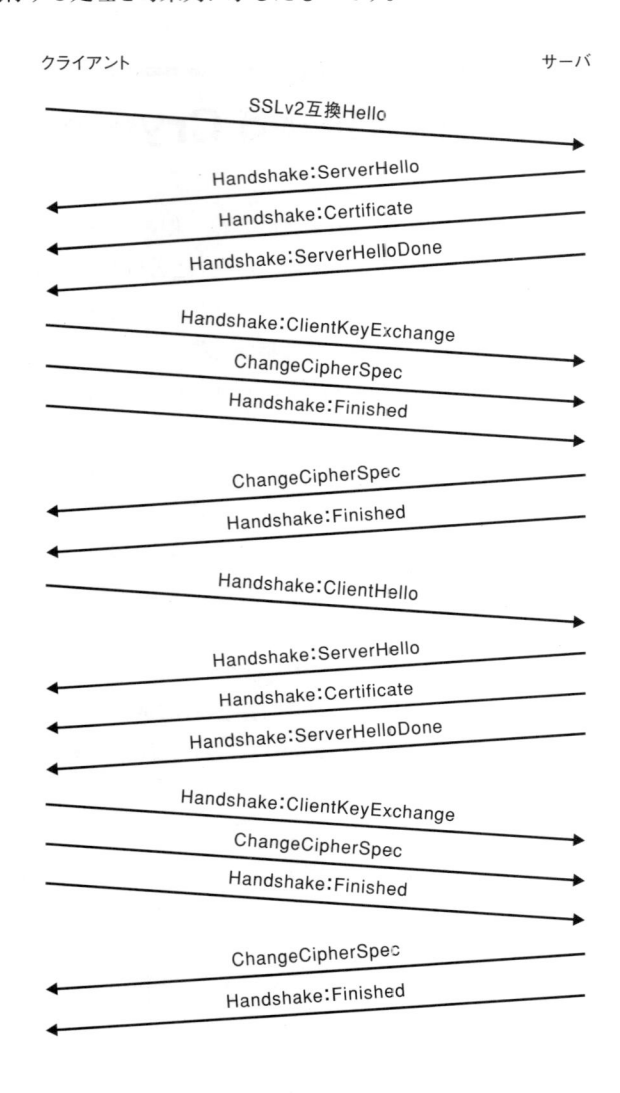

図 4.4
Step-Up の Handshake

```
クライアント                                                          サーバ
     ───────────── SSLv2互換Hello ─────────────▶
     ◀──────────── Handshake:ServerHello ────────
     ◀──────────── Handshake:Certificate ────────
     ◀──────────── Handshake:ServerHelloDone ────
     ───────────── Handshake:ClientKeyExchange ─▶
     ───────────── ChangeCipherSpec ────────────▶
     ───────────── Handshake:Finished ──────────▶

     ◀──────────── ChangeCipherSpec ─────────────
     ◀──────────── Handshake:Finished ───────────

     ───────────── Handshake:ClientHello ───────▶
     ◀──────────── Handshake:ServerHello ────────
     ◀──────────── Handshake:Certificate ────────
     ◀──────────── Handshake:ServerHelloDone ────
     ───────────── Handshake:ClientKeyExchange ─▶
     ───────────── ChangeCipherSpec ────────────▶
     ───────────── Handshake:Finished ──────────▶

     ◀──────────── ChangeCipherSpec ─────────────
     ◀──────────── Handshake:Finished ───────────
```

4.7 DSSとDH

　SSLv2とSSLv3の実装でサポートされている公開鍵暗号化アルゴリズムとしては、RSAが広く利用されています。ただしSSLv3では、有名なDSSとDHのように、ほかのアルゴリズムに基づく暗号スイートもサポートされています。第2章でも触れましたが、それらの暗号のサポートはTLSで必須となりました。その主な理由としては、特許を取得したアルゴリズム、特にRSAを避けるためです。DHの特許は1997年に期限が切れました。DSSの特許については不透明です。RSADS社がSchnorr特許(U.S. Patent 4995082)［Schnorr1991］にDSSが含まれると主張していますが、米国商務省標準技術局(U.S. National Institute of Standards and Technology)はこれを否定しています。IETF▼は、このような事情を踏まえた上で、あえて危ない橋を渡ってDSSとDHを必須と定めました。その後RSAの特許の期限が切れたので、DSSとDHを必須とする強い理由はなくなりました。しかし、DSSとDHのサポートは現在も残されています。

▼Internet Engineering Task Force

　RSAは鍵交換と署名のどちらにも使えますが、DHは鍵合意にのみ使うことができ、DSSは電子署名にのみ使うことができます。そこで完全な解決策として、DHとDSSを併用します。その場合、証明書にもDSSで署名するのが普通です。

　SSLでDSSとDHを使う方法は、主に2つあります。よく使われるのは、一時的RSAと同様の役割を果たす一時的DH鍵を利用する方法です。ただし、一時的DH鍵を使う場合、サーバが一時的DH鍵を生成し、それに自身のDSS鍵で署名し、この署名付きの鍵をServerKeyExchangeメッセージで送信します。クライアントは、このDH鍵を使って鍵合意を行います。もう1つは、長期的DH鍵を使う方法です。長期的DH鍵を使う場合は、サーバが自身のDH鍵を含むDSS署名付きの証明書を所持します。クライアントは、証明書からこの鍵を取り出して鍵合意で使います。

　鍵合意の処理は、クライアントがサーバのDH鍵を取得する方法とは無関係に、通常どおり行われます。クライアントは、同じグループに属するDH鍵を必要とします。通常、クライアントはDH鍵を持たないので、その場合は生成しなければなりません。その後で、DH鍵をClientKeyExchangeメッセージに収めて送信します。この時点で、クライアントとサーバは各自の秘密鍵と相手の公開鍵を持つことになり、DHの共有秘密情報を各自で計算できます。この共有秘密情報は、pre_master_secretとして使われます。これ以降の接続は、RSAの場合とまったく同じ処理で進められます。図4.5に、一時的DH/DSSを使ったHandshakeの処理を時系列で示します。

図 4.5
一時的 DH/DSS の Handshake

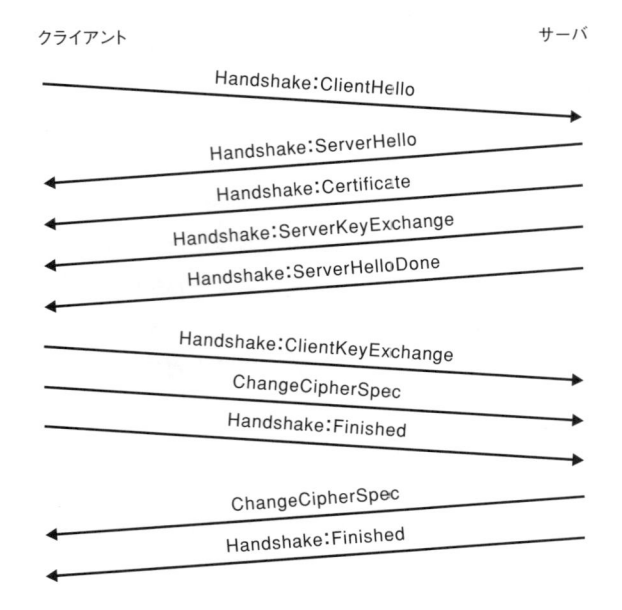

```
クライアント                                            サーバ
    |————— Handshake:ClientHello ——————————————→|
    |←————— Handshake:ServerHello ———————————————|
    |←————— Handshake:Certificate ———————————————|
    |←————— Handshake:ServerKeyExchange ——————————|
    |←————— Handshake:ServerHelloDone ————————————|
    |————— Handshake:ClientKeyExchange ——————————→|
    |————— ChangeCipherSpec ——————————————————→|
    |————— Handshake:Finished ——————————————→|
    |←————— ChangeCipherSpec ——————————————————|
    |←————— Handshake:Finished ——————————————|
```

　たとえ共通鍵暗号化アルゴリズムが同じであっても、DH/DSS と RSA のそれぞれに対する暗号スイートの数は一致しないことに注意してください。また、長期的 DH/DSS の暗号スイートの数も、一時的 DH/DSS の数と違います。そのため、これらすべてのアルゴリズムを 1 つの暗号スイートとすると、問題が起こります。すべての共通鍵暗号化アルゴリズムと公開鍵暗号化アルゴリズムの組み合わせがサポートされる保証はないのです。例えば RFC 2246 では、RSA 鍵交換で使用できる共通鍵暗号化方式として 5 種類 (DES、3DES、RC2、RC4、IDEA) 挙げられていますが、DH/DSS で使用できるものは 2 種類 (DES と 3DES) しか挙げられていません。

　このような事態を招いた原因の 1 つは、ワーキンググループの一部のメンバーが RC4 や IDEA といったベンダ独自のアルゴリズムの使用に難色を示したことでしたが、単なる手抜かりによるものでもありました。というのも、すべての共通鍵暗号の組を DH/DSS に対して提供するには積極的なアクションが必要だったにもかかわらず、ワーキンググループが専念したのは、支持するメンバーが多く反対の少ない暗号を標準化することだったからです。

4.8　楕円曲線暗号スイート

　近年、楕円曲線 (EC：Elliptic Curve) 暗号に注目が集まっています。大まかすぎることを承知で表現すると、EC 暗号は、DH と DSS における素数を、楕円曲線上の点からなるアーベル群で置き換えた暗号化方式です。このような群では離散対数問題がより難解になるため、鍵をより短くできる上に、公開鍵の演算も比較的速くなります。通常の公開

鍵暗号化システムにおける法(モジュロ)の指数演算は、高速なサーバでも非常にコストがかかる処理ですが、スマートカードのようにメモリとプロセッサの能力がきわめて限定される場面ではEC暗号が特に有効です。ECによるシステムでDH/DSSを置き換えるというアイデアもあります。

本書執筆時点では、数種類のECベースの暗号スイートの追加に関するインターネットドラフトが発行されていますが、どれもまだ標準化には至っていません◆監訳注2。知的所有権の状況が不透明なことが、標準化を妨げている主な要因です。少なくともCerticomとAppleの両社が、EC暗号の効果的な実装にかかわる重要な特許を所持しています。暗号そのものにも、特許による制約があると懸念されています。

4.9 Kerberos

Kerberos［Miller1987］は、MITで開発された共通鍵ベースの有名な認証システムです。基本的な発想は、システム内のすべての主体から信頼された中央サーバを設置する、というものです。中央サーバはTGS(Ticket Granting Server)と呼ばれ、各主体はTGSと共通鍵を共有します。クライアントは、サーバと通信するときにTGSにチケットを要求します。チケットは、要求元を認証する情報と、両者のそれ以降の通信に使うセッション鍵を含んでおり、ターゲットの共通鍵で暗号化されます。その後で要求元は、暗号化したチケットをターゲットに送信します。

RFC 2712［Medvinsky1999］には、KerberosをTLSで使う方法が記されています。ClientKeyExchangeメッセージには、チケットと暗号化したpre_master_secretを格納します。pre_master_secretの暗号化には、チケット内にある共通鍵を使います。サーバはチケットから共通鍵を取り出し、pre_master_secretを復号します。ここから先のHandshakeは通常と変わりません。Kerberosの利用はさほど進んでいないのが現状です。RFC 2712に定義されているKerberos利用時の暗号スイートを図4.6に示します。

◆2. 原書の発行時点では、draft-ietf-tls-ecc-03 において提案されていましたが、このドラフトは本書監訳時点では削除され、RFCとして標準化されませんでした。

図 4.6
Kerberos 利用時の暗号スイート

暗号スイート	認証	鍵交換	暗号化	ダイジェスト	番号
TLS_KRB5_WITH_DES_CBC_SHA	Kerberos	Kerberos	DES_CBC	SHA	0x001e
TLS_KRB5_WITH_3DES_EDE_CBC_SHA	Kerberos	Kerberos	3DES_EDE_CBC	SHA	0x001f
TLS_KRB5_WITH_RC4_128_SHA	Kerberos	Kerberos	RC4_128	SHA	0x0020
TLS_KRB5_WITH_IDEA_CBC_SHA	Kerberos	Kerberos	IDEA_CBC	SHA	0x0021
TLS_KRB5_WITH_3DES_EDE_CBC_MD5	Kerberos	Kerberos	3DES_EDE_CBC	MD5	0x0022
TLS_KRB5_WITH_DES_CBC_SHA	Kerberos	Kerberos	DES_CBC	SHA	0x0023
TLS_KRB5_WITH_RC4_128_MD5	Kerberos	Kerberos	RC4_128	MD5	0x0024
TLS_KRB5_WITH_IDEA_CBC_MD5	Kerberos	Kerberos	IDEA_CBC	MD5	0x0025
TLS_KRB5_EXPORT_WITH_DES_CBC_40_SHA	Kerberos	Kerberos	DES_40_CBC	SHA	0x0026
TLS_KRB5_EXPORT_WITH_RC2_CBC_40_SHA	Kerberos	Kerberos	RC2_40_CBC	SHA	0x0027
TLS_KRB5_EXPORT_WITH_RC4_40_SHA	Kerberos	Kerberos	RC4_40	SHA	0x0028
TLS_KRB5_EXPORT_WITH_DES_CBC_40_MD5	Kerberos	Kerberos	DES_40_CBC	MD5	0x0029
TLS_KRB5_EXPORT_WITH_RC2_CBC_40_MD5	Kerberos	Kerberos	RC2_40_CBC	MD5	0x002A
TLS_KRB5_EXPORT_WITH_RC4_40_MD5	Kerberos	Kerberos	RC4_40	MD5	0x002B

4.10 FORTEZZA

　FORTEZZA カードは、PCMCIA カードの一種で、米国政府が設計した（暗号技術を用いた）トークンが収められているものです。署名とメッセージダイジェストは DSA と SHA を使いますが、鍵合意と暗号化アルゴリズムは NSA が設計したものを使います。鍵合意アルゴリズムは DH を改良した KEA（Key Exchange Algorithm）であり、暗号化アルゴリズムは SKIPJACK というブロック暗号です。

　FORTEZZA は、NSA による通信傍受が可能であり、なおかつ強い暗号を提供することを目的として、NSA が開発しました。この相反する 2 つの目標を達成するため、キーエスクロー（key escrow）機能がカードに組み込まれました。カードはそれぞれ独自の鍵を持ち、それが NSA にエスクロー（escrow：寄託）されます。したがって、NSA が通信を復号したいと思えば、暗号化に使われたカードに対応する鍵を取り出すことができますが、暗号化自体はそれ以外の攻撃者から安全です。

　FORTEZZA 暗号スイートでは、クライアントの認証が必須です。クライアントの認証方法は 2 つあります。1 つ目は、クライアントが KEA 証明書を所持する方法です。2 つ目は、クライアントが DSA 証明書を所持し、その DSA 鍵を使って KEA の共有を署名する方法です。いずれの方法でも、クライアントはサーバに証明書を渡します。

FORTEZZA の Handshake を図 4.7 に示します。

図 4.7
FORTEZZA の Handshake

```
クライアント                                              サーバ
     |------------Handshake:ClientHello------------------>|
     |<-----------Handshake:ServerHello-------------------|
     |<-----------Handshake:Certificate-------------------|
     |<-----------Handshake:CertificateRequest------------|
     |<-----------Handshake:ServerKeyExchange-------------|
     |<-----------Handshake:ServerHelloDone---------------|
     |
     |------------Handshake:Certificate------------------>|
     |------------Handshake:ClientKeyExchange------------>|
     |------------ChangeCipherSpec----------------------->|
     |------------Handshake:Finished--------------------->|
     |
     |<-----------ChangeCipherSpec------------------------|
     |<-----------Handshake:Finished----------------------|
```

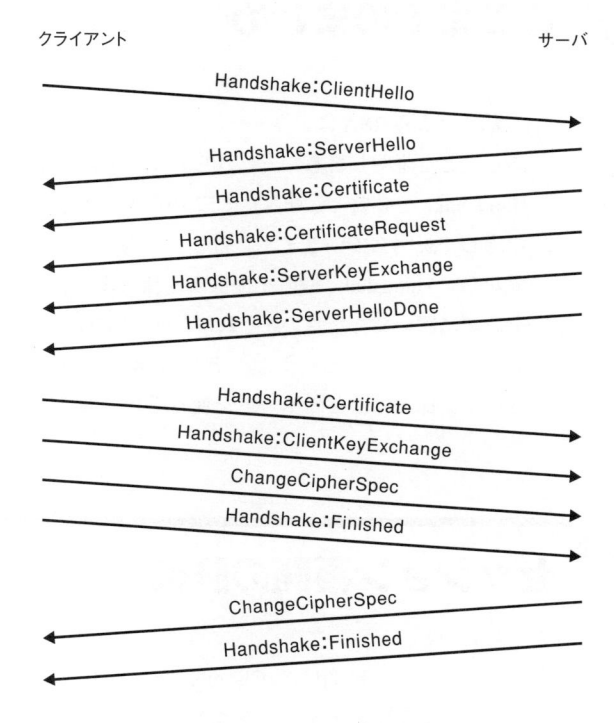

　KEA 鍵はサーバの証明書の中にあるのですが、それでもサーバは ServerKeyExchange メッセージを送信します。このメッセージは、KEA の鍵合意処理の一部として使われる乱数を送信するために使います。また、クライアントを必ず認証しなければならないので、サーバは CertificateRequest メッセージも送信します。ただし、クライアント認証は鍵合意によって行われるため、CertificateVerify メッセージは送信しません。

　FORTEZZA カードが最初にリリースされたとき、SKIPJACK と KEA は機密扱いでした。SSLv3 には FORTEZZA のサポートが定められていましたが、IETF では仕様の詳細がわからないアルゴリズムの標準化を望まないため、TLS では省かれました。Netscape 社は、FORTEZZA に対応したバージョンの Navigator と Netscape Server をリリースしましたが、米国政府機関以外ではあまり利用されていません。とはいえ、FORTEZZA を SSL で使うのはなかなか興味深い技術的挑戦であり、これについては「4.17 FORTEZZA の詳細」で詳しく解説します。

4.11 ここまでのまとめ

基本となるRSAによるサーバ認証モードのほかにも、SSLには多数の特殊なモードがあることを説明しました。これらのモードは、RSAによるサーバ認証の場合とは違ったHandshakeを必要とします。ここから先、本章の後半部分では、これらのモードについて詳しく説明していきます。新しく登場したメッセージの内容を示し、それらが連携して新しいHandshake機能を提供する仕組みを説明します。読み進める際には1つのことを念頭に置いてください。それは、FORTEZZAを除いて、どのモードもHandshakeが変更されているだけということです。master_secretからの鍵の生成、レコード層におけるデータ保護は、どのモードを使う場合でもまったく同じです。

4.12 セッション再開の詳細

セッションの再開には、ClientHelloメッセージとServerHelloメッセージのsession_idフィールドを使います。クライアントとサーバがHandshakeを開始した時点では、クライアントはセッションを保持していないため、クライアントのsession_idフィールドは空です。サーバがセッション再開を希望する場合（希望しないほうが珍しいのですが）、session_idを生成し、それをServerHelloメッセージのsession_idフィールドに収めて送信します。

その後、サーバはHandshakeの残りの部分をスキップし、すぐにChangeCipherSpecメッセージを送信します。保存していたmaster_secretと新しいクライアントの乱数とサーバの乱数を使ってkey_blockを再計算するので、すべての鍵は以前のセッションとは別のものになります。

再開されたTLSセッションの詳細なHandshakeメッセージを図4.8に示します。ClientHelloメッセージのsession_idがServerHelloメッセージのsession_idと同じであることに注意してください。サーバがセッション再開を望まない場合は、新規のsession_idを生成し、クライアントからの再開の要望などなかったかのように通常のHandshakeが続行されます。通常、サーバがセッション再開を受け入れないのは、クライアントが再開を望んだセッションに関する情報がサーバに保存されていない場合です。サーバのキャッシュが小さい場合や、セッションがタイムアウトした場合がこれに該当します。

クライアントは、セッションを再開するとき、少なくとも以前にネゴシエートした暗号スイートを提示する必要があります。再開に応じる場合、サーバはこの暗号スイートを選ばなければなりません。今回の例では、クライアントはサポートするすべての暗号

スイートを提示しました。ここで、もしサーバがセッションを再開しないと選択した場合は、提示された暗号スイートのどれを選んでも構いません。

図 4.8
TLS のセッション再開の Handshake メッセージ

```
New TCP connection: romeo(1300) <-> speedy(4433)
1 0.0022 (0.0022) C>S Handshake
      ClientHello
         resume [32]=
            6d f3 02 8a 44 a7 42 94 14 7b 59 ad
            8f 00 32 71 e9 a5 d1 bc 3f c0 23 0c
            50 fa 4f 9f 27 cf 45 c4
         cipher suites
                     TLS_DHE_RSA_WITH_3DES_EDE_CBC_SHA
                     TLS_DHE_DSS_WITH_3DES_EDE_CBC_SHA
                     TLS_RSA_WITH_3DES_EDE_CBC_SHA
                     TLS_RSA_WITH_IDEA_CBC_SHA
                     TLS_RSA_WITH_RC4_128_SHA
                     TLS_RSA_WITH_RC4_128_MD5
                     TLS_DHE_RSA_WITH_DES_CBC_SHA
                     TLS_DHE_DSS_WITH_DES_CBC_SHA
                     TLS_RSA_WITH_DES_CBC_SHA
                     TLS_DHE_RSA_EXPORT_WITH_DES40_CBC_SHA
                     TLS_DHE_DSS_EXPORT_WITH_DES40_CBC_SHA
                     TLS_RSA_EXPORT_WITH_DES40_CBC_SHA
                     TLS_RSA_EXPORT_WITH_RC2_CBC_40_MD5
                     TLS_RSA_EXPORT_WITH_RC4_40_MD5
         compression methods
                     NULL
2 0.0288 (0.0266) S>C Handshake
      ServerHello
         session_id[32]=
            6d f3 02 8a 44 a7 42 94 14 7b 59 ad
            8f 00 32 71 e9 a5 d1 bc 3f c0 23 0c
            50 fa 4f 9f 27 cf 45 c4
         cipherSuite TLS_RSA_WITH_RC4_128_SHA
         compressionMethod NULL
3 0.0288 (0.0000) S>C ChangeCipherSpec
4 0.0288 (0.0000) S>C Handshake: Finished
5 0.0293 (0.0005) C>S ChangeCipherSpec
6 0.0293 (0.0000) C>S Handshake: Finished
```

4.12.1 セッション ID の検索

　サーバとクライアントでは、セッションを検索するために使う情報が異なります。クライアントが SSL の接続を開始するときは、サーバのホスト名(ホスト名を使わない場合は IP アドレス)とポート以外に使える情報がないので、それを頼りにセッション ID を検索するほかありません。しかしサーバは、クライアントからセッション再開の要求を受け取ったときに、session_id を使ってセッションを検索できます。検索は session_id に基づいて行われるので、クライアントが以前の Handshake で使ったものとは別の IP アドレスとポートで接続してきたとしても、目的のセッションを再開できます。

　TCP ポートは順番に選ばれるため、クライアントのポートは、まず間違いなく元の接続で使われていたものと異なります。クライアントの IP アドレスは、接続が変わっても、たいていは同じです。ただし、DHCP(Dynamic Host Configuration Protocol)などのメカニズムにより IP アドレスを動的に割り当てられているクライアントも多くあります。このため、同じクライアントが、セッションを作成したときとは別の IP アドレスでセッ

ションを再開しようとする可能性が大いにあります。サーバは、このような状況にも対応しなければなりません。

クライアントが別のIPアドレスからセッションを再開することを認めるのは危険だと思われるかもしれません。しかし、実際には心配に及びません。そもそも、特定のIPアドレスから送られたかのようにメッセージを偽造するのは簡単なので、IPアドレスをチェックすることにほとんど意味はないのです。それよりも重要なのは、サーバがクライアントのFinishedメッセージを、Handshakeの最後にチェックすることです。Finishedメッセージを正確に生成するためには、クライアントは(メッセージの暗号化とMAC処理に使う)新規の暗号化鍵とMAC鍵はもちろん、Finishedメッセージのハッシュ値の計算に必要なmaster_secretも利用しなければなりません。master_secretを入手した攻撃者は、既存の接続を簡単に乗っ取れるので、これは安全ではありません。サーバは、master_secretの危殆化による被害を防ぐため、一定期間(普通は1日)が経過したセッションを無効にすることに注意してください。

4.13 クライアント認証の詳細

先ほども説明したとおり、SSLにおけるクライアント認証では、まだ説明していない新しい2つのメッセージを使います。また、既出のメッセージも別の使い方をします。最初に、新しいメッセージであるCertificateRequestメッセージについて説明します。このメッセージは、サーバがクライアント認証を要求するために使います。クライアントは、自身の証明書を送信するCertificateメッセージ(前の説明ではサーバによって使用されたもの)と、自身を認証するCertificateVerifyメッセージを送信してこれに応答します。

4.13.1 CertificateRequestメッセージ

CertificateRequestメッセージは、クライアント認証の実行をクライアントに要求し、サーバが受理する証明書の種類に関する情報を提供します。サーバは、使用する暗号技術に関するアルゴリズムと、クライアント証明書の発行元として信頼する認証機関のリストを指定できます。

CertificateRequestメッセージの構造は、次のようになります。

```
struct {
  ClientCertificateType certificate_types<1..2^8-1>;
  DistinguishedName certificate_authorities<3..2^16-1>;
} CertificateRequest;
```

```
enum {
  rsa_sign(1), dss_sign(2), rsa_fixed_dh(3), dss_fixed_dh(4),
  (255)
} ClientCertificateType;

opaque DistinguishedName<1..2^16-1>;
```

CertificateRequest メッセージを ssldump で出力した結果は、次のようになります。

```
CertificateRequest
    certificate_types rsa_sign
    certificate_types dss_sign
  certificate_authority
    C=AU
    ST=Queensland
    O=CryptSoft Pty Ltd
    CN=Server test cert (512 bit)
  certificate_authority
    C=US
    O=AT&T Bell Laboratories
    OU=Prototype Research CA
  certificate_authority
    C=US
    O=RSA Data Security, Inc.
    OU=Commercial Certification Authority
  certificate_authority
    C=US
    O=RSA Data Security, Inc.
    OU=Secure Server Certification Authority
  certificate_authority
    C=ZA
    ST=Western Cape
    L=Cape Town
    O=Thawte Consulting cc
    OU=Certification Services Division
    CN=Thawte Server CA
    Email=server-certs@thawte.com
  certificate_authority
    C=ZA
    ST=Western Cape
    L=Cape Town
    O=Thawte Consulting cc
    OU=Certification Services Division
    CN=Thawte Premium Server CA
    Email=premium-server@thawte.com
```

certificate_types フィールドは、1バイトの配列です。各バイトは、使用できる署名アルゴリズムを意味します。今回のトレースでは、サーバは rsa_sign と dss_sign を指定しました。つまり、RSA または DSS で署名された応答を受け取る用意があることを意味します。この値が、証明書の署名に使うアルゴリズムも指すことに注意してください。

ほかに使用できる値として rsa_fixed_dh と dss_fixed_dh の2つがありますが、これらは署名とはまったく関係ありません。これらの値は、クライアントとサーバが pre_master_secret の合意に長期的DH鍵の対を使うことを意味します。この方法を選んだ場合、適切な鍵を pre_master_secret から生成できることにより接続が暗黙に認証されるので、クライアントは CertificateVerify メッセージを送信しません。長期的DHについては「4.16 DH/DSS の詳細」で詳しく説明します。

certificate_authorities フィールドでは、サーバが証明書の発行元として受理する CA のリストを指定します。CA の指定には、BER 形式でエンコードした CA の識別名を使います。識別名と証明書については第 1 章の説明を参照してください。証明書チェーン◆監訳注3 を使う場合は、CertificateRequest メッセージに指定された CA 名がクライアント証明書に署名した CA と一致する必要はなく、親 CA のどれかに一致していればよい点に注意してください。

4.13.2　Certificate メッセージ

Certificate メッセージについて、先ほどは、サーバが証明書をクライアントに渡すときに使うメッセージとして説明しました。ここでの Certificate メッセージは、クライアントがクライアント認証のための証明書を送信する手段として使われます。このメッセージの構造は、サーバの Certificate メッセージとまったく同じですが、証明書そのものは異なります。

Certificate メッセージの構造は、次のようになります。

```
struct {
  ASN.1Cert certificate_list<1..2^24-1>;
} Certificate;

opaque ASN.1Cert<2^24-1>;
```

4.13.3　CertificateVerify メッセージ

CertificateVerify メッセージは、実際のクライアント認証の処理を実行するメッセージです。このメッセージには、Handshake メッセージのダイジェスト値を（クライアントの Certificate メッセージに含まれる証明書に対応する）クライアントの秘密鍵で署名したものが含まれます。digitally-signed 演算子の部分がこれに当たります。証明書に対応する秘密鍵の所持者だけがこのメッセージに署名できるので、サーバは証明書に記された主体が接続していると判断できます。

CertificateVerify メッセージの構造は、次のようになります。

```
select (SignatureAlgorithm) {

  case anonymous: struct { };

  case rsa:
    digitally-signed struct {
      opaque md5_hash[16];
      opaque sha_hash[20];
    };
```

◆3.　証明書チェーンについては、「5.13 証明書チェーンの検証」を参照してください。

```
        case dsa:
          digitally-signed struct {
            opaque sha_hash[20];
          };

    } Signature;

    struct {
      Signature signature;
    } CertificateVerify;
```

CertificateVerify メッセージを `ssldump` で出力した結果は、次のようになります。

```
CertificateVerify
  Signature[64]=
    5a a7 6a 48 54 17 c9 a3 09 87 90 37
    42 17 45 c7 bf de 24 0f 4d 73 9b a8
    69 a6 c7 f3 a0 41 c5 26 fc 6a 48 0d
    e1 02 4f 9d 1b d2 17 55 dc 4e 55 11
    6f 89 7c ed 68 59 70 db b4 e7 fe 11
    d7 2f f6 83
```

SSLv3 では、次の式で Handshake メッセージのハッシュ値を計算します。

CertificateVerify.signature.md5_hash =
  MD5(master_secret + pad2 +
      MD5(handshake_messages + master_secret + pad1));

CertificateVerify.signature.sha_hash =
  SHA-1(master_secret + pad2 +
        SHA-1(handshake_messages + master_secret + pad1));

このメッセージに master_secret を含めても、実際にはセキュリティが大きく増すわけではありません。ほかの Handshake メッセージから暗黙にわかるからです。TLS では、次のような Handshake メッセージの単純なダイジェスト値を使います。

CertificateVerify.signature.md5_hash = MD5(handshake_messages);

CertificateVerify.signature.sha_hash = SHA-1(handshake_messages);

署名を計算する式は、使用する署名アルゴリズムによって異なります。この例での Handshake では、クライアントは RSA を使って署名するので、署名されるオブジェクトは、この時点までの Handshake でやり取りした Handshake メッセージの MD5 ダイジェスト値と SHA-1 ダイジェスト値を連結したものです。DSS を使う場合は 160 ビットの入力が必要なので、これまでやり取りした Handshake メッセージの SHA-1 ダイジェスト値だけを使います。ダイジェスト値にはサーバの乱数も含まれるので、サーバは ServerHello メッセージに含まれるフレッシュな乱数を使う限り、署名がフレッシュであること（つまり再送されていないこと）を確信できます。

このRSA署名の形式が通常のRSA署名（[RSA1993b]）と違うことに注意する必要があります。通常のRSA署名にはダイジェスト値が1つしか含まれません。PKCS #1では、署名はDER形式エンコードのDigestInfo構造体を使って計算されるのが普通ですが、この構造体にはダイジェストのアルゴリズム識別子も含まれます。MD5ダイジェストとSHA-1ダイジェストは、SSLプロトコルで必須とされますが、ダイジェストアルゴリズム識別子は不要です（MD5とSHA-1の併用を意味する識別子はないので、問題があります）。その結果、DigestInfo構造体にエンコードしないで、連結したハッシュ値にそのまま署名します。これは、ハードウェア実装やオールインワンPKIツールキットなど、DigestInfoエンコード処理を署名の一部として実行することの多い実装で問題となります。

4.13.4　エラー状況

クライアントが適切な証明書を持たない場合は、証明書が入っていないCertificateメッセージを送信するべきです。この時点でサーバは、ほかの認証方法（アプリケーション層でパスワードの入力を求めるなど）を使うか、まったく認証せずに接続を続行できます。続行を望まなければ、致命的（fatal）なhandshake_failure Alertを送信します。

4.14　一時的RSAの詳細

　ServerKeyExchangeメッセージには、サーバの一時的な公開鍵が署名を付けられた状態で格納されます。このメッセージは一時的DHにも使われるので、仕様ではRSA鍵とDH鍵の両方が認められています。一時的DHの使用例は「4.16 DH/DSSの詳細」で紹介します。ServerKeyExchangeメッセージは、サーバの長期的な鍵を使って署名されます。今回の例ではRSA鍵を使いました。使用が認められるアルゴリズムは、RSA署名やDSS、anonymous（メッセージに署名がないことを示します）も使用できます。anonymousモードを使うと、アクティブ攻撃に対してまったくセキュリティが提供されないことに注意してください。攻撃者は、man-in-the-middle攻撃により、クライアントに対して自分自身がサーバであるかのように簡単に振る舞うことができます。
　ServerKeyExchangeメッセージの構造は、次のようになります。

```
struct {
  select (KeyExchangeAlgorithm) {
    case diffie_hellman:
      ServerDHParams params;
      Signature signed_params;
    case rsa:
      ServerRSAParams params;
      Signature signed_params;
```

```
    };
  } ServerKeyExchange;

  struct {
    opaque RSA_modulus<1..2^16-1>;
    opaque RSA_exponent<1..2^16-1>;
  } ServerRSAParams;

  select (SignatureAlgorithm) {
    case anonymous: struct { };
    case rsa:
      digitally-signed struct {
        opaque md5_hash[16];
        opaque sha_hash[20];
      };
    case dsa:
      digitally-signed struct {
        opaque sha_hash[20];
      };
  } Signature;

  enum { rsa, diffie_hellman } KeyExchangeAlgorithm;
  enum { anonymous, rsa, dsa } SignatureAlgorithm;
```

ServerKeyExchangeメッセージをssldumpで出力した結果は、次のようになります。

```
ServerKeyExchange
  params
    RSA_modulus[64]=
      c9 61 5e 58 08 6a 5c f0 76 a4 5d 6e
      ae 99 51 f9 ae c6 2c 8a e5 34 1e 9d
      a6 cb 68 b4 d6 47 b2 01 d4 5d 9b 32
      3c 49 2a 90 ac c2 41 cd b4 20 4f 54
      c2 a0 26 e4 b8 ee 69 61 04 23 64 72
      f2 40 e3 9f
    RSA_exponent[3]=
      01 00 01
    signature[128]=
      09 6d 34 ee 8c 2f 14 e5 52 05 26 25
      4c 34 72 35 ef 79 1f 07 c1 71 82 cd
      3d f6 7c 67 05 ff eb 02 bc da bf 8e
      3a e7 c8 37 14 5c ca 05 4a 69 5f 09
      f3 b0 fa 53 33 50 ab 41 e8 63 6b f5
      5a 5d c1 5d f0 09 6d aa bd d8 0b e2
      bb 13 0d e6 09 f8 91 11 b1 ec 25 58
      1f 7e b3 56 81 4e c0 03 71 a4 95 e4
      be 1f 2e 10 75 80 75 1a 65 ed c4 70
      09 0b 19 64 3f dd f0 42 4a 32 73 36
      82 b1 2b 24 2c a4 6b 3a
```

仕様では、鍵交換アルゴリズムと署名アルゴリズムを任意に組み合わせて暗号スイートを定義することが認められていますが、一般に使われるのは、本章の最初で説明したRSA署名とRSA鍵交換、または、DSS署名とDH鍵交換(TLSではDH/DSSが必ず実装されます)の組み合わせです。RSA署名とDH鍵交換を組み合わせる暗号スイートも定義されていますが、あまり利用されません。DSS署名とRSA鍵交換の組み合わせに至っては、定義さえされていません。

このメッセージ内のRSA鍵は、RSAの法（モジュロ）と公開指数を意味する一対のバイト文字列として表されます。インターネットの慣例に従って、この大きい整数は「ネットワーク」バイトオーダーでバイト文字列に対応付けられます。つまり、最初のバイトが整数の最上位バイトを表します。RSAの法の大きさには重要な意味があります。その法は64バイトであり、512ビット鍵に相当します。第1章でも説明しましたが、通常はパフォーマンスを損なわないように非常に小さい公開指数を使います。今回の例では、65537を使いました。RSA鍵の詳細については、第1章の説明を参照してください。

このメッセージに含まれるRSA署名は、CertificateVerifyメッセージと同じように一対のハッシュを使って計算されますが、ハッシュへの入力値は異なります。ServerKeyExchangeハッシュの入力は、署名対象のパラメータとクライアントおよびサーバの乱数だけです。乱数には、新規のHandshakeにおいて前のServerKeyExchangeメッセージを使用した再送攻撃を防止する役割があります。

```
md5_hash =
  MD5(client_random + server_random + ServerParams);

sha_hash =
  SHA(client_random + server_random + ServerParams);
```

RSA鍵の生成には多大な計算コストがかかるので、SSLサーバの実装では同じ一時的な鍵を多数のクライアントで使い回すのが普通です。多数のトランザクション（往々にして1日分）が同じ512ビット鍵で保護されることになるため、クライアントごとにフレッシュな鍵を生成する方法ほど安全ではありません。しかし、トランザクションごとにフレッシュな鍵を生成するコストは高すぎるでしょう。一時的RSAを使用する可能性のある状況は2つあります。使用する暗号スイートが輸出可能でなければならない場合（つまり鍵交換アルゴリズムがRSA_EXPORT）と、署名する鍵を512ビット以上の大きさにすべき場合です。それ以外の状況では、通常のRSAを使うべきです。

一時的RSAを過剰にもてはやす前に、どの程度セキュリティが増すのか、ちょっとした計算で確かめてみましょう。通常の鍵のライフタイムは1、2年ですが、一時的RSA鍵は多くても1日1回程度の頻度で生成されます（最新のCPUを使えば、ずっと短い間隔、例えば数分に1回程度は生成できます）。サーバの起動時にしか鍵が生成されず、そのまま数週間ほど連続して稼働することは珍しくありません。したがって、攻撃者が特定のサーバ宛の通信をすべて読み取ろうとするなら、一時的RSAの使用によって、通常の利用パターンと比較すると、読み取りの手間が1000倍程度は増えることになります。一方、いつ送信されるかわかっている特定のメッセージを読み取りたい場合は、一時的RSAを使っても読み取りの手間は楽になりません。

4.15 SGCの詳細

　SGC/Step-Upを利用したいクライアントには、相手が通常のSSLサーバなのかSGC/Step-Up対応サーバなのかがまだわからない時点で**ClientHello**メッセージを送信しなければならないという問題があります。そのためクライアントは、最初のメッセージ送信では輸出可能な暗号スイートのみを提示するしかありません。そうしなければ、相手が通常のSSLサーバだった場合に、クライアントには使えない強い暗号スイートが選ばれてしまうかもしれないからです。クライアントは、サーバの**Certificate**メッセージを受け取ることで、サーバがSGC/Step-Upに対応していると確認できます。この点でSGCとStep-Upは異なっています。最初にStep-Upについて説明します。

4.15.1 Step-Up

　サーバは、Step-Upを使いたいことをクライアントに通知するために、**extendedKeyUsage**という拡張メッセージに特別な値を設定します。クライアントはこの値を見て、サーバがStep-Upに対応していることを知ります。ブラウザは、輸出可能な暗号スイートをネゴシエートしているSSL Handshakeを完了してから、すぐに再Handshakeを実行して、より強い暗号スイートをネゴシエートします。Step-Upを使った接続の例を図4.9に示します。

図4.9 Step-Upを使用した接続

```
New TCP connection: romeo(4290) <-> romeo(443)
1 0.0004 (0.0004) C>S SSLv2 compatible client hello
   Version 3.0
   cipher suites
       SSL2_CK_RC4_EXPORT40
       SSL2_CK_RC2_EXPORT40
       TLS_RSA_EXPORT1024_WITH_RC4_56_SHA
       TLS_RSA_EXPORT1024_WITH_DES_CBC_SHA
       TLS_RSA_EXPORT_WITH_RC4_40_MD5
       TLS_RSA_EXPORT_WITH_RC2_CBC_40_MD5
2 0.0058 (0.0053) S>C Handshake
       ServerHello
         session_id[32]=
           5e ae 37 80 c5 30 ff 35 59 65 2a 8c
           9b a1 8a 73 ad 2d 88 30 59 9a f9 58
           45 ac 8d a3 85 5f ca e9
         cipherSuite TLS_RSA_EXPORT1024_WITH_RC4_56_SHA
         compressionMethod NULL

3 0.0058 (0.0000) S>C Handshake
       Certificate
         Subject
           C=US
           O=RTFM, Inc.
           CN=romeo.rtfm.com
         Issuer
           C=US
           ST=California
           O=RTFM, Inc.
```

```
                            CN=Step-Up CA
                    Serial 03
                    Extensions
                    Extension: X509v3 Subject Alternative Name
                      <EMPTY>
                    Extension: X509v3 Basic Constraints
                      CA:FALSE, pathlen:0
                    Extension: Netscape Comment
                      mod_ssl generated custom server certificate
                    Extension: Netscape Cert Type
                      SSL Server
                    Extension: X509v3 Extended Key Usage
                      Netscape Server Gated Crypto
 4 0.0058 (0.0000) S>C Handshake
        ServerHelloDone
 5 0.0248 (0.0189) C>S Handshake
        ClientKeyExchange
          EncryptedPreMasterSecret[128]=
            a1 40 7c 99 2f 40 4d 01 dd b0 0a 7b
            f8 8e ee e3 1d f1 ed 35 04 ea 56 5f
            1a 3f 62 75 cf 6e bc b9 58 cf ad 33
            ba be 30 3c 63 d0 85 ea a7 a4 24 e2
            b5 dd d1 21 03 e1 87 bd cb cf 56 54
            8d ed 02 f9 67 d7 bc 9a 73 cb 51 a6
            c2 d6 c2 12 b6 96 06 45 db a3 ed d8
            40 0c ea 11 22 09 61 7c 98 85 8f ed
            ca 4a 51 52 bd e9 14 0a b3 5d 04 be
            58 79 1e 51 cd fd dc ae 66 23 b8 4f
            1b ea 68 10 eb 8a e7 87
 6 0.2199 (0.1951) C>S ChangeCipherSpec
 7 0.2199 (0.0000) C>S Handshake
        Finished
 8 0.2223 (0.0023) S>C ChangeCipherSpec
 9 0.2223 (0.0000) S>C Handshake
        Finished
```

最初のHandshakeはここで完了
クライアントは、強い暗号スイートを提示するために新規のHandshakeを開始する

```
10 0.2231 (0.0008) C>S Handshake
        ClientHello
          Version 3.0
          cipher suites
                   TLS_RSA_WITH_RC4_128_MD5
                         value unknown: 0xffe0 Netscape独自の暗号スイート
                   TLS_RSA_WITH_3DES_EDE_CBC_SHA
                   TLS_RSA_EXPORT1024_WITH_RC4_56_SHA
                   TLS_RSA_EXPORT1024_WITH_DES_CBC_SHA
                   TLS_RSA_EXPORT_WITH_RC4_40_MD5
                   TLS_RSA_EXPORT_WITH_RC2_CBC_40_MD5
          compression methods
                   NULL
11 0.2271 (0.0039) S>C Handshake
        ServerHello
          session_id[32]=
            de 59 fc ef 7f b5 59 e0 92 f9 31 20
            da a3 f1 82 bf 78 ba 53 8b b6 8a a9
            d6 69 82 af 55 8b 99 27
          cipherSuite TLS_RSA_WITH_RC4_128_MD5
          compressionMethod NULL
12 0.2271 (0.0000) S>C Handshake
        Certificate
          Subject
            C=US
            O=RTFM, Inc.
            CN=romeo.rtfm.com
          Issuer
            C=US
```

```
              ST=California
              O=RTFM, Inc.
              CN=Step-Up CA
          Serial 03
          Extensions
              Extension: X509v3 Subject Alternative Name
                  <EMPTY>
              Extension: X509v3 Basic Constraints
                  CA:FALSE, pathlen:0
              Extension: Netscape Comment
                  mod_ssl generated custom server certificate
              Extension: Netscape Cert Type
                  SSL Server
              Extension: X509v3 Extended Key Usage
                  Netscape Server Gated Crypto
13 0.2271 (0.0000) S>C Handshake
          ServerHelloDone
14 0.2381 (0.0110) C>S Handshake
          ClientKeyExchange
              EncryptedPreMasterSecret[128]=
                  98 29 0c 5f 72 b0 46 03 fd 3d ed 62
                  c6 fc ec d3 e3 73 d3 f5 c8 a0 60 0a
                  f7 94 de 18 0a 9c 3c db db 7c f4 9c
                  34 65 90 dd 11 fd a2 d3 ae 50 f1 d6
                  e8 22 79 72 fe 99 b8 e1 03 a4 4a 64
                  22 4d e8 a5 58 d5 80 22 d5 da d4 dc
                  fc 42 a0 f3 f3 50 a6 56 4f f4 ae 69
                  37 7b 9c 8c 53 c8 d7 7a ac 91 2d 7b
                  48 8b 10 e5 b0 55 65 45 99 3e ca 69
                  f7 c5 9e ae 0b fe f1 36 7b 4c 1c 6d
                  7e 4d 42 96 6b 21 55 d4
15 0.4199 (0.1818) C>S ChangeCipherSpec
16 0.4199 (0.0000) C>S Handshake
          Finished
17 0.4215 (0.0015) S>C ChangeCipherSpec
18 0.4215 (0.0000) S>C Handshake
          Finished
```

図4.9は、Netscapeクライアントとmod_sslが組み込まれたApacheサーバとの間のStep-Upによる接続をトレースしたものです。最初のメッセージでは、クライアントがSSLv2互換のhelloを使って輸出可能な暗号スイートだけを提示していることに注意してください。接続の初期段階でこうしなければならないのは、サーバがStep-Upに対応していることをクライアントがまだ知らないからです。以降の接続では、クライアント側でサーバがStep-Upに対応した証明書を持つことを覚えていれば、すぐに強い暗号スイートを提示できます。

サーバの証明書（レコード3を参照）には、Step-Upの拡張フィールド（この例では`Netscape Server Gated Crypto`）が含まれるので、クライアントはStep-Upを実行できることがわかります。ただしクライアントとサーバは、すでに一組の暗号スイートの使用を合意しているため、この情報はすぐには役立ちません。SSLでは、この段階でクライアントがサーバとの合意を変更する手段がないからです。クライアントが接続を切断し、再接続することもできますが、Step-Upではこの方法は使いません。代わりに、クライアントはHandshakeを完遂します。

クライアントは、Handshakeが完了した後で、確立したばかりの暗号化チャネルを使って再Handshakeを開始します。図4.9の残りの部分が再Handshakeをトレースしたもの

です。レコード10で、クライアントが新規のClientHelloメッセージを送信しています。今回は、弱い暗号スイートとともに強い暗号スイートも提示するので、当然サーバはその1つを受理します。ここから先のHandshakeは通常どおり行われます。

クライアントがセッションの再開を試みないことに注意してください。ほとんどの輸出可能な暗号スイートは一時的RSAを使うので、セッションの再開は不可能です。サーバの1024ビットRSA鍵を使って、新規のmaster_secretを確立しなければならないからです。ただし、新しい（まだ標準化されていない）EXPORT1024暗号スイート◆監訳注4は、鍵交換に長いRSA鍵を使うため、セッションを再開することは技術的には可能です。しかし、クライアントが再開を申し出ることはありません。したがって、新しい鍵交換を最初から実行しなければならないのです。そのため、Step-UpにおけるHandshakeは、通常のHandshakeと比べて（少なくとも）2倍のコストを要します。

今回のトレースには、SSLの「再Handshake」機能も見ることができます。SSLの実装では、接続の任意の時点で、新規のHandshakeを開始できます。新規のHandshakeは、保護されている現在のチャネルを通じて実行されます。そのため、この二度目のHandshakeの全体は暗号化されます。トレースの結果が読み取れるのは、ssldumpがサーバの秘密鍵を受け取っていて、自動的にデータを復号するからです。暗号化されているレコードを等幅のイタリックフォントで表記したのは、その部分を復号したという意味です。新規のHandshakeが完了した後は、すべての通信はネゴシエートされたばかりの接続を通ることになります。

図4.9をよく見ると、サーバの証明書に付けられた署名が著者のローカルCAのものだとわかります。しかし、Step-Upの証明書は特定の信頼されるCAによって署名されなければならないと先ほど述べたばかりです。確かに、著者のCAはそのようなCAではありません。これは、Netscapeの実装上の脆弱性を利用したのです。CAのリストはデータベースに保管されており、Step-Upの証明書を発行できるかどうかは、単にデータベース上での属性によって決まります。このローカルデータベースの属性を変更し、自分でStep-Up用の証明書を発行できるようにした、というのが真相です。正規のStep-Upサーバに接続してもよかったのですが、サーバの秘密鍵を持っていないので、通信を復号できなくなってしまいます。

4.15.2　SGC

前節では、Step-Upの実行には2段階の鍵交換手順が必要であることを説明しました。これはコストのかかる手順であり、特に最初の段階は、実際にはセキュリティの向上にさほど貢献しません。MicrosoftはこのIこ点に気付き、1段階の鍵交換で済むようにSGCを設計しました。Internet ExplorerとIIS▼を結ぶSGCによる接続を図4.10に示します。

▼Internet Information Server

◆4.　原書発行時点で、draft-ietf-tls-56-bit-ciphersuites-02において提案されていましたが、本書監訳時点では削除されており、RFCとして標準化されませんでした。

図 4.10
SGC を使った接続

```
New TCP connection: swagger(1897) <-> 151(443)
1 0.3679 (0.3679) C>S SSLv2 compatible client hello
   Version 3.0
   cipher suites
      TLS_RSA_EXPORT_WITH_RC4_40_MD5
      TLS_RSA_EXPORT_WITH_DES40_CBC_SHA
      TLS_RSA_EXPORT_WITH_RC2_CBC_40_MD5
      SSL2_CK_RC4_EXPORT40
      SSL2_CK_RC2_EXPORT40

2 0.7508 (0.3829) S>C Handshake
      ServerHello
         session_id[32]=
            22 00 00 00 4b 66 29 fe 02 a7 f3 cc
            56 38 a6 4e 41 ad d8 fd 55 08 75 5d
            fe e3 41 02 fe 4e 27 62
         cipherSuite           TLS_RSA_EXPORT_WITH_RC4_40_MD5
         compressionMethod             NULL
      Certificate
         Subject
            C=IT
            ST=Milano
            L=Assago
            O=BANCO AMBROSIANO VENETO
            OU=INNOVAZIONE TECNOLOGICA
            OU=Terms of use at www.verisign.com
            RPA (c)99
            CN=HB.AMBRO.IT
         Issuer
            O=VeriSign Trust Network
            OU=VeriSign, Inc.
            OU=VeriSign International Server CA - Class 3
            OU=www.verisign.com
            CPS Incorp.by Ref. LIABILITY LTD.(c)97 VeriSign
         Serial       69 5a a3 c0 d8 8e bf ac 6b 64 ca cc
   ce ec 1b 59
         Extensions
            Extension: X509v3 Basic Constraints
               CA:FALSE
            Extension: 2.5.29.3
               値は省略
            Extension: Netscape Cert Type
               SSL Server
            Extension: X509v3 Extended Key Usage
               Netscape Server Gated Crypto, Microsoft Server Gated Crypto
            Extension: 2.16.840.1.113733.1.6.7
               値は省略
         Subject
            O=VeriSign Trust Network
            OU=VeriSign, Inc.
            OU=VeriSign International Server CA - Class 3
            OU=www.verisign.com
            CPS Incorp.by Ref. LIABILITY LTD.(c)97 VeriSign
         Issuer
            C=US
            O=VeriSign, Inc.
            OU=Class 3 Public Primary Certification Authority
         Serial       23 6c 97 1e 2b c6 0d 0b f9 74 60 de
   f1 08 c3 c3
         Extensions
            Extension: X509v3 Basic Constraints
               CA:TRUE, pathlen:0
            Extension: X509v3 Key Usage
               Certificate Sign, CRL Sign
            Extension: Netscape Cert Type
               SSL CA, S/MIME CA
            Extension: X509v3 Extended Key Usage
               2.16.840.1.113733.1.8.1, Netscape Server Gated Crypto
```

```
                    Extension: X509v3 Certificate Policies
                      Policy: 2.16.840.1.113733.1.7.1.1
                      CPS: https://www.verisign.com/CPS
                      User Notice:
                      Organization: VeriSign, Inc.
                      Number: 1
                      Explicit Text: VeriSign's Certification Practice Statement, ↵
                      www.verisign.com/CPS, governs this certificate & is ↵
                      incorporated by reference herein. SOME WARRANTIES DISCLAIMED ↵
                      & LIABILITY LTD. (c)1997 VeriSign
            ServerKeyExchange
            ServerHelloDone
```

クライアントは最初のHandshakeを中止し、新規のHandshakeを同じコネクション上で開始して、強い暗号スイートを提示する

```
3 0.7599 (0.0090) C>S Handshake
      ClientHello
        Version 3.0
        cipher suites
                  TLS_RSA_WITH_RC4_128_MD5
                  TLS_RSA_WITH_RC4_128_SHA
                  value unknown: 0x80 Microsoft独自の暗号スイート
                  value unknown: 0x81 Microsoft独自の暗号スイート
                  value unknown: 0x80 Microsoft独自の暗号スイート
                  TLS_RSA_WITH_DES_CBC_SHA
                  TLS_RSA_EXPORT_WITH_RC4_40_MD5
                  TLS_RSA_EXPORT_WITH_DES40_CBC_SHA
                  TLS_RSA_EXPORT_WITH_RC2_CBC_40_MD5
        compression methods
                  NULL

4 1.1402 (0.3802) S>C Handshake
      ServerHello
        session_id[32]=
          22 00 00 00 4b 66 29 fe 02 a7 f3 cc
          56 38 a6 4e 41 ad d8 fd 55 08 75 5d
          fe e3 41 02 fe 4e 27 62
        cipherSuite             TLS_RSA_WITH_RC4_128_MD5
        compressionMethod       NULL
      Certificate
        Subject
          C=IT
          ST=Milano
          L=Assago
          O=BANCO AMBROSIANO VENETO
          OU=INNOVAZIONE TECNOLOGICA
          OU=Terms of use at www.verisign.com
          RPA (c)99
          CN=HB.AMBRO.IT
        Issuer
          O=VeriSign Trust Network
          OU=VeriSign, Inc.
          OU=VeriSign International Server CA - Class 3
          OU=www.verisign.com
          CPS Incorp.by Ref. LIABILITY LTD.(c)97 VeriSign
        Serial       69 5a a3 c0 d8 8e bf ac 6b 64 ca cc
        ce ec 1b 59
        Extensions
          Extension: X509v3 Basic Constraints
            CA:FALSE
          Extension: 2.5.29.3
            値は省略
          Extension: Netscape Cert Type
            SSL Server
          Extension: X509v3 Extended Key Usage
            Netscape Server Gated Crypto, Microsoft Server Gated Crypto
          Extension: 2.16.840.1.113733.1.6.7
```

```
            値は省略
         Subject
           O=VeriSign Trust Network
           OU=VeriSign, Inc.
           OU=VeriSign International Server CA - Class 3
           OU=www.verisign.com
           CPS Incorp.by Ref. LIABILITY LTD.(c)97 VeriSign
         Issuer
           C=US
           O=VeriSign, Inc.
           OU=Class 3 Public Primary Certification Authority
         Serial        23 6c 97 1e 2b c6 0d 0b f9 74 60 de
         f1 08 c3 c3
         Extensions
           Extension: X509v3 Basic Constraints
             CA:TRUE, pathlen:0
           Extension: X509v3 Key Usage
             Certificate Sign, CRL Sign
           Extension: Netscape Cert Type
             SSL CA, S/MIME CA
           Extension: X509v3 Extended Key Usage
             2.16.840.1.113733.1.8.1, Netscape Server Gated Crypto
           Extension: X509v3 Certificate Policies
             Policy: 2.16.840.1.113733.1.7.1.1
             CPS: https://www.verisign.com/CPS
             User Notice:
             Organization: VeriSign, Inc.
             Number: 1
             Explicit Text: VeriSign's Certification Practice Statement, ↵
             www.verisign.com/CPS, governs this certificate & is ↵
             incorporated by reference herein. SOME WARRANTIES DISCLAIMED ↵
             & LIABILITY LTD. (c)1997 VeriSign
       ServerHelloDone
5 1.1459 (0.0057) C>S Handshake
       ClientKeyExchange
         EncryptedPreMasterSecret[128]=
           7d 4f fb ae fb 3e 5c 5b 9f 72 82 86
           04 c7 7e 5e 72 e0 81 d3 8a 1a a0 10
           97 36 d3 ab 0a 8b d8 e3 ba 83 1b 1c
           8e 82 73 34 0a 4e 74 ec 0c 57 08 f7
           ce 61 13 cf 8b c2 7b 5e 8a 14 29 28
           94 5f 8a ff 93 42 59 93 12 ee 6d d4
           d6 15 c2 90 c1 b1 df 2a 73 1e fb 11
           bc e1 83 81 cd c7 4e ec 2c 1c e2 ba
           14 ab fa 7c 80 b1 e5 8e 52 9b 55 bf
           b7 84 b3 60 98 67 58 29 cd 50 ab 4d
           2e 3f 21 09 4a 16 a0 57
6 1.1459 (0.0000) C>S ChangeCipherSpec
7 1.1459 (0.0000) C>S Handshake 終了
8 1.4361 (0.2901) S>C ChangeCipherSpec
9 1.4361 (0.0000) S>C Handshake 終了
```

このHandshakeで使う最初の2つのレコードは、図4.10のトレースと大差ありません。クライアントは輸出可能な暗号スイートを提示し、サーバはSGCに対応していることを示す証明書を提供します(このとき、OpenSSLでは複数のレコードに分けてHandshakeメッセージを転送しますが、IISではすべてのHandshakeメッセージを1つのレコードに含めます。これは単なる好みの問題で、特別な技術的理由があるわけではありません)。しかしInternet Explorerは、接続を完了する代わりに、レコード3で新規の**ClientHello**メッセージを使ってすぐに応答し、強い暗号スイートを提示します。この時点で古いHandshakeは中止され、まったく新しいHandshakeが開始されます。また、Internet Explorerがベンダ独自の暗号スイート0x0080と0x0081を提示することにも注意してください。

これらは Microsoft Money で使われた前身の技術から SGC に受け継がれました
［Banes2000］。

　なかなか巧妙なやり方に見えますし、実際にそのとおりです。ただ残念なことに、この方法は SSL の仕様に反しています。SSL の仕様では、Handshake の中途で ClientHello メッセージを送信することについて、取り決めがありません。Microsoft 社では相互運用性を保つために、Step-Up だけでなく SGC も使用できるサーバであることを示す拡張（Netscape のそれとは別のもの）を使わなければなりませんでした。図 4.10 の証明書をよく見てください。Netscape 拡張と Microsoft SGC 拡張の両方が含まれています。このサーバと通信する場合は、Step-Up のみに対応するクライアントは Step-Up を実行し、SGC に対応するクライアントは SGC を実行します。OpenSSL では、OpenSSL 0.9.5 でのみ SGC をサポートしています。

4.16　DH/DSS の詳細

　一時的 DH/DSS は、一時的 RSA とよく似た概念です。違うのはメッセージのフォーマットだけです。一時的 DH/DSS のメッセージの構造は、次のようになります。

```
struct {
  opaque DH_p<1..2^16-1>;
  opaque DH_g<1..2^16-1>;
  opaque DH_Ys<1..2^16-1>;
} ServerDHParams;
```

　ssldump の結果は次のようになります。

```
ServerKeyExchange
  params
    DH_p[64]=
      da 58 3c 16 d9 85 22 89 d0 e4 af 75
      6f 4c ca 92 dd 4b e5 33 b8 04 fb 0f
      ed 94 ef 9c 8a 44 03 ed 57 46 50 d3
      69 99 db 29 d7 76 27 6b a2 d3 d4 12
      e2 18 f4 dd 1e 08 4c f6 d8 00 3e 7c
      47 74 e8 33
    DH_g[1]=
      02
    DH_Ys[64]=
      98 5a ee fc ce ac cf f1 05 cf 08 07
      63 18 dd 50 53 66 a5 b8 0b 88 4d 7e
      7d ea 11 3e 2a 99 63 e8 92 7a 56 cb
      f1 36 74 97 36 4a f0 3e 4e 29 3e a2
      e2 53 36 d8 9c a0 40 aa 8c fc eb c0
      93 b6 c3 e8
    signature[47]=
      30 2d 02 14 78 bb 87 40 13 e4 8d e9
      73 16 4e 0c dd 1c 9e a8 bd 58 99 a1
      02 15 00 95 10 42 e1 cb b9 1d 26 34
      d4 5f b1 0d b8 66 ba 8c 61 20 c3
```

DH/DSS の ServerKeyExchange メッセージには、DSS 鍵で署名された DH パラメータが含まれています。指定するパラメータは、法とする素数 p、生成元 g、サーバの公開鍵 Ys です。DSS には 160 ビットの値を入力する必要があるので、DSS の署名は sha_hash の値だけを使って計算します。DSS の署名が、2 つの大きな整数 (r と s) から構成されることは覚えているでしょうか。SSL のメッセージでは、この 2 つの整数は、ANSI X9.57 ［ANSI1995］に定義された ASN.1 構造の DER 形式でエンコードされます。

```
Dss-Sig-Value ::= SEQUENCE {
  r INTEGER,
  s INTEGER
}
```

ここで、1 つ注意点があります。SSLv3 の仕様に書かれた DSS 署名のエンコード方法の説明には足りない部分があり、この部分に関する Netscape 社の解釈がほかのほとんどの実装ベンダと食い違っているのです。Netscape では、r と s を DER 形式でエンコードせず、そのまま連結して 40 バイトのフィールドに収めます。そのため Netscape は、クライアント認証用の DSS を実装してはいますが、ほかの実装との相互運用ができません。「正しい解釈」について衆目は一致しているのですが、Netscape 社は SSLv3 の仕様に準拠していると主張し、すでに多くのユーザに利用されていることを引き合いに出して実装の修正を拒んでいます。TLS の仕様では、この解釈が明確化されました。すべての TLS 実装は、DSS の署名を DER 形式でエンコードしなければなりません。

4.16.1 ClientKeyExchange メッセージ

DH では、クライアントとサーバが同じパラメータ (ServerKeyExchange メッセージに含まれる g および p) を共有する必要があるため、クライアントは公開鍵 Yc だけを ClientKeyExchange メッセージで送信する必要があります。Yc は、ビックエンディアン (上位バイトが先頭) で表現します。

ClientKeyExchange メッセージの構造は、次のようになります。

```
struct {
 select (KeyExchangeAlgorithm) {
   case rsa: EncryptedPreMasterSecret;
   case diffie_hellman: DiffieHellmanClientPublicValue;
 } exchange_keys;
} ClientKeyExchange;

struct {
 select (PublicValueEncoding) {
   case implicit: struct {};
   case explicit: opaque DH_Yc<1..2^16-1>;
 } dh_public;
} DiffieHellmanClientPublicValue;
```

ClientKeyExchangeメッセージをssldumpで出力した結果は、次のようになります。

```
ClientKeyExchange
  DiffieHellmanClientPublicValue[64]=
    14 ea e2 18 c1 69 b3 60 fc ea c7 54
    f7 18 db b9 47 c7 cf 95 80 2a 32 b7
    0c 07 11 ab 7a 9d dc 0a 1c 82 a1 35
    23 1f 90 71 2a 94 6d d8 86 b4 e2 84
    e9 a6 a2 00 5e bb 82 09 a3 8a ba f2
    e8 29 87 61
```

4.16.2　長期的DH鍵

　クライアントはDH鍵を持っているので、証明書を使ってこの鍵と自身の身元を対応付けることができます。この証明書はクライアント認証に使うことができます。このとき、rsa_fixed_dhとdss_fixed_dhという2つの証明書タイプを利用します。前者はRSAで署名したDH鍵が含まれる証明書で、後者はDSSで署名したDH鍵が含まれる証明書です。クライアントは、CertificateRequestメッセージへの応答として証明書を送信しますが、CertificateVerifyメッセージは送信しません。代わりに、秘密鍵を使ってpre_master_secretを生成できることが、正しい秘密鍵を持っていることの証明となります。クライアントの公開鍵はCertificateメッセージの中にあるので、ClientKeyExchangeメッセージに公開鍵は含まれません（DiffieHellmanClientPublicValue構造体ではこのことが暗黙的に選択されています）。

　これと同じように、サーバは自身の証明書に格納された長期的DH鍵を取得することができます。サーバの身元は、pre_master_secretを再生成できることにより証明されます。どちらの動作モードも、DSSを使用する一時的DHモードほど一般的ではありません。

4.17　FORTEZZAの詳細

　SSLの仕様［Freier1996］ではFORTEZZAのサポートについて記述されていますが、そのままでは正常に機能しません。この仕様は、明らかにテストせずに書かれたものです。正常に機能させるために必要なさまざまな変更点が、［Relyea1996］にまとめられています。

　FORTEZZAのコマンドインタフェースには、SSLで利用する際の障害となる性質がいくつかあります。一番の問題は、カードが恣意的な鍵を利用できないことです。そのため、カードの乱数生成器を使ってカード上で鍵を生成するか、暗号化された鍵を別のカードから受け取る必要があります。その結果、SSLにおける標準的な鍵生成手続きでFORTEZZAの暗号化鍵を生成することは不可能です。

▼ Initialization Vector

次に問題となるのは、カードが常にIV▼を生成しなければならないことです。これは、FORTEZZAのエスクロー機能によって必然的に要求される仕様です。エスクローされたセッションは、LEAF(Law Enforcement Access Field)というフィールドにより転送されます。すなわち、LEAFは実際の通信の暗号化に使うセッション鍵を含んでいます。このセッション鍵は、カードの鍵で暗号化されます。またLEAFは、暗号文とともに転送するため、IVの中に埋め込まれます。その結果、IVのサイズは24バイトになります。カードは、受け取ったIVから実際の8バイト分のIVを自動的に切り出します◇。

> ◇　1997年、NSAはこのエスクロー問題に対する反対意見に屈し、LEAFを削除しました。ただし、互換性を保つ意味で、24バイトのIVとダミーのLEAFは残されています。結局、1998年6月23日に、SKIPJACKとKEAの機密扱いが解かれました。

```
struct {
  opaque r_s [128];
} ServerFortezzaParams;

struct {
  opaque y_c<0..128>;
  opaque r_c[128];
  opaque y_signature[40];
  opaque wrapped_client_write_key[12];
  opaque wrapped_server_write_key[12];
  opaque client_write_iv[24];
  opaque server_write_iv[24];
  opaque master_secret_iv[24];
  block-ciphered opaque encrypted_pre_master_secret[48];
} FortezzaKeys;
```

ServerFortezzaParams構造体は、サーバの乱数r_sをクライアントに渡すために使われます。FortezzaKeys構造体は、ClientKeyExchangeメッセージに格納されて運ばれます。このメッセージには、サーバがクライアントと同じ鍵を生成するのに必要な情報がすべて含まれています。

クライアントの証明書の中にKEAの公開鍵が含まれていない場合、y_cの値にはクライアントのKEA公開鍵が入ります。クライアントの証明書の中にKEAの公開鍵が含まれている場合は、y_cの値は空になります。また、r_cの値にはクライアントの乱数が入り、y_signatureの値にはy_cに関するクライアントの署名が入ります。クライアントのKEA公開鍵がクライアント証明書に含まれる場合にy_signatureにどういった値を格納するのかは、仕様にはっきりと書かれていません。KEAでは、クライアントとサーバの公開鍵を乱数と組み合わせてTEK(Token Encryption Key)を生成し、この鍵でほかの鍵を暗号化できます。

wrapped_client_write_keyとwrapped_server_write_keyの値は、KEAで生成した共通鍵で暗号化された暗号化鍵です。client_write_ivとserver_write_ivには、(LEAFとともに)これらの鍵のIVが含まれます。FortezzaKeys構造体には、master_secret_ivに含まれているIVと共通鍵を使って暗号化されたpre_master_secretが入っています。

この pre_master_secret は、MAC 鍵の生成にのみ使います。

FORTEZZA のコマンドインタフェースには、ほかにも制約が課せられています。IV は送信側で生成され、受信側で読み取られることが前提となっているのです。したがって、暗号化ではなく復号の際に、IV をカードにロードすることができます。ところが、暗号化鍵や IV を生成するのはクライアントです。そのため、サーバ側で暗号化される最初のデータブロックは、本質的に意味の無い IV（クライアントがこの値を知る手段はありません）を使うことになります。CBC の利用において同期を取るために、サーバはダミーの暗号化ブロックを最初に転送します（クライアントはこれを破棄します）。その後は、暗号状態の同期が成立します。

注意してほしいのは、このダミーブロックの暗号化は、サーバが server_write_iv を使う必要がないことを意味するということです。[Relyea1996] には、サーバの実装では復号モードで IV をロードしてそれを検証し、暗号化モードに移行すると書かれています。このステップは、相互運用のためには必要がないものです。その目的は、IV が鍵に正確に対応しているかどうかを検証することです。それによって、不正なクライアントが偽の IV（偽の LEAF を含むもの）を使ってエスクローの提示を邪魔する企みを防止します。

無作為な鍵を使えないので、通常のセッション再開も実行できません。新規に生成した鍵を使う手段がないからです。[Relyea1996] では、この問題について 2 つの選択肢が示されています。

・セッションの再開は行わない
・セッションを再開するが、データが前のセッションから連続するかのように暗号化と復号を継続する

後者の場合、通常の使い方とは違って、1 つのセッションに 2 つのコネクションを同時に結び付けられないことに注意してください。HTTPS のように同時に複数のコネクションを使うシステムでは、これが問題となります。

FORTEZZA 利用時の暗号スイートは 2 種類のみ定義されています。SKIPJACK を使うものと、NULL 暗号を使うものです。図 4.11 に FORTEZZA 利用時の暗号スイートを示します。

図 4.11
FORTEZZA 利用時の暗号スイート

暗号スイート	認証	鍵交換	暗号化	ダイジェスト	番号
SSL_FORTEZZA_DMS_WITH_NULL_SHA	DSA	KEA	NULL	SHA	0x001c
SSL_FORTEZZA_DMS_WITH_FORTEZZA_CBC_SHA	DSA	KEA	SKIPJACK	SHA	0x001d

4.18 エラー Alert

　第3章でAlertの概要を説明しましたが、個々のAlertについてはclose_notifyメッセージを除いて詳しい説明をしませんでした。close_notifyメッセージ以外のAlertは、どれも特定のエラーを意味します。本節では、まだ説明していなかったAlertについて詳しく解説します。

　Alertには、**警告(warning)** と**致命的(fatal)** という2つのレベルがあることをご記憶でしょうか。致命的Alertが起こると接続は常に終了しますが、実装では、警告Alertを出して、処理を続行するかもしれません。

　きちんとした実装では、致命的でないAlertが起きても処理を続行できることになっています。ただ実際には、警告Alertは相手側からの要求に応じられなくなることを表しているため、通常は接続を終了することになります。

　仕様には、致命的なエラーとして扱うべきAlertと、致命的または警告のどちらとしても扱えるAlertが明記されています。致命的として扱うべきAlertが、誤って警告レベルに設定された状態で送られてきた場合、実装ではこの設定を無視して致命的Alertとして扱うべきです。現実には、多くの実装がすべてのAlertを致命的レベルとして扱うので、相手側が接続を終了しても構わない場合を除き、警告Alertの送信は控えるべきです。

　本節では、SSLのAlertを個別に詳述します。一部のAlertは接続が攻撃されていることを示唆しますが、SSLの実装をデバッグしている段階では、バグに起因するAlertである可能性が高いでしょう。そうしたAlertが意味する一般的な実装エラーを特定する必要があります。ここでの解説は、実装が受け取ったり生成したりするAlertがどういう事態を引き起こすのかを解明する手助けになるでしょう。Alertの一覧を図4.12に示します。

図 4.12
SSL/TLS のすべての Alert

Alert	レベル	SSL バージョン	番号
close_notify	両方	両方	0
unexpected_message	fatal	両方	10
bad_record_mac	fatal	両方	20
decryption_failed	fatal	TLS	21
record_overflow	fatal	TLS	22
decompression_failure	fatal	両方	30
handshake_failure	fatal	両方	40
no_certificate	両方	SSLv3	41
bad_certificate	両方	両方	42
unsupported_certificate	両方	両方	43
certificate_revoked	両方	両方	44
certificate_expired	両方	両方	45
certificate_unknown	両方	両方	46
illegal_parameter	fatal	両方	47
unknown_ca	fatal	TLS	48
access_denied	fatal	TLS	49
decode_error	fatal	TLS	50
decrypt_error	両方	TLS	51
export_restriction	fatal	TLS	60
protocol_version	fatal	TLS	70
insufficient_security	fatal	TLS	71
internal_error	fatal	TLS	80
user_cancelled	fatal	TLS	90
no_renegotiation	warning	TLS	100

■ unexpected_message

unexpected_message は、不適切なメッセージを受信したことを通知する Alert です。ほとんどの場合、どこかの実装が壊れて不適切なメッセージを生成したか、メッセージを誤った順序で送信したことが原因です。SSL の実装をデバッグしていると、このメッセージを何度も見るかもしれません。しかし、実際に稼働しているシステムで現れることはないはずです。特別なケースとして、SGC に対応していないサーバが、SGC を試みたクライアントに unexpected_message を送信する場合があります。この Alert は常に致命的レベルで送信しなければなりません。

■ bad_record_mac

bad_record_mac は、MAC が壊れているレコードを受信したことを通知する Alert です。攻撃を受けているのかもしれないため、この Alert は致命的レベルとして扱わなければなりません。

実装をデバックしているときに bad_record_mac を受け取った場合は、実装の MAC 処理コードに原因がある可能性が大きいです。ただし、Alert が Finished メッセージの応答として送られてきた場合は、鍵の生成処理のバグという可能性もあります。暗号化鍵が誤っていても、正常に復号できたかのように見えますが、MAC の処理で失敗します。実際のところ、MAC 鍵が正しくても暗号化鍵が誤っていると、エラーが MAC をチェックする段階で表面化することが多いのです(復号エラーについては decryption_error の説明を参照)。

また一部の SSLv3 の実装では、Finished メッセージ自体の検証で見つかったエラーを通知するために、bad_record_mac メッセージを使います。TLS では、Finished メッセージの検証で起きたエラーの通知には decrypt_error という Alert を使います。したがって、bad_record_mac をデバッグする際は、MAC の計算とは別の原因を探すことが重要です。

■ decryption_failed

decryption_failed は、暗号文が復号できなかったことを通知する Alert です。このエラーは致命的エラーとして扱わなければなりません。これはブロック暗号でしか起こらないエラーです。RC4 は、復号に使う鍵が何であれ常に正常に機能しているように見えます。出力が誤りとなるだけです。

ブロック暗号での復号がエラーになるケースはいくつかあります。まず、ブロック暗号の入力サイズがブロックサイズの整数倍でないとエラーになります。明らかにメッセージフォーマットのエラーです。また、データを復号した後、パディングチェックの段階で、不正なパディングや誤った暗号化鍵の使用によるエラーが検出されることもあります。

誤った暗号化鍵を使った場合、パディングバイトは基本的に乱数になります。ただし、それでも正常に見えてしまう可能性はあります。実装がバイト長のみをチェックし、内容をチェックしないでパディングを除去するように書かれている場合は特にそうです(データは MAC の対象範囲に含まれるので、この方法は安全です)。パディングが元のパディングと実際に同じである必要はないことに注意してください。整合性さえ取れていればよいのです。

この場合、受信側は誤った平文を受け取るわけですが、MAC をチェックする場合と、Alert として bad_record_mac を受け取る場合にのみ検知することができます。RC4 の復号は常に成功したように見えるので、RC4 鍵処理のエラーは常に MAC のチェックで発見されます。

■ record_overflow

　record_overflow は、レコードの長さが SSL の仕様に定められた値を超えることを通知する Alert です。この Alert は致命的レベルでなければなりません。攻撃は MAC チェックで検出される可能性が大きいので、このメッセージが送られてくるのは SSL の実装のバグが原因と思ってまず間違いありません。初期のバージョンの Internet Explorer には不正な長いレコードを生成するバグがあったので、Internet Explorer との通信中にこの Alert を発する実装も珍しくありません。この Alert は TLSv1 で新たに追加されたものです。

■ decompression_failure

　decompression_failure は、レコードを圧縮できなかったことを通知する Alert です。常に致命的レベルです。ただし、SSL で圧縮が使われることはほとんどないので、このエラーが実際に現れることはめったにないでしょう。

■ handshake_failure

　handshake_failure は、Handshake で起こった問題を通知する SSLv3 の汎用の Alert です。TLS では、実際にどこで異常が起きたのかを通知するために、もっときめの細かい複数の Alert が追加されました。TLS の場合、handshake_failure は、共通の暗号をネゴシエートできないときにのみ使われます。

　handshake_failure をデバッグするときは、どの段階の Handshake で問題が起きたのかを調べ、さらに何が起きたのかを調べる必要があります。複数のメッセージを一度に送信した後で Alert として handshake_failure を受け取ったときは、メッセージを 1 つずつ送信し、そのつどネットワークスニッファを使って Alert をチェックする手順が有効です。この Alert は、常に致命的レベルで扱わなければなりません。

■ no_certificate

　no_certificate は、「適切な証明書を使用できない」ことを通知する、SSLv3 でのみサポートされる Alert です。TLS では、代わりに certificate_unknown という Alert が使われます。基本的な意味は同じです。

■ bad_certificate

　bad_certificate は、証明書が壊れていたこと、または署名が違うなどのエラーが起きたことを通知する Alert です。理論上は、警告レベルのエラーとして扱っても構いません。不正な証明書を無視し、この Alert を警告として発行する実装も許されます。ただし、実際の実装では、証明書を黙って受理するか、Alert を送信するという措置が取られています。そのため、この Alert は実際には常に致命的エラーとして扱われます。以上の説明は、次の 4 つの Alert にも当てはまります。おもしろいことに、Internet Explorer はこの Alert をまったく使いません。代わりに、接続を終了します。第 8 章では、bad_certificate の使用例を説明します。

■ unsupported_certificate

この Alert は、サポートしていないタイプの証明書を受け取ったことを意味します。SSL は X.509 証明書しかサポートしないので、サポートされていないアルゴリズムが使われたという意味になります。証明書に署名するために使うアルゴリズムは暗号スイートに定義されないので、例えば DSA 鍵で署名された RSA 鍵を証明書に使うことも可能です。DSA をサポートしない実装は、このような証明書への応答として unsupported_certificate を送信するでしょう。ただし、実際にはそういった雑多な組み合わせの証明書が標準化する見通しはないので、unsupported_certificate が送られてくるのは実装のバグです。

■ revoked_certificate

revoked_certificate は、取り消された証明書を送信側が受け取ったことを意味する Alert です。ほとんどの実際の SSL 実装は、証明書の取り消しを今のところサポートしていないので、この Alert が現れることはまずないでしょう。

■ certificate_expired

certificate_expired は、証明書のうちの 1 つが期限切れであることを通知する Alert です。実装は期限切れの証明書を送信してはならないのですが、設定のミスで送信してしまうこともあります。その結果、この Alert が発行されます。

■ certificate_unknown

certificate_unknown は、TLSv1 で導入された汎用の証明書エラーを表す Alert です。既出の証明書 Alert に当てはまらない証明書エラーや、後で説明する unknown_ca が certificate_unknown を Alert として生成します。SSLv3 実装では、このような場合に bad_certificate という Alert を生成します。

■ illegal_parameter

illegal_parameter は、Handshake フィールドの 1 つが範囲外の値であるか、ほかのフィールドと矛盾することを通知する Alert です。Handshake を完了できないことは明らかなので、このエラーは致命的 Alert になります。

■ unknown_ca

unknown_ca は、SSL の実装が認識しない CA によって署名された証明書を受け取ったか、証明書の CA を見つけられないときに送信される Alert です。この Alert は致命的レベルとして扱う必要があります。この取り扱いは、警告として送信できるほかの証明書エラーと矛盾することに注意してください。この矛盾の理由は不明です。私見ですが、実践的な最適解は、証明書を黙って受理するか、Alert を発行して拒否することです。ここで「黙って」というのは SSL メッセージに限っての話なので注意してください。不正な証明書を受理する前に、ユーザに注意を促すか、エラーメッセージをログ機能に送信

することもできます。unknown_ca は TLS で導入された Alert です。SSLv3 の実装では、代わりに no_certificate を Alert として送信します。

■access_denied

access_denied は、証明書は有効だけれども、そこに収められた身元情報がアクセス制御チェックで不正とされ、接続が拒否されたことを通知する Alert です。この Alert は常に致命的レベルです。この Alert を生成する実装は見たことがありません。

■decode_error

decode_error は、フィールドの 1 つが範囲外の値であるかサイズが不正なため、メッセージを復号できないことを通知する Alert です。ほとんどの場合、何らかの実装エラーが原因で発行されます。常に致命的な Alert です。decode_error は TLS で導入された新しい Alert であり、SSLv3 での扱いは不明確です。OpenSSL と PureTLS では、この種のエラーは Handshake で起こることが多いと推定して、handshake_failure を使います。

■decrypt_error

decrypt_error は、Handshake の暗号技術に関する処理でエラーが起きたことを通知する Alert です。よくあるケースは、ClientKeyExchange メッセージの復号のエラー、署名検証のエラー、Finished メッセージチェックのエラーです。この Alert は常に致命的レベルです。decrypt_error は TLS で導入された Alert です。SSLv3 の実装では、代わりに handshake_failure を使います。Finished メッセージへの応答として decrypt_error が返された場合は、暗号化と MAC 鍵、コードは正しいが Finished メッセージの計算が不正であるという意味です。

■export_restriction

export_restriction は、実装の 1 つが輸出規制を破ろうとしたことを通知します。RFC 2246 には、一例として 1024 ビットの一時的な鍵に RSA_EXPORT 鍵交換を使おうとするケースが挙げられています。これは TLSv1 で導入された新しいタイプの Alert で、あまり見かけません。なお、強い暗号しかサポートしない実装が弱い暗号しかサポートしない実装と通信しようとしたときに起こる Alert とは別物です。その場合は、insufficient_security または handshake_failure が Alert として発行されます。export_restriction は、常に致命的レベルの Alert です。

■protocol_version

protocol_version は、クライアントが使ったプロトコルのバージョンを認識できないことを通知するためにサーバが使う Alert です。クライアントはサポートする最大のバージョンしか提示できないので、サーバがこの Alert を送信するのは、サポートしていない古いバージョンがクライアントから提示されたときです。例えば、クライアントが SSLv3 を提示し、サーバが TLS しかサポートしない場合、サーバは Alert として protocol_version

を生成します。基本的にすべての TLS の実装は SSLv3 の実装でもあるので、片方の実装が TLS しかサポートしないと明示的に設定されている場合か、バグがある場合のみにこの Alert が送信されます。TLS しかサポートしないように設定しても得はありません。

サーバがクライアントから提示されたバージョンよりも古いバージョンしかサポートしていない場合は、protocol_version を送信しないことに注意してください。代わりに、サポートするバージョンを ServerHello メッセージで通知します。クライアントは、そのバージョンをサポートしたくなければ、Alert を送信しなければなりません(おそらく protocol_version を Alert として送信しますが、SSLv3 と TLS の仕様に規定はありません)。protocol_version は、常に致命的レベルの Alert です。protocol_version は TLS で導入された Alert であり、SSLv3 ではこのエラーを通知するために通常は handshake_failure を Alert として送信します。

■insufficient_security

insufficient_security は、クライアントから提示された暗号スイートがサーバで必要とされるものより弱いことを通知します。この Alert は TLS で導入されました。SSLv3 の実装では、handshake_failure を Alert として使います。insufficient_security は暗号スイートのネゴシエーションの失敗を通知するので、常に致命的レベルの Alert です。

■internal_error

internal_error は、転送を実行していた SSL の実装が何らかの内部エラー(メモリ割り当てやハードウェアのエラー)に見舞われたことを通知する Alert です。TLS で追加された Alert なので、SSLv3 の実装では別の Alert を使う必要があります。internal_error は、常に致命的レベルの Alert です。

■user_cancelled

user_cancelled は、ユーザが何らかの理由で Handshake をキャンセルするときに使われる Alert です。これは、TLS で追加された新しい Alert です。RFC 2246 には警告として使うと書かれているので混乱するかもしれませんが、ユーザが Handshake をキャンセルしたからには接続が確立できないので、この Alert は致命的レベルでなければなりません。

■no_renegotiation

本章ですでに説明しましたが、SSL では、クライアントまたはサーバは Handshake 中を除いて、いつでも新規の Handshake を開始できます。クライアントは、新規の ClientHello メッセージを送信して再ネゴシエーションを開始します。サーバは、HelloRequest メッセージを送信して再ネゴシエーションを開始します。RFC 2246 では、クライアントは再ネゴシエーションを黙って拒否するか、no_renegotiation を送信できるとされています。サーバが、望まない ClientHello メッセージにどう応答するかは RFC 2246 にはっきり書かれていませんが、おそらく Alert として no_renegotiation を送信するのが妥当でしょう。

no_renegotiation は、TLS で追加された新規の Alert です。SSLv3 実装は、望まない再ネゴシエーション要求はただ無視します。ほとんどの TLS 実装の実体は SSLv3 実装をアップグレードしたものなので、no_renegotiation を送信せずに再ネゴシエーション要求を黙って無視するのが普通です。いずれにしても、no_renegotiation は常に警告レベルの Alert です。

4.19 SSLv2 との下位互換性

SSLv3 の仕様が検討された当時、SSLv2 はすでに広く普及していました。そのため、SSLv3 のクライアントやサーバには、SSLv2 のクライアントやサーバと自動的に通信できることが要求されました。しかしながら、両者のメッセージフォーマットはまったく違います（SSLv2 については付録 B を参照）。

サーバ側では、通信相手が SSLv3 クライアントなのか SSLv2 クライアントなのか、かなり簡単に自動検出できます。SSLv2 のヘッダ（図 4.13 には示していません）の最初のバイトはパケット長を表すのに対して、それぞれの SSLv3 のレコードの最初のバイトはコンテントタイプ（Handshake のメッセージの場合は、0x16）を表します。SSLv3 レコードは SSLv2 の Handshake メッセージとして解釈するには大きすぎます。したがって、クライアントからの最初のメッセージが 0x16 で始まっていれば、そのメッセージは SSLv3 の ClientHello メッセージになります。もしも、ほかのバイトで始まっている場合は、SSLv2 の CLIENT-HELLO メッセージかエラーのどちらかになります。

逆にクライアントは、通信を開始する側なので、サーバのような自動検出が行えません。そこで SSLv3 の仕様では、ClientHello メッセージを SSLv2 と下位互換性のある形式で送信する機能がサポートされました。基本的に、下位互換の ClientHello メッセージでは、すべての SSLv3 フィールドが SSLv2 における CLIENT-HELLO の SSLv2 フィールドに対応します。したがって、下位互換の CLIENT-HELLO を受け取ったサーバは、それを SSLv2 メッセージとして解釈して SSLv2 の Handshake を続行するか、フィールドをSSLv3 の値に変換して SSLv3 の Handshake を実行することができます。SSLv2 における CLIENT-HELLO を図 4.13 に示します。

図 4.13
SSLv2 CLIENT-HELLO

```
char MSG-CLIENT-HELLO
char CLIENT-VERSION-MSB
char CLIENT-VERSION-LSB
char CIPHER-SPECS-LENGTH-MSB
char CIPHER-SPECS-LENGTH-LSB
char SESSION-ID-LENGTH-MSB
char SESSION-ID-LENGTH-LSB
char CHALLENGE-LENGTH-MSB
char CHALLENGE-LENGTH-LSB
char CIPHER-SPECS-DATA[(MSB<<8)|LSB]
```

```
char SESSION-ID-DATA[(MSB<<8)|LSB]
char CHALLENGE-DATA[(MSB<<8)|LSB]
```

この CLIENT-HELLO は、SSLv2 の仕様記述言語（[Hickman1995]）の中にあります。SSLv3 とは違って、SSLv2 ではすべてのオブジェクトサイズがメッセージの特定の部分に収められ、すべてのオブジェクトがそれとは別の部分に収められます。また、サイズの上位バイトと下位バイトが別々に表現されます。したがって、CIPHER-SPECS-DATA フィールドのサイズは、次の計算で求められます。

(CIPHER-SPECS-LENGTH-MSB << 8) | CIPHER-SPECS-LENGTH-LSB

すべての SSLv3 Handshake パラメータを SSLv2 の値に対応付けることができます。

▼ 4.19.1　バージョン

SSLv2 のバージョン番号は 2（MSB=0、LSB=2）です。SSLv3 または TLS との互換性を表すには、SSLv3 または TLS の Version フィールドの値（SSLv3 が 0x300、TLS が 0x301）を使います。

▼ 4.19.2　乱数

SSLv2 における CHALLENGE の値は、SSLv2 の鍵生成手続きの一部で使われます。これは、SSLv3 における ClientRandom の役割とよく似ています。値は無作為に生成されるので、SSLv3 では ClientRandom 値として使うことができます。ただし、CHALLENGE 値の範囲は 16 から 32 バイトまでですが、SSLv3/TLS における ClientRandom は常に 32 バイトです。CHALLENGE 値を ClientRandom に変換するには、左側にゼロを埋め込みます。

▼ 4.19.3　セッション ID

SSLv3 でセッションを再開するときは、ClientHello メッセージを使います。そのため、SSLv2 における SESSION-ID フィールドは常に空で、サイズはゼロでなければなりません。

▼ 4.19.4　暗号スイート

SSLv2 の CIPHER-SPECS は、SSLv3 では CipherSuite に相当します。これは、暗号化アルゴリズムとダイジェストアルゴリズムを指定するフィールドです（SSLv2 は RSA しかサポートしないので、鍵交換または署名の指定はありません）。したがって下位互換

モードでは、クライアントがサポートするSSLv2とSSLv3/TLSの両方の暗号がCLIENT-HELLOに含まれている必要があります。SSLv2におけるCIPHER-SPEC値は3バイトなので、2バイトのSSLv3のCipherSuite値を表すときは最初のバイトをゼロにします。

また、SSLv2の暗号の中にはSSLv3/TLSの暗号に対応するものもありますが、すべてがそうではありません。例えば、SSLv2にはRC2-128というモードがありますが、SSLv3にはこのような暗号スイートは定義されていません。SSLv2とSSLv3の両方に対応したクライアントは、SSLv2の暗号とSSLv3/TLSの暗号スイートの両方を提示すべきです。SSLv3/TLSに対応したサーバはSSLv3/TLSの暗号スイートのみを参照し、SSLv2の暗号スイートは無視すべきです。SSLv2のすべての暗号スイートは、どれもRSAを署名と鍵交換に使います。図4.14にそれらの暗号スイートを示します。

図 4.14
SSLv2互換の暗号スイート

暗号スイート	暗号化	ダイジェスト	番号
SSL_CK_RC4_128_WITH_MD5	RC4_128	MD5	0x010080
SSL_CK_RC4_128_EXPORT40_WITH_MD5	RC4_40	MD5	0x020080
SSL_CK_RC2_128_CBC_WITH_MD5	RC2_128_CBC	MD5	0x030080
SSL_CK_RC2_128_CBC_EXPORT40_WITH_MD5	RC2_40_CBC	MD5	0x040080
SSL_CK_IDEA_128_CBC_WITH_MD5	IDEA_CBC	MD5	0x050080
SSL_CK_DES_64_WITH_MD5	DES_CBC	MD5	0x060080
SSL_CK_DES_192_EDE3_CBC_WITH_MD5	DES_EDE3_CBC	MD5	0x070080

4.19.5　ロールバック保護

SSLでは、RSAを使ったデータの暗号化にPKCS #1パディングを用います。攻撃者が強制的にSSLv2のネゴシエーションを行わせるようなアクティブ攻撃を防ぐために、SSLv3/TLSに対応したクライアントが下位互換モードでSSLv2を使うときには、このパディングの最後の8バイトに値03を使わなければなりません。実際にSSLv2しかサポートしないクライアントの場合は、このパディング末尾の8バイトに乱数データが埋め込まれています。サーバは、この8バイトをチェックすることにより、通信しているクライアントが本当にSSLv2にしか対応していないのかを確認できます。注意する必要があるのは、SSLv3のHandshakeを実行する場合は、この変則的なパディングは使われず、チェックする必要もないことです。

このような工夫は、クライアントとサーバ間の通信を、SSLv3/TLSではなく、より弱いSSLv2で実行させようと企む攻撃を退けるための処置です。

この防御にもかかわらず、SSLv3/TLSをSSLv2にロールバックさせる方法がまだ1つ残されています。攻撃者がSSLv2の鍵をリアルタイムに総当たりできるような十分な計算処理能力を持っていて、クライアントが十分弱い暗号スイートを要求した場合には、その攻撃者はサーバのふりをして、その十分弱い暗号スイートのみでネゴシエートすることができます。そして、攻撃者は暗号化されたSSLv2のマスター鍵に対してブルート

フォース攻撃（brute-force attack）を仕掛け、サーバとして接続を確立します。この攻撃の唯一の防御法は、あらゆる場合において、その弱い暗号スイートを使用不可にすることです。現在では、この攻撃は40ビットの暗号スイートでのみ成功しています。56ビットの鍵空間が破られる頃までには、SSLv2が使われなくなっていることを願います。

4.19.6　互換性

下位互換モードでのHandshakeを正しく機能させるために、SSLv2のみサポートするサーバは、上位のバージョンのメッセージをCLIENT-HELLOとして受け取った場合は無条件にSSLv2でネゴシエートしなければなりません。残念ながらSSLv2の仕様には、サポートするバージョンよりも上位のバージョン番号がCLIENT-HELLOに指定されていた場合のサーバの対応について、はっきりと書かれていません。この問題をさらに悪化させたのは、NetscapeによるSSLREFというリファレンス実装が、上位バージョンとの接続を拒否することです。そのため、すべてのSSLv2サーバが下位互換のHandshakeに正しく応答することが保証されません。ただし、大多数の実装は正しく機能します。

4.20　まとめ

本章で、SSLの全体像に関する詳しい解説はひとまず終了です。ここで説明した各モードは、第3章で説明した伝統あるRSAのサーバ認証モードにはない長所を備えています。

- セッション再開は、クライアントとサーバの対が以前の接続で使った鍵素材を新しい接続で再利用できるようにする機能です。同じクライアントとサーバがHandshakeを再び実行する場合に、処理が速くなります。
- クライアント認証を実行するには、クライアントの公開鍵を使い、サーバに対してクライアントの身元を証明します。SSLの接続では、クライアント認証を使うと、サーバと同じようにクライアントも証明書を使って認証できます。
- 一時的RSAを使うと、512ビットより長いRSA鍵を持つサーバでも、512ビットのRSA鍵を必要とする輸出可能なクライアントと通信することが可能です。そのためには、一時的な512ビット鍵を生成し、この鍵に長期的な鍵で署名します。
- SGCを使うと、輸出可能なクライアントは特定のサーバとの通信に強い暗号を利用できます。サーバは、SGCに対応することを示す特別な証明書を持つ必要があります。
- DH/DSS暗号スイートは、RSA特許を侵害せずに米国内でSSLの実装を可能にします。DSSとDHのサポートは、TLSで必須となっています。

・楕円曲線暗号は、DH/DSSまたはRSAより高速ですが、IETFはこれをTLSの一部としてまだ標準化していません。
・Kerberos鍵は、クライアントとサーバが鍵素材を交換する処理に導入できますが、その際にSSLのほかの手続きを変える必要はありません。したがって、SSLの接続を認証するためにKerberosのインフラストラクチャを後付けすることが可能です。
・SSLv3では、SSLv2との下位互換性が保たれています。SSLv3におけるClientHelloメッセージをSSLv2におけるCLIENT-HELLOに対応付けることができるので、SSLv2もサポートするSSLv3の主体は、SSLv2専用の主体と通信できます。

第5章
SSLのセキュリティ

5.1 はじめに

　本章では、SSLのセキュリティについて説明します。本章は3つの部分から成ります。まず、最初に、SSLを安全に使用するための一般的な規則を紹介します。この規則を理解するには、ある程度の暗号の知識と、第3章および第4章の前半で扱ったレベルのSSLの知識が必要です。ここでの狙いは、SSLのセキュリティに関する概要と、それを安全に使う方法を明らかにすることです。

　次に、第1章で簡単に言及したセキュリティの脅威について、より詳しく解説します。セキュリティに注意を払って実装しないと、相互運用性という意味では正しく機能しても、見えない部分に脆弱性を抱えがちです。ここでは、最初に一般的なガイドラインを示します。その次に、ここで示したガイドラインに従わなかった場合に起こり得る攻撃と、一般に利用されるさまざまな実装上のテクニックについて解説します。

　最後は、いくつかの風変わりなセキュリティの脅威について詳しく説明します。SSLのプロトコルそのものを脅かす有効な攻撃方法はないにもかかわらず、多くのSSLの実装には脆弱性がありました。これらの脅威に対する脆弱性がない実装をするために、いくつかの注意事項があります。この点を解説した最後の部分は技術的に高度な内容になっていますが、本章の前半3分の2を読むだけでも、SSLのセキュリティについては十分に理解できます。

5.2 SSLの機能

　SSLは、通信路のレベルでセキュリティを提供します。これは、接続の端から端まで、秘匿性を保ち、改竄を受けずにデータが送受信されることを意味します。ほとんどの場合サーバは認証されるので、クライアントは接続の反対側に誰がいるのかを知ることができます。自身の証明書を提示して身元を証明するよう、クライアントに対して要求することもできます。またSSLには、エラーAlertや接続終了など、例外的な状況を安全に通知する仕組みもあります。

　こういった保護の有効性は、システムについてのある仮定に基づいています。つまり、鍵の素材が正しく生成され、安全に保持されるという仮定です。慎重な手順を踏み外すと、セキュリティがひどく損なわれる可能性があります。

5.3　master_secret の保護

　　SSL のプロトコルとしてのセキュリティは、master_secret が秘密に保たれることにほぼ全面的に依存します。あるセッションの master_secret が危殆化すると、そのセッションは攻撃に対して完全に無防備になります。master_secret が、データ保護に使われる暗号技術に関するすべての鍵の生成に使われることを思い出してください。そのため、master_secret を手に入れた攻撃者は、思いのままに攻撃をしかけることができます。
　　master_secret が危殆化するとどうなるかは「5.9 master_secret の危殆化」で詳しく解説します。簡単に言えば、攻撃者が master_secret を持っている場合、データは暗号化されずに送受信しているのと同様の状態となります。攻撃者は、すべてのメッセージの通信を読み取り、一方からの通信を捏造できます。まず発見されることはありません。これは明らかに問題です。

5.4　サーバの秘密鍵の保護

　　master_secret を手に入れようとする攻撃者は、当然、サーバの秘密鍵を狙います。この攻撃を退けるには、サーバの秘密鍵を秘密にしておかなければなりません。当たり前だと思われるかもしれませんが、これは実は破られる原因の第一位であり、驚くほど守るのが難しい規則でもあります。
　　サーバの秘密鍵を手に入れた攻撃者は、システムのセキュリティにとってきわめて危険な存在です。サーバが普通の長期的な RSA モード（第 3 章を参照）を使っている場合、そのサーバの秘密鍵を持つ攻撃者は、master_secret を復号し、キャプチャ可能な通信を人知れず読み取り、そのサーバに成りすますことができます。サーバが一時的なモードを使っている場合、攻撃者はパッシブに通信を読み取ることはできませんが、サーバに成りすましてアクティブ攻撃をしかけることは可能です。いずれのケースでも、サーバの秘密鍵の危殆化は非常に危険です。
　　秘密鍵を保護するには、鍵を安全な場所に保管する必要があります。ほとんどの実装は秘密鍵をディスク上で暗号化し、それを復号する際にはパスワードやパスフレーズの入力を要求します。したがって、ユーザや管理者が強いパスフレーズを作ってそれを記憶しておく必要があります。これはなかなか難しいことです。一部の実装では、鍵を安全なハードウェアに保管します。どちらの方法もサーバの起動に管理者の関与が必須であり、システムクラッシュや電源障害が起きたときに無断で再起動されないような対策が必要です。

5.5 良質の乱数の利用

　ほぼすべての暗号技術に関するプロトコルが、安全な処理を行うために強い乱数を必要とします。SSL も例外ではありません。乱数生成器（RNG：Random Number Generator）は、主に鍵の生成に使われますが、それ以外の暗号に関する処理の重要なステップに使われることもあります。攻撃者がRNGから生成される乱数を予測できるとしたら、鍵を予想できてしまいます。つまり、プロトコルが完全に危殆化されます。

　SSL では、乱数が多くの場面で使われます。まず、サーバの秘密鍵を（オプションとしてクライアントの秘密鍵も）無作為に生成する必要があります。次に、クライアントが鍵交換を実行する際に乱数データを生成する必要があります。鍵交換にRSAを使うなら、クライアントは pre_master_secret を生成しなければなりません。DHを使うなら、一時的な秘密鍵を生成しなければなりません。さらに DSA を署名に使う場合は、署名ごとに乱数を生成する必要があります。最後にもう1つ、クライアントとサーバはどちらも Handshake 用の乱数を生成する必要がありますが、これらは公開される値なので、実際にはそれほど安全に生成する必要はありません。

　いずれにせよ、クライアントとサーバはどちらも強い乱数を生成できる必要があります。サーバが弱い乱数を生成すると、攻撃者はサーバの秘密鍵を推測できてしまうので、pre_master_secret が危殆化することにつながります。クライアントが弱い乱数を生成すると、攻撃者は、RSA モードの場合には pre_master_secret を直接推測できます。DH モードの場合には、クライアントの一時的 DH の秘密鍵を推測し、そこから pre_master_secret を推測できます。いずれの場合もプロトコルのセキュリティは完全に失われます。

　たいていのシステムはソフトウェアに基づいた疑似乱数生成器（PRNG：Pseudo-Random Number Generator）を使います。PRNG は、予測できない（ただし無作為ではない）数値のストリームを生成するアルゴリズムです。品質の高い乱数ストリームを生成するために、PRNG にはシード（seed：種）として乱数を入力しなければなりません。通常、シードの値としては、ネットワーク通信のサンプリング、システムの内部変数、またはユーザ入力のタイミングなどを利用します。また、物理的な偶然性に基づいたハードウェアの乱数生成器を使う実装もあります。強い乱数を生成する方法については、「5.12 乱数生成」で詳しく説明します。

5.6 証明書チェーンの確認

　次のようなケースを考えてみましょう。あなたのSSLの実装は正しく動作しています。そこへ、サーバから証明書を受け取りました。証明書には、あなたの知らないCAの署名が付いています。このようなケースでは、サーバの本人性(identity)が保証されません。サーバは、証明書を通じて本人性を明らかにしたのですが、あなたにはその保証が正しいかどうかを検証できません。つまり、証明書は紙切れも同然です。それでもこのサーバと安全な接続を確立することはできますが、攻撃者がサーバを装ってあなたと通信し、本当のサーバに対しては自分があなたであるかのように成りすます攻撃(アクティブ攻撃の一種であるman-in-the-middle攻撃)を積極的にしかけることを防止できません。サーバの本人性を知ることは、この攻撃を防止するために絶対に欠かせません。

　認証サーバを持たないサーバはすぐに未認証とわかりますが、見たところ問題なさそうな証明書チェーンにもかかわらず、予想よりもセキュリティが低いということには、なかなか気が付かないものです。SSLの実装にはこの種の攻撃を防止する仕組みもありますが、完全なセキュリティを実現するためには、往々にしてアプリケーションを含めた対策が必要です。

　一番重要な対策は、証明書に記載された本人性が、アプリケーションが予期する主体性と一致するかどうかを確認することです。例えば、Bobという人物が管理するサーバに、これから接続すると仮定します。このサーバから送られてきた証明書にはAliceという名前がありました。証明書は有効ですが、当人のものではありません。したがって、証明書に記された本人性が接続先の本人性に相当するものなのか、確認する必要があります。

　本人性を正しく確認するには、アプリケーション層のプロトコルと直接通信する必要があります。場合によっては、ユーザ本人との通信が必要かもしれません。期待されるユーザ本人の本人性に関しての情報をすべて保持しているのは、証明書だけです。証明書の期限切れを知らせたい場合にも、直接ユーザと通信する必要があるでしょう。期限切れ証明書の使用を禁じる組織は多いのですが、ユーザに判断を任せている組織もあります。アプリケーション層のプロトコルを使った証明書チェーンの詳細なやり取りについては、第7章、第9章、および第10章で解説します。

5.7 アルゴリズムの選択

　SSL は、さまざまな暗号スイートをサポートしています。その中から、接続に使用するアルゴリズムの組を指定します。アルゴリズムの強度はまちまちで、40 ビットの RC4 のように弱い輸出向け暗号から、3DES のように非常に強い暗号（強いというのは希望的観測ですが）まで揃っています。さらに、公開鍵の対には一定の範囲の大きさの鍵を使います。SSL の接続におけるセキュリティは、当然ながら、使用する暗号のセキュリティに全面的に依存します。したがって、データの価値と釣り合った暗号スイートを選ぶ必要があります。

　そのためには、アプリケーションがサポートを希望する暗号スイートを限定します。クライアントとサーバは、通信を行うために共通の暗号スイートに合意しなければならないので、暗号スイートを限定することで適切なレベルのセキュリティが得られるでしょう。ただし、サーバとクライアントで共通するアルゴリズムセットがないために通信を実行できない場合があり得る、という副作用も潜んでいます。したがって、最良の策は、最強のアルゴリズムだけをサポートするのではなく、許容レベルのセキュリティを備えたすべての暗号スイートをサポートすることです。

　本書では、RSA または DH/DSS を、少なくとも 768 ビットの鍵とともに使うことを推奨します。暗号化には 3DES または RC4-128 を使います。最大限のセキュリティを求めるなら 3DES を、パフォーマンスを優先するなら RC4-128 を選んでください。メッセージ認証には SHA-1 を使います。これらのアルゴリズムのパフォーマンス値については、第 1 章を参照してください。

5.8 ここまでのまとめ

　以上では、SSL を安全に利用するために重要と考えられる一般的な規則を示しました。一定水準のセキュリティを実現するためにすべきことが、この説明から見えてきたはずです。ここで紹介した規則がすべてだと言うつもりはありません。セキュリティを打ち破る方法は無数にあり、そのほとんどは、自分が何をしているかについて注意しないために起こります。しかし、見過ごされがちな重要なポイントはすべて挙げました。筆者は、ここに示した規則をことごとく守っていない実装を、少なくとも 1 つは見たことがあります。

5.9 master_secret の危殆化

master_secret が危殆化するのは壊滅的な事態です。ある瞬間の鍵生成の手順を復習して、なぜmaster_secret（またはpre_master_secret）が奪われるとシステム全体が奪われる恐れがあるのかを見てみましょう。鍵生成処理を図5.1に示します。背景色が灰色なのが機密情報で、それ以外は公開情報です。

図5.1
SSLの鍵の生成

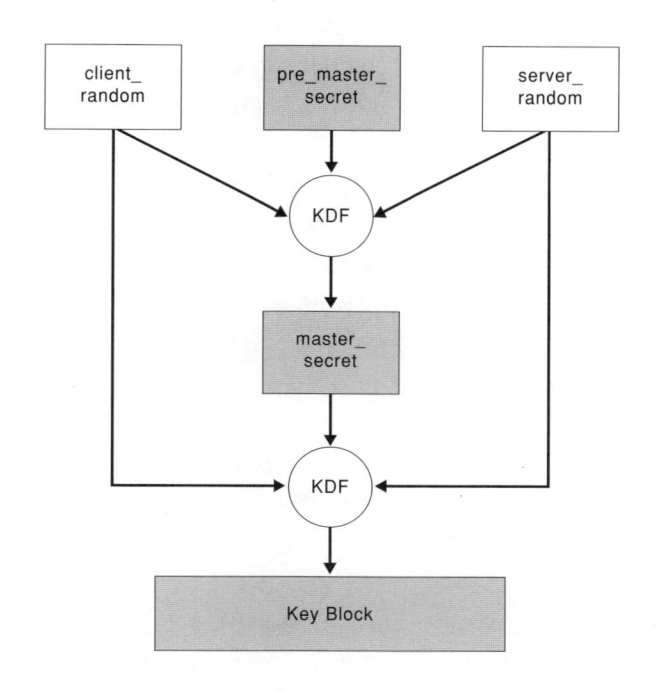

▼Key derivation function

鍵生成の処理が2段階で進められることを思い出してください。最初にpre_master_secret が master_secret に変換されます。KDF▼は、Handshake ごとに別の値になる3つのパラメータ（client_random、server_random、pre_master_secret）を受け取ります。ただし、client_random と server_random は、master_secret の合意の前に交換されるので、暗号化されずにHandshake で送受信されます。そのため、通信を詮索している攻撃者は、client_random と server_random をすでに手に入れています。master_secret を生成するために必要な秘密情報は、残すところあとpre_master_secret だけです。

二番目の段階では、master_secret が個々の暗号技術に関する鍵に変換されます。前と同じように、KDF は client_random、server_random、master_secret を受け取ります。今回も、秘密が保たれるのは master_secret だけです。つまり、master_secret を手に入れさえすれば、接続を保護するための暗号技術に関する鍵をすべて計算できるわけです。同様に、pre_master_secret を知る攻撃者は master_secret を計算できるので、そこからさらに鍵を計算できます。

したがって、攻撃者が master_secret を解読すると非常にまずいことになります。このような攻撃者から見ると、メッセージは暗号化されずに送受信されているも同然です。

5.9.1 機密性に対する攻撃

先ほども触れましたが、master_secret を手に入れた攻撃者は、接続で使われるすべての暗号技術に関する鍵を計算することができます。当然、データの暗号化に使われる暗号化鍵もこれに含まれます。攻撃者がネットワークで送受信されるデータを読み取れることを前提とする我々の脅威モデルを思い出してください。もちろん、SSL を使っているのでデータは暗号化されますが、master_secret を手に入れた攻撃者には何ら妨げになりません。攻撃者は、暗号化鍵を入手し、キャプチャしたレコードを簡単に復号できます。

ちょっとした技術的な問題が 1 つあります。攻撃者がレコードをキャプチャしようとして取りこぼすと、それ以降のレコードを復号するのにかなり手こずります。連続するストリームの一部であるかのようにレコードが暗号化されることを思い出してください。ストリーム暗号の場合、レコードごとに別のセクションの鍵ストリームが使われます。レコードを復号するには、攻撃者はすでにいくつのバイトが暗号化されたのかを知る必要があります。しかしながら、レコードを取りこぼしても、TCP のシーケンス番号を見ればいくつのバイトを取り逃したのかをかなりの確率で推測でき、わずかな検索で鍵ストリームの正確なセクションを見つけることができます。

▼Initialization Vector

ブロック暗号では、事情はやや面倒です。各レコードの IV▼は、前のレコードにおける最後の暗号ブロックになります。攻撃者がこのレコードを取りこぼした場合、このレコードの最初の暗号ブロックを復号する手段はありませんが、残りのレコードやさらにその後に続くレコードは復号できます。

この攻撃が完全にパッシブ攻撃であることに注意してください。ネットワークの通信に干渉することをいとわない攻撃者なら、再送させることで、取り逃したレコードの問題を簡単に解決できます。その一方で、アクティブ攻撃をしかける用意がある攻撃者は、ある重大な完全性に対する攻撃をしかけることもできます。次項ではこの攻撃について説明します。

5.9.2 完全性に対する攻撃

前述したように、master_secret を手に入れた攻撃者は、簡単に MAC 鍵を計算できます。これと暗号化鍵を組み合わせれば、さまざまな完全性に対する攻撃を仕掛けることが可能です。代表的な手口をここで紹介しますが、これがすべてではありません。

一番簡単な攻撃は、接続を単純に乗っ取ってしまうものです。攻撃者は、ベースになる接続が完了したかのように一方の側に見せかけて（TCP RST を使うのが典型的）それとすり替わり、反対側との通信を続行します。攻撃者は、通信を思いのままに捏造できます。この攻撃はあまり巧妙ではありませんが、攻撃としては非常に有効な手口です。乗っ

取るだけなら、ベースになっているネットワークを細かく制御する必要がないことに注意してください。TCP の接続を乗っ取る方法はよく知られています（[Joncheray1995]）。

　攻撃者がネットワークの制御を握った場合は、もっと見つかりにくい方法で攻撃することが可能です。例えば、接続を生かしたまま、自由にパケットの追加や削除を行えるでしょう。それができれば、レコードの変更や挿入、削除さえ可能になります。どのような方法が必要とされるかは、攻撃者が通信をどのように改竄したいのかと、どのような暗号化方式が使われているかによって異なります。

　ストリーム暗号で暗号化された通信を攻撃する場合は、レコードを復号し、メッセージテキストを変更し、新しい MAC を生成し、レコードを再暗号化し、それを送信する、という手順を踏むことで、個々のレコードを改竄できます。攻撃者はレコードのサイズを変更できないこと、その後に送受信されるレコードが鍵ストリームと同期しないことに注意してください。

　その一方で、あえてこの後のすべてのレコードを傍受し、修正することをいとわないのなら、攻撃者はどのレコードでも自由に変更できます。ほとんどのレコードを改竄しない中間的な攻撃形態はいくつもありますが、これまでの説明で明らかなように、master_secret を手に入れた攻撃者は、通信の姿を思いのままに変えることができます。

5.9.3　ここまでのまとめ

　これまでの説明で納得いただけたでしょうか。攻撃者の手に master_secret を渡すことは破滅を意味するので、master_secret は厳重に保護しなければなりません。幸いにも、適切に SSL を実装すれば、master_secret の復号は不可能ではないにしても非常に困難です。次節からは、master_secret の復号を許してしまう、うっかりミスについて説明します。

5.10　メモリ内の秘密情報の保護

　SSL の実装がハードウェアを中心に構成されていない限り、master_secret はホストのメインメモリの中にあります。つまり、SSL のプロセスのメモリを読み取れる攻撃者は master_secret を読み取れるということです。したがって、マシンの管理者権限を手に入れた攻撃者から SSL の接続を守ることは不可能です。ただし、管理者ではないユーザに master_secret へのアクセスを潜在的に許してしまうのはミスです。

5.10.1　ディスクストレージ

　一般に、秘密データをディスクに書き込む実装は慎むべきです。ただし環境によっては（第9章を参照）、その必要があります。そうしたケースでは、実装においてほかのユーザがファイルを読み取れないように、ファイルに対するアクセス許可を注意深く設定しなければなりません。さらに、このディスクファイルは、終了する前に必ず削除する必要があります。削除の取り消し機能を持つOSでは、解読できないように、ファイルを完全に消去しなければなりません。データの上書きを3回（最初はゼロで、2回目は乱数データで、3回目は再びゼロで）繰り返すのが、データを消去する良い手順です。これは、特にWindows 95/98のようなシングルユーザのOSで真剣に検討すべき措置です。このタイプのOSでは、アクセス許可に対する保護を一切しないため、次に使うユーザがディスク全体を読み取れるからです。

5.10.2　メモリのロック

　仮想メモリ機能を持つOSでは、master_secret（およびその他の秘密情報）が含まれる部分のメモリがディスクにスワップされないようにするのが望ましいでしょう。もしスワップされると、後で使うユーザまたは管理者がデータを読み取り、秘密情報を解読できるかもしれません。多くのOSには、重要性の高いデータをロックし、ディスクにスワップすることを禁止するサブルーチンの呼び出しが用意されています。ただし、場合によってはこのサブルーチンの呼び出しが期待どおりに機能しないことがあります。OSのマニュアルを見て、この機能の詳細を確認してください。

　メモリをロックしても、重要性の高いデータがメモリにある場合には、管理者はそれをプロセスから読み取れることに注意してください。メモリのロックでは、管理者が後でデータを解読する可能性だけを排除できます。

5.10.3　コアダンプ

　多くのOS（特にUNIX）では、アプリケーションがメモリエラーを起こすと、コアイメージをディスクに書き出します。このイメージには、プロセスの完全なメモリ状態が含まれるので、秘密情報もそこに存在します。当然ながら、イメージファイルを読み取ることができれば、誰でも秘密情報を解読できます。プログラマは、アプリケーションがコアダンプを実行する直前にその動きを検出して、重要性の高い情報をゼロで消去する例外ハンドラを書く必要があるでしょう。

5.11 サーバの秘密鍵のセキュリティ

サーバの秘密鍵は、Handshake のセキュリティを左右します。長期的鍵モードでは、pre_master_secret を直接保護するために秘密鍵が使われます。一時的鍵モードでは、pre_master_secret を保護するために使われる一時的な鍵を認証するために秘密鍵が使われます。したがって、いずれにせよサーバの秘密鍵の危殆化は常に問題ですが、長期的な鍵のほうがより深刻な結果を招くことになります。秘密鍵で暗号化されたすべての通信が危殆化されることになるからです。

5.11.1 長期的な鍵

最もセキュリティが低いのは、サーバが長期的な鍵の対を使って master_secret を確立するケースです。代表的な例を第 3 章で紹介しました。この例のサーバは、証明書に記載されている公開鍵とともに、RSA 鍵の対を 1 つ持っています。クライアントはこの公開鍵を使って master_secret を暗号化し、サーバだけが master_secret を読み取れるようにします。しかし、秘密鍵を手に入れた攻撃者は master_secret を簡単に復号し、前節で説明した攻撃をどれでも実行できます。

この状況では、サーバの長期的な秘密鍵が危殆化することで、その鍵を使って確立された SSL のセッションがすべて奪われます。これは、攻撃者が好きなときにオフラインで master_secret を復号できるからです。言い換えると、攻撃者は純粋にパッシブ攻撃を実行できます。サーバの秘密鍵と記録されたメッセージトレースを入力として利用し、平文を出力するプログラムを書くのは簡単です。実際、第 4 章で使った ssldump のトレースは、まさにこのテクニックを使って生成したものです。

長期的な鍵は RSA でよく使われます。SSL では、DH の長期的なモードもサポートされています。このモードを使うと、長期的 DH 鍵がサーバの証明書の中に収められます。長期的 DH モードも、RSA と同じぐらいこの種の攻撃に脆弱です。ただし SSL では、たいていの DH が一時的 DH として使われます。次節では、一時的な鍵(第 4 章を参照)の使用時に秘密鍵が危殆化するとどうなるかを説明します。

5.11.2 一時的な鍵

サーバの秘密鍵が鍵の確立には使われず、署名のみに使われるという状況を想定してみます。サーバは一時的な鍵の対を生成し、鍵の確立にはこれを使いますが、一時的な公開鍵をクライアントに対して認証させる際には、長期的な鍵の対を使います。

実際には、一時的な鍵の使用時に秘密鍵が危殆化する要因は 2 通りあります。長期的な鍵(認証に使用)が危殆化するか、一時的な鍵(鍵の確立に使用)が危殆化するかのどちらかです。生じる結果もそれぞれ違います。最初に、長期的な鍵が危殆化した場合を考

えてみましょう。攻撃者が長期的な鍵を手に入れても、この鍵はデータの暗号化には使われないので、通信を復号することはできません。通信を暗号化するのは一時的な鍵だけです。しかし、長期的な鍵は一時的な鍵の復元にも使えません。

ただし、長期的な認証鍵の復元も、まったく無意味というわけではありません。サーバの長期的な認証鍵を手に入れた攻撃者は、Handshake の段階でサーバに成りすまし、接続を乗っ取ることができます。接続を乗っ取れば、単にサーバとして振る舞うこともできますし、クライアントに対してはサーバとして、サーバに対してはクライアントとして振る舞うことで、両者の間の通信に対して man-in-the-middle 攻撃を実行することもできます。この仕組みを図 5.2 に示します。

図 5.2
危殆化された（署名用の）鍵を利用した攻撃

```
クライアント              攻撃者                  サーバ
      ──ClientHello──────→
                              ──ClientHello──────→
                              ←──ServerCertificate──
      ←──ServerCertificate──      ──ServerKeyExchange──
      ←──ServerKeyExchange──      サーバ鍵
           攻撃者の鍵
      ──ClientKeyExchange──→
           攻撃者の鍵を使用         ──ClientKeyExchangeUsing──→
      ──Finished──────────→              サーバの鍵を使用
      「クライアント⇔攻撃者」の鍵を使用    ──Finished──────────→
                                         「攻撃者⇔サーバ」の鍵を使用
                                    ←──Finished────────
      ←──Finished─────────               「攻撃者⇔サーバ」の鍵を使用
      「クライアント⇔攻撃者」の鍵を使用
      ──Data──────────────→
      「クライアント⇔攻撃者」の鍵を使用    ──Data──────────────→
                                         「攻撃者⇔サーバ」の鍵を使用
                                    ←──Data─────────────
      ←──Data─────────────               「攻撃者⇔サーバ」の鍵を使用
      「クライアント⇔攻撃者」の鍵を使用
```

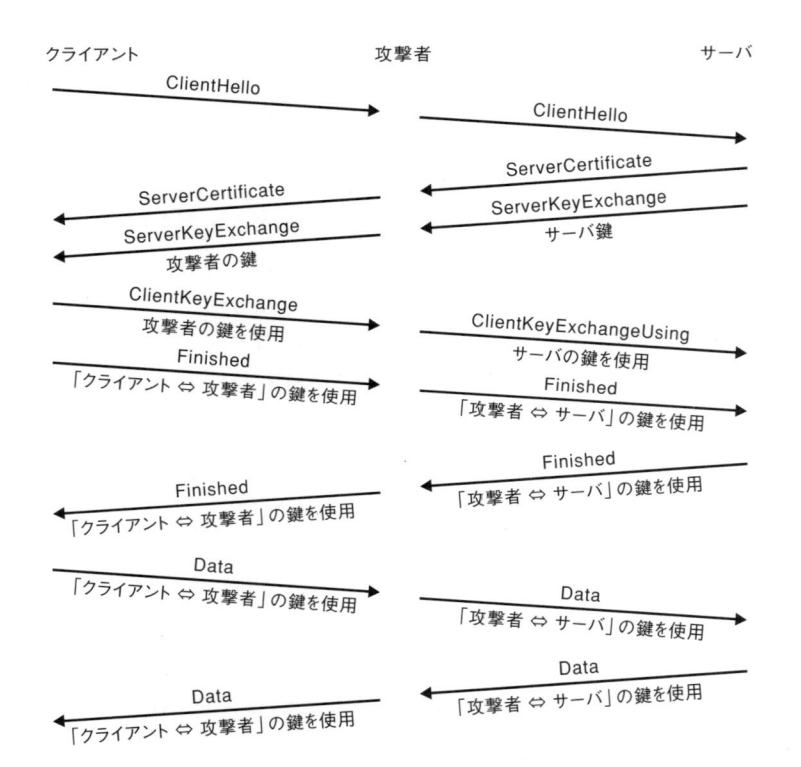

図 5.2 は、進行中の man-in-the-middle 攻撃を示しています（無関係のメッセージは省略してあります）。攻撃者は、クライアントからサーバ、およびその反対の方向の Handshake メッセージを、ほとんどそのままコピーします。ただし、ServerKeyExchange メッセージに細工をして、サーバの一時的な鍵ではなく攻撃者の一時的な鍵を署名したものにすり替えます。このメッセージには、手に入れた秘密鍵で署名します。次に、クライアントからの通信を復号し、必要な変更を加えた上で、それを再び暗号化してサーバに送信します。ここで 1 つ注意すべきなのは、攻撃者が新しい Finished メッセージを生成しなければならないことです。そうしないと、一時的な鍵を変えた結果として、クライアントが生成する Handshake のハッシュとサーバが生成するものとが一致しなくなります。

このように、長期的な認証鍵が危殆化することによって、攻撃者は特定のセッションに対し Handshake の段階でアクティブ攻撃をしかけることができます。しかし、Handshake が終わると攻撃できません。おもしろいことに、クライアント認証が使われると、このタイプの攻撃は実行できなくなります。この場合、クライアントの署名はすべての Handshake メッセージを対象とするので、攻撃者がクライアントに送信したメッセージは、サーバがクライアントに送ったつもりのメッセージと食い違います。したがって、サーバが署名を確認するとエラーになります。

サーバマシンが完全に危殆化され、サーバの認証用の秘密鍵を破ったとしても、すでに確立され、シャットダウンされたセッションを攻撃する目的でその情報を利用することはできません。この特性のことを PFS（Perfect Forward Secrecy）といいます。長期的な鍵には、この特性がないことに注意してください。PFS は、通信における鍵そのものが、どこかに保存されない場合にのみ有効です。例えば鍵がセッションのキャッシュに残っている場合、攻撃者はコネクションを復号できます。PFS を有効にしたければ、利用していない、または、期限切れの鍵素材を定期的に削除することが重要です。

これとは対照的に、攻撃者がサーバの一時的な鍵の 1 つを手に入れた場合には、その鍵で保護されていたコネクションだけはその鍵を使って攻撃できます。攻撃者は、そういったコネクションのすべてで master_secret を復号し、「5.9 master_secret の危殆化」で説明した方法により攻撃をしかけます。

いくつのコネクションが影響を受けるかは、サーバの振る舞いによって全面的に左右されます。一時的 RSA を使っているときは、危殆化されるコネクションの数は非常に多くなります。第 4 章で説明しましたが、RSA 鍵の生成にはコストがかかるので、サーバは起動時に一時的 RSA 鍵を 1 つ作り、シャットダウンまでそれを使い続けることもよくあります。このような状況では、数日間ないしは数週間、同じ鍵を使うことになります。その結果、一時的な鍵が漏洩した場合に、膨大な量の通信が危殆化される可能性があります。一時的 RSA は、現在のところ輸出対応の RSA 暗号化鍵（512 ビット未満）でしか使われませんし、このサイズの鍵が復元可能な領域にあることが知られているので、この問題には注意する必要があります。PFS を高く評価する人たちは、強い暗号スイートを用いた一時的 RSA を利用することに不満があります。新たに提案された AES の暗号スイートは、長期的 RSA 鍵に対する一時的 RSA モードを含んでいます。

一時的 DH 鍵を使うときは、一時的な鍵を頻繁に再生成するのが一般的なやり方です。一部の実装（例えば OpenSSL）には、新規の一時的な鍵を新規セッションごとに生成するモードがあります。このモードを使うと、1 つのセッションが奪われてもほかのセッションは無傷です。

5.11.3　秘密鍵の保存

ほとんどの SSL サーバは、一般的なコンピュータで稼働します。サーバプログラムはたいていそうですが、SSL サーバもコンピュータのファイルシステムを使って永続的にデータを保存し、次に呼び出されたときにデータを解読できるようにしています。通常、

サーバの秘密鍵もこの方法で保存されます。サーバマシンが攻撃に対して安全に保護され、信頼されるユーザだけがシステムを使用できるのなら、この方法でも適切なセキュリティが得られます。

しかし、サーバを完全に信頼するのは困難です。多くの組織は、SSLサーバ専用のマシンを設置する余裕がありません。そうできたとしても、攻撃者に侵入されたり、盗難にあったりするかもしれません。このような事態に部分的に備えるため、秘密鍵を暗号化してディスクに保存する対策が実施されています。

勘の良い読者は、この対策の有効性に疑問を感じるでしょう。秘密鍵はすでに暗号化してあるのですが、今度はその暗号化に使った鍵を保護する必要があります。もちろん、この鍵を暗号化することはできるでしょう。しかし、そうなるとこの新しい暗号化鍵を保護することが必要となり、さらにそれを暗号化することが…という具合に、きりがありません。暗号化だけではこの問題を解決できないのです。

もちろん、鍵を暗記するようにユーザに義務付けることはできるでしょうが、128バイトの乱数を記憶するのは並大抵のことではなく、ほとんどのユーザは受け入れられないでしょう。よく使われる方法は、秘密鍵の暗号化に使う暗号化鍵を生成するために、パスワードまたはパスフレーズを使うことです。パスワードなら覚えやすいし、パスワードから鍵を生成できる特殊なKDFもあります。

5.11.4　パスワードに基づく暗号化

パスワードやフレーズを暗号化鍵に変換する方法は数多くあります。ただし、強い変換といえる方法には、ある共通の特徴があります。変換に利用する関数は、一般的なKDFとは違うものでなければなりません。これは、平文のエントロピーが非常に低いためです。平文では、単語またはフレーズの一部がわかっていれば、残りの部分を推測するのはまったく不可能ではありません（暗号技術に関する鍵については、たとえ鍵の一部がわかっても、残りの部分を推測する手がかりにはなりません）。この問題に対処するテクニックがいくつか考案されています。

その1つは、パスフレーズの長さを、それから派生する鍵よりも長くするようにユーザに指示することです。例えば、128ビット鍵は英数字で16文字に相当しますが、パスフレーズは50文字を超えるようにしてもらうのです。これなら何とか記憶しておけるし、かなりのセキュリティも得られます。それでもパスフレーズは、暗号化鍵よりは推測されやすいでしょう。短いパスワードならなおさらです。弱いパスワードを選んだ場合でもある程度の保護をするために、パスワードを用いるKDFでは、ソルティング（salting：塩を加えること）とイテレーション（iteration：繰り返し）と呼ばれる2つのテクニックを使っています。

ソルティングとは、公開されている乱数をKDFへの入力の一部とすることです。この値をソルト（塩）といいます。ソルトは、そのまま鍵ファイルとともに保存されます。同じパスワードを使うユーザが2人いても、使用されるソルトの値は違うので、暗号化鍵は同じになりません。ソルティングにより、2種類の攻撃が防止できます。1つは、よく

使われるパスワードを参考にして、総当たり式にパスワードを破ろうとする攻撃です。もう1つは、複数のパスワードファイルを集めて、それらを並行して検索する攻撃です。この手口を使うと、鍵の生成処理が一度で済みます。どちらの攻撃も、ソルティングを使うことで無力化されます。

イテレーションとは、KDFを低速化する方法です。パスワードを用いるKDFは、パスワード空間の検索にかかるコストを高くするために、処理が非常に遅くなるように設計されています。秘密鍵の暗号化の解除に0.5秒かかっても、正規のユーザは気付かないでしょう。しかし、数百万種類のパスワード処理に毎回0.5秒ずつかかるなら、相当な負荷になります。たいていの関数は、何度でも好きなだけ適用できる(繰り返せる)基本的な方法を使って設計されています。繰り返しのたびに、前の段階の出力が次の段階の入力として使われる仕組みです。1回のイテレーションにある程度の時間がかかるので、全体の処理は低速化します。イテレーションで繰り返す回数も、暗号化ファイルとともに保存されます。

パスワードを用いる暗号化アルゴリズムのうち最もよく知られているのが、RSAのPKCS #5 です([RSA1993d])。PKCS #5 には、ソルティングとイテレーションの機能があります。残念なことに、PKCS #5 では最大でも160ビットの鍵しか生成しないので、3DESでは使えません。Microsoftは、PFXと呼ばれる鍵の保管に関する標準(現在のPKCS #12 [RSA1999a])の設計に際して、任意の長さの鍵を生成できる新しい関数を設計しました。その後RSAでは、PKCS #5 をアップデートして、任意の長さの鍵をサポートしました([RSA1999b])。

図 5.3
PKCS #5 の変換処理

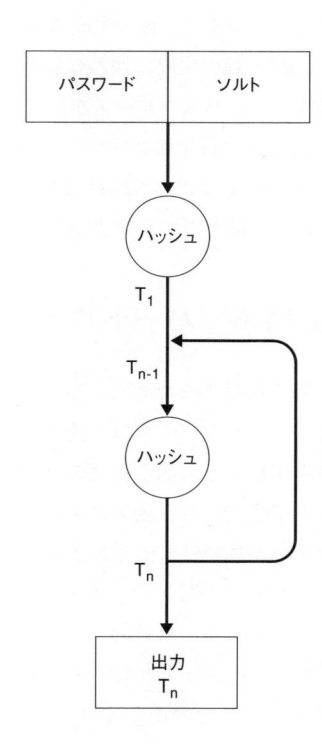

```
         ┌──────────┬──────────┐
         │ パスワード │  ソルト   │
         └──────────┴──────────┘
                    │
                    ▼
                 ( ハッシュ )
                    │
                    │ T₁
                    ▼
                    │ Tₙ₋₁    ┐
                 ( ハッシュ )  │
                    │         │
                    │ Tₙ      ┘
                    ▼
              ┌──────────┐
              │  出力 Tₙ  │
              └──────────┘
```

(図中の記号: T_1, T_{n-1}, T_n、出力 T_n)

PKCS #5 のバージョン 1 で使われるソルティングとイテレーションの処理を、図 5.3 に示します。処理は 2 段階で進められます。最初に、パスワードとソルトを連結した値からハッシュ値 T_1 が生成されます。この値に対するハッシュ計算を $(n-1)$ 回繰り返して T_n が生成され、これが関数からの出力となります。T_n は、$\text{Hash}(T_{n-1})$ に等しくなります。当然、この変換ではハッシュ関数よりも長い出力は生成できません。これが理由で、この方法は SHA-1 の 160 ビット出力より長い鍵を生成する目的には使われません。PKCS #12 と PKCS #5 バージョン 2 は、発想は近いけれども厳密には異なる方法を使って、任意の長さの鍵を生成できます。

▌ 5.11.5　ストレージを使用しない鍵の復元

さて、ユーザ用の永続的なストレージが一切ないデバイスで SSL を実行したいと仮定します。暗号化してもしなくても、ディスクに秘密鍵を保存する場所はありません。このようなデバイスでも、パスフレーズから秘密鍵を派生できるなら、秘密鍵を保持することは可能です。

一番単純なケースは、DH または DSA などの離散対数系を使用する場合です。秘密鍵 X は任意の数値なので、先ほど説明したパスワードを用いる KDF を使ってこの値をパスフレーズから生成できます。グループのパラメータ g、p、q は、デバイスを利用するすべてのユーザに対して同じ数値を使えるので、作成時にデバイス上の永続的なストレージに保存しておくことができます。

このテクニックは、鍵の生成処理にコストがかかる RSA のようなシステムには向きませんが、RSA 鍵の生成に使われる PRNG にシードを与えるためにパスフレーズを使うことは可能です。パスフレーズが同じである限り、同じ RSA 鍵が生成されます。

この方式は、特定のユーザが不定期に不特定の数のマシンを利用する状況 (キオスク端末や共有端末など) では特に便利です。証明書を安心してネットワークに保存できるので、ユーザはただマシンまで出向いてパスフレーズを入力できます。

▌ 5.11.6　ハードウェアを用いた暗号

秘密鍵を保存するために、ハードウェアデバイスを使うほかの方法もあります。ここで想定しているデバイスは、秘密鍵を保存する永続的なストレージと、暗号技術に関する演算を実行できるある程度のプロセッサ機能を備えているものです。秘密鍵はこのデバイス上で生成され、秘密鍵を利用したすべての演算もデバイス上で実行されます。秘密鍵がデバイスの外に出ることはありません。

ハードウェアの暗号デバイスには、永続的なデバイスとリムーバブルデバイスの 2 つの種類があります。永続的なデバイスは、常にマシンに接続されているものとしてデザインされます。カードとしてシステムバスに装着されるか、SCSI、パラレル、その他のインタフェースを経由してマシンの背面に接続されます。リムーバブルデバイスは、

PCMCIAカードまたはスマートカード（クレジットカードと同等サイズのデバイス）としてパッケージ化されるのが普通です。リムーバブルデバイスには、マシンから取り外してより安全な場所に保管できるという、大きな長所があります。

どちらのデバイスも盗難の可能性があるので、秘密鍵を保護するためにパスワードかPIN（Personal Identification Number）を使うのが普通です。ユーザが正しいPINを使ってログインしない限り、デバイスは正しく機能しません。ディスクに保存する場合と同じ方法で秘密鍵を暗号化するデバイスや、PINの入力がない限り秘密鍵の使用を禁止するデバイスなどがあります。さらにたいていのデバイスは、誤ったPINの入力が数回続くと「ゼロ化（zeroize）」されるようにデザインされています。ゼロ化とは、重要な内部状態を完全に消去するという意味です。

セキュリティをさらに向上するため、多くのハードウェアデバイスには耐タンパ機能が組み込まれています。これは、ケースを開けてハードウェアに直接アクセスしようとすると作動します。このような攻撃を検出すると、デバイスはメモリをゼロ化します。正しいPINがわからなければ、デバイスを物理的に持ち去っても役に立たないようにすることが狙いです。

FIPS-140-1［NIST1994b］は、このタイプの耐タンパ機能の標準です。以上の説明のとおり、ハードウェアの暗号デバイスは、ソフトウェアによる鍵ファイルと比べて、主に2つの長所を持ちます。ログインに数回失敗するとカードはゼロ化されるので、攻撃者は鍵ファイルのように総当たり式にPINを繰り返し試すことはできません。したがって、特に解読されにくいPINを選ぶ必要もありません。解読されにくいPINを選ぶのは難しいので、これは優れた特長です。

第2に、攻撃者がPINを手に入れたとしても、デバイスに物理的にアクセスできなければそれを使えません。例えば、攻撃者がサーバマシンに侵入してPINを推測しても、鍵はハードウェアの内部にあります。サーバを使って通信を復号できますが、サーバの乗っ取りに気付いた管理者は、デバイスを取り外すか、PINを変更して攻撃に終止符を打つことができます。これがソフトウェアだったら、秘密鍵が攻撃者に漏洩し、完全に新しい鍵の対を生成しなければならなくなるでしょう。

通常、固定デバイスは、暗号技術に関するアクセラレータとしてパッケージ化（および市販化）されます。固定デバイスの目的は、暗号に関する処理をホストコンピュータよりも高速に実行することです。したがって、たいていの場合、このデバイスではセキュリティとパフォーマンスの両方が強化されます。それとは対照的に、リムーバブルデバイスは非常に低速（毎秒数回程度しかRSA演算を実行できない）なままで、その点がサーバ環境で利用する際のネックとなります。しかし、手ごろにセキュリティが提供でき、クライアント側における鍵素材のパッケージ化も実現できます。

一部の暗号技術に関するアクセラレータには、固定的なコンポーネントとリムーバブルなコンポーネントが両方とも付いています。通常の固定デバイスと同等の処理速度を備える一方で、リムーバブルな鍵がないと作動しないため、セキュリティが強化されます。

5.11.7　パスフレーズの入力

　お気付きかもしれませんが、暗号化されたディスクファイルを使う場合でもハードウェアデバイスを使う場合でも、サーバを起動するためにオペレータがパスフレーズを入力する必要があります。ここにシステム全体のセキュリティの弱点があります。サーバシステムが一切の人手の介入なしで再起動できるなら、それ以上に望ましいことはありません。しかし、パスフレーズを入力しない限りセキュリティで保護されたサーバを起動できないようになっています。

　選択肢としては、セキュリティを妥協するか、人手を介さない再起動をあきらめるかの2つしかありません。人手を介さない再起動をあきらめるのは簡単です。オペレータにパスフレーズを入力させてサーバを起動するのです。つまり、マシンは正しく再起動するでしょうが、セキュリティで保護されたサーバがある場所にオペレータがいなければなりません。

　セキュリティを妥協するのも簡単です。パスフレーズをシステムの起動スクリプトのどこかに含めておいて、起動時にサーバへと引き渡されるように設定するだけです。この方法の短所は明白で、そのファイルを読み取れる者（例えば管理者や攻撃者）ならパスワードを読み取ることができます。通常、このようなファイルには非常に限定されたアクセス許可が設定されますが、ほとんどのOSでは、管理者が読み取れないファイルなどありません。

　この2つ以外に選択肢はありません。どちらかを選び、その結果を受け入れるほかないのです。

5.11.8　バイオメトリクス

　指紋識別や網膜走査などのバイオメトリクス認証技術は、安全なアクセス制御技術としてよく使われます。実装に際してセキュリティを確保できるかどうか、やや不安な面もありますが、それでも機密を要する環境やコンピュータへのアクセスに広く利用されています。

　ただし、バイオメトリクスだけで秘密鍵の素材を保護しようと考えるのは間違いです。これまでに説明してきた方式は、どれもユーザの入力データに基づいて秘密鍵を暗号化する処理に依存しています。入力データは、常に同じでなければなりません。なぜなら、そのデータは暗号化鍵の生成に使われ、鍵に含まれる小さなエラーが大きなエラーとして暗号に現れるよう、意図的に暗号化アルゴリズムが設計されているからです。

　しかし、バイオメトリクスをこの目的に使うのは簡単ではありません。計測される特徴が毎回正確に一致するわけではないからです。したがって、バイオメトリクスから同じ暗号化鍵を再作成することは、不可能ではないにしても困難です。そのため、バイオメトリクスシステムでは、鍵を平文で保持し、バイオメトリクスを利用して鍵へのアクセスを制御します。鍵を復号する必要がないので、鍵を収めているデバイスが危殆化すると問題が起きます。鍵がディスクのどこかに保存されているなら、事態は絶望的です。

この一般論には2つの例外があります。まず、耐タンパ機能を備えた信頼できるハードウェアに鍵を保存するなら、鍵が破られる前にハードウェアがゼロ化されるので、バイオメトリクスを使っても安全です。そのためには、耐タンパ機能が全面的に信頼できるものでなければなりません。もう1つ、バイオメトリクスとパスフレーズを併用すれば、パスフレーズを使って鍵を暗号化し、さらにバイオメトリクスを二次的なアクセス制御手段として利用できます。この場合は、バイオメトリクスによってセキュリティが強化されることになります。

5.11.9 結論

セキュリティ対策モデルを理解することは、どの技術を使うかを理解する上で不可欠です。例えば、システムの物理的なセキュリティが強固な場合は、鍵を保護するために強力なセキュリティ技術を導入する必要はないかもしれません。それとは逆に、マシンの盗難や未承認ユーザによるアクセスが懸念される場合は、危殆化のコストを限定するために鍵をハードウェアに収めて保護することは危険です。本節では、さまざまな技術を評価するのに参考となる情報を紹介しましたが、実際に採用したセキュリティモデルにどれが適合するかは自分で判断しなければなりません。

5.12 乱数生成

SSLの実装のセキュリティは、生成する乱数の質に全面的に依存します。また、クライアントとサーバの両方が強い乱数を生成できる必要があります。「強い」乱数が正確に何を意味するかは不明ですが、少なくとも、ほとんどのプログラミング言語が提供する乱数生成器が失格なのは間違いありません。もっと特別なツールを使わなければなりません。

乱数を生成する一般的な方法は2つあります。何らかの無作為な、またはそれに近い物理作用から真の無作為性を得る方法と、無作為に見える数値のストリームを生成するアルゴリズムを利用して疑似的な無作為性を得る方法です。良質のハードウェアによる乱数生成器を利用できるマシンはごく少数です。そこでプログラマは、アルゴリズムによる疑似乱数生成器（PRNG：Pseudo-Random Number Generator）で我慢しています。

どの方法を選ぶにせよ、最低限次の条件を満たす必要があります。

- ストリームが偏っていないこと。0のビットと1のビットの数が平均的に同じであること
- 出力値に相関関係がないこと。バイトストリームのうち、ある部分の値を手に入れても、ほかの部分の値を推測する手がかりにならないこと

5.12.1 疑似乱数生成器

推測不可能なバイトのストリームを生成する機能を持つことが、PRNG の基本思想です。このストリームは、ハードウェアデバイスによって生成されるストリームと区別できない、コイン投げのようなものであることが理想です。

もちろん、それは無理な注文です。すべての PRNG は、結局のところ、バイトストリームを繰り返すことになるからです。PRNG の出力は、PRNG の内部状態の関数です。内部状態は、実行中のコンピュータのメモリを超える大きさにはなり得ないので、一定の数の出力を生成した後は同じ出力を繰り返すしかありません。実際の PRNG の内部状態は、状態を繰り返すことなく実質的に無限といえるバイト数を生成するのに十分な大きさを必要とします。256 ビットの内部状態を使えば、十分にこの目標を達成できるでしょう。

PRNG は、ダイジェストアルゴリズムか暗号化アルゴリズムに基づいて機能することがほとんどです。例としては、[Kelsey1999] があげられます。いくつかの PRNG がよく知られていますが、ここではそれぞれについて立ち入った説明はしません。共通しているのは、どの PRNG もある程度の量の秘密データをシードとして利用していることです。このデータは、PRNG の内部状態をセットアップするために使われます。シードデータを知ることは、PRNG の内部状態を知ることに等しいので、シードデータを知る攻撃者はバイトストリームを完全に予測することができます。PRNG を使うときの最大の問題は、適切なシードを入力しなければならないことです。

PRNG は、通常は低品質の乱数データを大量に受け取り、それをシードとして、そこから無作為性を抽出するように作られています。例えば、毎日の株価のようなデータを考えてみてください。月曜日に 85 円だった株価は、火曜日には 80 円から 90 円までの間のどこかにある可能性が高いでしょう。10 の位は無作為とはいえませんが、1 の位はいくらか無作為で、小数点以下の位はかなり無作為です。良い PRNG は、このような種類のデータをシードとして受け取り、そこから良質の無作為性を抜き出してきます。これにより、シードデータを集める作業がだいぶ楽になります。

シードデータを集める戦略としてよく使われるのは、ネットワークの利用状況、プロセステーブル、画面など、かなり変動の大きなシステム状態に注目し、それを入力として強い無作為性を抽出する方法です。これは、稼働中のシステムであれば、単独のセッションを保護する鍵の生成にはおそらく十分な方法です。いくつかの OS (少なくとも Windows 2000、BSD、Linux) では、バックグラウンドでシステムイベントを集めて PRNG へ継続的にシードを供給するカーネルデバイスが用意されています。

秘密鍵の生成のような高いセキュリティが要求されるアプリケーションの場合は、ユーザの入力を求め、キーストロークやマウス操作の間隔を計測するという方法がよく取られます。RFC 1750 [Eastlake1994] には、シードデータ収集に関するガイダンスが書かれています。

ほとんどの SSL の実装は、システムデータをシードとして PRNG に与える機能を持ちますが、それは最後の砦のようなものでしかなく、実際にはほとんどのシードデータが

アプリケーションから提供されるのが普通です。ツールキットを使う場合でも、PRNGのシードは自分で提供しなければならないでしょう。

非常に重要なのは、強いPRNGは、たとえシードデータが弱くても乱数に見える出力を生成できることです。使用するPRNGの能力を評価できる統計的なテストがあります。この種のテストは、シードの品質を評価する目的にはほとんど使われません。

5.12.2　ハードウェアの乱数生成器

そのほかのポピュラーな方法として、ハードウェアを使って無作為性を生成する方式もあります。量子レベルで無作為に振る舞うように見える物理現象があり、これを使って乱数を生成できます。わかりやすい例が放射性崩壊です。かなり無作為な間隔で信号のストリームが安定して生成されるため、その信号の間隔(つまり一定時間内の強度)を利用して乱数を生成できます。それでも、平均すれば予測可能な範囲に収まってしまいます。

出力が平均値の周囲に群がるので、放射性崩壊は無作為で偏りがない現象です。通常は、出力に偏りがないことを確認するには一定の作業が必要です◇。

> ◇　無作為ではあるが偏りのある乱数生成器(例えばコイン投げで60%の確率で表が出る歪んだコインなど)があると仮定してみましょう。John von Neumann［Neumann1951］は、この偏向を矯正する簡単な方法を提唱しました。まず、出力を対にして集めます。値が同じ対は(つまり{表,表}または{裏,裏})は破棄します。値が違う対は、1つ目を残します({表,裏}なら「表」を出力します)。2つ目を残しても構いません。{表,裏}の確率は{裏,表}の確率と同じなので、たとえ生成器に偏りがあっても、この手順で均衡の取れた出力ストリームを得られます。

一番簡単な方法は、ハードウェアの乱数生成器の出力をPRNGのシードとして使うことです。これで偏りの問題は解決されるし、乱数がほしいときにハードウェアデバイスが役目を果たすまで待たなくてもよくなります。

Intelは最近、ハードウェアベースの乱数生成器の機能をPentium IIIプロセッサに追加しました。この生成器は、サーマルノイズに基づいて機能するハードウェア乱数デバイスがチップに組み込まれており、本節の説明とほぼ同じ方法で動作します。データはSHA-1ベースのかき混ぜ関数(mixing function)によって後処理されます。このシステムを最初に評価した論文［Kocher1999］によれば、安全なものといえます。もちろん、このプロセッサを搭載するマシンがRNG出力を捏造する手口で危殆化されていないことが前提です。

5.13 証明書チェーンの検証

すでにおわかりと思いますが、検証できない証明書は、証明書がまったくない状況とほとんど同じです。しかしながら、あるルートへ結びつくような証明書のチェーンが構成できるからといって、それだけでは証明書の検証には不十分です。通信相手だと思われる主体と通信していることを確信するためには、ほかのたくさんのチェックを実行する必要があります。

5.13.1 サーバの本人性

先ほども触れましたが、サーバから提示される証明書には、予期されるサーバの本人性に何らかの手段で関連付けられた本人性が含まれる必要があります。予期されるサーバの本人性を回線で送るわけにはいきませんが、接続が開始される時点で、それはクライアントがすでに知っているはずです。

たいていの場合クライアントは、SSLサーバへの接続を要望する際に、接続先を `foo.example.com` などの DNS ドメイン名（[Mockapetris1987a, Mockapetris1987b] を参照）か、ドメイン名を含む URL で指定します（[Berners-Lee1994]）。したがって、予期されるサーバの本人性はドメイン名であり、これが証明書に収められた本人性に一致しなければなりません。

残念ながら、証明書の中にある識別名（DN）は、実際にはドメイン名と互換性がありません。第1章の説明を思い出してください。識別名は一連の属性値で構成され、ドメイン名は基本的には1つの文字列としてそこに含まれます。また、ドメイン名には DN 属性がありません。したがって、ほとんどの CA は Common Name を使ってドメイン名を表します。そのため、クライアントとサーバの両方がこの規則を知らないと正しく機能しません。

X.509v3 証明書は拡張領域をサポートしているので、この証明書を使う場合には別の手段があります。バージョン3の証明書には、証明書のサブジェクトの別名フォームを収めた **subjectAltName** の拡張領域を含んでいます。例えば、**dNSName** フォームはドメイン名の表記に使います。サブジェクト DN フィールドを空にし、**subjectAltName** のみに本人性を格納して構いません。

本人性を特定するのにサーバの IP アドレスを使わないことに、十分注意してください。理由は、クライアントが信頼性のあるソースから IP アドレスを取得できないからです。ドメイン名は信頼できますが、DNS を使った IP アドレスの検索は容易に危殆化されます（[Bellovin1995] を参照）。そのため、IP アドレスと証明書内の IP アドレスを正しく比較しても、本人性の確証は得られません。

残念なことに、最初の BSD Socket API では、クライアントが IP アドレスを使って接続先ホストを指定することになっていました（名前解決の処理はクライアントの仕事で

した)。多くのSSL APIでは、この動作を踏襲しています。このためSSLの実装はドメイン名を知らないので、ドメイン名を使って証明書を確認することができません。証明書の確認はアプリケーション層で実行しなければならないのです。PureTLSを使用した場合の手順を図5.4に示します。サーバの本人性の確認については、第7章の安全なプロトコルの設計に関する説明の中でさらに詳しく解説します。

図5.4
JavaによるSSLでの本人性確認の例

```
public static SSLSocket connect(SSLContext ctx,String host,int port)
  throws IOException {
  // リモートホストへの接続
  InetAddress hostAddr=InetAddress.getByName(host);
  SSLSocket s=new SSLSocket(ctx,hostAddr,port);

  // 証明書チェーンの確認
  Vector certChain=s.getCertificateChain();

  // サイズの確認
  if(certChain.size()>2)
    throw new IOException("Certificate chain too long");

  // ホスト名の確認 (Common Nameを使う)
  Certificate cert=(Certificate)certChain.lastElement();
  String commonName=dnToCommonName(cert.getSubjectName());
  if(!commonName.equals(host))
    throw new IOException("Host name does not match commonName");

  return s;
}
```

5.13.2 クライアントの本人性

　当然ながら、クライアントの本人性はクライアント認証を使うときに検証する必要があります。さもなければ、クライアントは完全に匿名になります。SSLは、クライアントの本人性に関してはまったく情報を持ちません。本人性を解釈するのは、アプリケーション層とされています。つまり、これから説明する証明書チェーンの検証は、サーバの証明書チェーンだけでなくクライアントの証明書チェーンに対しても同様に成り立ちます。

5.13.3 ルートの選択

　検証された証明書チェーンは、最終的にルート証明書で終結する必要があります。ルート証明書は、アプリケーション開発者またはユーザ(またはユーザのシステム管理者)によって、アプリケーション内で設定されます。例えば、一般的なブラウザには最大で25通のルート証明書が内部に設定されています。
　ルートは、自らが署名した証明書を持つ顧客の本人性を正確に証明することについて、信頼されていなければなりません。そうでなければ、システムが信頼できないことになってしまいます。例えば、ルートがAliceという名前を収めた証明書を攻撃者に渡してしまうと、この攻撃者はAliceに成りすましてサーバに接続を開こうと試みることができます。

信頼できるルートかどうかを評価するためには、ルートがユーザを認証する際にどの程度の注意を払うか(確実な物理的ID[監訳注1]などを要求するか)、鍵の保護が十分かどうかといった点について、評価する必要があります。Netscape社もMicrosoft社も、ブラウザに組み込むルートをどういった基準で選別しているのか公表していません。しかしながら、両社ともユーザが独自にルートをインストールすることを認めています。基本的には、ルート証明書であることを示す特別なコンテンツタイプをWebページに設定するという方法で、ルートをインストールすることができます。注意して扱わないと、この設定がセキュリティを脆弱なものとします。

ルート証明書は、信頼されるリンクを通じて、信頼される場所から取得しなければなりません。さもないと、攻撃者がユーザに、偽のルートをインストールさせることが可能です。一般に行われているのは、ルートのフィンガープリント(ルート鍵のダイジェスト)をオフラインで配布し、ユーザがルートをインストールするときにこのフィンガープリントを使って確認できるようにする方法です。

5.13.4　証明書チェーンの深さ

管理上の理由から、1つ以上の証明書が含まれる証明書チェーンを使うと便利なことがよくあります。これは、分散された証明書を考慮したものです。例えば、Widgetsという会社が10カ所の支社に勤務する20,000人の従業員に証明書を発行したいとします。支社ごとに独自の証明書を発行すると便利でしょう。

その手段の1つは、Widgets社が発行するすべての証明書に1つのルート証明書を持たせることです。このルートが各支社のCAの証明書に署名します。さらに各支社のCAが従業員の証明書に署名します。このモデルを使った証明書の階層を図5.5に示します。

この図では、まずWidgets社のルートCAが、2カ所の支社のCAを認証します。1つはパロアルト支社のCAで、もう1つはシアトル支社のCAです。各支社には2人の従業員がいて、それぞれの支社のローカルCAによって認証されます。AliceとBobはパロアルト支社に勤務し、パロアルトCAによって認証されます。CharlieとDaveはシアトル支社の社員で、シアトルCAによって認証されます。

◆1.　positive physical ID。登記簿や免許証といったものを指していると考えられます。

図 5.5
証明書の階層例

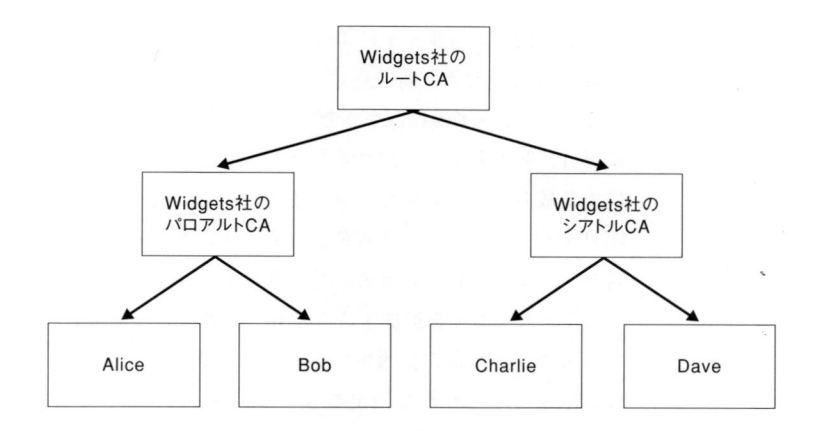

```
                    Widgets社の
                     ルートCA
                   ╱         ╲
          Widgets社の      Widgets社の
          パロアルトCA      シアトルCA
           ╱    ╲           ╱    ╲
        Alice   Bob      Charlie  Dave
```

　このモデルを使う場合は、主体を2つのクラス（つまり他人を保証する存在として信頼できる者と信頼できない者）に分ける必要があることに注意してください。例えば図5.5の例では、Widgets社のパロアルトCAの証明書が「ルートCAはこの鍵がWidgets社のパロアルトCAに属し、このCAが証明書を発行できることを保証する」ことを意味します。ただし、Aliceの証明書が意味するのは「ルートCAはこの鍵がAliceに属することを保証する」ということです。Widgets社のパロアルトCAは、証明書への署名元としては信頼できますが、Aliceはそうではありません。もし証明書に署名することをAliceに認めると、図5.6に示すように、勝手な証明書チェーンを作ってBobに成りすますこともできてしまいます。

図 5.6
階層拡張による成りすまし

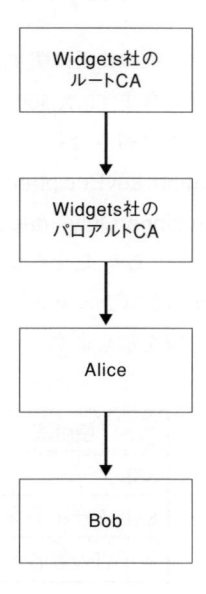

```
    Widgets社の
     ルートCA
        ↓
    Widgets社の
    パロアルトCA
        ↓
      Alice
        ↓
       Bob
```

　2種類の証明書を区別するには、暗黙に区別する方法と、明示された情報に基づいて区別する方法とがあります。X.509v3がリリースされるまで、証明書を区別するには、証明書チェーンを「深さ」で制御する暗黙的な方法しかありませんでした。つまり、証明書チェーンの長さがルートからn番目の証明書で終わりに達すると宣言しておくわけで

す。前の例では、ルートによって署名される支社のCAとユーザで、$n = 2$ です。

この方法の大きな問題点は、1つの大局的なポリシーとして実装することができないことです。あるCAは深さ2を指定し、別のCAは深さ1を指定するかもしれません。この場合、ある実装の最大の深さを2に設定すると、2番目のCAによって認証された個人による成りすまし攻撃が可能となり、1に設定すると最初のCAによって発行された証明書チェーンの検証が不可能となります。現実には、ほぼすべてのCAが深さ1の証明書チェーンしか使いません。その次のレベルに、より長い証明書チェーンを使うCAのルートとしてCAを追加することも、簡単にできます。

X.509v3証明書の拡張領域を利用する新しい制御方法を使うと、証明書が特定のCAに対応するかどうかを指定できます。特に、PKIX（IETFのX.509仕様書プロファイル[Housley1999a]）を使う場合は、Basic Constraints拡張領域がすべてのCA証明書に含まれる必要があります。Basic Constraints拡張領域は、証明書があるCAに対応するかどうか、そのパスでどの深さまで証明書チェーンを拡張できるかを指定します。

残念なことに、現在使用できる証明書とCAの多くはPKIXに準拠しておらず、非PKIX準拠の証明書が大量にあります。したがって、閉じたシステムを使う場合はBasic Constraints拡張領域を試してみるべきですが、そうでない場合は、深さが固定される不自由に甘んじるしかないでしょう。そうしないと、PKIX準拠のソフトウェアは、Basic Constraintsを持たない正規のCAを拒否してしまいます。

5.13.5 KeyUsage拡張領域

X.509では、鍵の使用に関するKeyUsage拡張領域が定義されており、鍵の用途を限定することができます。X.509では、8種類について利用する値が定義されており、これをビットマスクに組み合わせて実行可能な操作を指定します。値は、digitalSignature、nonRepudiation、keyEncipherment、dataEncipherment、keyAgreement、keyCertSign、cRLSign、encipherOnly、decipherOnlyです。keyUsage拡張領域の使用を必須としているブラウザはありませんが、Netscape社とMicrosoft社のブラウザは、どちらもkeyUsageがあればチェックします。図5.7に、各操作に対応する証明書であることを表すビットの一覧を示します。

図5.7
X.509拡張領域の利用

使用法	Netscape	Microsoft
SSLサーバ	keyEncipherment	keyEncipherment
SSLクライアント	digitalSignature	keyEncipherment
証明書の署名	keyCertSign	keyCertSign

Microsoft社とNetscape社では、クライアント認証の許可を指示するために設定するビットが違うことに注意してください。クライアント認証に使うビットがこのように混乱しているのは、SSLクライアント認証の際に、クライアントがほとんど見る機会のな

い文字列へ署名をするからです。議論が分かれるところですが、クライアントの鍵は鍵交換の認証に使われるので、keyEncipherment の値を使うほうが適切です。しかし Netscape 社は、自然なアプローチを採用し、digitalSignature を使いました。

混乱に輪をかけたのは、Netscape 社が netscape-cert-type という独自の証明書の使用法に関する拡張領域も定義したことです。Netscape での証明書の実践的な使い方は、［Netscape1995a］に示されています。netscape-cert-type 拡張領域は、ビット文字列です。SSL Client（ビット 0）、SSL Server（ビット 1）、SSL CA（ビット 5）の 3 つの設定が可能です。S/MIME 証明書のほかに、Netscape 社がオブジェクト署名（object signing）と呼ぶものを指す別の値もあります。もし両方に拡張領域が存在し、設定が食い違う場合にどうするのかは不明です。ただし、実際にはまず起こらないでしょう。

ルート CA の証明書は、ブラウザにバンドルされています。中間 CA の証明書は、basicConstraints を含んでいる必要があります。Netscape では、netscape-cert-type の CA のビットの 1 つが中間 CA に設定されている証明書も受理します。ほかの多くの実装（古いバージョンの OpenSSL を含む）では、はるかに選り好みが少なく、チェーンを構成できる証明書であれば CA として受理します。概して、現況に合った実装を書こうとするなら、証明書チェーンの深さを手動で制限するか、証明される主体が CA であることを示す情報を証明書内に明記するように強く推奨するべきです。

keyUsage 拡張領域を持たない証明書もあります。たいていのブラウザは、このような証明書をクライアントまたはサーバから受理しますが、中間 CA としては受理しません。

▶ 5.13.6　その他の証明書の拡張領域

Netscape には、ほかにも証明書の拡張領域が定義されています。図 5.8 にその一覧を示します。これらの拡張領域の解説は［Netscape1999a］にあります。ほとんどの拡張領域は、検証者が証明書に関する情報（発行と失効状態に関するポリシーなど）を取得するために参照できる URL です。実際には失効しないことが多いので、これらの拡張領域はあまり利用されません。また、netscape-ssl-server-name という拡張領域もあります。Common Name の代わりに、このフィールドを使って証明書が属するサーバを識別することができます。したがって、サーバ名を証明書に収める手段は、少なくとも Common Name、subjectAltName 拡張領域、netscape-ssl-server-name 拡張領域の 3 種類があります。一般に、netscape-ssl-server-name は標準ではないので、使用するべきではありません。代わりに、互換性を重視する場合は Common Name を使い、新しいシステム（クライアントとサーバ）の場合は subjectAltName を使います。

図 5.8
その他の Netscape 証明書の拡張領域

拡張領域	用途
netscape-base-url	証明書におけるすべての URL の基準。ほかの URL を簡略に記述できる
netscape-revocation-url	失効情報を取得できる URL へのポインタ
netscape-ca-revocation-url	CA 証明書の失効状態を確認するために使用される
netscape-cert-renewal-url	証明書の所有者が証明書の更新に使用する URL
netscape-ca-policy-url	証明書発行ポリシー（テキスト形式）
netscape-ssl-server-name	SSL サーバの名前
netscape-comment	ユーザ向けに表示するコメント

5.14 部分的な危殆化

　SSL のセキュリティは、使用する暗号スイートに全面的に依存します。暗号スイートには、電子署名アルゴリズム、鍵確立アルゴリズム、データの暗号化アルゴリズム、メッセージダイジェストアルゴリズムの 4 種類のアルゴリズムが含まれます。これらのアルゴリズムはどれでも組み合わせられるわけではなく、一般にそれぞれのアルゴリズムに複数の選択肢があり、どれを選ぶかによって強度が異なります。さらに、電子署名と鍵確立アルゴリズムに関しては、複数の鍵長を選ぶことが可能で、長さによってセキュリティレベルが変わります。1 つのアルゴリズムが破られても、それ以外がセキュリティを保っていることも珍しくありません。本節では、このような危殆化がシステム全体のセキュリティに与える影響について論じます。

　アルゴリズムの強度について語るときには、2 つの基準を重視する必要があります。まずは、そのアルゴリズムに対する最も知られた攻撃手法を基にしたアルゴリズムの強度を上限とします。この基準に照らすと、RC2-40、RC4-40、DES、512 ビット鍵を使う RSA、DH、DSS は、すでに危険なほど弱いことになります。つまり、それなりの労力を傾ければ、これらのアルゴリズムの鍵を破ることができます。

　もう 1 つは、アルゴリズムが将来のある時点で完全に破られる可能性を基準に評価する方法です。将来は、鍵長にかかわらず、ちょっとした手間で鍵をいくつでも破れるようになるかもしれません。この事態は、ほかのアルゴリズムで実際に起きてきたことです。SSL で使われる暗号の大半は、かなり広範囲の解析に耐えたものなので、それらのセキュリティ特性について十分に把握されていると一般には信じられています。それでもなお、アルゴリズムが壊滅的に破られる可能性は、最悪のシナリオとして残されています。

5.14.1　電子署名アルゴリズム

SSLでは、電子署名を3つの目的に使います。

1. 証明書を認証する
2. 一時的な鍵に署名する
3. クライアント認証用のCertificateVerifyメッセージに署名する

電子署名アルゴリズムが完全に破られると、それを利用する3つの処理がすべてアクティブ攻撃に対して無防備となります。これは、1つのサーバの秘密鍵が危殆化した場合よりも深刻な状況です。署名アルゴリズムが破られるのは、そのアルゴリズムを使って署名したすべての証明書が無防備となるに等しいからです。破られたアルゴリズムで署名された証明書を用いているSSLの接続は、アクティブ攻撃の標的となります。

アルゴリズムが部分的に破られる可能性もあります。この事態は、512ビット以下の鍵を使うRSAとDSSでは、ある意味ですでに発生しています。この種の鍵を破ることは、資金があり攻撃に専念できる攻撃者にとっては、現段階でも不可能ではないからです。このような危殆化による影響範囲は、どの鍵が危殆化されたかに依存します◇。

> ◇　使い方を誤ると、DSA鍵も危殆化する可能性があることに注意してください。DSAを計算するには、署名ごとに無作為な数値 k を生成する必要があります。この数値は秘密でなければなりません。この数値が暴かれたり、単に無作為に生成されなかったりすると、DSA鍵が完全に危殆化する恐れがあります。

CAの鍵が危殆化すると、そのCAを信頼しているすべての主体が丸ごと危殆化されます。CAが発行した証明書に対応する個々の秘密鍵はまだ安全ですが、攻撃者がアクティブ攻撃をしかけることができます。すなわち、適切なCAの鍵を持つ証明書を使って自分に署名するだけで、どのクライアントやサーバにも成りすますことができてしまうので、これは大きな問題です。

サーバの鍵が危殆化すると、サーバはアクティブ攻撃にさらされます。どのような事態になるかは、すでに本章で説明しました。

クライアントの鍵が危殆化すると、攻撃者はクライアントに成りすますことができます。これだけでは、攻撃者がクライアントの作成した接続を乗っ取ることはできません。しかし、クライアントに成りすまして、独自の接続とクライアント認証を開始することはできます。

5.14.2　鍵確立アルゴリズム

鍵確立アルゴリズムが完全に破られると、攻撃者はそのアルゴリズムで暗号化された接続のmaster_secretを復号できるので、「5.9 master_secretの危殆化」で説明した攻撃をしかけることができます。これと同様に、鍵確立における鍵が危殆化すると、攻撃

者はそのアルゴリズム（どんなに強力なものであっても）を使って確立された鍵を使うセッションのmaster_secretを復号し、それを利用した攻撃をしかけることができます。鍵が長期的な鍵の場合は、特定のサーバのすべての通信が危殆化されるので、特に深刻です。さまざまな鍵の危殆化の結果を図5.9に要約します。

図 5.9
秘密鍵の危殆化の影響の概要

鍵の種類	危殆化の影響
CA	攻撃者はCAを信頼するすべての主体に成りすまされる
鍵確立（長期的な鍵）	サーバへの通信が完全に危殆化する
サーバ認証（一時的な鍵）	Handshake時に、あらゆるセッションに対してアクティブ攻撃をしかけられる
鍵確立（一時的RSA）	この鍵を使って交換されるすべての通信が危殆化する（たいていは数百のコネクションに影響が及ぶ）
鍵確立（一時的DH）	この鍵を使って交換されるすべての通信が危殆化する（たいていは1つのコネクションのみ）
クライアントの署名鍵	このクライアントに成りすまされる

5.14.3　失効

▼Certificate Revocation List

　第1章で触れたとおり、秘密鍵が危殆化すると、一部のCAはCRL▼を発行します。このリストをチェックすると、証明書が取り消されたかどうかがわかります。ここで問題なのは、CRLをエンドユーザに渡す手段です。S/MIMEなどの一部のプロトコルは、CRLを証明書と一緒にメッセージに入れて渡すことができますが、SSLにはこの機能はありません。主体は、取り決めのない何らかの手段でCRLを入手しなければなりませんが、そういった手段がまったくないことも珍しくありません。そのため、鍵の危殆化はSSLにとってとりわけ深刻な問題です。

　GoldbergとWagnerの2人が、NetscapeのPRNGが弱いシードを使うことを証明すると（[Goldberg1996]）、このPRNGを使って秘密鍵を生成していたサーバは一斉に鍵の対を生成する必要に迫られました。CRLはあまり利用されていなかったので、弱い鍵に関連付けられた大量の証明書が、期限切れになるのを待つ以外にサービスを停止するうまい手立てがないまま放置されてしまいました。

5.14.4　暗号化アルゴリズム

　SSLにおいてアルゴリズムの強度が最も多様なのは、暗号化アルゴリズムです。SSLは、最も知られた攻撃に対して112ビットの効率的な鍵を利用する最強のアルゴリズムである3DESをサポートしています。またDESについては、ほかの公開された暗号と比べてはるかに解析が進んでいるため、3DESに対する効果的な攻撃方法が新たに見つかる可能性はなさそうです。一方、最弱のアルゴリズムは40ビットのRC4で、ハイエンドPC数台程度のリソースで破ることが可能です。

ここで、次のようなケースを例に考えてみましょう。攻撃者が通信路の一方の暗号化鍵(client_write_key とする)を破ることに成功しました。その鍵で暗号化された通信(クライアントからサーバへ送られる通信)をすべて読み取れるわけですが、攻撃の範囲はそのデータの機密性に限定されます。

client_write_key と server_write_key は、それぞれ master_secret から別々に生成されるので、client_write_key を入手しただけでは server_write_key を復元することはできません。同様に、暗号化鍵を基に master_secret を復元することも不可能です。master_secret は、それから生成された暗号化鍵よりもずっと大きく、master_secret と暗号化鍵の間には多対一の関係があるからです。

これと同様に、機密性とメッセージ完全性がそれぞれ独立して提供されます。攻撃者が暗号を破っても、受動的な覗き見しか実行できません。つまり、暗号化データを復号できるだけです。この情報を利用して通信を捏造することはできません。そうするには、MAC アルゴリズムを破らなければなりません。

再 Handshake をときおり実行すると、暗号化アルゴリズムが破られた場合の影響範囲を狭めることができます。新規の鍵交換を実行しなくても、乱数をリフレッシュするだけで新しい暗号化鍵が生成されるので、攻撃者はその鍵を攻撃しない限りこの新しい通信を読み取れなくなります。ブロック暗号を使うときは、CBC のロールオーバーを考慮して、2^{32} 程度のブロックごとに再 Handshake を実行することが重要です。再 Handshake 時に新規の鍵交換を実行しても、大した意味はありません。鍵交換アルゴリズムへの攻撃によって、たいていは鍵交換だけでなく秘密鍵全体が破られるからです。

5.14.5 ダイジェストアルゴリズム

ダイジェストアルゴリズムの危殆化は、複数の危険性を意味します。一般に、メッセージダイジェストは情報を壊す(メッセージの空間はダイジェストの空間よりも大きい)ので、ダイジェストからメッセージを解読するのは不可能です。ただし、特定のダイジェスト値を生成するメッセージを作ることは不可能とされていません。もっとも、現在利用されているダイジェストに関しては、その方法は知られていません。もしそういった方法があるなら、ダイジェストは完全に危殆化されるでしょう。

もし攻撃者が特定のダイジェスト値を生成するメッセージを作ることができたら、深刻な事態になるでしょう。これは、証明書の捏造が可能になるからです。有効な署名を持つ証明書を手本にして、それと同じダイジェスト値を生成する名前と公開鍵を選んで、新規の証明書を作ることが可能となります。

安全なダイジェストで署名された証明書が手元にはあるが、接続の両側では壊れたダイジェストが受け取られ、メッセージの保護に使われるとしたらどうでしょうか。必ずしもシステムが危殆化されるとは限りません。まず、SSL ではダイジェストのコンビネーション(SHA-1 と MD5 の両方)を使って Handshake を防護するので、攻撃者が Handshake をアクティブに攻撃するには両方のダイジェストを破る必要があります。そのため、メッセージの完全性が失われても、おそらくデータの機密性は保てるでしょう。

さらに、HMACは、基盤となるダイジェストがある程度危殆化されても影響を受けないと信じられているので（[Krawczyk1996]）、ダイジェストの部分的な危殆化はメッセージ完全性の問題にさえ発展しないかもしれません。例えば、ダイジェストの衝突はそのダイジェストに基づくHMACの弱点とはなりません。

もう1つのケースにも触れておくべきでしょう。DSS署名はSHA-1ダイジェストだけを使って計算されるので、SHA-1が破られると、DSSで署名された一時的な鍵の交換がアクティブ攻撃の標的となります。これは、攻撃者がServerKeyExchangeを捏造できるからです。アルゴリズムが破られた場合の影響について図5.10に要約します。

図 5.10
アルゴリズムの危殆化による影響の概要

アルゴリズム	危殆化の影響
すべてのダイジェストアルゴリズム	攻撃者はそのアルゴリズムを使うCAの証明書を捏造できる
SHA-1	攻撃者はDSAで保護されたものすべてにアクティブ攻撃ができる
すべての暗号化アルゴリズム	機密性が失われるが、完全性は保たれる

5.14.6　最弱のリンクの原則

SSLには、Handshakeをチェックしてman-in-the-middle攻撃による暗号のダウングレード攻撃を防止する機能がありますが、全面的な保護が約束されるわけではありません。すべてのセキュリティはmaster_secretに基盤を置くので、サポートする最弱の鍵確立メカニズムよりもSSLの実装が安全になることは決してありません。仮に、あるクライアントがRSAをサポートし、512ビットのRSA鍵で署名された証明書を受理するとしましょう。このクライアントはこれよりも長い鍵を持つ証明書も受理しますが、両者を区別しません。

512ビットのRSA鍵を破れる攻撃者は、このクライアントがそれよりも長い鍵のサポートを意図していても、クライアントが作成する接続を攻撃できます。クライアントは、弱い鍵を使ったHandshakeを受け入れてしまうからです。接続の一方が受け入れる鍵確立（または署名）アルゴリズムを破ることができるなら、man-in-the-middle攻撃をしかけることが可能です。クライアント認証を必須とした場合は、攻撃者はサーバが受け入れる署名も捏造できなければならないことに注意してください。

この懸念は、暗号化アルゴリズムには当てはまりません。鍵確立メカニズムが強い限り、攻撃者がHandshakeを攻撃して暗号化アルゴリズムをダウングレードする試みを、Handshake内の確認によって退けることができます。

5.15　既知の攻撃手法

SSLそのものに対する有効な攻撃は知られていませんが、特定のSSLの実装に対して効果のある攻撃はいくつか知られています。以降の節では、そういった攻撃手口の概要と必要な対策について説明します。

特に注意が必要なのは、タイミング暗号解析(timing cryptanalysis)とミリオンメッセージ攻撃(million message attack)です。タイミング暗号解析は、1996年、SSLv2がすでに広く普及し、SSLv3が発表された後で考案されました。ミリオンメッセージ攻撃は、SSLv3が広く普及し、TLSが発表された後で発見されました。どちらの攻撃も、稼働中のサーバに対して使われた例は知られていません。現実に効果があるのかも不明ですが、優れた実装を開発するには少なくとも両者の存在を念頭に置き、適切な対策を取るべきです。

5.16　タイミング暗号解析

1996年、Paul Kocherはある技法を発見し、それをタイミング暗号解析と名付けました。これは、暗号技術に関する操作が、利用する鍵やデータに完全に依存して操作時間(処理の時間)が変化することを観察する技法です。この手口は汎用の技法であり、実際にはターゲットの暗号システムに合わせて調整する必要があります。Kocherは、RSA、DH、DSSをターゲットとする攻撃例を論文に示しました([Kocher1996b])。

5.16.1　攻撃の概要

Kocherの論文は、公開鍵暗号化システムに対するタイミング攻撃に重点を置いて書かれています。タイミング攻撃(timing attack)をしかけるには、自分の秘密鍵を使って標的の時間を計測する必要があります。十分なサンプル数(1024ビットRSAの場合は2500件前後)が得られれば、鍵全体を破ることができます。攻撃の詳細については本書では説明しません。RSA、DH、DSSに対してタイミング攻撃をしかける方法がKocherの論文に書かれていることを知っておけば十分です。

当然、このような測定結果にはかなりのノイズが含まれます。システムのほかの活動によって、タイミングが干渉されるからです。Kocherは、計測結果からノイズを取り除く方法を示していますが、そのためにはより多くのサンプルが必要です。最大の効果を得るには、できる限りノイズの少ない状態で、目的とする操作の時間を正確に計測できなければなりません。

攻撃者にとって一番都合が良いのは、標的と同じマシンを使って時間を直接計ることです。そのような願ってもないチャンスはめったに訪れませんが、SSLのようなネットワークプロトコルでは、ネットワーク通信を観察することによってそれと同等の情報を攻撃者に漏洩してしまうことも珍しくありません。

5.16.2 適用の可能性

サーバの秘密鍵が、攻撃にとって最も価値のある鍵であることを思い出してください。これがタイミング暗号解析の標的となることがあるのかと問われれば、答えはイエスです。最初に挙げた長期的RSAのケースで考えてみましょう。ClientKeyExchangeメッセージを受け取ってからサーバがChangeCipherSpecメッセージを送信するまでに、主に3つの処理が実行されます。すなわち、pre_master_secretの復号、KDFによる鍵の生成、クライアントのFinishedメッセージの処理です。

鍵の生成からFinishedメッセージを検証するまでの時間はたいてい一定であり、もっと重要なことに、サーバの秘密鍵の処理にかかる時間がまちまちなので、十分な数のサンプルに基づいてそれをノイズとして取り除きます。ノイズを取り除くと、秘密鍵の処理に要する時間が見えてくるので、そこから得られた推測をサーバの秘密鍵の攻撃に利用できます。

一時的な鍵も同じように脆弱です。攻撃者が一時的な鍵の攻撃に十分な数のサンプルを集めることはできませんが、長期的な署名鍵の攻撃は可能です。サーバがClientHelloメッセージを受け取ってからServerKeyExchangeメッセージを送信するまでの時間は、ServerKeyExchangeメッセージに含まれる署名の計算に左右されます。DHを使用し、新しいDH鍵をセッションごとに作成する場合は、これが無作為なノイズの発生源となりますが、取り除くことは可能です。一時的RSAを使う場合はどのセッションにも同じ一時的な鍵を再利用するのが普通なので、このモードは特に脆弱となります。

この攻撃を実行するのに、攻撃者が積極的に活動する必要がないことに注意してください。攻撃者は標的のネットワーク接続を監視するだけで、必要な情報を手に入れることができます。攻撃者がアクティブ攻撃に打って出て、標的になる主体が復号する暗号文を選ぶことができるなら、もっと少ないサンプル数で攻撃を実行できます。タイミング攻撃を実行するには、攻撃者が標的のSSLの実装をかなり詳しく知っている必要がありますが、ソースをダウンロードするか（OpenSSLなどの場合）バイナリをリバースエンジニアリングすれば、簡単に調べはつきます。

悪意によるタイミング攻撃が稼働中のサーバに実行されたという報告はまだありません。いずれにせよ、いくつかのSSLの実装にはこの攻撃を困難にする対策が盛り込まれています。

5.16.3　対策

すぐに思いつく対策は、すべての処理を無作為な間隔でスローダウンすることです。しかし、これはパフォーマンスの面で受け入れがたい対策です。また、あまり効果もありません。正確に言えば、このノイズは無作為なため、十分なサンプルを集めて、初歩的な信号処理の技術を使えば、攻撃者はこのノイズを取り除くことができてしまうでしょう。

では、すべての処理に同じ時間がかかるようにするのはどうでしょうか。ハードウェアを使う場合は実行可能な対策ですが、ソフトウェアでは完全に実行するのは不可能です。これもまた、パフォーマンスにとって好ましい選択ではありません。

最もよく使われる方法は、目くらましです。署名(または暗号化)するデータを変換し、秘密鍵の処理が、攻撃者の知らないデータに対して行われているかのように見せかけます。その後で、データの目くらましを解除し、目くらましを使わない場合と同じデータを取り出します。

5.17　ミリオンメッセージ攻撃

1998年、Daniel Bleichenbacher は、のちにミリオンメッセージ攻撃と呼ばれることになる攻撃に関する論文を発表しました([Bleichenbacher1998])。この攻撃は、実際には PKCS #1 を使用する RSA をターゲットとしますが、RSA を使うすべてのバージョンの SSL がこの攻撃を受ける可能性があります。攻撃が成功すると、攻撃者は特定のセッションの pre_master_secret を復号できます。

まず、特定のセッションの暗号化された pre_master_secret が含まれる ClientKeyExchange メッセージを攻撃者がキャプチャしたとします。独自に複数の選択暗号文をサーバに送信することで、これが可能となります。つまり、複数のメッセージを生成し、それに対するサーバの応答を観察するのです。このメッセージから pre_master_secret を復号できます。

5.17.1　攻撃の概要

攻撃は次のように進められます。攻撃者は、暗号化された pre_master_secret と一連の整数 s からメッセージを生成し、次の計算を実行します。

$$c' = cs^e \bmod n$$

c は暗号化された pre_master_secret で、e は RSA の公開指数です。

次に、標的のサーバをオラクル（oracle：神託を告げるもの）として利用します。生成したメッセージを使ってサーバを探査し、その応答を調べるのです。攻撃者はこのサーバと Handshake を開始し、ClientKeyExchange メッセージに c' を入れて送信します。サーバは、c' の暗号化を復号して、新しいメッセージ m' を解読します。m' は、数学的に ms として表せます（m は元のメッセージ）。ただし、サーバは m' を送信しないので、この情報は直接には役に立ちません。しかし、m を攻撃する目的には使えます。

この攻撃のポイントは、m に関する情報を入手するために、標的のサーバをオラクルとして利用することです。これにより、m に関する正確なイメージを得ることができます。m' が PKCS #1 の書式に一致するかどうかに注目すればよいのです。PKCS #1 の先頭の 3 バイトは、0 と、ブロックタイプを示す数字です（第 1 章を参照）。公開鍵暗号化方式によって暗号化されたデータの書式が正しければ、この部分は 00 02 となります。一連の s のうち、およそ 2^{16} 個に 1 つが、正しい書式の m' になり得ます。TLS におけるパディングされた pre_master_secret を、バージョン番号を含めて図 5.11 に示します。

図 5.11
TLS 形式の
pre_master_secret

| 00 | 02 | 無作為な非ゼロのバイト列 | 00 | 03 | 01 | pre_master_secret の残り（46 バイト） |

この攻撃は、平文になるような PKCS #1 を生成する、一連の s の値を見つけることで進められます。これらの値は、元のメッセージ m の候補を、最終的に 1 つに特定されるまで絞り込んでいく作業に使われます。本書の趣旨から外れるので細かい手順の説明はしませんが、作業を完了するために、約 2^{20} 件のメッセージを要することだけは記憶の片隅に入れておいてください（これがおよそ 100 万に相当することから、この攻撃を「ミリオンメッセージ攻撃」といいます）。

5.17.2　適用の可能性

この攻撃は、メッセージの書式が正しいか正しくないかを攻撃者が判断できなければ不可能です。攻撃者にとって好都合なのは、この攻撃がまだ一般には知られていない時期に開発された実装があり、書式の不正なメッセージを受け取ると Alert を送信する（その後で接続を閉じる）ことです。おかげで、そういったサーバにミリオンメッセージ攻撃をしかけるのは非常に簡単です。

SSL で書式設定された pre_master_secret には、検証の可能な情報が 1 つではなく 3 つ含まれることに注意してください。PKCS #1 の書式を除いて、pre_master_secret は 48 バイトの長さでなければならず、先頭の 2 バイトはバージョン番号でなければなりません。無作為に選ばれたメッセージがこの 3 つの条件を満たす確率は 2^{-40} 以下なので、これらのエラーをすべて一律に退ける実装はこの方法による攻撃を受け付けないでしょう。

前の文章のポイントは「一律に」という言葉です。一部の実装は、このようなケースをすべて退けるものの、一律には扱わないことが経験により確かめられています。この種の実装は、この攻撃にまだ脆弱です。

この攻撃が稼働中のサーバに試みられた例は知られていませんが、Bleichenbacherは、自分のサーバに対して実験的に試行し、pre_master_secretを復号することに成功したと述べています([Bleichenbacher1999])。

5.17.3 対策

一番使われている対策(RFC 2246で推奨される対策)は、前記の3点を確認してもAlertを送信しないことです。エラーが検出された場合は、無作為なデータをpre_master_secretに埋め込み、Handshakeをいつもどおりに進めます。サーバは、クライアントのFinishedメッセージを受け取って、ゴミを復号するときにAlertを発しますが、これは、m'の書式設定は正しいがpre_master_secretが誤っている場合に見られる振る舞いと同じです。

pre_master_secretを定数に設定する方法はうまくいかないことに注意してください。攻撃者は、その値をpre_master_secretとして使い、Finishedメッセージが受け入れられるかどうかを確認できるからです。

これよりも安全な対策は、PKCS #1の代わりに、平文の破損にセンシティブな別のパディングアルゴリズムを使うことです。そうすれば、この攻撃で使われる探査用メッセージは完全性チェックでエラーになるので、自動的にすべて拒絶されます。この対策に最も多く利用されるのは、PKCS #1 バージョン2 [Kaliski1998a] に含まれるOAEP (Optimal Asymmetric Encryption Padding) [Bellare1995] です。残念なことに、このOAEPはPKCS #1 バージョン1のパディングと互換性がないので、この点はPCKS#1 バージョン2に移行する動機といえます。

5.18 小さな部分群攻撃

ある特殊な状況に限り、多数の鍵交換に使われる長期的DH鍵が危殆化する可能性があります。この攻撃は、一般に「小さな部分群攻撃(Small-Subgroup attack)」と呼ばれます([Lim1997])。

5.18.1 攻撃の概要

この攻撃は、DHのパフォーマンスを向上するための最適化の結果として現れるものです。DHの共有秘密が$ZZ = Y^X \bmod p$という式で計算されることを覚えているでしょう

か。Xが小さいほど計算は速くなります。しかし、小さすぎるXを選ぶとセキュリティが脅かされる恐れがありますが(生成したい最大の鍵の2倍程度をXとすることが推奨される)、1024ビット(pの標準的なサイズ)よりかなり小さいXでもまだ安全です。

ANSI X9.42標準[ANSI1998]では、$p = jq + 1$となるpを作ることを推奨しています(qは大きい素数)。これで、qより小さいXが選ばれます。位数qの群を生成する値がgとして選ばれなければなりません。

こういった状況において、攻撃者は、公開鍵を適切に選ぶことでXに関する情報を入手できます。自分のYを$Y \ll q$となるように選ぶのです。標的から自分宛にZZを送らせることに成功すれば、Xに関する情報が手に入ります。十分なサンプルが集まれば、すべてのXを復号できます。100回程度の試行で復号に至るでしょう。その後は、自分宛にZZを送る必要はありません。復号に成功したかどうかという情報が得られれば十分です。

▶ 5.18.2　適用の可能性

小さな部分群攻撃は、DH鍵を複数のトランザクションに使い、なおかつ小さい指数Xを使う非常に少数のシステムでしか問題になりません。実際には長期的DHはほとんど使われていないので、一時的DH鍵を複数のトランザクションに使う実装だけの問題です。小さなXを使う実装は、さらにその一部だけです。

▶ 5.18.3　対策

いろいろな対策があります。一番簡単なのは、トランザクションごとに新しい鍵を使うことです。PFSの確保という長所もあります。

長期的DH鍵を使わなければならない事情がある場合、対策はいくつもあります。一番簡単なのは、長い指数を選んで脆弱性を回避することです。$p - 1 = 2qj$(jはわずか数ビット)となるpを選び、秘密鍵のわずかなビットしか漏洩しないようにリスクを減らします。ほとんどの用途にはこれで十分です。特別なケースとして、$j = 1$となるときのpが「安全な指数」と呼ばれます。もっと複雑なcompatible cofactor exponentiationと呼ばれる技法もあります([Kaliski1998b])。

5.19 輸出方式へのダウングレード

512 ビットの RSA 鍵を因数分解できる攻撃者が、1024 ビットの RSA 鍵をサポートするクライアント/サーバが 512 ビットの一時的 RSA モードで通信するように強制することができます。本節で紹介する攻撃は、[Moeller1998] で説明されているものです。この攻撃を成功させるには、クライアントとサーバがどちらも輸出モードをサポートし、攻撃者がサーバの一時的 RSA 鍵を因数分解できることが必要です。

5.19.1 攻撃の概要

この攻撃を実行するには、攻撃者は中間者 (man-in-the-middle) として振る舞う必要があります (図 5.12)。クライアントの ClientHello メッセージを横取りし、輸出暗号以外の暗号スイートをすべて削除します。改竄した ClientHello メッセージをサーバに送信すると、サーバは輸出暗号を選び、一時的 RSA 鍵を ServerKeyExchange メッセージに入れて送信します。攻撃者は、この ServerKeyExchange を盗み見します。攻撃者はサーバの一時的 RSA 鍵を因数分解したので、master_secret メッセージを復号できます。次に新規の Finished メッセージを 2 つ捏造し、改竄した ClientHello を反映した 1 つをサーバに送信し、元の ClientHello メッセージを反映したもう 1 つをクライアントに送信します。Handshake が完了すると、攻撃者は通信を盗み見できます。master_secret が復号されたので、この接続は完全に危殆化されます。

5.19.2 適用の可能性

この攻撃を実行するには、クライアントとサーバが強い暗号スイートをサポートし、なおかつ輸出暗号スイートのネゴシエーションにも応じることが欠かせません。両者が強い暗号スイートしかサポートしない場合は、攻撃は不発に終わります。片方が輸出暗号スイートのみをサポートしている場合は、攻撃があってもなくても輸出アルゴリズムが取り決められるでしょう。また、攻撃者はサーバの一時的 RSA 鍵のライフタイムが終わる前に鍵を因数分解できなければなりません。したがって、一時的 RSA 鍵を頻繁に再生成するサーバは安全でしょう。しかしながら、因数分解の技術は日々進歩しているので、安全なライフタイムは短くなっています。

図 5.12
512ビット一時的RSA鍵へのダウングレード

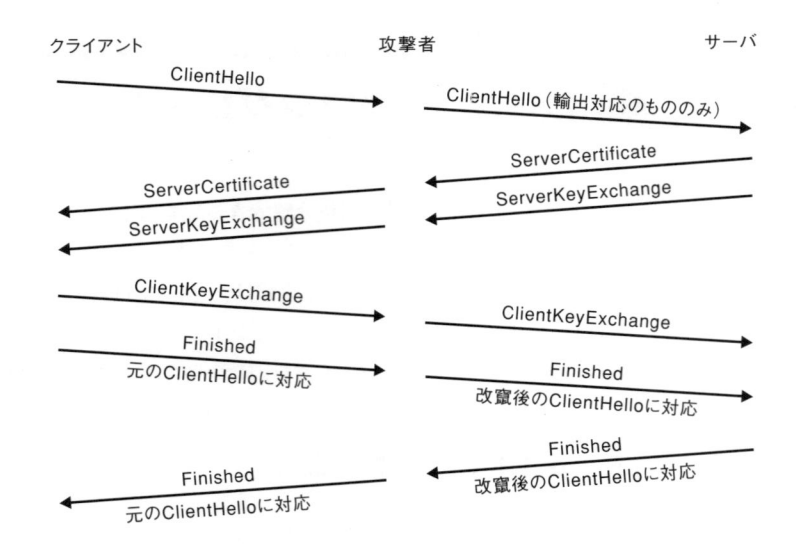

```
クライアント              攻撃者                 サーバ
    |---ClientHello--------->|                    |
    |                        |---ClientHello(輸出対応のもののみ)--->|
    |                        |<---ServerCertificate---|
    |<---ServerCertificate---|<---ServerKeyExchange---|
    |<---ServerKeyExchange---|
    |---ClientKeyExchange--->|
    |---Finished------------>|---ClientKeyExchange--->|
    |   元のClientHelloに対応  |---Finished------------>|
    |                        |   改竄後のClientHelloに対応
    |                        |<---Finished------------|
    |<---Finished------------|   改竄後のClientHelloに対応
    |   元のClientHelloに対応  |
```

5.19.3 対策

　最も安全な対策は、ServerKeyExchange メッセージまでの署名がもっと多くの Handshake（ClientHello を含む）をカバーするように修正することでしょう。そうすれば、クライアントは攻撃者が ClientHello メッセージを改竄したことを検出できます。この変更は、鍵交換アルゴリズムのダウングレードに基づく類似の攻撃に対しても SSL のセキュリティを高めることができます。

　ただし、プロトコルを変更しなくてもこの攻撃に対処できます。一時的 RSA 暗号スイートは、明らかに時代遅れです。これはすでに EXPORT_1024 暗号スイートに置き換えられており、現在では強い暗号スイートの輸出も許されています。したがって、古い実装との相互運用性を保つこと以外に、一時的 RSA 暗号スイートをサポートする理由はありません。

　ほとんどの場合、ユーザは強い暗号スイートのみをサポートするようにブラウザを設定しても問題はありません。ほぼすべてのサーバが 1024 ビットの RSA をサポートしているので、相互運用性の問題を招くことはないはずです。サーバ管理者は、一時的 RSA 鍵を頻繁に再作成し、存続期間中に因数分解できないようにすれば、SSL の実装を守ることができます。

5.19.4 類似の攻撃手口

　これと似た手口が［Schneier1996b］で紹介されています。クライアントが DH と RSA を両方ともサポートし、サーバが DH をサポートする場合、攻撃者は ServerHello を改竄し、サーバの一時的 DH 鍵を RSA 鍵だとクライアントに信じ込ませることができます。軽率なクライアントなら、DH で利用する素数 p を RSA の法、DH の基数を RSA 指数として解釈するでしょう。その結果の ClientKeyExchange から pre_master_secret

を復号するのは簡単です。

　この攻撃が成功を収めるのは、クライアントが相当に不注意だった場合です。まず、攻撃下のサーバは512ビットより長い数をDHの法として使う可能性が高いので、クライアントは法が512ビットを超えるようだったらHandshakeを中止すべきです。このチェックは、輸出規制を守るために、SSLでは義務付けられています。またクライアントは、サーバの公開鍵Yを格納するはずのServerKeyExchangeがそれよりも多くのデータを抱えている事実を見過ごしたことになります。この攻撃の教訓は、クライアントとサーバはすべてのプロトコル値を注意深く確認すべきである、ということです。

5.20　まとめ

　本章では、SSLにおけるセキュリティの特性について説明しました。安全にSSLを利用する一般的なガイドラインから説明をはじめ、そこからさまざまな潜在的な攻撃手法と、それにどう立ち向かうかについて詳細に解説しました。

- すべてはmaster_secretにかかっています。master_secretが危殆化すると、プロトコル全体が危殆化されます。master_secretを知る攻撃者は、通信を読み取り、メッセージを意のままに捏造できます。
- サーバの秘密鍵をしっかりと保護してください。通常のRSAモードと一時的DHモードでは、サーバの秘密鍵の危殆化はmaster_secretの危殆化につながります。一時的なモードを使っている場合でも、サーバの秘密鍵を手に入れた攻撃者は、サーバを装って通信をリアルタイムで攻撃できます。
- 質の高い無作為性が不可欠です。サーバとクライアントのどちらもセキュリティの高い乱数生成器を使っていない場合、プロトコルにもリスクが生じます。質の高い乱数は、秘密鍵のような長期の秘密情報を生成する際に特に重要です。
- 証明書を持つだけでは十分とはいえません。相手側の本人性に注意するなら、相手が有効な証明書を持つことだけでなく、その証明書が予期される本人性と一致するかどうかも確認しなければなりません。
- データを保護するために十分に良いアルゴリズムを利用してください。SSLは、多様な鍵長を持つ多様なアルゴリズムをサポートします。アルゴリズムを選択する際の目安は、それによって保護されるデータの価値が、そのアルゴリズムを破るのに必要なコストよりも確実に高いかどうかで判断できるでしょう。
- SSLに対する効果的な攻撃方法は知られていません。しかし、特定の実装への効果的な攻撃方法の存在は、いくつか知られています。これらは、注意深く開発された実装には通用しない攻撃です。

第6章
SSLのパフォーマンス

6.1 はじめに

本章ではSSLのパフォーマンスの特性を取り上げます。これまでの章と同じく、大きく2つの部分に分けて説明します。前半では、SSLの全般的なパフォーマンスの特性を紹介し、さまざまな環境下での各種モードのパフォーマンスを広範に検証します。後半ではネットワークトレースと概略的な実装を使い、前半で取り上げた内容の詳細を時系列で正確に示します。

6.2 SSLは遅い

SSLに対するサーバ管理者の不満で最も多いのは、SSLが遅いというものです。これは、ある意味でもっともな批判です。SSLの接続は、使用しているプロトコル、サーバのハードウェア、ネットワークの環境に応じて、一般的なTCPの接続よりも2倍から100倍程度遅くなる可能性があります。

実行時におけるこのコストは、運用コストの増加に直結します。インターネットサーバには、安全でないプロトコルが使われていても高い負荷がかかります。セキュリティプロトコルにおける計算負荷が高いと、サービスの質を同等に維持するためには、必然的により多くのサーバマシンを購入して運用しなければなりません。1台のサーバマシンでオリジナルのサービスを運用している場合、このような移行は特に困難です。セキュリティ上の理由から複数のマシンを運用すれば、それまで必要がなかったサーバ間でのデータ共有の調整が必要になる可能性もあります。

残念ながら、パフォーマンスがいくぶん低下することはまず避けられません。暗号技術に関する処理は計算コストが高く、ネットワークへ単純にデータを送信するのと、暗号化してから送信するのとでは、大きな差があります。しかし、システムの構成と設定を慎重に行えば、たいていの場合、SSLのパフォーマンスに与える影響を最小限にくいとどめることは可能です。

6.3 パフォーマンスに関する原則

SSLのパフォーマンスについて話す前に、まずネットワークプロトコルを中心にして、システムパフォーマンスの一般的な原則をいくつか述べておきましょう。これは、SSLがさまざまな部分でプロトコルのパフォーマンス全体に与える影響を理解する際、背景知識になります。

6.3.1 Amdahlの法則

パフォーマンスチューニングの最も基本的な原則は、Amdahlの法則です（[Hennessey1996]）。大ざっぱに言うと、最適化によって得られる高速化は、（その高速化による改善）×（高速化されたコードの処理に費やされていたCPU時間の全体に占める割合）に等しいというものです（図6.1）。

図6.1 Amdahlの法則

$$\text{Speedup}_{overall} = \frac{\text{Execution time}_{old}}{\text{Execution time}_{new}} = \frac{1}{(1 - \text{Fraction}_{enhanced}) + \dfrac{\text{Fraction}_{enhanced}}{\text{Speedup}_{enhanced}}}$$

$\text{Speedup}_{overall}$ ：最適化後の全体的な高速化の割合
$\text{Execution time}_{old}$ ：最適化前の実行時間
$\text{Execution time}_{new}$ ：最適化後の実行時間
$\text{Fraction}_{enhanced}$ ：改善した部分がCPU時間に対して占めていた割合
$\text{Speedup}_{enhanced}$ ：改善した部分の高速化の割合

したがって、システムのどの部分に最も多く時間が費やされているかを判断することが、きわめて重要になります。それが最適化に向けた第一の重要な目標を示してくれるからです。どこに時間が割かれているかがわかれば、戦略は明確になります。もっと速く動くようにするか、使用頻度を下げることで、システムのその部分のパフォーマンスを改善すればよいわけです。

当然の帰結として、出現頻度が高くない演算は、どんなにコストが高くても高速化する価値のないことが明白になります。ネットワークプロトコルの場合は、あらゆるトランザクションやプロトコルメッセージにおける演算を主な対象にすることになります。たとえ数百のトランザクションに匹敵する演算であっても、システムのスタートアップとシャットダウンに消費される時間は無視します。サーバの稼働時間全体と比較すると、大したことはないからです。

6.3.2　90/10 の法則

　Amdahl の法則は、システムの各部分が消費する時間が等しい場合、あまり役に立ちません。このようなシステムに何らかの改善を施すためには、システムの重要な部分を最適化する必要があります。ただし、このようなシステムはめったにありません。むしろ、システムの時間の大半は、一部の限られた処理に費やされています。

　90/10 の法則とは、プログラムの実行時間の 90% はコード全体の 10% の部分を処理するのに費やされる、という経験則です。90/10 の法則と Amdahl の法則とを組み合わせると、システムの 10% に相当する部分を最適化すれば、パフォーマンスに大きく貢献するということがわかります。逆に、残りの 90% に注目してもほとんど役に立ちません。

　この 10% に当てはまるのが、ボトルネックと呼ばれる部分です。ボトルネックが発生するのは、システムが多数の異なる処理を行っていて、そのどれもがある一点（ある処理）を通過しなければならない場合です。ある一点の手前が混雑し、そこを過ぎると流れが良くなる場合は、ボトルネックを疑ってください。

6.3.3　I/O のコスト

　プログラムのパフォーマンスチューニングは、通常、プロファイラ（プログラムのある部分が消費している CPU 時間を決定するソフトウェア）と計測機能を備えたソフトウェアの助けを借りて行います。そのため、コードをチューニングする人は CPU を大量に消費するコード部分を特定することができます。一般に入力/出力（I/O：Input/Output）を処理するシステム（特にネットワークプロトコルを処理するシステム）については、チューニングに際して別の観点が加わります。それが I/O のコストです。I/O のコストは、CPU のコストに対してバランスが取れていなければなりません。

　2 台のコンピュータ間で、ネットワーク越しにファイルを転送する場合を考えてみましょう。ほとんどの場合、このトランザクションのパフォーマンスが制限されるのは、プログラムの送受信によって各マシンの CPU に生じる負荷ではなく、2 台のマシン間をつなぐネットワークのパフォーマンスが原因です。

　10 メガバイトのファイルを毎秒 28.8k ビット（28.8kbps）の通信路で送信すると、約 3000 秒を要します。両端のマシンが処理能力の最低標準を満たしている（市販のマシンであれば基本的に問題ありません）と仮定すれば、通信路の速度によって速度が制限されるため、転送速度は一定です。この場合は、転送時間を減らすために、送信前（または送信中）に CPU のパワーを割いてデータを圧縮する価値があるかもしれません。ほとんどのマシンは、28.8kbps よりはるかに高速にデータを圧縮することが可能です。

　本書の執筆に使っているラップトップでは、ほぼ 1Mbps で圧縮が可能です。一般的なテキストファイルなら 2 分の 1 から 4 分の 1 に圧縮できるので、暗号化しながら圧縮することで転送時間を 750〜1500 秒に減らし、実質的なデータ転送速度を約 100kbps に上げることができます。これは、かなりの改善です。ただし、ネットワークは依然としてボトルネックであることに注意してください。ネットワークを通して転送するのにか

る時間より、マシンでデータを圧縮するのにかかる時間の方がずっと短いのです。実際、圧縮はかなり高速なので、市販のほぼすべてのモデムは転送時にデータを自動的に圧縮できます。

　次に、この2台のマシンがFast Ethernetで接続されている場合を考えてみましょう。つまり、ほぼ100Mbpsでの送信が可能な場合です。これなら、同じファイルを約1秒で送信できます。ただし、送信前のファイル圧縮には約10秒を要します。この場合は、ボトルネックがネットワークではなくCPUにあるため、圧縮を行うことで状況が悪くなってしまっています。

　このようにI/Oの帯域幅とCPU処理能力とは、トレードオフになりかねません。システムに最適な設計と構成は、利用可能なCPU処理能力とI/Oの帯域幅という相対的な量に依存します。システムをさまざまな環境に配置している場合は、どちらを選ぶかを決める前に、I/OとCPUがどれくらい利用できるかを見積もるとよいでしょう。

6.3.4　遅延 vs. スループット

「テープでいっぱいのステーションワゴンの帯域幅を過小評価するなかれ」
("Never underestimate the bandwidth of a station wagon full of tapes.")

— Dr. Warren Jackson

　前節で述べたデータ転送の問題を思い出してください。今回は、もっと大きな100メガバイトのファイルを考えてみましょう。圧縮した場合、28.8kbpsの通信路での送信に約3時間を要します。ファイルがこのように大きい場合は、テープに書き込んで（約10分で終わります）、相手のマシンまで運ぶ（または郵送する）ほうが効率的かもしれません。

　郵送した場合は、ファイルを相手のマシンに届けるのに2日〜5日かかります。これは、3時間と比べて優れているとは思えませんが、送らなければならないファイルがたくさんある場合はどうでしょうか。モデム経由で送る場合は、1日に約8ファイルしか送信できません。郵送なら、テープへのコピーにかかる時間だけで送ることができます。つまり、1日に約100ファイルです。最初のファイルは数日間待たなければ届きませんが、最終的には確実に（そして速く）届きます。

　この例は、遅延とスループットの違いを表しています。遅延とは、所定のトランザクションを始めから終わりまで処理するのに要する時間のことです。一方、スループットとは、一定の時間に維持できるトランザクションの総数のことです。想像が付くとおり、この2つが相関しているとは限りません。

　この違いをもっと明らかにするため、郵送する代わりにテープを宅配便で送ったとしましょう。この場合、遅延は一晩に短縮されますが、スループットには何の効果もありません。一方、テープに書き込むために別のマシンを買った場合は、遅延に影響を与えずにスループットを増やすことができます。

　スループットと遅延の例は、ちょっと考えればこのほかにいくつでも思い浮かぶでしょう。図6.2にいくつかの例を示します。

図6.2
遅延/スループットの
バリエーション

	短い遅延	長い遅延
低スループット	モデム	ポケットベル
高スループット	LAN	衛星通信

6.3.5 サーバ vs. クライアント

　ネットワークシステムには、多数のクライアントと少数のサーバがあるのが普通です。このようなシステムでは、一般にクライアント側が低速になると遅延が増え、サーバ側が低速になると遅延が増えてスループットが低下します。

　ネットワークファイル転送の先ほどの例をちょっと変えてみましょう。多数のクライアントを擁した1台のサーバがあるとします。サーバはT1インターネット接続（約1.5Mbpsで送受信が可能）で、各クライアントは28.8kbpsのモデムによりサーバと通信しています。このような環境では、サーバはネットワーク接続をフルに使って約50台のクライアントを一度に処理することができます。前述のとおり、1メガバイトのファイルを届けるのに約300秒を要します。それゆえ、スループットはほぼ1.5Mbps、遅延は300秒です。

　次に、クライアントの数を倍にしてみましょう。サーバはすべてのクライアントに等しくサービスを提供しようとするので、扱えるデータは先ほどの半分になります。つまり、遅延は600秒に倍増します。ただし、各クライアントにサービスする時間は2倍になりますが、同じ時間にサービスできるクライアントの数も2倍になるので、スループットに影響はありません。

　次に、各クライアントのネットワーク接続の速度を14.4kbpsに半減させてみましょう。この場合も遅延は600秒に倍増しますが、この速度ではサービス可能なクライアントも倍増するので、スループットに影響はありません。

　最後に、サーバのインターネット接続の速度が半減した影響を考えてみましょう。クライアントの数が変わらない場合は、先ほどの例の半分の速度でしかサービスできないので、遅延は倍増し、スループットは半減します。ボトルネックがI/OではなくてCPUの場合でも、この種の影響は同じように当てはまります。クライアントが低速なら、ほかのクライアントが利用できるサーバリソースが残ります。サーバが低速なら、システム全体が低速になります。

　サーバに不足しがちなリソースはCPUと帯域幅だけではないことに注意してください。クライアントはそれぞれサーバリソース、特にメモリを消費するので、クライアントの数が実際に増えると、CPUと帯域幅に余裕がある場合でもサーバが過負荷になる恐れがあります。

6.4 暗号技術に関する処理は高コスト

本章の最初の節では、SSLが遅いことを示しました。それに続いて、パフォーマンスに影響する要因を理解するのに必要な概念を紹介しました。ここでは、パフォーマンスに関する基礎知識をSSLに当てはめてみましょう。最初の節で述べたとおり、SSLが遅い最大の原因は暗号技術に関する処理にあります。特に、公開鍵暗号化方式における暗号技術に関する処理には大きな数値の処理が必要であり、CPUを酷使します。

gprof(1)を使用してOpenSSLをプロファイリングしてみれば、これがよくわかります。TLS_RSA_WITH_3DES_EDE_CBC_SHAを使用した簡単なSSLの接続を考えてみましょう。クライアントとサーバのどちらでも、時間の大部分は暗号技術に関する処理に費やされます。実際には、1つの操作、つまりRSA暗号の復号が時間の大半を占めます。

SSLの接続における2つのフェーズ、つまりHandshakeとデータ転送は、分けて考えるほうがよさそうです。Handshakeは接続ごとに1回しか起こりませんが、比較的高コストです。個々のデータレコードはそれほど高コストではありませんが、大量のデータが絡む接続の場合は、結果的にデータ転送フェーズのコストがHandshakeのコストを上回ります。データ転送のコストも、やはり暗号技術に関する処理が大半を占めています。

Handshakeのコストはクライアントとサーバとで少し異なりますが、データ転送フェーズのコストはどちらも同等です。そこで、本節の残りでは、クライアントとサーバのHandshakeのコストを説明してから、データ転送フェーズのコストを説明します。

6.4.1 サーバのHandshake

Handshakeにかかるサーバ側のパフォーマンスの特徴は、かなり単純です。CPU時間の半分以上が1つの処理、つまりpre_master_secretからのRSAの秘密鍵の復号に費やされます。残りのわずかな処理は、master_secretの計算と、pre_master_secretからの鍵スケジュール◆監訳注1です。

6.4.2 クライアントのHandshake

クライアントの状況はそれほど単純ではありません。クライアント側の処理は、サーバ側の処理よりもはるかに高速です。そのため、たいていの場合、クライアントはサーバメッセージを待つのに大半の時間を費やすことになります。

この遅延を除外して考えると、最もコストがかかる処理は、サーバの証明書の検証とpre_master_secretの暗号技術に関する処理の2つです。どちらにもRSAの処理が含ま

◆1. 指定された暗号化アルゴリズム用の鍵拡張などの前処理のことを指します。

れますが、これらは公開鍵の処理なので、サーバが行う秘密鍵の処理よりもはるかに高速なのが一般的です。結果的に、クライアントの主な計算負荷は2つに絞られます。RSA関連の計算と、サーバの証明書のASN.1をデコードする処理です。

6.4.3　ボトルネック

　この場合はシステム全体のパフォーマンスがサーバのパフォーマンスの限界により決まってしまうのが明らかです。ただし、クライアント認証を使用していれば状況は少し変わります。その場合は、事実上サーバが行うのに匹敵するRSAの秘密鍵処理をクライアントが行い、これがクライアントにおける実行時のコストを決定付けます。サーバ側でそれ以上のコストが生じることはほとんどありません。

　また、このような役割分担は実際にはRSAにしか当てはまらないということも特筆に値します。DSA処理では、これよりもはるかにクライアントとサーバが対称的です。DHE/DSS暗号スイートを使用している場合も、同様に、計算にかかる負荷はクライアントとサーバで対称的です。

　ただし、実際に稼働しているほとんどのシステムでは、依然としてサーバがボトルネックになります。まず、クライアント認証とDH/DSSが使用されていることは稀です。もっと重要なのは、前述のとおり、サーバには多数のクライアントがアクセスする一方、クライアントで開かれている接続の数は少数だということです。そのため、非常に高速なサーバであっても、クライアントの速度を下回るほどの速度低下を引き起こす負荷が簡単に発生してしまいます。

6.4.4　データ転送

　データ転送フェーズには、レコードの暗号化とレコードのMACという、暗号技術に関する2種類の処理が関連しています。データ転送では、これらの処理がコストの大半を占めます。選択したアルゴリズムや実装の詳細によって、これらの処理が相対的にどの程度重要かが異なります。高速な暗号化アルゴリズム（RC4など）を選択した場合は、HMACがコストを左右します。3DESなどの低速な暗号化アルゴリズムの場合は、暗号化とMACの処理がコストを均等に分け合います。また、レコードの構築と解釈にかなりの時間が費やされます。

6.5 セッション再開

　前節で述べたとおり、SSL Handshake でのパフォーマンス上のボトルネックは、Handshake における公開鍵の暗号技術に関する処理です。このような処理のほとんどは、セッション鍵の交換に関係しています。直接的な関係が明白なのは、master_secret の暗号化と復号です。しかしながら、鍵交換に使用するために、サーバの証明書を検証する必要があります。

　このことから、これらの処理をやめれば Handshake が劇的に速くなるという結論が導かれます。第 4 章で述べたとおり、セッション再開を使えばよいのです。セッション再開では前回の接続の master_secret を使用するので、コストの高い公開鍵の計算を省略できます。

　想像どおり、これによって劇的なパフォーマンスの向上が得られます。512 ビットの RSA 鍵を使用した筆者のテスト環境では、Handshake のパフォーマンスはほぼ 20 倍向上しました。鍵が大きくなればさらに改善が見込まれます。もっと重要なのは、このパフォーマンス向上が、ほぼ例外なくサーバ上での負荷が減った結果だということです。そのため、セッション再開を行う環境では、ほとんどの場合スループットにも同様の向上が期待できます。

　なお、セッション再開によってパフォーマンスが大幅に向上することは明らかですが、あらゆる場面に当てはまるわけではありません。実際には、適切な数のクライアントが適切な期間内に再接続した場合にしか大幅な向上は見込めません。

6.5.1　セッション再開のコスト

　セッション再開のコストは、ほとんどすべてサーバに起因します。前述のとおり、クライアントにとっては接続先であるサーバが非常に少数なので、キャッシュを維持するコストは取るに足りません。一方、サーバは多数のクライアント用にキャッシュエントリを保持しなければならないので、それに応じて負荷も大きくなります。

　セッション再開では主に 2 つのリソースを消費します。再開可能なセッションを保持するためのメモリと、キャッシュを調べるための CPU 時間です。そのため、再開が頻繁に発生する環境ではリソースが効率的に消費されますが、セッションが再開されることがない環境では単なる無駄遣いになってしまいます。

　再開可能なセッションの状態を保持するためには、セッションキャッシュ内に 50 ～ 100 バイト程度の空きが必要です。個々のセッションを考えれば大した量ではありませんが、1 分間に数百のトランザクションを処理するサーバでは、1 時間で数メガバイトのデータにもなりかねません。そのため、再開に利点がある場合でも、キャッシュのサイズを制限し、エントリをかなり頻繁にタイムアウトにするのが得策です。

キャッシュへのアクセスにも時間はかかります。これに伴う問題点は、複数の作業スレッドやプロセス間でキャッシュを共有しなければならないことです。つまり、キャッシュをロックし、読み取ってから、アンロックしなければなりません。ロックとアンロックはかなりコストの高い処理です。多くの UNIX サーバのようにプロセス間でキャッシュを共有しなければならない場合は、キャッシュに対する読み取りと書き込みのたびに、必ずカーネルでのコンテキストスイッチ(context switch)が必要になります。これではさらにコストが高くなります。前述のとおり、キャッシュエントリが再開される場合にはこの時間は無視できる程度ですが、セッションが再開されることがない場合、消費される CPU 時間は不要なオーバヘッドにすぎません。

ここでわかることは、クライアントにおいてはセッション再開は確実にメリットをもたらすということです。一方サーバでは、かなりの短期間に多数の反復処理を行う場合でなければメリットがありません。またそのような場合でも、Handshake を再開する最小限のコストを負担するより、むしろ接続が開いたままになるようにプロトコルを変換できないかどうか検討してみるべきです。

6.6　Handshake のアルゴリズムと鍵選択

「6.4 暗号技術に関する処理は高コスト」で述べたとおり、SSL の接続におけるパフォーマンス特性は、使用しているアルゴリズムに大きく依存します。Handshake の段階では、クライアントとサーバの負荷が変わるだけでなく、Handshake のコストに大きく影響する恐れもあります。

6.6.1　RSA vs. DSA

SSL のシステムを配備する際に署名アルゴリズムを選択する場合、たいていは知的財産権や互換性の問題に左右されます。ただし、パフォーマンスが最大の懸念である場合は、DH/DSS よりも RSA を選ぶのが賢明です。一般に RSA は、検証に関しては DSA よりはるかに高速であり、署名に関しては同等です(図 6.3)。ただし、このコストを支払うのは主にクライアントなので、遅延に影響はあってもスループットには影響しません。

図 6.3
電子署名のパフォーマンス(Pentium II 400/ OpenSSL)

アルゴリズム	鍵長	署名回数/秒	検証回数/秒
RSA	512	342	3287
DSA	512	331	273
RSA	1024	62	1078
DSA	1024	112	94
RSA	2048	10	320
DSA	2048	34	27

もっとも、DSAの暗号スイートは、ほぼ必ず一時的モードで実行されます。そのため、どちらの側にも、一時的DH鍵の生成、署名、検証という余分な作業を強いられることになります。これによりスループットが劇的に低下します。実際には、DSAの暗号スイートは同等の強度を持ったRSAの暗号スイートより2倍から10倍は遅くなるのが普通です。

6.6.2 高速か強度かの選択

公開鍵暗号化アルゴリズムのパフォーマンスは、鍵長に応じて急激に悪化します。1024ビットのRSAは、512ビットのRSAに比べて、およそ4倍低速です。同様に、DSAのパフォーマンスも鍵が長いほど悪化します。そのため、秘密鍵の長さを決めるときは、セキュリティを取るか、Handshakeのパフォーマンスを取るかの二者択一になります。第1章で述べたとおり、512ビットでは貴重なデータには短すぎます。一方、768ビットの鍵なら、おそらくほとんどの商用のトランザクションにとって十分に強力で、1024ビットの鍵よりもはるかに高速です。

6.6.3 一時的RSA

512ビット以上の強力な鍵と、輸出可能な暗号を使用したRSAを使う場合、標準では512ビットの一時的RSA鍵を使用するように定められています。要するに、どちらの側にも512ビットのRSAの処理が1つ加わるわけです(クライアント側には公開鍵の処理、サーバ側には秘密鍵の処理)。そのため、スループットと遅延に悪影響が生じます。

なお、一時的RSAを使用しない場合、どちらの側も行っていたはずの処理をすべて実行しなければなりません。これらの処理が遅くなればなるほど、一時的RSAを使用した場合の影響は小さくなります。1024ビット鍵の場合は、10%～25%の速度低下が予想されます。ただし、これはセキュリティとパフォーマンスのトレードオフではありません。512ビットの一時的RSAは、1024ビットの長期的RSAより弱い上、低速です。512ビットの鍵は1024ビットの鍵よりはるかに脆弱で、多くのトランザクションに同じ512ビット鍵を使用するため、PFSの補強にはなりません。

6.7 バルクデータの転送

6.7.1 アルゴリズムの選択

　暗号技術に関する処理ではレコードの処理に多大な時間を消費することを思い出してください。当然、MACと暗号化アルゴリズムの選択は、システムのパフォーマンスに影響します。要するに、最高速度を求めるならRC4、最大限のセキュリティを求めるなら3DESを使用します。RC4は、3DESよりも約10倍高速です。MD5は徐々に消えつつあるので、ダイジェストの選択にはあまり柔軟性がありません。SHA-1は、たいていの場合は十分に高速なので、一般には優れた選択です。最近のシステムでは、RC4とSHA-1の組み合わせは大半のネットワークを飽和状態にするほど高速です。

6.7.2 最適なレコードサイズ

　レコード構築の大半は、送信するデータのサイズには無関係です。暗号技術に関するアルゴリズムとネットワークへの送信の両方に起因して、かなりの量の固定的なオーバヘッドがあります。その結果、小さなレコードでデータを送信すると、パフォーマンスが悪化します。レコードのサイズを大きくすると、あるポイントまではパフォーマンスが向上します。筆者のテストシステムでは、このポイントは1024バイト前後のようでした。このポイントを超えると、大きなブロックを使用する効果は減少します。バルクデータを転送する場合は、かなり大きなレコードを暗号化できるようになるまでバッファに格納します。

6.8 SSLのパフォーマンスに関する基本方針

- 公開鍵暗号化アルゴリズムの選択では、RSAを使用しましょう。
- 秘密鍵のサイズは、安全だと思える最短の秘密鍵を使用しましょう。768ビットならほとんどの用途に十分です。
- 共通鍵暗号化アルゴリズムの選択では、最高のパフォーマンスを求めるならRC4、最高のセキュリティを求めるなら3DESを使用しましょう。輸出バージョンでは、パフォーマンスが向上しないままセキュリティのレベルが低くなります。
- ダイジェストアルゴリズムの選択では、MD5で改善されるパフォーマンスはSHA-1に比べて約40%です。ほとんどの場合はSHA-1で十分に高速です。セキュリティを考えるとSHA-1にこだわるべきです。

- セッション再開は、クライアントでは必ず使用すべきです。サーバでは、クライアントが5〜10分以内に再接続する場合に限って使用しましょう。
- レコードサイズに関しては、できるだけ大きな塊でデータを送信しましょう。

6.9 ここまでのまとめ

　優れたパフォーマンスを実現するための一般原則は、実行する処理を可能な限り少なくすることです。つまり、時間を要する処理の数を最低限にして、それらをできるだけ速く実行することです。前述のとおり、SSLで時間を要する処理は、そのほとんどが暗号技術に関する処理です。セッション再開を利用すると、このような処理を大幅に減らすことができ、適切なアルゴリズムを選択すれば実行が必要な処理の数を最低限にすることができます。

　本章では、ここまでサーバやクライアントの管理者向けに、SSLから優れたパフォーマンスを引き出すための情報を紹介してきました。ここからはプログラマを対象にして、SSLのパフォーマンス特性を詳細に説明します。これまでに紹介した方法をさらに詳細に解説するほか、SSLとTCPの相互作用に関するヒントもいくつか示します。

6.10 Handshakeの時間配分

　ここからは、さまざまなSSLのHandshakeについて詳しく紹介します。ここで紹介するデータは、OpenSSL 0.9.4で計測して、各Handshakeメッセージの生成や処理に要した時間を記録したものです。

6.10.1 テスト環境

　テストシステムは、300MHzのPentiumにインストールしたFreeBSDです。クライアントとサーバのプログラムは、修正を施したOpenSSLのs_clientとs_serverというプログラムです。クライアントとサーバはどちらも同じシステム上で動いているので、ネットワークの遅延は問題になりません。なおこの計測では、ネットワークメッセージの実際の送受信やプロセス間のコンテキストスイッチに要した時間は測定していません。

6.10.2 並列処理

第3章と第4章で述べたとおり、SSL メッセージの順序は、仕様できちんと規定されています。さらに、ある特定の時点でサーバはクライアントメッセージを待機し、クライアントはサーバメッセージを待機しなければなりません。OpenSSL では、パフォーマンスを改善するためにネットワークへの出力がバッファリングされます。最近の OS では、ネットワーク I/O はカーネルへ入るのにコンテキストスイッチを要求します。この処理は高コストなので、たいていの場合は多くのメッセージを生成して一度に送信するほうが低コストになります。従来のバッファリングの方法は、固定サイズのバッファを用意して、バッファが一杯になったらデータを送信するというものです。SSL ではまた、最後のメッセージを送信したら、応答を待つ前にバッファをフラッシュする必要もあります。そうしないと、実装でデッドロックが発生してしまいます。

図 6.4 は RSA を使う場合の Handshake で(第3章で示したものと同じです)、上記のような振る舞いを示しているのがわかります。ServerHello メッセージ、Certificate メッセージ、ServerHelloDone メッセージはどれも同じタイムスタンプになっています。つまり、ネットワークに同時に送信されたということです。同様に、クライアントの ClientKeyExchange メッセージと ChangeCipherSpec メッセージも同時に送信されています。

図 6.4
SSL Handshake メッセージのバッファリング

```
New TCP connection: speedy(3266) <-> romeo(4433)
 1 0.0456 (0.0456) C>S Handshake ClientHello
 2 0.0461 (0.0004) S>C Handshake ServerHello
 3 0.0461 (0.0000) S>C Handshake Certificate
 4 0.0461 (0.0000) S>C Handshake ServerHelloDone
 5 0.2766 (0.2304) C>S Handshake ClientKeyExchange
 6 0.2766 (0.0000) C>S ChangeCipherSpec
 7 0.2766 (0.0000) C>S Handshake Finished
 8 0.2810 (0.0044) S>C ChangeCipherSpec
 9 0.2810 (0.0000) S>C Handshake Finished
10 1.0560 (0.7749) C>S application_data
11 6.3681 (5.3121) S>C application_data
12 7.3495 (0.9813) C>S Alert
Client FIN
Server FIN
```

しかしながら、このようにメッセージをバッファに格納すると、一方の側がすでに送信して出力バッファにまだ格納されているメッセージを、もう一方の側が待たなければならない可能性があります。そのため、クライアントとサーバでの処理は、Handshake メッセージでバッファが完全に一杯になっているかどうかに応じて、時にはシーケンシャルに行われ、時にはパラレルに行われます。バッファが一杯になると、メッセージは即座に送信され、相手側のホストが生成中の次のメッセージと一緒に、並列にそのメッセージを処理できるようになります。バッファが一杯になっていない場合、メッセージは送信側が応答を待つのをやめたときに送信されます。その場合、メッセージはシーケンシャルに処理されます。

このトレースの生成に使っている OpenSSL では、すべての Handshake メッセージが

連続して処理されるように、バッファサイズを 1024 から 4096 バイトに増やしてあります。そのため、Handshake トレースの読み取りがずっと簡単になり、コンテキストスイッチの影響を受けない CPU 時間を示すことができます。1024 バイトというバッファサイズは、OpenSSL では任意に決めることができます。バッファリングをまったく使用しない実装もあります。

この種のバッファリングでは、遅延が改善される場合もあれば、環境によっては悪化する場合もあります。これについては、「6.23 Nagle アルゴリズム」で説明します。

6.11 通常の RSA モード

最初に取り上げるのは、RSA によるサーバ認証を利用するモードです。図 6.5 に、さまざまなメッセージを処理するための時間配分を示します。クライアントの処理にかかる時間が左側の列で、サーバ処理にかかる時間が右側の列です。1 つの処理の測定値を示すためにインデントを使用してあります。時間はすべてミリ秒(ms)単位です。つまり、サーバ証明書の読み取りに消費された時間は、8.11ms です。これには 3 回の検証が含まれ、それぞれ約 2ms を要しています。

一般に、RSA には 2 種類の処理があります。「秘密鍵の処理(電子署名と秘密鍵による復号)」と、「公開鍵の処理(署名の検証と公開鍵による暗号化)」です。この場合、両者の区別は重要です。秘密鍵の処理は、公開鍵の処理よりもはるかに低速だからです。さらに、所定の鍵長で行われる秘密鍵の処理はすべて必ず同じ時間を要し、所定の鍵長で行われる公開鍵の処理もすべて同じ時間を要します。RSA の説明では、「秘密鍵の処理」と「公開鍵の処理」という表現により、各種の演算におけるさまざまな事例を区別します。

90/10 の法則と「6.4 暗号技術に関する処理は高コスト」の説明から予想できるとおり、CPU 時間の大半は 3 つのメッセージの処理に割かれます。クライアント側では、サーバの Certificate メッセージの処理と ClientKeyExchange メッセージの生成、サーバ側ではクライアントの ClientKeyExchange メッセージの処理です。そのほかのメッセージをすべて合わせても、CPU 時間は 1ms 未満になります。そこで、この 3 つの重要なメッセージを個々に説明していきます◇。

> ◇ これらのトレース結果を最初に収集したとき、時間の大半は ClientHello メッセージの作成に使われていました。これは、OpenSSL における PRNG では、シードの生成をオンデマンドで一度だけ実行するためです。これは、実際には起動時にかかるコストなので、このシーディングを Handshake の前に呼び出されるコード部分に移動しました。

6.11.1　Certificate メッセージ（クライアント）

前述のとおり、Certificate メッセージにはサーバの証明書チェーンが含まれています。これを処理するため、クライアントは各証明書をパーズ（parse）し、検証する必要があります。これは主として RSA による検証を行うということです。このケースでは、証明書チェーンは証明書 3 つ分の長さなので、3 回の検証が必要です。1 回の検証には約 2ms を要します。残りの時間の大半は ASN.1 のパージングです。

図 6.5
RSA によるサーバ認証モードの時間配分 (ms)

```
Client                  Server
0.07 Write client_hello
                        0.15 Read client_hello
                        0.07 Write server_hello
                        0.20 Write certificate
                        0.00 Write server_hello_done
0.05 Read server_hello
8.11 Read certificate
2.47     verify
1.95     verify
2.25     verify
0.00 Read server_hello_done
2.54 Write client_key_exchange
2.26     encrypt_premaster
0.15 Write finished
                        31.01 Read client_key_exchange
                        30.79 decrypt_premaster
                        0.00 Read finished
                        0.12 Write finished
0.00 Read finished

Client: 10.95      Server: 31.59
```

これは非常に長い証明書チェーンです。通常の証明書チェーンは証明書 1 つ分の長さ（ルートが直接署名した証明書）なので、1 回の検証で済みます。このような環境では、このメッセージの処理に要する時間は ClientKeyExchange メッセージの場合とほぼ同じです。また、この場合の制限要因は、サーバの鍵の長さではなく、CA 鍵の長さです。サーバの鍵は、実際にはこの段階では処理されません。

パフォーマンスの最適化として、証明書の正当性の結果をキャッシュに格納して、公開鍵の検証段階を節約することができます。ただし、証明書チェーンが短い場合、意味がありません。その理由は、遭遇するであろうサーバ証明書の数があまりに多すぎてキャッシュできないからです。しかし、この Handshake のように長いチェーンを使用する場合は、CA の証明書をキャッシュに格納する価値があることが多いです◇。

> ◇　デフォルトでは、s_client により OpenSSL の証明書処理コードへのコールバックが行われます。このコールバックでは、証明書のデバッグ情報が stderr に出力されます。I/O はかなりの CPU 時間を消費していて、計測結果にひずみが生じるため、このコールバックを切断する必要がありました。

6.11.2 ClientKeyExchange メッセージ（クライアント）

ClientKeyExchange メッセージにはサーバの公開鍵で暗号化された pre_master_secret が含まれていることを思い出してください（第4章を参照）。この場合の支配的な処理は、この RSA の暗号化です。そのため、制限要因はサーバの公開鍵の長さです。

6.11.3 ClientKeyExchange メッセージ（サーバ）

当然ですが、この場合の支配的な処理は、サーバが pre_master_secret を RSA で復号する処理です。この処理は、基本的にこのメッセージに割り当てられた時間をすべて消費します。なお、この処理に要する時間は、サーバの RSA 鍵の長さに直接関係することに注意してください。鍵が長くなるほど、復号に要する時間も長くなります。これは、クライアントが行う暗号化と検証よりもはるかに遅い処理です。

その復号はサーバの処理なので、SSL のスループットにおけるボトルネックになります。この復号のコストは、サーバ側で選択した鍵の長さによって異なるため、サーバの RSA 鍵の長さはこのモードのパフォーマンスを制限する最も重要な要因です。

6.12 クライアント認証を伴う RSA モード

クライアント認証を伴う RSA ◆監訳注2 は、基本的に、通常の RSA モードにいくつかの付加的なステップが加わったものにすぎません。パフォーマンスの観点から見ると、サーバ側でそれまでに行われたすべての処理に加えて、クライアント上でもそれらが実行されるということです。また、この逆も成立します。その結果、クライアント認証モードでは、クライアントの負荷がかなり増えるだけでなく、サーバの負荷も少し増加します。図 6.6 に、計測したクライアント認証のトレースを示します。なお、このトレース以降では、先ほどのトレースとは異なる処理を太字で示してあります。

通常モードで実行したすべての処理は、依然としてほぼ同じだけの CPU 時間を消費しています。新たに加わった時間を消費する処理は、クライアント側における CertificateVerify メッセージの生成と、サーバ側におけるクライアントの Certificate メッセージと CertificateVerify メッセージの検証です。

CertificateVerify メッセージは、RSA 署名のメッセージで構成されています。当然、この段階でコストが高いのは RSA 署名です。ClientKeyExchange メッセージの処理に関して前節で述べた考え方がここにも当てはまります。

> ◆2. これは相互認証モードとも呼ばれています。以降、本文中ではクライアント認証モードとも呼ばれています。

サーバ側では、CertificateメッセージはまさにクライアントがサーバのCertificateメッセージを処理するのと同じように処理されます。つまり、主なコストは電子署名の検証といえます。最後に、サーバはCertificateVerifyメッセージを処理する必要があります。これは主として、クライアントの電子署名のチェックと公開鍵による処理からなります。

クライアント認証モードの総合的な計算コストはサーバ認証のほぼ2倍です。このコストは、クライアントがそのほとんどを担います。この場合、サーバのコストはクライアントのコストのほぼ20%になります。その結果、クライアント認証を使用すると遅延はかなり増えますが、スループットに対する影響ははるかに小さくて済みます。全体として、クライアント認証では次の処理が追加されます。

(+1) クライアント側　　RSAの秘密鍵による処理
(+1) サーバ側　　　　　RSAの公開鍵による処理
(+1) サーバ側　　　　　クライアント証明書ごとのRSAの公開鍵による処理

図6.6
RSAクライアント認証モードの時間配分 (ms)

```
Client                        Server
 0.07 Write client_hello
                               0.15 Read client_hello
                               0.17 Write server_hello
                               0.49 Write certificate
                               0.06 Write certificate_request
                               0.00 Write server_hello_done
 0.05 Read server_hello
 9.01 Read certificate
 2.44 verify
 1.94 verify
 2.24 verify
 0.18 Read certificate_request
 0.00 Read server_hello_done
 0.42 Write certificate
 2.61 Write client_key_exchange
 2.33 encrypt_premaster
30.56 Write certificate_verify
 0.12 Write finished
                               8.65 Read certificate
                               2.38 verify
                               1.97 verify
                               2.24 verify
                              30.72 Read client_key_exchange
                              30.51 decrypt_premaster
                               2.23 Read certificate_verify
                               0.00 Read finished
                               0.14 Write finished
 0.00 Read finished

Client: 43.075    Server: 42.66
```

6.13 一時的RSA

第4章で述べたとおり、一時的RSAでは、pre_master_secretを暗号化するために一時的RSA鍵を使用します。その結果、クライアントとサーバの両方に短いRSAの処理が1つずつ加わります。本章で後述しますが、この処理は演算をいくつか追加したり省略したりすることで実現します。そこで、ここでは一時的モードで内容が変化する各メッセージを見ていくことにします。図6.7に、一時的RSAを使用したHandshakeのトレース結果を示します。

図6.7 一時的RSAモードの時間配分(ms)

```
Client                  Server
 0.07 Write client_hello
                         0.15 Read client_hello
                         0.12 Write server_hello
                         0.49 Write certificate
                        30.45 Write server_key_exchange
                        30.43 sign
                         0.00 Write server_hello_done
 0.05 Read server_hello
 8.57 Read certificate
 2.34 verify
 1.94 verify
 2.23 verify
 2.23 Read server_key_exchange
 2.20 verify
 0.00 Read server_hello_done
 1.12 Write client_key_exchange
 0.86 encrypt_premaster
 0.11 Write finished
                         5.81 Read client_key_exchange
                         5.59 decrypt_premaster
                         0.00 Read finished
                         0.11 Write finished
 0.00 Read finished
Client: 12.2           Server: 37.17
```

6.13.1 ServerKeyExchangeメッセージ(サーバ)

このメッセージは通常のRSAのHandshakeには現れません。つまり、これにより新規に追加される暗号技術に関する処理がなんであれ、それはコストの高い処理であると予想されます。実際、長さ1024ビット以上になることも珍しくないサーバの秘密鍵を使用してServerKeyExchangeメッセージに署名するため、この処理のコストはきわめて高くなります。

なお、一時的RSAの秘密鍵の生成時間はこれに含まれていないことに注意してください。筆者のプラットフォームでは200〜400msでしたが、トランザクションごとに行うにはコストが高すぎます。代わりに、1日に一度を目安に一時的な鍵を生成するのが一般的です。そのため、トランザクションごとのコストとは見なしませんでした。

ここまでの負荷は次のとおりです。

(+1) サーバ側　　　　長い RSA 秘密鍵の処理

6.13.2　ServerKeyExchange メッセージ（クライアント）

クライアント側では、サーバの ServerKeyExchange メッセージを処理する必要があります。ここで目を引く処理は、メッセージよりもサーバの署名の検証です。これによって、長い公開鍵による処理がクライアント側に加わります。

ここまでの負荷は次のとおりです。

(+1) サーバ側　　　　長い RSA 秘密鍵の処理
(+1) クライアント側　長い RSA 公開鍵の処理

6.13.3　ClientKeyExchange メッセージ（クライアント）

このメッセージは通常の RSA の場合にも存在しますが、その場合はクライアントが長い RSA の暗号技術に関する処理を行っていました。今回、クライアントは単に 512 ビットの RSA の暗号技術に関する処理を行うだけです。これはかなり高速です。そのため、512 ビット RSA の処理を追加し、長い RSA の処理を削減しました。

ここまでの負荷は次のとおりです。

(+1) サーバ側　　　　長い RSA 秘密鍵の処理
(+1) クライアント側　512 ビットの RSA 公開鍵の処理

6.13.4　ClientKeyExchange メッセージ（サーバ）

前述のとおり、このメッセージを伴う長い処理の代わりに短い RSA 鍵の処理を採用しました。これがサーバ側にも当てはまるのは明白です。そのため、最終的な変化は次のようになります。

(+1) クライアント側　512 ビットの RSA 公開鍵の処理
(+1) サーバ側　　　　512 ビットの RSA 秘密鍵の処理

512 ビットの処理は、1024 ビットの処理に比べてほぼ 4 倍高速なので、これはそれほど大きな違いではありません。筆者のプラットフォームでは、クライアント側で約 2ms、サーバ側で 6ms でした。

6.14 DHE/DSS

次に示す一連のトレースは、DHE/DSSモードを使用したHandshakeです。DSA署名を行う鍵と一時的DH鍵は、どちらも1024ビットの長さです。前述のとおり、クライアントとサーバは同一マシンにあり、Handshakeが連続的に行われるようにバッファを調整してあります。

図6.8に、通常のDHE/DSSのHandshakeの時間配分を示します。メッセージは一時的RSAのものと同じですが、処理時間は大幅に異なります。原因は2つあります。1つ目は、DSSとDHのパフォーマンス特性がRSAの場合と大きく異なることです。2つ目は、どちらの側でも接続中に新しい一時的DH鍵が生成されることです。

すぐに2つの点に思い当たります。まず、DHE/DSSのHandshakeがRSAのHandshakeよりもずっとコストが高いことです。筆者の場合は、ほぼ8倍のCPU時間を費やす結果になりました。次に、Handshakeの追加コストの大半がクライアントに起因することです。それでも図6.8を見ると、RSAを使用したときよりDHE/DSSを使用したときのほうが、サーバはCPUを(5～7倍も)酷使していました。

図6.8
DHE/DSSモードの時間配分(ms)

```
Client                   Server
  0.07 Write client_hello
                           0.18 Read client_hello
                           0.11 Write server_hello
                           0.26 Write certificate
                         113.90 Write server_key_exchange
                          96.67 generate_keys
                          17.15 sign
                           0.00 Write server_hello_done
  0.06 Read server_hello
  0.48 Read certificate
 21.24 Read server_key_exchange
 21.19 verify
  0.00 Read server_hello_done
196.95 Write client_key_exchange
 96.82 generate_keys
 99.86 key_agree
  0.18 Write finished
                         100.86 Read client_key_exchange
                         100.66 key_agree
                           0.00 Read finished
                           0.15 Write finished
  0.01 Read finished

Client: 219.02     Server: 215.51
```

▶ 6.14.1 ServerKeyExchangeメッセージ(サーバ)

前述のとおり、一時的RSAのServerKeyExchangeメッセージでは、時間のほぼすべてがサーバの長期的な鍵を使用したメッセージの署名に費やされていました。このHandshakeでは新しい処理を追加しています。サーバが、処理中にその場で、接続ごと

に1つずつDH鍵を生成します。ServerKeyExchangeメッセージを生成する際の最大のコストはこの鍵の生成です。実際、1024ビットのDSA署名は同等のRSA署名の約2倍高速です。

DH鍵の生成プロセスをもう少し詳細に調べてみましょう。第1章で述べたとおり、RSAとは違って、DHは公開されているpとgに依存します。秘密鍵は単なる乱数Xです。公開鍵Yは、$g^X \bmod p$です。ここで述べている鍵生成は、pとgの生成グループではなく、XとYの生成です。

グループの生成には1024ビットの素数pを作る必要があるので、非常に低速です。その素数は、より長い時間が生成にかかるという特性を持つことが一般に推奨されています。筆者のテストマシンでは、OpenSSLは1024ビットのDHグループの生成に10分を要しました。それゆえ、グループの生成は、サーバの起動時か、できればサーバを最初に導入したときに行うほうがよいでしょう。

6.14.2 Certificateメッセージ(クライアント)

クライアント側における証明書の処理は、DSAでもRSAでも同じですが、唯一の違いはアルゴリズムです。前述のとおり、DSAの検証はRSAよりも低速です(1024ビットの鍵長では、ほぼ10倍低速)。そのため、クライアントにおけるCertificateメッセージの処理では、DSAを使用したほうがはるかに低速です。

6.14.3 ServerKeyExchangeメッセージ(クライアント)

Certificateメッセージの場合と同様、DHE/DSSの場合のServerKeyExchangeメッセージのクライアントの処理は、RSAの代わりにDSAを使用した分だけRSAとは異なります。そのため、DSAによる検証は大幅に低速なのでこのメッセージの処理は非常に低速です。

6.14.4 ClientKeyExchangeメッセージ(クライアント)

このトレースでは、ClientKeyExchangeメッセージの処理は、実際には2つの処理で構成されており、それぞれがCPU時間の半分を消費します。クライアントの一時的DH鍵の生成と、DH共有秘密鍵(ZZ)の計算です。クライアントの一時的DH鍵の生成は、サーバの一時的DH鍵の生成とまったく同じなので、クライアントでこの処理に割り当てられた時間はサーバにおける処理とほぼ同様です。

ZZの計算についてはすでに紹介しました。次の計算を思い出してください。

$$ZZ = Y_s^X \bmod p = (g^{X_s})^{X_c} \bmod p = g^{X_s X_c} \bmod p$$

トレースからわかるとおり、この処理には、クライアントのDH鍵の生成に要したのとほぼ同じ時間を要しました。

なお、並列化の機会は逃したことに注意してください。ClientKeyExchangeメッセージの生成はZZが既知かどうかには依存しません。ZZは接続を通して送られることはなく、純粋に共通鍵の計算に使われます。ClientKeyExchangeメッセージを送る前にZZを計算すると、メッセージの送信が遅れて遅延が増加します。

ClientKeyExchangeメッセージを送信してからZZを計算するほうが賢明です。このようにすると、サーバ自体がZZを計算している／いないにかかわらず、ClientKeyExchangeメッセージを送信している間に、クライアントがZZを計算することができます。なお、このように変更すると主として遅延に影響することに注意してください。サーバが未負荷の状態でない限り、スループットに大きな影響はありません。

6.14.5　ClientKeyExchangeメッセージ(サーバ)

サーバ側のClientKeyExchangeメッセージの処理は、クライアント側の処理に比べて単純に2倍かかります。ここでは、サーバの秘密鍵とクライアントの公開鍵を使用してZZを計算しました。当然、計算に要する時間もほぼ同じです。

6.15　クライアント認証を伴うDHE/DSS

最後に取り上げるHandshakeはクライアント認証を伴うDHE/DSSです。図6.9を見ると、RSAによるクライアント認証の場合と同様、クライアント認証モードではない場合との唯一の大きな違いは、新しいメッセージがいくつか追加されることです。クライアントのCertificateメッセージとCertificateVerifyメッセージです。

図 6.9
DHE/DSSによるクライアント認証モードの時間配分(ms)

```
Client                  Server
  0.07 Write client_hello
                          0.17 Read client_hello
                          0.12 Write server_hello
                          0.26 Write certificate
                        113.96 Write server_key_exchange
                         96.63 generate_keys
                         17.26 sign
                          0.02 Write certificate_request
                          0.00 Write server_hello_done
  0.06 Read server_hello
  0.46 Read certificate
 21.36 Read server_key_exchange
 21.30 verify
  0.01 Read certificate_request
  0.00 Read server_hello_done
  0.23 Write certificate
193.21 Write client_key_exchange
 96.87 generate_keys
```

```
    96.07 key_agree
    17.06 Write certificate_verify
     0.18 Write finished
                        0.42 Read certificate
                       95.98 Read client_key_exchange
                       95.79 key_agree
                       21.00 Read certificate_verify
                        0.00 Read finished
                        0.15 Write finished
     0.01 Read finished

Client: 232.69          Server: 232.13
```

クライアント側では、CertificateVerifyメッセージに対するDSA署名が実質的に唯一の処理になります。クライアントのCertificateメッセージに対するサーバ側の処理では、証明書の検証が大部分を占めます。これはDSS証明書なので、検証はかなり低速です。同様に、CertificateVerifyメッセージのサーバ側の処理では、DSA検証が大部分を占めます。DSA検証は低速なので、(RSAとは異なり)DSAではクライアント認証の主要なコストをサーバが占めることになります。

6.16　DHによるパフォーマンスの向上

前述のとおり、DHEのパフォーマンスはRSAよりはるかに劣悪です。それにもかかわらずこのモードを誰もが使うのはなぜなのか、考えてみましょう。つい最近までは2つの理由がありました。まず、フリーだということです。RSAは、米国ではまだ特許で保護される対象でしたが、DSAは違いました。次に、PFS▼という新機能を備えていることが挙げられます。RSA鍵の生成はコストが高いので、RSAでPFSを使用するのは実用的ではありませんが、(高コストではあっても)DHEでは実用的です。現在はRSAの特許権が期限切れになったため、PFSが得られることが唯一の理由となっています。PFSが有用な場合もあるので、DHEのパフォーマンスを実際に改善できるかどうかを検討する価値はあります。改善できるかどうかの答えはイエスです。

▼Perfect Forward Secrecy

6.16.1　小さな秘密鍵の使用

前述のとおり、DHの処理では、$X \bmod p$に対してある数を累乗する必要があります。Xの数が大きくなるほど、この処理は低速になります。一般的な方法は、pとほぼ同サイズのXを使用することです。もう少し詳しくいえば、範囲$(2, p)$でXを選ぶということです。Xがpよりはるかに小さくなる可能性もありますが、Xはこの範囲内から無作為に選ばれるので、pにほぼ近くなります。しかしながら、より小さなXを故意に選択すれば、この処理は大幅に速くなります。

もっとも、このような最適化が可能なのは、特定の環境においてのみです。それ以外

の環境では、鍵交換のセキュリティが大きく低下する恐れがあります。第1章で述べたとおり、短いXを使用するためにはgとpに特殊な性質がなければなりません。

しかしながら、サーバはServerKeyExchangeメッセージでgとpを送信するだけなので、サーバがgとpを適切に生成しているかどうかをクライアントが簡単に知ることはできません。そのため、クライアントが短いXを安全に使用することはできず、高速化はまったく実現されません。ほとんどの環境ではサーバのパフォーマンスのみが問題になりますが、クライアントがパームトップや携帯電話のような非常に限られたデバイスの場合は、DHの処理で生じるクライアントの負荷が重要な問題になるかもしれません。

この最適化を実証するにあたり、1024ビットのpを使用したままで256ビットのXを選択するため、OpenSSLを修正して$(2, p)$でXを選択するようにしました。この簡単な変更によって、サーバ側のDHの処理速度がほぼ4倍向上します（図6.10）。

第1章で述べたとおり、Xの長さは希望する鍵素材の長さの2倍にするべきです。ただし実際には、DH鍵の強度はpのサイズによっても制限されます。DH鍵の強度は、pの強度の最低値とXの強度によって決まります。160ビットのXは1024ビットのpとほぼ同等です。そのため、1024ビットの素数なら、256ビットのXで十分すぎるほどの長さです（[Menezes1996]）。

図6.10
短いDH鍵がパフォーマンスに与える影響

```
Client                  Server
  0.07 Write client_hello
                          0.17 Read client_hello
                          0.12 Write server_hello
                          0.26 Write certificate
                         43.14 Write server_key_exchange
                         25.93 generate_keys
                         17.14 sign
                          0.00 Write server_hello_done
  0.06 Read server_hello
  0.47 Read certificate
 21.26 Read server_key_exchange
 21.21 verify
  0.00 Read server_hello_done
192.66 Write client_key_exchange
 96.60 generate_keys
 95.79 key_agree
  0.18 Write finished
                         25.57 Read client_key_exchange
                         25.38 key_agree
                          0.01 Read finished
                          0.15 Write finished
  0.01 Read finished

Client: 214.75          Server: 69.46
```

▌6.16.2　一時的な鍵の再利用

短い秘密鍵Xを使用して、セキュリティに大きな影響を与えずにパフォーマンスを改善してきました。PFSをあきらめれば、さらにパフォーマンスを改善することが可能です。前述のとおり、サーバの計算負荷のほぼ3分の1が一時的DH鍵の生成に消費されています。鍵を再利用すると、それだけ負荷が減少します。残念ながら、Handshakeの

一部分で署名が計算されるため、サーバは依然としてServerKeyExchangeメッセージに対する署名を行わなければなりません。

　一時的な鍵の再利用で減少するのはサーバの負荷だけで、クライアントの負荷は減りません。たいていの場合、それぞれのサーバは異なるグループを持っており、そのグループはサーバによって決定されるので、クライアントは、これまでと同様にサーバごとに新しい鍵を生成しなければなりません。それでも、サーバが以前より高速になるので、この最適化によってスループットと遅延はどちらも向上します。

　パフォーマンス向上のためにセキュリティをいくらか犠牲にしなければならないという点には、反対する人もいるでしょう。しかしながら、この種の再利用はRSAにも匹敵する強度はあります。ただし、RSAモードがPFSをまったく備えていないため、接続ごとに新しい鍵を使用する場合よりは脆弱です。妥協案として、サーバのDH鍵を定期的に再生成するという方法もあります。20または30の接続ごとに再生成するようにすれば、パフォーマンスにわずかな影響があるだけで部分的なPFSが実現します。短いXを使用して多数の接続を再利用する場合は、第5章で述べた「小さな部分群攻撃」を防ぐことに万全を期さなければなりません。

6.16.3　DH鍵生成のための事前計算

　一時的な鍵を再利用したくない場合でも、鍵の生成処理のパフォーマンスを劇的に改善することは可能です。そのためには、生成元gの累乗のテーブルを事前に計算します。公開鍵の各計算を行うためにはgの累乗が必要なので、この最適化によってXからYを計算するのに要する時間が減少します。Wei Dai［Dai2000］は、事前に計算したDH鍵生成と通常のDH鍵生成とで、約3倍の高速化が実現したと報告しています。特殊なケースとして、基底が2の場合は、左シフトによって累乗を非常に高速に計算することができます。

6.16.4　長期的DH

　最後の選択肢は長期的DH鍵の使用です。第4章で述べたとおり、証明書にはDH鍵を入れることができます（一般にサーバのRSA鍵は証明書に入れられますが、これとまったく同様です）。その結果、ServerKeyExchangeがまったく不要になり、サーバの計算負荷はZZの計算だけになります。短いXと併用すると、この最適化によって、RSAで実現するレベルにほぼ匹敵するほどサーバの負荷が減少します。DSAの検証は低速なので、クライアントの負荷はかなり高いままです。長期的DHを使用する場合は、小さな部分群攻撃ができないように注意しなければなりません。

　長期的DHの利用に関する最大の問題点は、DSA証明書ほど普及していない長期的DH証明書が必要なことです。

6.17　レコードの処理

6.17.1　アルゴリズムの選択

図6.11に、暗号化アルゴリズムとMACアルゴリズムのさまざまな組み合わせを使用した場合における、Pentium/300MHzマシンでのOpenSSLのパフォーマンスを示します。これらの数値はSSLレコードを計測して算出したものであり、ネットワークに送信した結果ではありません。そのため、レコードの構築にかかるコストだけを測定し、ネットワークオーバヘッドは無視しています。つまり、予測可能な振る舞いの代表的な種類を紹介することを目的としたものです。一見して、各方式のパフォーマンスがそれぞれ異なっていることがわかります。

要約すれば、RC4とMD5の組み合わせが最高のパフォーマンスを示し、3DESとSHA-1の組み合わせのほぼ8倍も高速でした。ここから得られる教訓は、ほどほどのセキュリティと高いパフォーマンスを実現したい場合は、RC4を使用すべきだということです。SHA-1の代わりにMD5を使用すると、約40％向上します。

図 6.11
SSLのレコード処理速度（Pentium/300MHz）

Cipher/HASH	kbps
RC4-MD5	15034
RC4-SHA	10831
DES-CBC-SHA	4758
DES-CBC3-SHA	2068

暗号技術に関する処理のうち最も遅い3DES/SHAの処理時間は、2Mbpsを上回ります。これは、10MbpsのEthernetが飽和するほど高速です。安価なマシンでも、RC4-MD5のパフォーマンスは100MbpsのEthernetを飽和させられるほど高速です。我々がテストに使用したマシンでは、RC4とSHA-1の組み合わせでも80Mbpsを超える量の通信が発生します。実際には、100Mbpsのネットワークを飽和させるのに十分なほどです。高速なマシンでRC4を使用した場合は、SHA-1を併用しても、最速のネットワークにさえ対応したSSLレコード処理をいとも簡単に行うことができます。

暗号技術に関する処理では、輸出バージョンのものを使用してもパフォーマンス上のメリットがないという点に注意してください。SSLにおける暗号技術に関する処理では、短縮された鍵を完全な鍵長にただ拡張することで◆監訳注3、必ず同一バージョンのものが使用されます。その結果、輸出バージョンも本来の強力なバージョンと同じデータ転送

◆3.　ここでは、pre_master_secretからデータを暗号化するための共通鍵を生成することを意味していると考えられます。

速度になります。これは、輸出バージョンが傑出して高速である公開鍵暗号化方式の処理での振る舞いとは異なります。

6.17.2　レコードの最適サイズ

SSLv3 と TLS は、どちらも HMAC を使用します（SSLv3 が使用するのは HMAC のバリエーションですが、パフォーマンス特性はほぼ同じです）。第1章で紹介したとおり、HMAC はネストされたダイジェストの対で構成されています。最初のダイジェストは鍵とデータをカバーします。2つ目のダイジェストは鍵と最初のダイジェストの出力をカバーします。鍵は必ず別個のダイジェストのブロックとして処理されます。

そのため、内側のダイジェストはメッセージの長さに依存しますが、外側のダイジェストは依存しません。データは一度に64バイトずつダイジェストに送られます。64バイトのダイジェスト入力までは、4つのダイジェストブロックが必要です。その後は、64バイトごとにダイジェストブロックがもう1つずつ必要になります。ポイントは、MAC にかかわる固定長のオーバヘッドがたくさん存在することです。

レコードを暗号化するときは、MAC とデータの両方を暗号化する必要があります。つまり、SHA-1 を使用する場合は、最小で20バイトを暗号化する必要があるということです。前述のとおり、無視できないサイズのメッセージオーバヘッドが固定的に存在します。そこで、オーバヘッドの影響を減らすために、できるだけ大きなペイロードを暗号化するのが賢明です。図6.12 にこれをわかりやすく示します。

図 6.12
メッセージサイズに対するSSLのパフォーマンス（3DES/SHA-1）

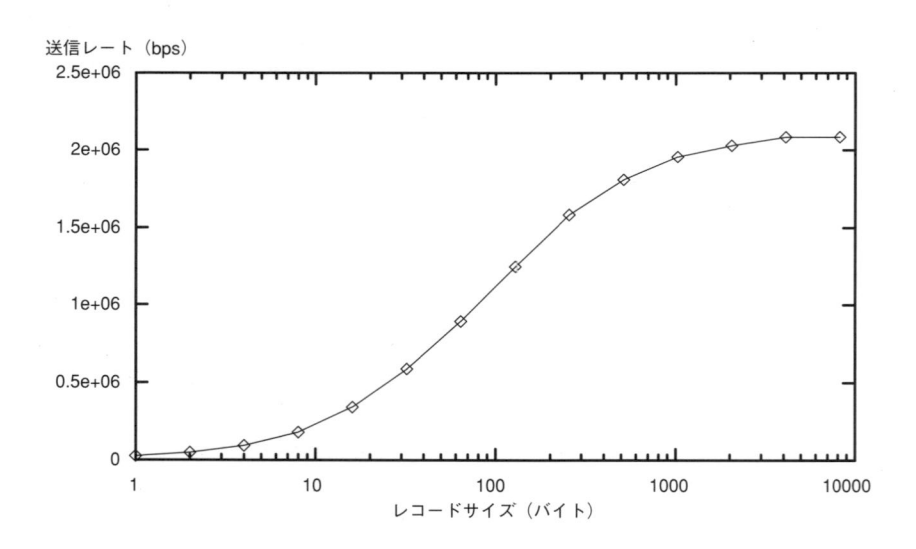

図6.12 のデータは 3DES-CBC と SHA-1 を使用して集めたものですが、暗号技術に関する処理をどのように組み合わせても、同様のグラフが描けるはずです。小さなレコードサイズでの影響を示すために、X 軸に対数目盛りを使用しています。

図6.12 が示すとおり、レコードサイズが小さい場合のパフォーマンスは劣悪で、漸減ポイントが600バイト程度を返すまで連続的に向上します。当然、このポイントの正確

な場所は、OSや暗号技術に関する処理などによって異なりますが、この実験からわかることは明らかです。32バイトより小さなレコードサイズを使用すると、実際には劣悪なパフォーマンスになります。最適なパフォーマンスを実現するためには、できるだけ1024バイト以上のレコードサイズを使用してください。

6.18 Java

Javaは、パフォーマンスの面でCよりもはるかに劣ります。Javaのコードは一般には低速ですが、暗号コードは特にCPUを酷使するので、とりわけ遅くなります。OpenSSLでのテスト環境では、SHA-1が約22Mbpsで動作すると考えてください。筆者が知っているJavaの最速なコードは、450MHzのPentium IIマシン上で、約2.3Mbpsで動作します。

6.18.1 OS

Javaによる暗号化コードのパフォーマンスは、VMとOSに依存するので、この状況の明確な全体像を描くのは残念ながら困難です。おそらく、DESは最も一般的な実装アルゴリズムで、速度はFreeBSD上のNetscape Navigatorの37kbpsからWindows NT上のInternet Explorerの2.3Mbpsまでさまざまです。図6.13に各種プラットフォームでのDESのパフォーマンスを示します。

図6.13 各種プラットフォームでのJavaで実装されたDESのパフォーマンス

プロセッサ	OS	VM	速度(kbps)
Pentium II (400MHz)	FreeBSD 3.4	Netscape 4.7	36
Pentium II (400MHz)	FreeBSD 3.4	JDK 1.1.8	105
Pentium II (450MHz)	Windows NT	JDK 1.2.2	2368
Pentium II (450MHz)	Windows NT	Netscape 4.61	1856
Pentium II (450MHz)	Windows NT	Internet Explorer 5	2334

なお、Windowsの実装におけるパフォーマンスは、FreeBSDの実装における場合よりもはるかに高速です。Windowsは、Sunが公式にJDK(Java Development Kit)を配布しているプラットフォームの1つですが、FreeBSDでは非公式です。Windowsのほうが、実装のチューニングにより大きな努力が注がれてきたのは確かですが、WindowsでもInternet ExplorerとNetscape Navigatorの間にはかなりの差があります。

6.18.2　ネイティブコードによる高速化

このプロセスのボトルネックは、Javaにおける暗号技術に関するプリミティブです。そのため、パフォーマンスを大幅に改善する効率的で簡単な方法は、このJavaプリミティブを高速なネイティブコードに置き換えることだと言えます。JNI（Java Native Interface）は、通常はCコードを用いて、Javaとネイティブルーチンとのインタフェースを取る手軽な方法を提供します。

その方法を実現するのが、GoNative Providerです（`http://www.rtfm.com/puretls/gonative.html`）。JDKは、JCA（Java Cryptography Architecture）という汎用の暗号技術に関するインタフェースを備えています。JCAを使用するプログラムは、所定のアルゴリズムを実装したインスタンス（クラスオブジェクト）を取得するためにJCAを呼び出します。プロバイダが、実装しているアルゴリズムをJCAに知らせて、正しいプロバイダを使用するようにJCAが自動的に調整します。

JCAとJNIの組み合わせは、この種の高速化を簡単に行う手段です。GoNative Providerは、JNIを使用してOpenSSLへのブリッジの役割を果たすJCAのプロバイダで、所定のマシンにプロバイダとしてインストールすることができます。そのため、専用の処理をするアプリケーションがなくても、すべてのアプリケーションにアクセスすることが可能です。暗号技術に関するアルゴリズムをこのように実装すると、標準的なJavaのアルゴリズムよりはるかに高速になる上、Cで直接作成された同等のコードより約10%しか速度が落ちません。アルゴリズムが高速になるほど、JNI自体に起因するオーバヘッドは深刻になります。図6.14に、代表的アルゴリズムのパフォーマンス特性を示します（プラットフォームはPentium/300MHz、FreeBSD）。

図 6.14
JavaとCのパフォーマンスの比較

アルゴリズム	OpenSSL	Java	GoNative Provider
DES (kbps)	6792	31	5165
3DES (kbps)	2392	10	2142
RC4 (kbps)	32363	132	13872
SHA-1 (kbps)	22838	93	10014
DSA (sign/s)	60	7	48
DSA (verify/s)	49	4	40

この表からわかることの1つに、JNI自体の呼び出しによって大きなオーバヘッドが発生しているという点があります。GoNative ProviderとCとで3DESのパフォーマンスがこれだけ接近しているのは、そのためです。この観測データから得られる結論は、JNIによる速度向上から最大のメリットを引き出したいなら、大きなレコードサイズを使用することが特に重要だということです。

また、Cのコードに渡す前にできるだけ多くのデータをJavaでバッファに入れておくことも重要です。例えば、データの大きなまとまりをDESに渡すとします。この場合、

個々の8バイトブロックに対してDESを呼び出すのではなく、DESコードをすべて1つのブロックとして渡すことが大切です。図6.15に、GoNative ProviderによるDESの暗号化での入力ブロックサイズの影響を示します。なお、図6.15に示したのはDESのパフォーマンスであり、MAC計算も含むSSLレコードの暗号化のものではありません。しかしながら、同様のブロックサイズの影響はメッセージダイジェストとMACにも当てはまります。

図6.15
JNIの暗号化におけるブロックサイズの影響

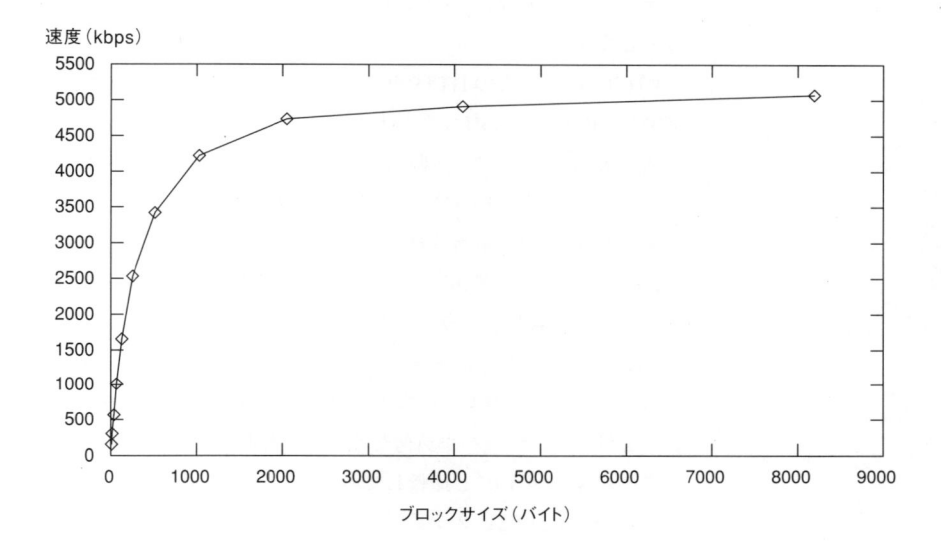

この全チューニングの最終的な結果は、残念ながら依然として純粋なCのコードほど速くありませんが、以前ほどの差はなくなっています。GoNative Providerモジュールを備えたPureTLSは、選択したアルゴリズムに応じてOpenSSLのほぼ半分の速度になります。

6.19 負荷のかかった状況におけるSSLサーバ

　当然ながら、高い負荷の下では、SSLに必要な暗号技術に関する計算がサーバのパフォーマンスにとってボトルネックになります。そのため、これらのトランザクションがSSLを通して送られると、一定の負荷処理能力を持ったサーバが急激に過負荷になりかねません。大量のクライアントの影響をシミュレートするには、負荷生成器を使用するとよいでしょう。このために、サーバに接続して要求を行う一台以上のクライアントマシン（以降では単純にマシンといいます）を用意しました。各マシンは一定の時間に多数の要求を生成して、1カ所に接続する多数のユーザをシミュレートすることができます。ここで、クライアントはFreeBSD 3.4が動作する400MHzのPentium IIマシンです。
　SSLに対応しているプロトコルを使用してこの実験を行うこともできますが、利便性

を考えてHTTP over SSLを使用します。選択した通信の混合状態によって、多数のユーザがあるページをほとんど同時に要求した場合のWebサイトの挙動をシミュレートします。SSLのパフォーマンスに関する論文で、AbbottとKeungは、自分たちの顧客にとってこれは最大の関心事だと報告しています（[Abbott1988]）。

この通信の混合状態を作り出すために、各クライアントが異なる到着時間でサーバに接続するように手を加えました。到着時間は、平均3秒でポアソン過程を使用して生成しました。そのため、シミュレーションの開始後、すべてのクライアントが0〜10秒で接続します。

図6.16に、通常のHTTPサーバでのシミュレーションの結果を示します。サーバは、650MHzのPentium IIIマシン上のLinux 2.2.14-5.0（Red Hat）で、mod_ssl 2.6.5を組み込んだApache 1.3.12です。「到着数」というラベルが付いた棒グラフは、1秒間でシミュレートしたクライアントの接続の数を表します。図6.16では、シミュレーションの最初の1秒で23の接続が開始されています。「キュー数」というラベルが付いた折れ線グラフは、その時間内に稼働中のクライアントの数です。そのため、1.5秒のときに接続し、2.5秒のときに切断したクライアントは、1〜2と2〜3の時間帯のキュー数に反映されます。

図6.16を調べると、キューのサイズがクライアントの到着をほぼ追いかけていることがわかります。このようになるのは、サーバでは各要求が到着次第処理をするからです。これを見ると、サーバが負荷をうまく処理していることがよくわかります。

この結果を図6.17と比較してみてください。図6.17は、シミュレーションされた550個のHTTP over SSLクライアントでのサーバの挙動を示したものです。この暗号スイートはTLS_RSA_WITH_3DES_EDE_CBC_SHAで、クライアントはセッションを再開しないように設定してあるため、どのHandshakeにもRSAの処理が必要です。当初、キューのサイズはクライアントの到着時間をほぼ追いかけますが、シミュレーション中にクライアントの数が増加するにつれて、キューのサイズが劇的に増え始めます。筆者のクライアントはサーバよりもかなり遅いのですが、それでもサーバマシンを完全に飽和状態にする能力はあります。これは、SSLの非対称性を示す格好の例です。

図6.16
550個のHTTPクライアントに対するシミュレーション

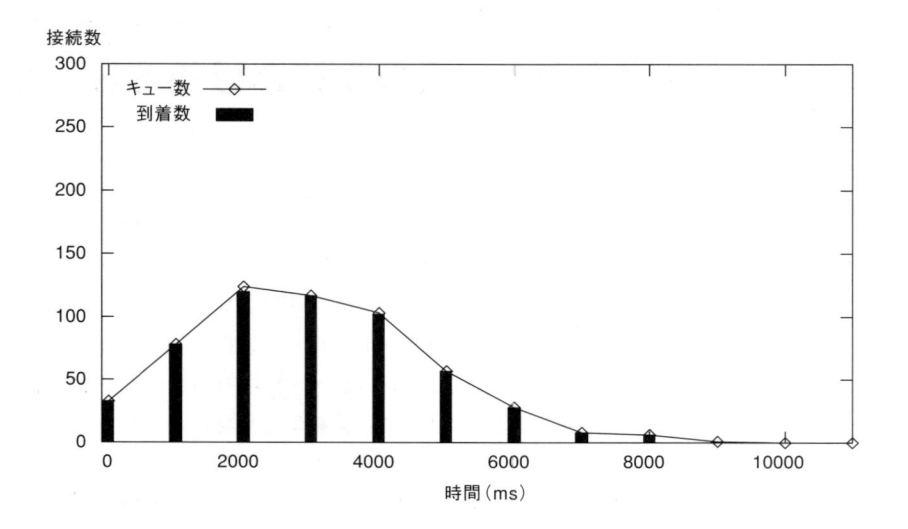

図 6.17
550 個の HTTP over SSL クライアントに対するシミュレーション

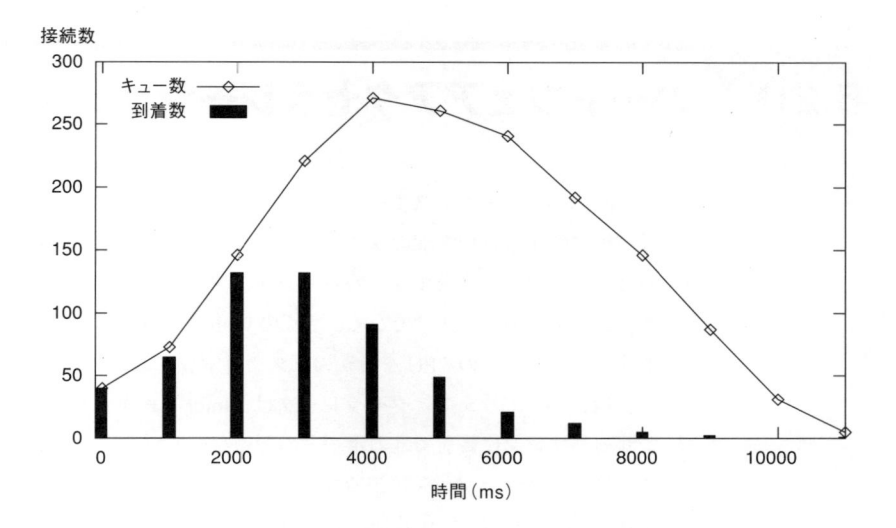

ここでは、サーバのCPUがすでに実行中のSSL Handshakeで飽和状態になっています。そのため、正常に処理できる数より多くのクライアントが到着して、未処理のクライアントのバックログが作成されます。新たに到着する数が減ってくると、サーバはキューには入っているが未処理の接続のバックログを処理できるようになるので、キューのサイズはだんだん減っていきます。ただし、到着数は少しずつ減っていくので、サーバはキューをクリアしていくだけです。

このサーバは、図6.17に示すピーク負荷を連続的に処理することはできません。これを図6.18に示します。この図は、サーバに対して1秒ごとに75前後の接続の連続負荷がかかったことを示しています。キューのサイズは時間とともに直線的に増加します。これは、サーバが負荷に追い付いていないということです。

図 6.18
連続して高い負荷がかかったサーバ

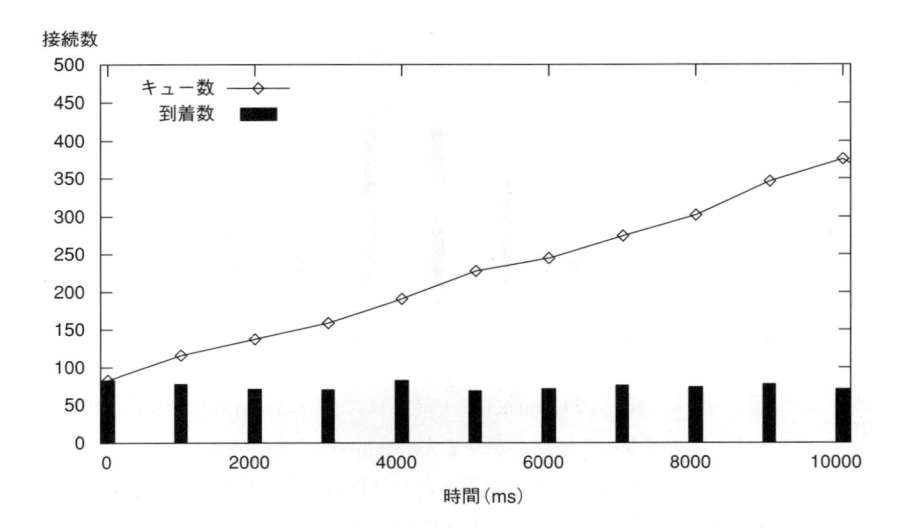

6.20 ハードウェアアクセラレーション

　SSLのパフォーマンス上のボトルネックはサーバのCPUにあるので、コストの高い暗号技術に関する処理を別のプロセッサに負担させてSSLサーバを高速にしようと考えるのは、ごく自然なことです。ハードウェアアクセラレーションでは、サーバが処理できる接続の数が増えるだけでなく、多くのWebサイトの運営に使われるCGIスクリプトの解釈など、サーバのCPUをほかのタスクに解放することも可能です。

　一般にハードウェアアクセラレータは、IntelアーキテクチャマシンのPCIバスを通してサーバマシンに装着できるボードの形になっています。また、Ethernet接続やSCSIバスを通してサーバマシンに装着することもできます。アクセラレータのベンダはいくつかありますが、最も有名なのはRainbow（http://www.rainbow.com/）とnCipher（http://www.ncipher.com/）です。

　図6.19に、先ほどの接続で使用したものと同じサーバをRainbow SSLアクセラレータで加速して、毎秒200回のRSAの処理を可能にした場合を示します。同様に、ここでは550個のシミュレーションクライアントを使用しています。このような高速な環境下でも、キューのサイズが到着時間をほぼ追うようになっていますが、サーバは負荷に対応しているので、バックログは作成されません。

図6.19
550個のHTTP over SSLクライアントに対するシミュレーション（ハードウェアアクセラレータ）

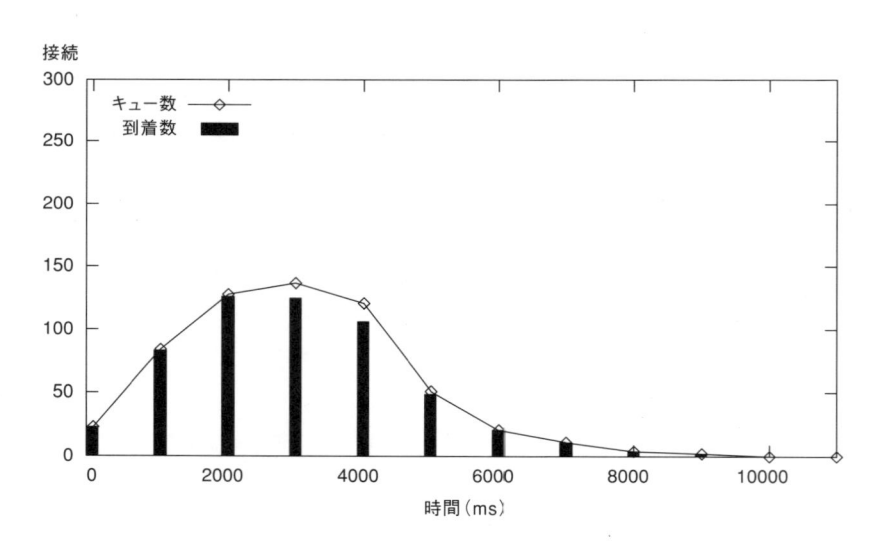

　SSLのHandshakeで最もコストの高い計算はRSAの計算なので、RSAを高速化すればもっと値が上がります。RainbowとnCipherは、自社のハイエンド製品について、RSAの計算を高速化することで毎秒最大1000回のSSL Handshakeを処理できると明言しています。ある程度強力であれば、この高速化はサーバのCPUとはほぼ無関係です。一方、使用した650MHzのPentium IIIシステムでは、1秒間に95のRSAの処理を実行することができます。現実には、CPUは暗号技術に関する処理を実行するだけでなく、サーバ

も動かさなければならないので、実際に1秒当たりに処理できる接続数はかなり少なくなります。そのため、1秒当たり75個のシミュレーションクライアントでサーバは過負荷になってしまいます。

また、アクセラレータを使用して対称的な処理の負荷をなくすこともできます。ほとんどの環境では非対称の処理◆監訳注4 を単純にアクセラレータに受け渡すだけで十分ですが、ネットワーク接続が非常に高速な場合は、暗号化とメッセージダイジェスト処理も高速化しなければなりません。Keungは、アクセラレータを10MbpsのEthernet経由で200MHzのPentiumに追加した場合、スループットはほぼ2倍になると報告しています([Keung])。なお、最近の高速プロセッサでは、実際の効果はこれよりも控え目になるようです。それでも、サーバが多数の安全な通信を処理している場合は、アクセラレータを利用したスループットの改善を検討する価値はあります。暗号技術に関する非対称の処理に対してすでに高速化を導入している場合は、暗号技術に関する対称的な処理の高速化を検討する価値があるでしょう。ただし、RC4はすでに高速なので、おそらく高速化する価値はありません。

通常、アクセラレータの製造元は、一般的なサーバで自社のアクセラレータを使用できるようにするドライバも提供しています。一般的な方法は、ハードウェアデバイスを使用するために、パッチや修正版のOpenSSLを配布することです。これにより、OpenSSLベースのどのようなシステムでも高速化できるようになります。

6.21 インラインハードウェアアクセラレータ

ハードウェアでSSLを高速化するもう1つの方法は、専用のインラインアクセラレータを使用することです。このアクセラレータは、クライアントとサーバの間に配置するハードウェアデバイスです。クライアントからのSSLの接続を待ち受け、SSL Handshakeを受け入れます。次に、サーバに対して通常のTCPの接続を開始します。そのため、サーバがSSLを処理する必要はなくなります。このためには、アクセラレータにサーバの鍵生成素材がなければなりません。

インラインアクセラレータの最大の長所は、サーバにまったく手を加えずに済むことです。それに比べて、ハードウェア高速化ボードは不安定になる可能性を覚悟してサーバに挿入しなければなりません。一方、最大の欠点は、クライアントとサーバの連携が壊れることです。アクセラレータとサーバ間でアクセス制御の判定基準についてやり取りする優れた方法がないため、サーバがSSLの接続におけるセキュリティ特性に基づいてアクセス制御を判断するのが難しくなります。

◆4. RSAの処理のことを指します。

iPivot/Intel(http://www.ipivot.com/)、F5(http://www.f5.com/)、Network Alchemy/Nokia(http://www.network-alchemy.com/)など、インラインアクセラレータの製造メーカはたくさんあります。

6.21.1 構成

　実際に稼働中のサーバがある環境に、インラインアクセラレータを挿入する際の問題点を検討してみましょう。そのためには、クライアントからの接続が、サーバではなくアクセラレータで終端するように調整しなければなりません。1つの方法は、アクセラレータにサーバのIPアドレスを与えることです。その後、サーバではなくアクセラレータを指すように、DNSレコードを設定します。その代わりに、サーバに新しいIPアドレスを与えてから、DNSはそのままにしておいても構いません。サーバとアクセラレータは同一のネットワークセグメントにあっても構いませんが、両者間の通信は暗号化されないので、このセグメントのセキュリティを確保しなければなりません。

　より一般的な方法は、透過的な(transparent)構成にすることです。この構成では、クライアントとサーバ間に物理的に存在する、別のネットワークにアクセラレータを配置しなければなりません。サーバのふりをして特定クラスの接続に割り込む(intercept)ようにアクセラレータを構成します。しかしながら、その場合でも、アクセラレータがブリッジのようにそのほかの接続を通過させることができます。この透過構成を使用する方法には、アドレスの割り当てやDNSを一切変更する必要がないという大きな利点があります。ネットワークにアクセラレータを接続して、サーバをアクセラレータに接続するだけです(図6.20)。

図6.20 インラインSSLアクセラレータ

インターネットへ ── HTTP over SSL ── アクセラレータ ── HTTP ── サーバ

6.21.2 複数のアクセラレータ

　アクセスが多いサーバでは、暗号技術に関する処理がハードウェア化されていたとしても、1つのアクセラレータで処理しきれないほどの通信があるかもしれません。高い負荷を処理するため、管理者は複数のアクセラレータを望むでしょう。この方法にはまた、1つのアクセラレータボックスが故障しても、処理可能な要求の総数は減るものの、サーバはそのまま要求を処理し続けることができるというメリットもあります。複数のアクセラレータを使用するには、主に「チェーン化」と「クラスタ化」という2種類の方法があります。

6.21.3 チェーン化されたアクセラレータ

インラインアクセラレータを最初に販売したベンダはiPivotですが、製品のCommerce Acceleratorとともに、今ではIntelに買収されています。iPivotのボックスは透過プロキシ専用です。複数のボックスを使用するときは、図6.21のように直列に接続します。

図6.21
チェーン化されたSSLアクセラレータ

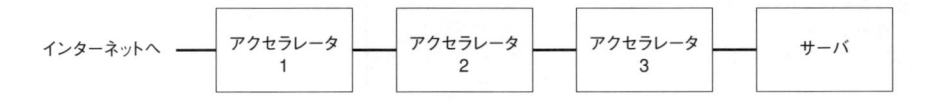

インターネットへ ── アクセラレータ1 ── アクセラレータ2 ── アクセラレータ3 ── サーバ

あるボックスの負荷が高くなりすぎたら、そのボックスはチェーン内の次のボックスに通信をそのまま流し始めます。すべてのクライアントがサービスを受けられるまでこのプロセスは続きます。チェーン内の最後のボックスは、負荷が高くなりすぎたときに接続を拒否するか、サーバに渡すように構成することができます。このような要求を処理できるようにするため、SSLをサポートするようにサーバを構成しておくべきでしょう。

iPivotのハードウェアには、バイパス機能が付属しています。1つのボックスが故障すると、このバイパス機能が有効になって、そのボックスが存在しないかのように、すべての通信がそのまま通過します。そのため、ボックスの障害がかなり致命的なものであっても、サーバはネットワークに接続されたままになり、クライアントにサービスを提供することができます。しかしながら、生のHTTPを受け入れるようにサーバを構成しなければならないので、バイパス機能を使用するサーバは、復号されたHTTPSの接続を受け取ったと考えてHTTPの接続を受け入れてしまう恐れがあります。これはセキュリティ上の明らかな問題です。

6.21.4 クラスタ化されたアクセラレータ

複数のチェーン化されたアクセラレータがあり、1つが故障した場合を考えてみましょう。残りのアクセラレータが新しい接続を処理することはできますが、故障した時点でそのボックスで終端されていたSSLの接続はすべて消失します。当然、クライアントもサーバもその出来事を知らないので、通信を送ろうとするとTCPのRSTを受け取ることになります。クラスタ化されたアクセラレータの背景にあるアイデアは、個々の接続をボックス間でフェイルオーバーできるようにして、通信の消失を防ごうというものです。

> ◇ **打ち明け話**：筆者は、契約の下、Network Alchemyのクラスタ化SSLアクセラレータの開発に大いに携わりました。そのおかげでこのアクセラレータの仕組みに詳しく、リリース前でも説明ができるのですが、利害の衝突という問題もあります。ここでは技法の長所と欠点を客観的に記そうと努めましたが、この事実をよく心にとどめておいてください。

Network Alchemy/Nokia 社のクラスタ化 SSL アクセラレータ（本書執筆時点では 2001 年の第 1 四半期に出荷予定）は、アクティブな接続のフェイルオーバーの問題点を解決しようとしています。ボックスをチェーン状に接続する代わりに、複数のボックスを図 6.22 のように並列に接続します。この構成をクラスタといいます。

図 6.22
クラスタ化された SSL アクセラレータ

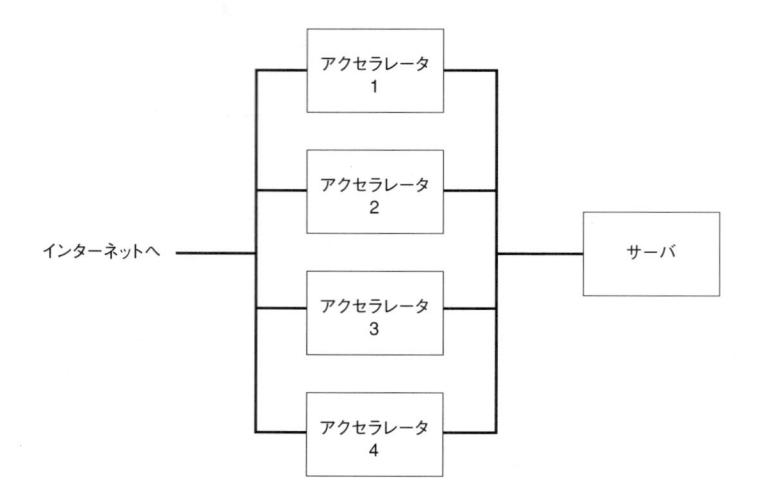

```
                    ┌─── アクセラレータ 1 ───┐
                    │                        │
                    ├─── アクセラレータ 2 ───┤
インターネットへ ───┤                        ├─── サーバ
                    ├─── アクセラレータ 3 ───┤
                    │                        │
                    └─── アクセラレータ 4 ───┘
```

このクラスタ全体が、1 つの仮想的な Ethernet MAC アドレスを割り当てられるので、全体で 1 つのハードウェアのように振る舞うことになります。クラスタ内の各マシンはそのアドレス宛の全通信を待ち受けます。クラスタ内のマシン間で通信の各セクションを処理できるように、クラスタが自動的に分担します。1 台のボックスが故障すると、ほかのボックスがその通信を自動的に収拾します。

フェイルオーバーを可能にするために、クラスタ化されたマシンは、接続を処理しているマシンからクラスタ内の残りのマシンに接続の状態を自動的に伝播します。そのため、マシンの 1 台が故障した場合、その接続を処理するように割り当てられた新しいマシンには接続の状態がすべて伝わるので、故障したマシンが処理していた状態を突き止めることができます。故障したときにマシンが特定の接続の通信を処理していた場合、その IP パケットはドロップされます。その後でパケットが再送信されると、その接続を新たに処理するようになったマシンが自動的に正しく処理します。再送信待ちの間、クライアントとサーバとの間で遅延が生じます。

クラスタ化による解決策では 1 台のボックスの故障にはうまく対応できますが、致命的な障害にそれほど巧妙には対処できません。前項で述べたとおり、iPivot のボックスがすべて故障した場合、ネットワークはそのボックスが存在しないかのように振る舞います。1 台のボックスが故障した場合は別のボックスにその負荷を引き継がせたいので、クラスタ化された個々のボックスが故障した場合、それらは切断状態に陥ります。したがって、クラスタ内の全ボックスが故障すると、サーバはサービスを拒否されます。

しかしながら、クラスタ内の全ボックスが故障する可能性はほとんどありません。考えられるのは、何らかの電力の突然異常が発生して全ボックスが一斉にダウンするとい

う状況です。これを避けるためには、さまざまなクラスタメンバーをそれぞれ異なる回線に配置して、単一障害点をなくさなければなりません。ところが、iPivotによる解決策では各ボックスが単一障害点です。iPivotボックスはフェイルセーフの設計になっていますが、特定の障害（内部配線の断線など）が発生すると、バイパスが正常に機能しなくなり、システム全体がダウンします。

　クラスタ化による解決策にはこれ以外にも多くの長所があります。クラスタは自動的に作業負荷を分担するので、負荷を簡単かつ均等にクラスタメンバー間に分散することができます。チェーン化による解決策でこれを行うのはより困難です。また、クラスタを単一ユニットとして構成することもできます。SSLに関するすべての情報を個々のボックスで共有する必要はありません。クラスタの一部として構成すれば、SSLの設定は自動的に伝播されます。

6.22　ネットワーク遅延

　これまでは、ネットワークとの相互作用を無視して、SSLがプロセッサを使用する仕組みを中心に説明してきました。しかしながら、SSLの接続が動作しているネットワークの特性はパフォーマンス特性にかなりの影響を与えます。ここからは、この相互作用を中心に説明します。

　理論上、SSLはどのようなコネクション指向（connection oriented）のプロトコル上でも動作するはずですが、実際にはほぼ間違いなくTCP/IP上で実行されています。そのため、ここではTCPネットワークで動作しているSSLのパフォーマンスに絞って話を進めます。ただし、一部の説明はほかの種類のネットワークにも適用できます。

　これまでに収集したデータは、1台のマシンで動作し、ネットワークを一切経由せずにカーネルを通じて直接やり取りするプログラムから得たものです。これが実際のネットワークと異なるのは、はるかに高速だという点です。スループットは非常に高く、遅延は非常に低い状況です。それに比べて実際のネットワークでは、スループットがより低く、遅延はより高くなります。

図 6.23
低速なテストネットワーク

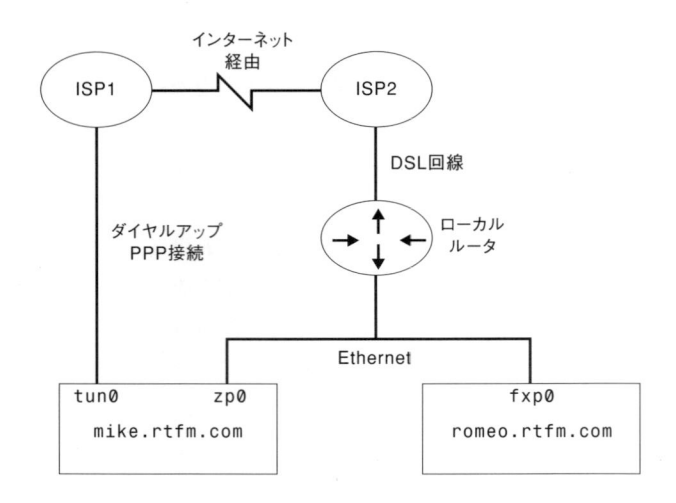

　低速なネットワークの影響を示すため、図 6.23 のネットワーク構成で多くのトレースを収集しました。このネットワークには romeo.rtfm.com と mike.rtfm.com という 2 台のテストマシンがあります。romeo は通常どおりにネットワークに接続されていますが、mike は特にデュアルホームに構成されています。また、2 枚の IP インタフェースを装備しています。プライマリネットワーク接続は、インタフェース tun0 の PPP ダイヤルアップです。mike とローカルネットワーク間の通信は、すべて PPP インタフェースを通過しなければなりません。

　しかしながら、mike は Ethernet インタフェース zp0 を通じてローカルネットワークにも直接接続されています。通常の環境では、mike と romeo 間の通信はこのインタフェースを通ります。そこで、プライベートネットワークにある zp0 は、意図的に PPP 経由で通信するようにしています。

　この構成のポイントは、tun0 と zp0 の両方でパケットをキャプチャするように mike を構成できることです。そのため、各パケットを 2 回ずつ見ることができます。PPP インタフェースに届いたときと、Ethernet に届いたときです。そのおかげで、mike と romeo 間のネットワークを特定パケットが移動するのに要する時間を直接観察することができます。例えば、パケットが romeo から mike に送信されるとき、そのパケットはまず romeo から Ethernet 上のローカルルータに送られます。mike のインタフェース zp0 に接続されたパケットスニファが、そのパケットをキャプチャします。その後、パケットは DSL 回線を通じて ISP（Internet Service Provider）に送られ、インターネットを通じて別の ISP に送られ、最終的に PPP 接続を通じて mike に届きます。この時点で、tun0 に接続されたパケットスニファがそのパケットをキャプチャします。

　図 6.24 に、mike（クライアント）と romeo（サーバ）間で行われる単純な SSL Handshake を示します。前述のとおり、この暗号スイートは鍵交換に RSA を使用します。今回は、これまでのように時系列ではなく、目盛りを基準に描いてあります。各矢印の縦方向への移動範囲はネットワークの移動に要する時間を表しています。各矢印の左右にある線は、送信から到着までに要した実際の時間です。そのため、ClientHello メッセージが mike から romeo に届くのに 112ms を要しています。

図 6.24
高い遅延の接続での
SSL Handshake

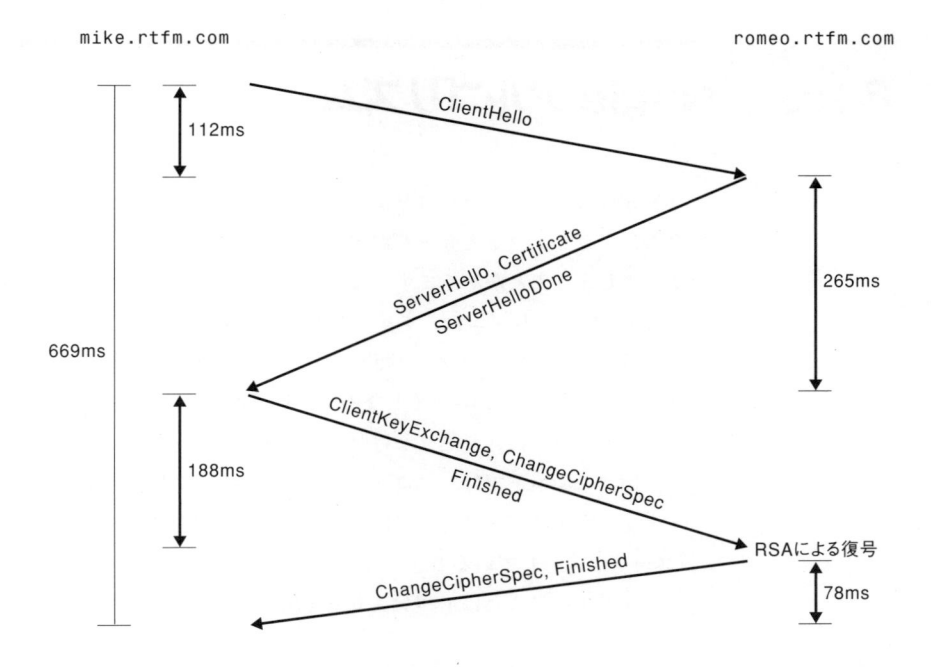

mike.rtfm.com / romeo.rtfm.com

ClientHello — 112ms
ServerHello, Certificate, ServerHelloDone — 265ms
ClientKeyExchange, ChangeCipherSpec, Finished — 188ms
RSAによる復号 — 78ms
ChangeCipherSpec, Finished
合計 669ms

　Handshake の合計時間が大幅に増えています。この場合、開始から終了までの時間は669ms です。同様の Handshake を高速なネットワークで行えば100ms 程度でしょう。しかしながら、時間の大半は単なるネットワーク遅延です。パケットはほぼ受信と同時に処理されています。顕著な影響があった唯一の計算はRSA による復号で、おそらく20msを要しています。これは、このHandshakeの合計時間にとって大した割合ではありません。

　各種 Handshake メッセージの転送時間がまったく異なるのは興味深い点です。ServerHello メッセージ、Certificate メッセージ、ServerHelloDone メッセージの組み合わせが265ms を要しているのに、サーバのChangeCipherSpec メッセージとFinished メッセージは78ms しかかかっていません。当初はこの結果に驚きましたが、説明は簡単です。このシステムの遅延の大半は、ISP 間のインターネットではなく、mike と最初の ISP 間の PPP 接続で生じたものです。低速なモデムリンクでは、遅延の大半を転送時間が占めます。パケットが大きくなるほど、転送に要する時間は長くなり、遅延も大きくなります。Certificate メッセージは大きいので、遅延の大半を占めています。

　ネットワーク遅延が増えると個々のHandshake は低速になりますが、一般的にサーバのスループットが低下することはありません。サーバのネットワークリンクが飽和していなければ、あるクライアントからの応答を待っている間に、サーバは別のクライアントを処理することができます。しかしながら、Handshake の遅延が大きくても大して問題はないというわけではありません。貧弱なパフォーマンスにユーザが気付くことになるので、遅延を減らすことができればユーザの不満も解消できます。

6.23 Nagle アルゴリズム

　特定の環境では、SSL はさまざまな TCP 輻輳制御手法と相性がよくありません。そのため、クライアントとサーバがどちらもアイドル状態にあるのに、SSL Handshake が止まってしまうことがあります。この原因は Nagle のアルゴリズム([Nagle1984])です。

　Nagle アルゴリズムは、タイニーグラム(tinygrams)、つまり通信路上の小さなパケットを減らすためのものです。問題は TCP パケットヘッダにあります。TCP セグメントの最小ヘッダサイズは 40 バイトなので、セグメントごとに 1 文字を送信すると、41 バイトをネットワークに送り込まなければなりません。そのため急激に輻輳する恐れがあります。通常の環境下では、プログラムが write() (または同等の処理)を呼び出すと、TCP スタックがそのデータを即座に送出します。ところが、データセグメントが小さいとき (ユーザが入力しているときなど) にプログラムが write() を呼び出し、カーネルがこのような書き込みごとに 1 パケットを送出すると、ネットワークがこうしたパケットで混雑しかねません。

　Nagle アルゴリズムは実に簡単な方法でこれを防ぎます。送信されたにもかかわらずまだ ACK のない未処理データがある場合には、TCP の実装では小さなパケットを送信しません。代わりに、データをバッファに格納して、ACK を受信した時点でバッファ全体を送信します。通常の環境下ではこれは非常にうまく機能しますが、SSL では問題になる恐れがあります(後で簡単に説明します)。

　この問題の 2 つ目の原因は、「遅延 ACK (delayed ACK)」と呼ばれるテクニックにあります。TCP の実装では、パケットを受信したらすぐに ACK を生成するのではなく、すでに送出中のデータセグメントにピギーバックしようとします。そのため TCP の実装では、データが送信されるのを最大 200ms も待つようになっています。この間に何も起こらなければ、ACK がネットワークに送信されます。

　この相互作用の格好の例は、SSL セッションの再開時に行われる処理です。図 6.25 に、このような接続のネットワークトレースを示します。クライアントとサーバは同一マシン上にあるにもかかわらず、データが TCP スタックを通過しているため、Nagle アルゴリズムの振る舞いがよくわかります。注意してほしい点は、Finished メッセージを送信するクライアント(6 行目)と最初のアプリケーションデータレコード(7 行目)の間で生じている 148ms の遅延です。これは、このレコードを用意するのに要する時間よりはるかに長時間です。

　ここで起こっていることは次のとおりです。クライアントの TCP スタックは、最初のアプリケーションデータレコードを送出する前に、Finished メッセージが ACK されるのを待ちます(Nagle アルゴリズムの働き)。サーバの TCP スタックは遅延 ACK を実装しているため、ACK を送出しません。しかし、サーバプログラムはクライアントが最初のアプリケーションデータのレコードを送信するのを待っているので、送信しません。これでデッドロックが生じます。

このデッドロックは、結局、サーバの遅延 ACK タイマが止まった 0.1516 秒の時点で解消されます。サーバは、たとえピギーバックするのが無理でも ACK を送出します（6〜7行目）。クライアントは ACK を得て、0.1517 秒のときにバッファをフラッシュし、アプリケーションデータの最初のレコードを送信します（わかりやすくするため、ピギーバックされた ACK はデータパケットに示していません）。

図 6.25
Nagle アルゴリズムとセッション再開

```
New TCP connection: localhost(2830) <-> localhost(4433)
1 0.0003 (0.0003) C>S Handshake ClientHello
2 0.0028 (0.0024) S>C Handshake ServerHello
3 0.0028 (0.0000) S>C ChangeCipherSpec
4 0.0028 (0.0000) S>C Finished
5 0.0039 (0.0011) C>S ChangeCipherSpec
6 0.0039 (0.0000) C>S Finished
   TCP ACKが0.1516に到着
7 0.1517 (0.14777) C>S application_data
8 0.1530 (0.0014) S>C application_data
```

6.23.1 Nagle アルゴリズムの無効化

Nagle アルゴリズムは無効にすることもできます（ソケット API なら `TCP_NODELAY` オプションを使用します）。無効にすると、データは TCP スタックに届き次第ネットワークに送信されます（もちろん、TCP ウィンドウに余裕があることが前提です）。その結果、図 6.25 のようなデッドロックは回避されます。図 6.26 に、クライアント上で Nagle アルゴリズムを無効にした場合の、同じ SSL Handshake を示します。見ればわかるとおり、Finished メッセージの送信後、すぐにクライアントがアプリケーションデータを送信しています。そのため、Handshake の完了に要する時間が劇的に減少しています。

図 6.26
Nagle アルゴリズムを無効にしたセッション再開

```
New TCP connection: localhost(2850) <-> localhost(4433)
1 0.0006 (0.0060) C>S Handshake ClientHello
2 0.0016 (0.0010) S>C Handshake ServerHello
3 0.0016 (0.0000) S>C ChangeCipherSpec
4 0.0016 (0.0000) S>C Finished
5 0.0028 (0.0012) C>S ChangeCipherSpec
6 0.0028 (0.0000) C>S Finished
7 0.0046 (0.0018) C>S application_data
8 0.0059 (0.0013) S>C application_data
```

6.23.2 正しいレイヤ

この時点で当然のように浮かぶ疑問は、SSL に Nagle アルゴリズムを使用する価値はあるのかということです。一般論としては、答えはおそらく「ノー」です。Nagle アルゴリズムの目的は、小さなデータグラムの転送に伴う TCP のオーバヘッドを減らすことです。

しかし、SSL レコードが小さいことは非常に稀です。ヘッダと MAC が追加されるため、SSL データレコードの最小サイズは 22 バイトです。そのため、SSL の実装が 1 バイトごとにレコードを構築すると、TCP スタックに届く前に、すでに 20 倍にも膨れあがっていることになります。さらに、前述のとおり、レコードを一度に 1 バイトずつ処理し

たのでは、暗号技術に関する処理が非常に高コストになってしまいます。

したがって、SSL のタイニーグラムの問題を解決したいなら、SSL の実装がレコードにパッケージングする前に、データをバッファに格納するようにしなければなりません。そのためにどうすればよいかは、SSL で動作しているプロトコルによって異なります。これについては第 7 章でもっと詳しく説明します。

6.24 Handshake のバッファリング

「6.10 Handshake の時間配分」で述べたとおり、実装の中には SSL Handshake の一部をバッファに格納するものがあります。OpenSSL は 1024 バイトのバッファを使用します。これは、通常であればうまく機能しますが、別の原因により遅延の大幅な悪化を招く場合が数多くあります。図 6.27 の DHE/DSS Handshake で考えてみましょう。この Handshake は 10Mbps の Ethernet 上で行われ、転送の遅延は最小です。ところが、Nagle アルゴリズムが悪さをする場合があります。ServerHello メッセージ、Certificate メッセージ、ServerKeyExchange メッセージをすべて 1 つの 1024 バイトバッファに収めることはできません。そのため、ServerKeyExchange メッセージは 2 つに分けられます。前半部分は Certificate メッセージと一緒に送信されます。後半部分はバッファに格納され、ServerHelloDone メッセージの後でバッファがフラッシュされたときに OS に送られます。

図 6.27
OpenSSL の通常バッファによる DHE/DSS

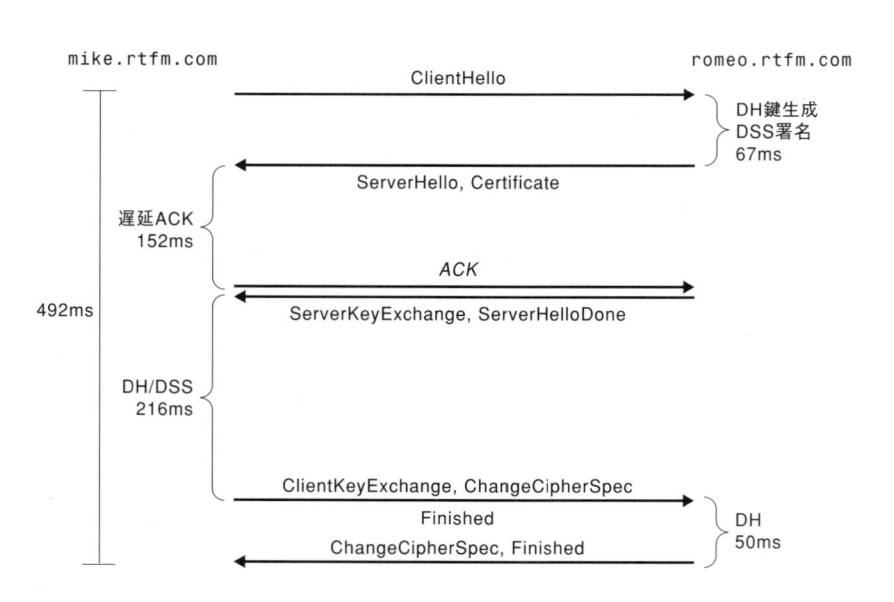

```
mike.rtfm.com                                              romeo.rtfm.com
    |------------------ ClientHello ---------------------->|
    |                                                      | ┐ DH鍵生成
    |                                                      | ┤ DSS署名
    |                                                      | ┘ 67ms
    |<---------------- ServerHello, Certificate -----------|
  ┐ 遅延ACK
  ┤ 152ms
  ┘
    |-------------------- ACK ---------------------------->|
    |<------- ServerKeyExchange, ServerHelloDone ----------|
492ms
  ┐ DH/DSS
  ┤ 216ms
  ┘
    |------- ClientKeyExchange, ChangeCipherSpec --------->|
    |------------------ Finished ------------------------->| ┐ DH
    |<------------ ChangeCipherSpec, Finished -------------| ┤ 50ms
                                                             ┘
```

ところが、バッファのサイズは1024バイトなので、ServerHelloメッセージ、Certificate メッセージ、およびServerHelloDoneメッセージの一部を含む最初のセグメントも1024 バイトです。これはEthernetの最大セグメントサイズ（MSS：Maximum Segment Size）よ り小さいので、バッファサイズがそれより大きければ、より多くのデータを送信できま す。2つ目のセグメントはServerKeyExchangeメッセージとServerHelloDoneメッ セージの残りが含まれており、MSSよりもサイズが小さいため、Nagleアルゴリズムの 対象になる小さなパケットと見なされます。そのため、2つ目のセグメントは、 ServerHelloメッセージ、Certificateメッセージを含む前のセグメントがACKされるま で送信できません。前節で述べたとおり、クライアントはACKを152msだけ遅らせま す。この期間中、クライアントとサーバはどちらもアイドル状態になります。サーバは、 ACKを受信したら即座にServerKeyExchangeメッセージとServerHelloDoneメッセー ジの残りを送信します。

OpenSSLのいくつかの機能もこのHandshakeで遅延が増大する原因になります。ま ず、OpenSSLの小さなバッファサイズとNagleアルゴリズムの相互作用が原因でアイ ドル状態の期間が生じ、その間サーバはACKを待ち、クライアントは遅延ACKを実行し ます。この問題の簡単な解決法はバッファサイズを増やすことです。図6.28に、バッ ファサイズを4096バイトに増やした以外は先ほどと同じHandshakeを示します。

図 6.28
バッファを拡張した
DHE/DSS

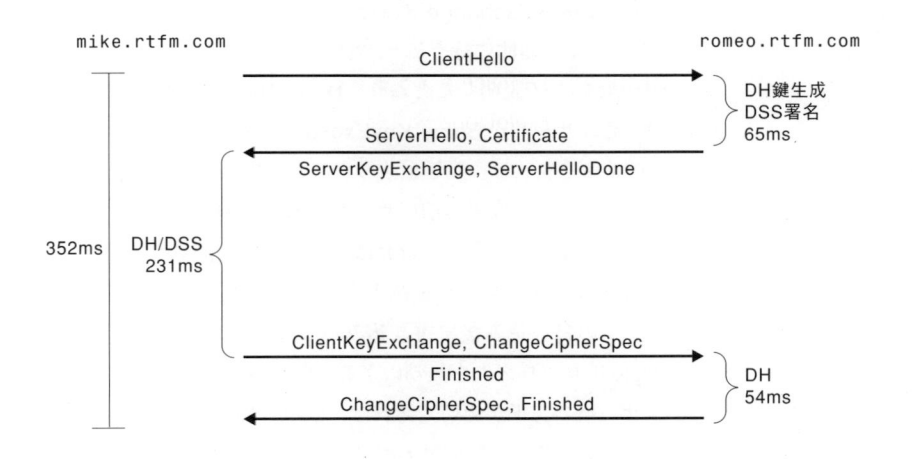

ここでは、1つのバッファにこの4つのサーバメッセージがすべて収まるようにバッ ファサイズを増やしてあります。その結果、この4つのメッセージは同時に送信されま す。そのおかげで、サーバがクライアントの遅延ACKを待つことがなくなり、先ほどの ような一時的なデッドロックは回避されます。結果的に、このHandshakeに要する時間 は、バッファサイズが小さかったときの492msから、わずか352msにまで短縮されました。

ただし、バッファサイズを固定することは、この問題の賢い解決策ではありません。 どのようなバッファサイズを選択したとしても、証明書で一杯になってしまう可能性が あります。より堅実な解決策は、サイズが自動的に変更される可変長バッファを使用し て、ServerHelloDoneメッセージの送信後にバッファを手動でフラッシュすることで す。なお、1つのTCPセグメントでは送信できないほどデータが大きい場合もあります

が、最後のデータはセグメントが一杯になるまで、Nagleアルゴリズムによって送信されなくなるでしょう。

　バッファを拡張するのではなく、Nagleアルゴリズムを完全に無効にするという方法もあります。この方法でも、バッファサイズを増やすのと同じ効果を得られます。ただし、`write()`を一度ではなく二度呼び出さなければならないので、サーバの負荷がかなり増加します。それでも、SSL Handshakeの残り部分の高いCPUコストを考えれば、一度に追加するコンテキストスイッチのコストくらいは大した問題ではありません。

6.24.1　並列化の推進

　このHandshakeの遅延に対する2つ目の要因は、クライアントとサーバとの間の並列化の欠如です。基本的に、サーバがHandshakeの最初のフェーズに費やす時間はすべてServerKeyExchangeメッセージの生成に使われます。ServerKeyExchangeメッセージが生成された後になって、やっとサーバからすべてのメッセージが送られてきます。1024バイトのバッファを使用した場合でさえ、ServerKeyExchangeメッセージはバッファを一杯にして、ServerHelloメッセージとCertificateメッセージを強制的に送信します。

　ServerKeyExchangeメッセージの生成中、クライアントは完全なアイドル状態です。ところが、この間に行うことができるタスクがあります。サーバ証明書の検証です。「6.14 DHE/DSS」で説明したとおり、DSAの検証はCPU時間のかなりの部分を占めます。そのため、サーバがServerKeyExchangeメッセージを生成している間にクライアントがこの検証を行えば、遅延を減らすことができます。そのためには、ServerKeyExchangeメッセージを生成する前にサーバがServerHelloメッセージとCertificateメッセージを送信するように調整しなければなりません。簡単な方法は、各メッセージをバラバラに送信するようにサーバを修正することです。より洗練された方法は、Certificateメッセージの書き込み後に書き込みバッファをフラッシュすることです。どちらの場合もNagleアルゴリズムを無効にする必要はありません。

　サーバの修正が適切であれば、ServerKeyExchangeメッセージを受信する前にクライアントがサーバ証明書の検証を完全に終えられます。そのため、サーバ証明書を検証するのに要する時間だけ遅延が減少するはずです。修正したクライアントで実験したところ、予想どおり20msの改善が実現しました。

　DHE/DSSは、クライアントとサーバの両方でかなりの処理が必要となるケースの最たるものであり、並列化によってパフォーマンスの大きな向上が見込めます。ところが、ある一般原理がここに立ちはだかります。すなわち、最大のパフォーマンスを実現しようと思うなら、SSLの実装者は実装とネットワーク間の相互作用に配慮する必要があるというものです。特に、相手に多くの処理を強いるようなデータを送信するときは、最大限の並列化と遅延の削減が実現するように、そのデータをできるだけ早くネットワークに送信しなければなりません。経験から言うと、時間を要する処理に入る前にネットワークバッファをフラッシュするのが賢明です。

6.25 SSLの高度な機能を利用する際のパフォーマンスの原則

- 一時的な鍵を使用しないようにしましょう。一時的DHはサーバの速度を落とします。PFSが必要でない限り、使用すべきではありません。長期的DH鍵のDHEモードでも改善になるほどです。
- DHの指数は短くしましょう。256ビットのDH指数なら、セキュリティレベルをほとんど落とさずに、パフォーマンスを劇的に向上させることができます。
- Nagleアルゴリズムは常に無効にしましょう。
- Handshakeのバッファリングに関しては、大きな計算に入る前にデータを送信しましょう。バッファフラッシュとNagleとの関連に注意してください。

6.26 まとめ

本章では、SSLのパフォーマンス特性を説明しました。まず、SSLのパフォーマンスを左右する要因に関して一般的な事実を示してから、測定機能を備えたソフトウェアとネットワークトレースを使って重要な点を詳細に説明しました。

- 暗号技術に関する処理にほとんどの時間が費やされます。暗号技術に関する処理は、SSLのパフォーマンスにおける支配的な要因です。プロトコルの状態マシン、I/Oは、システムのパフォーマンスにとって大した問題ではありません。
- Handshakeは非常に高コストです。大量のデータを送信しないセッションの場合は、SSL HandshakeがCPU時間の大半を消費します。
- セッション再開によってHandshakeのコストを軽減できます。セッション再開時のHandshakeは、通常のHandshakeよりはるかに高速です。クライアントとサーバが何度もやり取りする場合、セッション再開には効果があります。
- サーバのパフォーマンスはクライアントのパフォーマンスより重要です。サーバが低速だと、遅延が増大し、スループットが低下します。クライアントが低速な場合は、主として遅延が増大します。
- 大きなレコードを使用しましょう。レコードの処理には、暗号技術に関する部分とネットワークにかかわる部分で、ある一定のオーバヘッドがかかります。レコードのサイズが大きくなるほど、このオーバヘッドがかかる回数が減ります。
- アルゴリズムの選択がパフォーマンスに影響します。Handshakeのパフォーマンスを上げたいならRSAを使用しましょう。データ転送を高速にしたいならRC4を使用しましょう。ダイジェストアルゴリズムのパフォーマンスに大きな差はありません。

- それなりのパフォーマンスを望むなら、C を使用しましょう。Java では、暗号化のパフォーマンスはひどいものです。JNI を使用して C を呼び出すと、Java の実装のパフォーマンスが劇的に向上する可能性があります。
- 高いパフォーマンスを望むなら、暗号技術に関するハードウェアを使用しましょう。サーバの負荷が高い場合は、暗号技術関連の処理をハードウェアで実行するエンジンにより、パフォーマンスをかなり改善できます。

第7章
SSL を用いた設計

「まず、自分が何をしようとしているか、明確にしてください(ほとんどの状況でいえることですが、ここでは特に重要です)」
("First, figure out what you are trying to do (this is good advice under most circumstances, and it is especially apropos here).")

— NNTP Installation Guide

7.1 はじめに

　ここまでの各章では、SSL そのものの仕組みについて考察してきました。しかし SSL は、単体で動作させるよりも、むしろその上でアプリケーション層のプロトコルを動作させるときに真価を発揮します。実際にユーザへサービスを提供するのは、こうしたアプリケーション層のプロトコルです。SSL の役割は、これらのプロトコルが安全に機能できるようにすると同時に、セキュリティにかかわる機能をできるだけ抽象化することです。つまり SSL は、その上で動作するアプリケーション層のプロトコルに対してセキュリティサービスを提供できるように、土台となるセキュリティの仕組みを担います。

　とはいえ、ただ単に SSL の接続上にアプリケーションデータを流しただけでは、往々にしてセキュリティとパフォーマンスの両面で好ましくない結果になります。SSL を安全に利用するには、アプリケーション層のプロトコル（およびその設計者）が、SSL についてよく理解していなければなりません。本章では、そのために必要な知識をまとめます。なお、本章でも二段階に分けて説明を行います。まず基本的な考え方を概観してから、後半で技術的な詳細を説明します。

　本章では、アプリケーションプロトコルを安全にする方法について、プロトコルの観点から論じていきます。対象読者は、アプリケーションプロトコルの設計者やシステム設計者です。本章と対になる第 8 章では、本章に対応するテクニックを、プログラマの観点から論じます。掲載するサンプルコードでは、一般的な SSL の実装を使用します。

7.2 何を守るのかを考える

　まず、どのようなセキュリティサービスを提供したいのかをはっきりさせることが必要です。そのためには、そのアプリケーションの脅威モデルを見積もる必要があります。脅威モデルとは何かを忘れてしまった場合は、第 1 章を読み直してください。解決したいシステムの脆弱性は、この脅威モデルと照らし合わせて突き止めます。目標は、相応なコストで脆弱性を排除できる部分をすべて安全にすることです。

　この課題に対処するにあたり、まずは第 1 章で述べた 3 つのセキュリティの性質（機密性、メッセージ完全性、エンドポイント真正性）を思い出してください。すべてのアプリケーションが 3 つの性質を全部必要とするわけではありません（とはいえ、その価値がないアプリケーションには、そもそもセキュリティが不要です）。これらのサービスは、ある程度まで個別に提供できます。したがって、どのサービスが必要なのかを明確にすることが重要です。その一環として、これらのサービスの提供に必要なコストを判断してみましょう。サービスの価値が低ければ、それに対するセキュリティのレベルも相応に

低くなるでしょう。

すべてのセキュリティ機能をSSLでまかなう必要はありません。例えば、広く使われている、ユーザ名とパスワードを使ってクライアント認証を提供する方法を考えてみましょう。パスワードの暗号化はSSLで提供されますが、その送受信や検査はアプリケーションプロトコルの仕事です。では、セキュリティ機能のどれをSSLで提供し、どれをアプリケーションプロトコルで提供するのがよいのでしょうか。

7.2.1 機密性

機密性は、大部分のアプリケーションにとって有益です。とはいえ、第6章で見たように、機密性には実行時のコストが付いて回ります。特に、RC4が利用できない場合にはコストがかさみます。中には、機密性を必要としないアプリケーションもあります。フリーソフトウェアのダウンロードサービスがその好例です。この場合、ベンダからダウンロードしたソフトウェアが改竄されていないという確証は必要ですが、ダウンロードそのものは誰でもできるので、内容を秘密にしておく意味はありません。

7.2.2 メッセージ完全性

メッセージ完全性は、SSLでは必須の要素です。しかも、メッセージ完全性なしには、どんなセキュリティ機能の提供も困難です。つまり、SSLでメッセージ完全性を保証する機能を使用するかどうかは、実際のところ疑問の余地はありません。

7.2.3 サーバ認証

SSLでサーバ認証を必要としないのは、匿名DHモードだけです。もちろん、自己署名された(つまり検証されていない)証明書を使用すれば、どのモードでも匿名接続を利用できます。しかしこれは、接続をman-in-the-middle攻撃にさらすことになるため、好ましくありません。一般には、SSLを利用するほぼすべてのアプリケーションで、サーバ証明書◆監訳注1が必要になります。

なお、アプリケーション層のプロトコルによってman-in-the-middle攻撃を防げる場合もあります。「7.16 ユーザ名とパスワードを用いた相互認証」では、そのテクニックを紹介します。このテクニックでは、アプリケーションプロトコルとSSLとの間で、特に綿密な連携が求められます。

◆1. クライアントが信頼するCAから署名されたサーバ証明書のことです。

7.2.4 クライアント認証

すでに述べたように、SSLを使用するほとんどの場合では、証明書によるサーバ認証が必須です。しかしクライアント認証については、証明書以外にも認証の手段があります。SSLそのものでは証明書によるクライアント認証を提供するだけですが、多くのアプリケーションプロトコルはSSL上で動くクライアント認証のメカニズムを持っています。こうしたメカニズムは、ネット上でそのまま実行してしまうと危険ですが、SSLを介して実行すればはるかに安全になることも多いでしょう。「7.3 クライアント認証の方式」では、単純なクライアント認証の方式をいくつか紹介します。

7.2.5 経験則

すでに述べたように、メッセージ完全性は必須です。選択の余地はありません。一般的には機密性も提供したいところです。認証のみのモードをサポートしていないSSLの実装も多いため、相互運用性のためには機密性をサポートする必要があるからです。機密性のサポートは、ユーザのニーズに添うものでもあります。クライアント認証は、ユーザにとっては煩わしい手続きであり、本当に一部のユーザに限定しなければならないデータがある場合以外は避けるべきです。

7.3 クライアント認証の方式

7.3.1 ユーザ名とパスワード

クライアント認証の最も一般的な方法は、ユーザ名とパスワードの組を使用するものです。ユーザがネットワーククライアントにユーザ名とパスワードを与えると、ネットワーククライアントはそれを目的のサーバ(ユーザがアクセスを望むサーバ)に受け渡します。サーバは、ユーザのパスワードをパスワードデータベースと照合します。パスワードが一致すれば、ネットワーククライアントがユーザとして認証されます。

この方式はしばしば、アクセス制御リスト(ACL：Access Control List)と組み合わせて使われます。ACLとは、ユーザとそのユーザが持つアクセス権限とからなるリストです。サーバ上の各リソースは、それに関連付けられたACLを持っています。クライアントがリソースへのアクセスを要求すると、サーバは、要求されたリソースに関する適切なACLの中にそのクライアントのアクセス権限が含まれているかどうかを調べます。

ユーザ名とパスワードを用いる方式は、単純なパッシブ攻撃に対して脆弱です◆監訳注2。この攻撃では、攻撃者がネットワークを盗聴し、パスワードを読み取ってから新しいセッションを開始して、そのユーザ名とパスワードの組を自分のものとして使用します。

SSLでは、暗号化されたチャネルでパスワードが送られるため、このような攻撃を防止することができます。それでも、推測を繰り返して正しいパスワードを得ようとするアクティブ攻撃を仕掛けられる可能性は残ります。

7.3.2 ユーザ名とパスワードの変形

ユーザ名とパスワードを用いる方式は、非常に多くのシステムで採用されてきています。そのため、この方式を利用したままシステムのセキュリティを高めるべく、複雑な手法がいくつも考案されました。最も単純な例が、S/Key や SecureID カードといったワンタイムパスワードと呼ばれる手法です。いずれの手法も、その狙いは、パスワードが流れる接続へのパッシブ攻撃やアクティブ攻撃からパスワードを安全にすることです。しかし、こうした攻撃は SSL によって防ぐことができます。そのため、SSL を使用している環境では、あまりメリットがありません。ただし、安全な接続と安全でない接続を両方とも使用するシステムでは、有益な場合もあります。[Jablon1996] と [Wu1998] では、このような手法の例が説明されています。

7.3.3 SSL クライアント認証

SSLにおけるクライアント認証は、サーバ認証と同様に、電子証明書を持っているか否かに依存しています。しかし、クライアントのほうがサーバより数が多いため、サーバ認証に比べて運用上の困難は増加します。多くのクライアントを認証する場合には、CA との間で特別な取り決めが必要になります。それを避けるために、自ら証明機関を運営する組織も多いのですが、そうすると運用上の負担が増えることになります。

加えて、証明書によるクライアント認証では、個々のユーザと証明書との対応付けが問題になります。これには ACL を使うことができます。識別のための情報を証明書に含めておき、その識別情報から ACL のエントリを調べるようにするのです。ただしこの方法では、証明書を使った認証とユーザ名とパスワードによる認証とを組み合わせて使用する場合に、特別な配慮が必要です。なぜなら、この 2 種類の識別情報を、両方とも同じユーザに対応付けることができなければならないからです。

7.3.4 経験則

多くの場合、クライアントに対しては、証明書よりもユーザ名とパスワードによる認証を行うほうが簡単です。パスワードのほうが、たいていのインフラストラクチャに組み込みやすく、ユーザにも理解しやすいからです。ただし、例外があります。自動化さ

◆2. これは、いわゆる PAP (Password Authentication Protocol) 方式を利用した場合にいえることです。CHAP (Challenge Handshake Authentication Protocol) 方式の場合、この議論は一概に成り立ちません。

れたクライアントであれば、証明書でも容易に扱うことができます(特に、アクセス制御が必要ない場合)。このようなクライアントの例として、メールサーバがあります。メールサーバは、常に人手を介さずに実行されている状態にあり、メッセージを転送するときには自分自身の身元を証明できなければなりません。

7.4　参照情報における整合性

7.4.1　サーバ識別情報

　第5章で述べたとおり、SSLで接続のセキュリティを確保するためには、サーバの識別情報を確認することが不可欠です。このような確認をしないと、能動的な攻撃者が接続に対してman-in-the-middle攻撃を仕掛けるかもしれません。また、そのサーバの証明書を検証するだけでなく、そのサーバが目的のサーバかどうかを確認することも重要です。そうでなければ、有効な証明書を持つあるサーバが、ほかのサーバのものと思われている接続を横取りできてしまいます。

　当然ながら、接続しようとしているサーバが持っているはずの識別情報と、実際の識別情報を比べるには、そのサーバの識別情報をある程度予測できていなければなりません。つまり、どのようなアプリケーションプロトコルを使用しようとも、ユーザが接続するサーバの識別情報について予測できなければなりません。

　この情報は、たいていの場合、サーバのドメイン名です。第5章で述べたように、この情報を証明書と照合しなければなりません。ドメイン名は、ユーザから直接提供される(Telnetの接続要求において使われるホスト名など)か、URLで間接的に提供されるのが一般的です。どちらも可能でない場合は、取り扱いがずっと難しくなります。「7.16 ユーザ名とパスワードを用いた相互認証」では、このようなケースで有効なアプローチを検討します。

7.4.2　セキュリティ特性

　セキュリティ上の理由から、クライアントは、接続が期待どおりのセキュリティを満たしているかどうかを確認する必要があります。確認の方法は、クライアントがサーバを参照する手段によって違ってきます。例えばTelnetのようなプロトコルの場合、クライアントが持っている情報がサーバのドメイン名のみという場合もあります。しかしながら、HTTPのようなプロトコルなら、そのプロトコルがHTTP over SSLだということを示す指標がURLの中に含まれます(URLが`https://`で始まります)。

　SSLの使用を明示してサーバを参照する場合、クライアントは、実際にSSLが使用されているかどうかを確認する必要があります。ドメイン名がある場合は、サーバの証明

書内のドメイン名が、参照したドメイン名と一致するかどうかを確認する必要があります。何らかの方法で認証できなかったサーバでは、man-in-the-middle 攻撃が可能になります。

　安全な接続は、クライアント側で実現しなければならないことに留意してください。これを怠ると、クライアントからの安全でない接続に対して攻撃者が man-in-the-middle 攻撃を行い、サーバへの安全な接続を開始する可能性があります。このときサーバは、この接続が安全だと思い込んでしまい、相手が攻撃者だと気付くことができません。この種の攻撃はサーバにとって、セキュリティ上の大きな問題となります。サーバが SSL クライアント認証を要求すれば、このような攻撃は起こり得ません。SSL クライアント認証が使われれば、攻撃者はサーバに接続することはできても、そのクライアントに成りすますことはできないからです。

7.4.3　経験則

　一般には、(1)クライアントが接続しようとしているサーバを的確に判別することができ、(2)SSL が必要であることを言及する必要があります。サーバの識別情報は、サーバの証明書と自動的に照合できる必要があります。サーバがドメイン名で識別でき、そのドメイン名が証明書の中に含まれていることが望ましいでしょう。

7.5　SSL に向かない処理

　SSL は、セキュリティが求められるさまざまな処理で利用されますが、適用するのが妥当でない処理も多数あります。SSL が2つのマシン間に安全な通信路を提供すること、そして、この通信路はそこを流れるデータに関与しないことを思い出してください。つまり、SSL で可能なことには限度があります。本節では、そうした限度について論じます。これらの問題の解決に役立つ技術については、第11章で簡単に説明します。

7.5.1　否認防止

　SSL がカバーできない処理の代表例は、データの否認防止 (nonrepudiation) です。オンラインショッピングを例に考えてみましょう。このトランザクションが SSL の接続を通じて行われれば、顧客は正しい売り手を相手にしているという確証が持てます。通常、売り手は領収書を送ってきますが、これにも SSL の接続を使うことができます。SSL で領収書を送れば、途中で領収書が改竄されていないことは確信できますが、領収書を他人に見せることはできません。つまり、その内容を第三者に実証することはできません。これでは、「顧客が領収書を偽造した」と売り手が主張しても、顧客は偽造していないこ

とを証明できません。

7.5.2 エンドツーエンドのセキュリティ

SSL Handshake は対話的なので、ネットワーク接続を確立できないマシンに暗号化されたデータや認証されたデータを送ることはできません。そのため、あなたのマシンがファイアウォールの背後に置かれている場合、相手との間で SSL の接続を確立したければ、そのファイアウォールに穴を開けなければなりません。あるいは、ファイアウォールとの間で SSL の接続を確立し、ファイアウォールに相手のマシンとの接続を確立させる方法もあります。しかし、2 番目の方法には大きな難点があります。ファイアウォール自体に通信の内容が解読されてしまう点です。

一般に SSL は、暗号技術に関する情報をそのまま保存しておき、それを使って復号や検証をするような方法で対象を守るといった処理には不向きです。このような方法を使うアプリケーションでは、SSL は不適切なアプローチかもしれない、と疑ってください。むしろ、S/MIME などのメッセージセキュリティプロトコルを使うほうがよいかもしれません。この種のアプローチについては第 11 章で論じることにします。

7.6 プロトコルの選択

たいていの場合、同じアプリケーションの安全なバージョンと安全でないバージョンを、両方とも同時に実行できるのが望ましいでしょう。そのためには、アプリケーションプロトコルのネイティブ(安全でない)なバージョンを使用する接続と、安全なバージョンを使用する接続とを区別する、何らかの方法が必要です。

同じような動作について安全なバージョンと安全でないバージョンの両方を提供する場合には、2 つの要件を満たさなければなりません。1 つ目は、安全な接続と安全でない接続をはっきりと判別できることです。2 つ目は、セキュリティに無頓着なクライアントおよびサーバと、セキュリティ意識の高いクライアントおよびサーバとが正しく共存できるようにすることです。

2 つ目の要件について若干説明しておきます。当然ですが、セキュリティについて何も知らない主体と、セキュリティを期待する主体とが、問題なく共存することはできません。とはいえ、ある主体がセキュリティに無頓着な主体に対してセキュリティを適用しようと試みた結果、セキュリティに無頓着な主体を切り捨てるようなことがあってはなりません。エラーを投げるのは許されますが、それは理解可能なエラーであるべきです。

このための 1 つのアプローチとして、クライアントから送信される最初のバイトに基づいて、接続の種類をサーバに自動検出させる方法が考えられます。SSL の ClientHello メッセージとアプリケーションプロトコルとが、サーバにより判別できる程度に異なっ

ていれば、このアプローチが有効です。しかし、すべてのアプリケーションプロトコルがこの条件に当てはまるわけではありません。

さらに、たとえそれらが違っていたとしても、その違いをサーバが自動的に検出できなければなりません。この要件は、SSLをアプリケーションプロトコルに導入することを困難にします。なぜなら、すでに完成しているサーバはSSL Handshakeを知らないので、エラーを返すか、最悪の場合には停止してしまうためです。自動検出は、まったく新しいプロトコルを設計するときには（良い方法とはいえないまでも）許容できるかもしれませんが、既存のプロトコルのセキュリティを向上させようとするときには不向きです。

プロトコルの選択については、一般的なアプローチが2つあります。「ポートの分離（separate port）」によるものと、「上方向ネゴシエーション（upward negotiation）」によるものです。

▌ 7.6.1　ポートの分離

ほとんどのインターネットのプロトコルには、well-knownポートが割り当てられています。例えば、Telnetの接続はポート23で、電子メールのSMTPの接続はポート25です（現在割り当てられている全ポート番号は、[IANA]に記載されています）。あるプロトコルの通信は、サーバの該当するポート（そのプロトコルに割り当てられた番号のポート）に到達します。IANA（Internet Assigned Numbers Authority）は、同じポートが2つ以上のプロトコルで使われないよう、これらのポート番号の登録を管理しています。同じポートで異なる2つのプロトコルがぶつかれば、先ほど述べたようなエラーが起きるでしょう。

同じプロトコルの安全なバージョンに、安全でないバージョンとは別のTCPポートを割り当てることができます。これによりサーバは、接続を安全なものにするかどうかを、クライアントが接続してくるTCPポート番号によって判断できます。そして、SSLのClientHelloメッセージを待ち受けるべきか、アプリケーションプロトコルの処理をすぐに開始すべきかを決定することができます。

この方式の主な問題点は、拡張性が低いことです。使用できるポートの数は、多いとはいえ（約65000）、無限ではありません。各プロトコルに2つのポートを定義すると、利用できる数のポートが2倍の速さで消費されていきます。また将来、別の新しい機能が追加されるたびにポートを追加定義していったら、そしてさらに、その新しい機能の安全なバージョンと安全でないバージョンを定義するようになったら、組み合わせの数は爆発的に増加してしまいます。

▌ 7.6.2　上方向ネゴシエーション

既存のプロトコルに新しい機能を追加しようとする場合、通常は下位互換性が維持される方法を考えるでしょう。新しいTCPポートを用意するのは、大規模なプロトコル変更のときだけです。例えばSSLで新しい暗号を追加する場合は、その暗号スイートの番

号とセマンティクス◆監訳注3を定義するだけです。追加した暗号が実際に使用できるかどうかは、プロトコルが自動的に判別します。

　ほかの多くのプロトコルもこのような拡張に対応しているため、プロトコルにセキュリティを追加する場合も、ごく自然に同様の仕組みを利用することができます。典型的なのは、接続の一方がSSLをサポートしていることを伝え、他方がSSLによる接続を希望することを伝える方法です。これによりSSL Handshakeが実行され、アプリケーションプロトコルの残りの部分が安全な接続を通じて実行されます。

　図7.1は、典型的なネゴシエーションを図式化したものです。最初のメッセージでは、クライアントがTLSによって通信する用意があることを伝えます。2番目のメッセージでは、サーバがTLSで通信することに同意し、続行するようクライアントに促します。次のメッセージで、クライアントがClientHelloメッセージを送ります。クライアントは、サーバとのHandshakeを完了したら、新しいTLSの接続を通じて最初のアプリケーションプロトコルメッセージを送ります。このメッセージは暗号化されています（図中では暗号化されているメッセージをイタリックで示しています）。

図7.1
TLSへの上方向ネゴシエーション

　上方向ネゴシエーションでは、プロトコルが拡張機能をネゴシエートするためのメカニズムを持っている必要があります。これは一般的な機能ですが、決して普遍的な機能ではありません。プロトコルがこのようなメカニズムを持っていなければ、その機能を追加しなければなりません。SSLが機能するのは、アプリケーションプロトコルにおける通常のメッセージ交換の後になるため、必要なセキュリティを確保するには十分な注意が必要です。つまり、SSLのセッションがネゴシエートされるまでは、機密データを送るべきではありません。相手がSSLでのセッションを拒否するなら、クライアントとサーバは正しく（そして安全に）動作するように設定する必要があるかもしれません。

◆3.　ここでのセマンティクスとは、SSLの接続の内部状態において、どのように最適な接続にするかということを意味しています。

7.6.3 経験則

一般に、ポートの分離方式のほうが設計や実装がずっと簡単です。主に内部で使用するプロトコルを設計する場合や、変更できないプロトコルを扱う場合には（これは特に珍しいケースではありません）、ポートの分離方式を採用してください。広く使われる標準化を設計するときにだけ、上方向ネゴシエーション方式の設計や実装にコストを費やす価値があるでしょう。

7.7　Handshakeオーバヘッドの軽減

第6章で述べたように、大部分のSSLの接続で最も実行時のコストがかかるのは、Handshakeです。アプリケーションプロトコルの設計者が、このオーバヘッドを減らすためにすぐできることは、そのプロトコルで必要となる新しいSSL Handshakeの数を最小限に抑えることです。

新しいプロトコルを設計する場合には、まず、新しい接続の数を減らすことを検討するべきです。これは、既存のプロトコルの安全を図る場合にも大切なことです。一部のプロトコル（例えばHTTPやSMTP）は、同じプロトコルの接続で複数のトランザクションを処理できます。これは一般に好都合なことですが、SSLでは特に重要です。

7.8　設計戦略

ここまではSSLを使ってプロトコルの安全を図る際の重要な設計上の考慮事項を検討してきました。本節では実行すべき設計手順の概要を述べます。

- **脅威モデルを明確にする**
  どんなセキュリティ設計でも、最初のステップは、対処しようとするセキュリティ上の脅威がどういう類のものなのかを明確にすることです。データがどういう点で機密なのかを明確にする必要があります。この手続きは、次のステップに直接つながります。
- **保護したいものを明確にする**
  まず、提供したいと思うセキュリティサービスを明確にします。次に、SSLで提供できるサービスと、ほかの手段で提供しなければならないサービスを明確にします。SSLが自分のアプリケーションに適さない可能性もあるので、ここでその点を検討しておきます。

- **プロトコル選択方式を選ぶ**

    最初に行うべき設計上の留意点は、どのように安全なモードと安全でないモードを選択するかです。すでに述べたように、ポートの分離方式のほうが実装しやすいのですが、スケーラビリティの点で問題があります。

- **クライアント認証をどのように行うか（あるいは行わないか）を決定する**

    自分の脅威モデルがユーザの認証を要求している場合、何らかのクライアント認証を行う必要があります。そのアプリケーションですでにユーザ名とパスワードを用いる認証方式を使用しているなら、この認証モデルを再使用すればよいでしょう。証明書を使用するにしても、アクセス制御にはユーザ名とパスワードによるインフラストラクチャを利用するとよいでしょう。

- **サーバの識別と参照情報における整合性を提供する**

    次のステップは、サーバをどのように認証するかを明確にすることです。これには、まず間違いなく証明書を使うことになりますが、肝心なことは参照情報と証明書内の識別情報とを照合する方法を明確にすることです。そのためには、手元の参照情報がどういう種類のものか識別し、それを反映するように証明書を整える必要があります。

- **接続のセマンティクスを最適化する**

    最後に、パフォーマンス上の問題を考慮する必要があります。プロトコルのレベルでできることは、接続数を最小限に抑え、可能な場合はセッションを再開できるようにすることぐらいです。さらに、終了処理が正しく実行されるようにする必要もあります。これは再 Handshake を減らすためと、強制切断攻撃（truncation attack）に対するセキュリティを確保するためです。

7.9　ここまでのまとめ

　本章の前半部分では、SSL を使ってプロトコルを安全にするための方法について議論しました。プロトコルのセキュリティ保護というごく基本的な仕事を遂行するのは、一般には大変なことではありませんが、検討を要するさまざまな細かい事柄があります。すでに見たように、そうした詳細事項の検討を怠ると、重大なセキュリティホールが残ったり、そうでなくてもパフォーマンスが悪化したりします。

　本章の前半部分の目的は、必要な処理を概観することでした。次からの後半部分では、これらの処理を遂行するさまざまな方式を詳しく考察していきます。紹介する方式の多くは、1 つ以上のプロトコルで効果的に配備されており、標準的な SSL 設計ツールの一部になっています。

7.10 ポートの分離

　安全なバージョンと安全でないバージョンの両方のサービスを提供する最も一般的な方法は、それぞれに別々のポートを使用することです。この方式を実装するのは簡単です。プロトコルの安全なバージョンに新しいポートを割り当て、サーバが安全でないポートと安全なポートの両方を待ち受けるように設定するだけです。これは、1つのサーバプロセスに両方のポートを待ち受けさせるか、それぞれのポートを別々のプロセスに待ち受けさせることで実装できます。サーバが、SSLによる通信と通常の通信とを判別できる必要はありません。なぜなら、安全なポートに入ってくるものはすべてSSLでなければならないからです。安全なポートに入ってくる安全でない通信は、エラーとなります。安全でないポートに入ってくる安全な通信も同様です。

　注意を要するポイントは、クライアントが正しく振る舞うように設定することだけです。第一に、クライアントはSSLを使うことを知っていなければなりません。第二に、クライアントは安全なポートに接続することを知っていなければなりません。安全なポートがwell-knownポートならポートの選択は明白かもしれませんが、そうでなければクライアントから明示的に通知しなければなりません。最後に、クライアントは、安全な接続をネゴシエートできない場合にどう振る舞うか（安全でない接続に戻るか、エラーを報告するか）を知っていなければなりません。この問題については、後ほど参照における整合性を論じるときにまた取り上げます。

　この方式の一番の利点は、アプリケーション層のプロトコルに本格的な変更を行わなくて済むことです。SSL上での振る舞いを記述する必要がありますが、プロトコルのコマンドはすべて以前のままです。その上、以前の安全でない実装もそのまま動作します。安全な実装と安全でない実装の間でおかしな相互作用が起きるリスクもありません。両者はそもそも相互作用をしないからです。

　一方、この方式の一番の欠点は、TCPポートを2倍の速さで消費していくことです。このことがなぜ問題なのかというと、多くのプロトコル設計者が1024より若い番号のwell-knownポートを好んで使うからです。UNIXマシンでは、ポート番号が1024より若いポートをオープンできるのは、ユーザIDが0（ルートユーザ）のプロセスだけです。したがって、1024より若いポートからパケットを受け取ったならば、送信者がルートユーザのアクセス権限を持っているものと考えられます。同様に、若いポート番号でサーバに接続したなら、そのサーバがマシンの所有者によって正式に認められているものと考えられます。なぜなら、ルートユーザが所有するプロセスだけがそのポートを待ち受けできるからです。

　インターネットの脅威モデルを想定したとき、このような判断方法には何の説得力もありません。若いポート番号を持つパケットを偽造するのは簡単だからです。その上、OSの中にはこの若いポート番号の制約がないものが多くあり、そのようなOSのマシンと通信しているのかどうかを知る方法はありません。それにもかかわらず、多くの設計

者が若い番号のポートに感傷的な愛着を抱いており、その枯渇を心配しています。

この方式のもう1つの問題点は、一部のファイアウォールに変更を加える必要があることです。パケットフィルタリングファイアウォールの中には、特定のポート以外でTCPの接続を許さないようになっているものが多数あります。そうしたファイアウォールは、この方式をサポートするように変更しなければなりません。最後にもう1つ付け加えると、IETF標準化用のプロトコルを設計する場合、ポートの分離方式には慎重になるべきです。本書の執筆時点において、IESG▼はプロトコル設計者に対し、次に説明する上方向ネゴシエーションを使うよう強く勧めています。

▼Internet Engineering Steering Group

7.11 上方向ネゴシエーション

上方向ネゴシエーション方式では、安全な接続にも安全でない接続と同じポートを使用します。したがって、余分なポートを割り当てる必要がないという利点があります。

さらに上方向ネゴシエーションでは、自動検出という重要な新機能が加わります。クライアントとサーバのどちらからでもセキュリティを申し出ることができ、相手が受け入れれば自動的にネゴシエートされます。これに対し、ポートの分離方式ではセキュリティが使用できることをクライアントが知っていなければなりません。この機能により、受動的なスニッフィング攻撃に対して相当な抵抗力が付きます。しかし、後ほど見るように、注意深く実装しないと、能動的なダウングレード攻撃に対してプロトコルが脆弱になる可能性があります。

上方向ネゴシエーション方式では、クライアントとサーバのコードにかなりの変更を加える必要があります。プロトコルが拡張機能を追加するためのメカニズムをサーバとクライアントに備えていない場合は、それを追加しなければなりません。このメカニズムがすでに備わっている場合には、セキュリティをネゴシエートするためのサポートを追加しなければなりません。これは設計当初から正しく働くとは限りません。HTTPにおけるこのメカニズムはアップグレード（Upgrade）と呼ばれていますが、実はTLSの設計で初めて使われました。結果として、いくつか問題が生じたのですが、これについては第8章で論じます。

次に、失敗したHandshakeのセマンティクス◆監訳注4を定義することが重要になります。その理由は、クライアントとサーバがSSLをサポートしていても、それだけでは両者が互換性のある暗号スイートや鍵素材をサポートしていることにはならないからです。SSLにおけるHandshakeが失敗した場合、アプリケーションは、接続を切った上でセキュリティなしで再接続するか、再接続を行わずにセキュリティのない接続での続行を試みるか、もしくは単にエラーを報告するかのいずれかの対応を取ります。2番目の

◆4. ここでのセマンティクスは、どのように対応するかを意味します。

アプローチでは、SSLデータが間違ってアプリケーションプロトコルデータとして処理されることのないよう、どちらの側のネットワークバッファも明確に定義された状態にしておかなければなりません。

上方向ネゴシエーションは、実行時のコストがかさむ原因にもなり得ます。安全なプロトコルと安全でないプロトコルを別々のポートで実行する場合、データの最初のパケットはClientHelloメッセージです。しかしながら、上方向ネゴシエーションの場合、クライアントとサーバは、まず、SSLが許されることを確定しなければなりません。そのために一往復分の時間を要することもあります（最初のプロトコルメッセージでSSLのClientHelloメッセージを送るようにすれば一往復まではかからないかもしれません）。

最後に、上方向ネゴシエーション方式では、パケットのフィルタリングを行うファイアウォールを変更する必要はありませんが、アプリケーション層でフィルタリングを行うファイアウォールやプロキシにはかなりの影響があります。アプリケーション層プロキシは、上方向ネゴシエーションの際のコマンドを理解して処理できなければなりません。しかし、そのためにはプロキシの再設定だけでなく、コードの変更も必要になる場合が多くあります。このことが普及の障壁になることがあります。

7.12 ダウングレード攻撃

安全なプロトコルを選択するどちらの方式も、能動的なダウングレード攻撃（Downgrade attack）◆監訳注5 に対して脆弱です。能動的なダウングレード攻撃の攻撃者は、クライアントまたはサーバにSSLの接続が可能でないと信じ込ませ、それでも通信するのであれば安全でないチャネルを利用するしかないと思わせます。このような攻撃は、SSLのHandshakeそのものをダウングレードするわけではないことに注意してください。それ自体は、Finishedメッセージに含まれるダイジェスト値によって防御することができます。むしろ、この攻撃は、SSLによる接続のネゴシエートが無理であるかのように行われます。したがって、SSLプロトコルはこの攻撃に対する防御ができません。

7.12.1 ポートの分離

ポートの分離方式によるネゴシエーションに対して仕掛けられる最も単純な攻撃は、サーバが該当ポートをまったく待ち受けしていないように見せかけるというものです。これは、パケットをネットワークに送信できる攻撃者なら誰でも簡単にできることです。攻撃者は、クライアントがTCP SYNを送って接続をオープンするのを待ち、応答とし

◆5. これは「3.10.5 ClientKeyExchangeメッセージ」で説明されているロールバック攻撃です。

てRSTパケットを偽造します。クライアントには、このRSTの送信元が正規のサーバではなく攻撃者であることを見破る方法はありません。クライアント側のTCPの実装は、クライアントコードにエラーを返します。

普通の状況下なら、これはよくあるDoS攻撃であり、それほど関心も高くありません。しかし、クライアント(またはユーザ)の振る舞いが事態をずっと悪化させる可能性があります。この問題は安全なサーバが提供している多くのWebページで見られます。このようなサーバではSSLをサポートしたいのですが、SSLでないトランザクションも拒否したくありません。例えば、amazon.comのWebサーバには次のようなテキストが表示されている箇所があります。

> セキュアサーバを利用してサインインしようとするとエラーメッセージが表示される場合は、「スタンダードサーバ」を利用してサインインしてください。セキュアサーバを利用すると、入力された情報は暗号化されます。

ユーザがこの文面どおり「スタンダードサーバ」のリンクをクリックすれば、攻撃者は安全なリンクを試みたユーザに対してエラーを捏造することで、安全でないモードでの接続を簡単に強制できたことになります。クライアントが安全でないモードに自動的に落とし込まれている場合、事態はさらに悪化する可能性があります。いずれにせよ、攻撃者はDoS攻撃よりもずっと大きな成果を上げることができます。これは、機密性と完全性に対するアクティブ攻撃です。

もちろん、SSLの接続が不可能であるかのように見せかける方法は、これだけではありません。例えば、暗号スイートのないClientHelloメッセージや、ネゴシエーションが不可能なことを告げるサーバAlertを偽造するといった方法が考えられます。

7.12.2　上方向ネゴシエーション

上方向ネゴシエーション方式を用いるプロトコルへのダウングレード攻撃は、ポートの分離方式を用いるものと少し違っていますが、原理的には同じです。つまり、攻撃者はサーバ(またはクライアント)からの、SSLを使いたくないという趣旨のメッセージを偽造するのです。そのためには、攻撃者がTCPの接続を乗っ取ることができなければなりませんが、これはそれほど難しくありません。図7.2に、このときのプロトコルメッセージの流れを示します。

図 7.2
上方向ネゴシエーションへのダウングレード攻撃

```
クライアント           攻撃者              サーバ
     ──Hello(SSLサポート)──→
                              ──Hello(SSL非サポート)──→
                              ←──Hello(SSL非サポート)──
     ←──Hello(SSL非サポート)──
     ──最初のアプリケーション──→
        プロトコルメッセージ
                              ──最初のアプリケーション──→
                                 プロトコルメッセージ
```

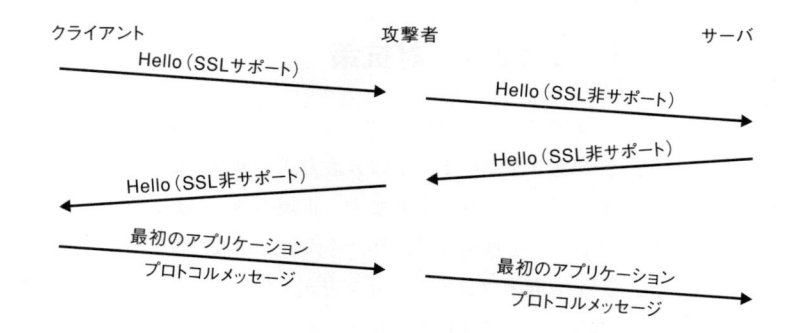

　図7.1 に示した正常な上方向ネゴシエーションの例と同様に、クライアントはサーバへの TCP の接続を試みます。しかし、今回は攻撃者に接続します。図7.2 ではサーバに接続している攻撃者がクライアントのふりをしていますが、多くの場合、攻撃者は(クライアントに対して)サーバのふりをすることができます。クライアントは SSL を要求しますが、攻撃者は拒否します。その後に何が起こるかは、クライアントがどのように設定されているかによります。

　ネゴシエーションが不可能なら、クライアントは SSL なしで続行するように設定されることがほとんどです。つまり、すべてが順調に進めば、日和見的に暗号化をネゴシエートしますが、ネゴシエートできなくても気にしないというわけです。一部のサーバだけが SSL で通信し、クライアントがサーバについて事前の知識を持たないような環境では、相互運用可能で理にかなった設定方法はこれしかありません。

　しかし、このように設定すると、クライアントはダウングレード攻撃に対して無防備になります。図7.2 に示すように、攻撃があってもトランザクションは通常のまま続行します。したがって、日和見的な暗号技術に関する処理はパッシブ攻撃に対しては優れた防護となるものの、アクティブ攻撃に対してはほとんど無力です。この問題に対する部分的な解決策の1つとして、以前に安全な接続をネゴシエートしたサーバを覚えておいて、それらのサーバに対しては安全な接続を要求する、というやり方があります(RFC 2487 [Hoffman1999a] で推奨)。この方法は、新しいサーバに初めて出会ったときには効果がありませんが、前に接続したことのあるサーバとのコネクションに対するダウングレード攻撃には有効です。

　サーバが SSL を要求する場合にも、攻撃者はクライアントに対してサーバを装い、クライアントの要求を代行することによって、しばしばダウングレード攻撃を仕掛けることができます。この攻撃は、クライアントが SSL を要求しない限り成功するでしょう。サーバが SSL をうまく実施できるのは、クライアントが SSL とクライアント認証を要求する場合だけです。この場合には、攻撃者がクライアントのふりをすることはできません。しかしながら、この要求はすべてのクライアントに対して SSL をサポートするだけでなく、証明書を要求することを意味します。これではほとんどのクライアントが接続できなくなるため、受け入れられないことが多いでしょう。

7.12.3　対抗策

すでに見たように、どちらのプロトコル選択方式もダウングレード攻撃を受ける危険性があります。ポートの分離方式の場合、セキュリティに対するユーザのちょっとした不注意が命取りになります。正規のサーバが、エラーへの対応として手動によるダウングレードを推奨しており、そのことがこの攻撃をいっそう容易にしています。

上方向ネゴシエーション方式が使われた場合、事態はさらに悪くなります。攻撃を受けると、上方向ネゴシエーションの一番の長所(自動アップグレード)が欠点(自動ダウングレード)になります。相互運用のためにセキュリティが要求されることを示す情報を明示する必要はないため、クライアントに参考となる情報をまったく提供しない方式もよくあります。結果的に、セキュリティを自動的に確保する方法がなく、プロトコルがダウングレード攻撃に対して無防備になります。

この種の攻撃に対抗するためには、技術的な対策と運用上(social)◆監訳注6 の対策が両方とも不可欠です。技術的な対策は簡単です。すなわち、そのサーバに対する参考となる情報として、それが安全なサイトであるという事実と、どんな種類の接続をネゴシエートできるかということについて最小限の情報が含まれていなければなりません。このとき、SSLがネゴシエーションを保護するという事実が助けになります。そのサイトに接続して、その証明書を確証できれば、ダウングレード攻撃を受けていないという確信が持てます。

運用上の対策は少々厄介です。安全な接続に失敗したときにセキュリティなしで接続を行わないよう、ユーザとプログラマに教え込まなければなりません。セキュリティを指示している情報を参照するのに、安全でない方法で参照するのでは意味がありません。この種のモラルをユーザに教えるのは難しいのですが、徹底しないとシステムが脆弱になります。

7.13　参照情報における整合性

参照情報における整合性の目的は、接続しようとしているサーバが本当にユーザ(またはユーザの代わりとなるプログラム)の意図しているサーバだと保証することです。これは簡単なことではありません。その理由はいくつかあります。

第一に、サーバが提供する識別情報(証明書の中の識別名)は、お世辞にもユーザフレンドリーだとはいえません。さらに重要な理由として、ユーザは、接続しようとしているサーバの識別情報にあまり注意を払おうとしないので、このプロセスを自動化しなけ

◆6.　いわゆる「ソーシャルエンジニアリング」のsocial。適切な日本語が見つからないため「運用上」と訳しています。

ればならないことです。最後に、ソフトウェアをもっとユーザフレンドリーにしようとする多くの試みが、識別情報をソフトウェアで解析しにくい表現にしてしまったという事実もあります。例えば、ソフトウェアにとってドメイン名を照合するのはとても簡単です。しかし、ソフトウェアはドメイン名を隠して、「インターネットキーワード」やWebページの名前、ユーザの個人名を使うようになってきました。これらの名前形式をドメイン名にマップするのは実に難しいのです。

参照情報における整合性で最も重要なことは、アプリケーション層が期待する識別情報と、サーバの証明書が提供するアプリケーション層との間に、信頼のチェーンが存在することです。理想的なケースなら、これは単一のリンクから成り、証明書内の識別情報がアプリケーション層の識別情報と一致するのですが、残念ながら、すべてのケースにこれが当てはまるわけではありません。

これに該当しない場合は、アプリケーション層の識別情報を別の識別情報の形式に安全にリンクでき、さらにこの識別情報の形式を第三の識別情報の形式にリンクできることが必要です。このようにして、最終的にその識別情報をサーバの証明書と照合できなければなりません。このチェーンが長くなるようであれば、それを機械的に確認できるようにしなければなりません。ユーザ自身が時間をかけて確認するとは考えにくいからです。ここで検討すべき主な代替形式は、IPアドレス(つまり、生のネットワークアドレス)、代替DNS名、そして人間が理解できる名前です。

7.13.1　IPアドレス

第5章で議論したように、証明書にIPアドレスを含めるべきでないのは、証明可能な識別情報のチェーンに対する要件だからです。一般に、DNSには名前を間違いなくIPアドレスに対応付ける方法がありません。Secure DNS［Eastlake1999］は、この問題をある程度まで解決できますが、まだ普及は進んでいません。

特別なケースとして、アプリケーション層の識別情報がIPアドレスで表現されている場合には、証明書にIPアドレスが含まれていても構わないでしょう。なぜなら、両者を間違いなく照合できるからです。しかし一般的には、これは好ましいやり方ではありません。理由はいくつかあります。第一に、IPアドレスは nslookup などのツールによりDNS名を「逆引き」して得られることが多いのですが、今述べたように、これ自体が安全ではありません。第二に、サービスプロバイダが変わったときと設定が変わったときに番号変更が起きやすいので、IPアドレスはドメイン名ほど永続性がない場合があります。このような番号変更が正規のものかどうか、ユーザには判断がつきにくいので、騙されて偽の接続を受け入れることになりがちです。

7.13.2　代替DNS名

DNSにおけるセキュリティの欠如が問題になるのは、ドメイン名からIPアドレスへのマッピングに限ったことではありません。いくつかの理由で、1つのDNS名をほかの

いくつかの DNS 名に対応させることがよくあります。最も一般的なケースが、CNAME レコードと MX レコードです。CNAME は、通常、公開された名前とマシンの実際の名前の間に間接参照のための層を設けるのに使われます。MX レコードは、電子メールのルーティングに使われます(第 10 章で SMTP を論じるときに、これに関する特別な問題を取り上げます)。

CNAME レコードの最も一般的な使い方は、単純なエイリアスと負荷分散です。仮に、小さな会社を経営しているものと考えてください。自社の Web サイトが欲しいのですが、自分で運営するほど会社の規模が大きくありません。そこで、この仕事を ISP に委託することにしました。顧客はこの Web サイトを、あなたの会社の名前(例えば www.example.com)で参照できるようにします。しかし実際には、そのマシンは ISP で管理されていて、すでに名前を持っています(例えば web1.isp.com)。CNAME はこの 2 つの名前の間のエイリアスを提供してくれるのです◇。

> ◇ CNAME は、別名あるいは標準名(canonical name)を意味します。この例では、web1.isp.com がマシンの別名で、CNAME レコードにその別名が含まれます。

顧客がブラウザに www.example.com と入力すると、本来は web1.isp.com と通信する必要があることをブラウザが自動的に突き止め、そのアドレスを調べて接続します。ISP がこの Web サイトを移動することにした場合は、単に CNAME のターゲットを変更すればよいのです。さらに、あなたが自分で Web サイトのホストを運用することにした場合でも、そのためのマシンを指すように CNAME を変更するだけで済みます。

では次に、負荷が大きくなりすぎて、1 つのマシンで処理しきれなくなった状況を想像してください。ここでも CNAME が役に立ちます。いつも異なる CNAME を返すようにネームサーバを設定して、負荷を複数のサーバに分散させることができるからです。

この形の間接参照を使用するときはいつでも、証明書の中にどの名前が現れるようにすべきか、よく検討する必要があります。セキュリティの観点からすれば回答は明白ですが、運用上は難しいでしょう。DNS による参照は信頼できないので、www.example.com という名前から CNAME が指す名前のいずれかまで確証できるチェーンを作成するのは無理です。したがって、証明書の中に現れるアドレスは www.example.com でなければなりません。

残念ながら、証明書の中で元の名前(CNAME)を使用することには、運用上の問題があります。元の名前を証明書の中で使用すると、あなたの Web サーバが ISP で実行されている場合に、ISP は複数の証明書(顧客ごとに 1 つずつ)を取得するか、複数のエイリアス(複数の Common Name または subjectAltName)を持つ単一の証明書を取得しなければならなくなります。複数のサーバを実行している場合、その全サーバで証明書(および秘密鍵)を共有する必要があるので、セキュリティ上のリスクが大きくなってしまいます。

Web におけるこの問題の解決策としてよく用いられるのが、HTTP でしかアクセスできないオープニングページを設け、そこから安全なサーバに、そのサーバの 1 つの証明書と一致する URL を使って誘導するという方法です。この例の場合、安全なサーバへのリンクは、例えば https://secure1.isp.com/ などになるでしょう。もちろん、URL

とユーザの予想との間のこの種の不一致には、特有のセキュリティ上の問題があります。これらの問題の一部は次節で取り上げますが、第9章でHTTP over SSLについて論じるときに、また詳しく説明します。

7.13.3 人間が理解できる名前

検討すべき識別情報の最後の形式は、人間が理解できる名前です。多くのアプリケーションプロトコルとクライアントが、ソフトウェアにとってはほとんど意味のない、象徴的な参照名をユーザに提供します。例えば電子メールクライアントには、ユーザの電子メールアドレスの代わりにユーザの名前を表示するような機能がごく普通に見受けられます。同様に、Webブラウザでデータを表示しているユーザが見るのは、たいていドキュメントのタイトルやリンクの内容であって、それらのURLではありません。

このような情報は、サーバの証明書に安全にバインドされているわけではないので、信頼するには不十分です。中には、こうした名前をネットワーク名に対応付ける信頼に足るデータベースがあって、そのデータベースへアクセスする実装があるかもしれません（とはいえ、Secure DNSでさえもそのような実装とはいえません）。名前が信頼できるのは、そのような場合だけです。そのため、変換されていない形式において確証された識別情報をユーザが参照できるようにする必要があります。それ以外に十分なセキュリティを確保する方法はありません。

7.14 ユーザ名とパスワードを用いた認証方式

すでに述べたように、ユーザ（およびクライアント）の認証には厄介な問題があります。セキュリティの観点からすれば、認証したいすべてのクライアントについて証明書を用意するのが理想的でしょう。しかしながら、今度は証明書を用意する上での問題がさまざまな状況で発生します。したがって、別の選択肢を検討することも重要です。

7.14.1 ユーザ名とパスワード

最もわかりやすい（そして最もよく使われている）アプローチは、パスワードのみの認証です。前に述べたように、SSLを通じてパスワードを送れば、パスワードの主要な問題（受動的なスニッフィング攻撃（sniffing attack: 盗聴））はなくなります。しかし、もっと厄介な攻撃を受ける可能性は依然として残されています。

検討すべき主要な攻撃は3種類あります。第一に、通信路のセキュリティは、クライアントが正しいサーバと安全な接続を結べるかどうかにかかっています。つまり、クライアントがサーバの証明書を注意深くチェックしなければならないということです。こ

のチェックを怠ると、通信路は man-in-the-middle 攻撃の標的となり、攻撃者がユーザの
パスワードを再現することが可能になってしまいます。

2つ目の攻撃はパスワード推測攻撃(password guessing attack)です。第5章で述べたよ
うに、ユーザは、自分のユーザ名、ファーストネーム、誕生日など、非常に貧弱なパス
ワードを選びがちです([Klein1990])。このようなパスワードは推測が容易です。攻撃者
はサーバへの接続を開始し、こうした推測しやすいパスワードを次々に試していけばよ
いのです。このような攻撃は、特定のユーザを狙った場合には成功しないかもしれませ
んが、ユーザが多ければ、1人くらい愚かなパスワードを選ぶユーザがいる可能性は高
いでしょう。パスワード推測にある程度効果のある対抗策がいくつかあります。ここで
は論じませんが、先行パスワードチェック、試行回数制限、各パスワードチェックのス
ローダウン(結果的に推測する時間を消費させる)などです。

パスワードの3番目の弱点は、転用が可能なことです。サーバから認証を受けるとき、
ユーザはそのサーバに自分のパスワードを渡しますが、同じパスワードを複数のマシン
で使用すると(多くのユーザがそうしています)、それらのサーバの1つが別のサーバに
対して、そのユーザのふりをすることが可能になります。このように、パスワードを平
文のままで送るよりは SSL を通じて送ったほうがもちろんよいのですが、それでも本質
的な弱点があるのです。

7.15　SSL クライアント認証

もう1つのわかりやすいアプローチは、証明書を用いた SSL クライアント認証を使用
することです(SSL ではこれ以外のクライアント認証はありません)。このアプローチに
は、前節で述べたパスワード認証における弱点が1つもありません。特に、攻撃者がク
ライアント認証情報を使って、クライアントのふりをすることはできません。もちろん、
攻撃者がクライアントを騙し、攻撃者のために認証された要求を出すよう仕向ける可能
性はあります。

すでに述べたように、証明書を用いたクライアント認証の一番の問題点は、運用上の
難しさにあります。認証の対象となる各クライアントに証明書を発行しなければなりま
せん。さらに、たいていはサーバ側でユーザリストの保守を行う必要もあります。これ
は、アクセス制御を行うためと、ユーザの削除を実行するためです。

7.15.1　証明書の発行

証明書の発行にかかわる一番の問題は、証明書の発行よりも前の段階で、ユーザをど
のように認証するかです。当然ですが、どうしてもある人物の物理的な識別情報を証明
書に対応付けたい場合、その人物を物理的に確認しなければならず、証明書をオンライ

ンで発行することはできません。しかし、たいていはもっと弱い形の認証で間に合うでしょう。例えば、ユーザにクレジットカード番号の提示を求めるといった方法です。

いったんユーザを認証したら、そのユーザの証明書を本人だけが取得できるようにする必要があります。証明書発行の単純なアプローチの1つに、接続に使う通信手段以外の何らかのメカニズムを通じて、一時的なパスワードを発行するという方法があります。例えば、企業内でのケースなら、ユーザに電話をかけてパスワードを教え、それによって一種の認証とパスワードのセキュリティを同時に確保することも可能でしょう。その後、このパスワードは証明書の要求と一緒に提示されます(当然、SSLによる接続で暗号化されます)。すでにユーザ名とパスワードによるインフラストラクチャがある場合は、証明書への移行にそれらのパスワードを使用することも可能だという点にも注意しましょう。

7.15.2 アクセス制御

ユーザが証明書を持っているとわかれば十分な場合もありますが、管理上、ユーザの分類ごとに違ったレベルのアクセスを提供する手段が必要になるのが普通です。このような情報を証明書に埋め込む方法がいろいろと提案されてきました(例えば[Blaze1999]や[Ellison1999])。しかしたいていは、保持している証明書ごとに許可するアクションを指定した、アクセス制御リスト(ACL)を保守するのが簡単です。このアプローチの一番の利点は、クライアントに新しい証明書を発行しなくても、ACLを変更するだけでアクセス権限を変更できることです。

このアプローチには、証明書とパスワードを組み合わせたインフラストラクチャを実現できるという長所があります。そのために必要なことは、証明書によって認証したユーザを、ユーザ名とパスワードを用いる方式のインフラストラクチャ内のユーザに対応付ける機能だけです。

図7.3は、このアプローチを使用した単純なシステムです。実際には、(パスワードが含まれる)ユーザリストと、ACLという、2種類のリストがあります。ACLは、システム内のオブジェクトごとに1つずつ存在するのが普通ですが、ここでは簡潔にするため1つしか挙げていません。このインフラストラクチャでは、Aliceはパスワードと証明書のどちらでも認証できますが、Bobは証明書でしか認証できず、Charlieはパスワードでしか認証できません。ACLのエントリはユーザリストのエントリを参照します。

図 7.3
パスワードと証明書を組み合わせたインフラストラクチャ

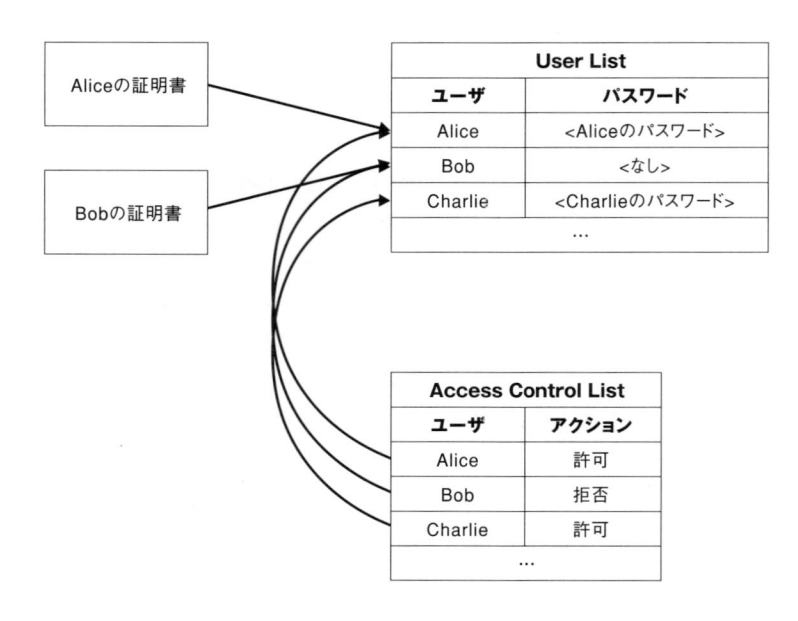

User List	
ユーザ	パスワード
Alice	<Aliceのパスワード>
Bob	<なし>
Charlie	<Charlieのパスワード>
...	

Access Control List	
ユーザ	アクション
Alice	許可
Bob	拒否
Charlie	許可
...	

ユーザを両方の方法で認証できるようにすることも、証明書を持っているユーザにフラグを付けてパスワード認証ができないようにすることもできます。このアプローチの一番の問題点は、ユーザデータをアクセス制御リストと CA という 2 つの場所で保持しなければならないことです。したがって、ユーザを作成するためには、証明書の発行とユーザリストの変更を両方とも行わなければなりません。当然、これらのデータベースは同期しなくなる可能性があり、そうなると保守の問題が発生します。

7.15.3　失効

上述のような二重のアーキテクチャでも、簡単にユーザを削除することができます。ACL のエントリを削除するだけで、ほかには何の作業も必要ありません。ユーザは認証を行うことができますが、彼らの証明書はどのユーザにも対応付けられていないので、(アクセス)権限を持ちません。これらの ACL エントリは宙ぶらりんの参照になり、後のガーベジコレクションで処理することができます。ACL (または類似の技術)を使用しない場合、代わりに CRL▼と呼ばれる証明書失効リストを使用することができます。しかし、第 1 章で述べたように、CRL には運用上の大きな問題があり、しかも SSL に CRL の直接的なサポートがないため、問題はさらに悪化します。

▼Certificate Revocation List

7.15.4　ホスト間通信

証明書を用いた認証を最小限のオーバヘッドで使用できる特別なケースがあります。それはホスト間通信路です。2 つのマシンの間に、VPN (Virtual Private Network)用の安全なトンネルを確立したいという状況を想像してください。注意しなければならないのは、他方のホストの識別情報だけです。この場合、サーバ認証のものと同じ識別情報

チェック手続きがクライアント認証に使用できます。

　しかも、接続元のマシンを認証するだけでよいなら、アクセス制御のことを心配する必要はありません（したがって ACL は必要ありません）。失効の問題はありますが、多くの実装がサーバについてはこれを無視しているので、クライアントについて無視しても大差ないでしょう。

7.16　ユーザ名とパスワードを用いた相互認証

　ここまでは、サーバが常に証明書によって認証することを想定してきました。「7.1 はじめに」で述べたように、通常の方法を使って安全にパスワードを送信するためには、証明書が不可欠です。しかし SSL では、サーバが匿名のままでいる動作モード（SSL_DH_anon 暗号スイート）をサポートしています。ほとんどの状況で、これらの暗号スイートはアクティブ攻撃に対して完全に脆弱です。しかし、パスワードと匿名暗号スイートを組み合わせれば、ある程度まで安全なプロトコルを提供することが可能です。

7.16.1　man-in-the-middle 攻撃

　第 1 章で述べたように、DH の一番の欠点は能動的な man-in-the-middle 攻撃に弱いことです。SSL の通常の動作モードなら、サーバが長期的な署名鍵で DH 鍵に署名するようにすれば、この攻撃を防ぐことができます。しかし、匿名モードを使用した場合、サーバの DH 鍵に署名がないので、また攻撃が可能になってしまいます。残されている唯一の認証手段は、クライアントとサーバによるパスワードの共有です。何らかの方法で、これにより信頼できる接続を確立しなければなりません。

　1 つのアプローチとして、パスワードを使って ServerKeyExchange メッセージに直接署名するという方法が考えられます。この方法は電子署名というより MAC ですが、同じ効果があるはずです。このアプローチの一番の欠点は SSL への変更が必要になることです。なぜなら、MAC は ServerKeyExchange メッセージに署名するための方法として定義されているものではないからです。歴史的に、このようなパスワードメカニズムを SSL に直接追加することには抵抗がありました。そのため、この問題をアプリケーション層で解決しようとする提案がなされてきました。

7.16.2　効果がないアプローチ

　図 7.4 は、古典的な DH における man-in-the-middle 攻撃を示したものです。攻撃者はクライアントとサーバからの DH 公開鍵を横取りし、自分自身の公開鍵とすり替えます。こうして、共通鍵（ZZ）についてクライアントとサーバの両方が合意できます。攻撃者が

クライアントとサーバの鍵を計算することはできますが、クライアントとサーバの秘密鍵が同じではないので、ZZは同じになりません。SSLはZZをpre_master_secretとして使用するので、クライアントとサーバは異なるpre_master_secretを計算します。このことを利用すればman-in-the-middle攻撃を防げるかもしれません。

図 7.4
古典的な DH における man-in-the-middle 攻撃

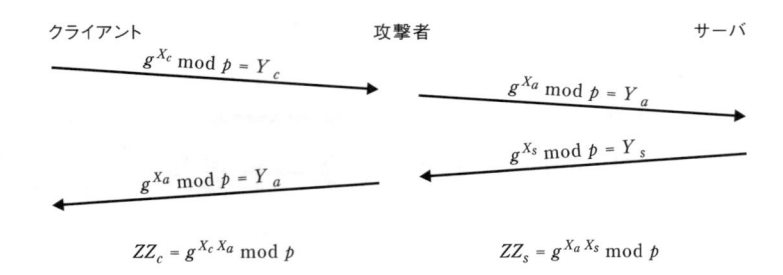

$$
\begin{array}{ccc}
\text{クライアント} & \text{攻撃者} & \text{サーバ} \\
\xrightarrow{g^{X_c} \bmod p = Y_c} & & \\
& \xrightarrow{g^{X_a} \bmod p = Y_a} & \\
& \xleftarrow{g^{X_s} \bmod p = Y_s} & \\
\xleftarrow{g^{X_a} \bmod p = Y_a} & & \\
ZZ_c = g^{X_c X_a} \bmod p & & ZZ_s = g^{X_a X_s} \bmod p
\end{array}
$$

提案されたアプローチの1つに、パスワードとmaster_secretのMACを計算するというやり方があります（これはPreMasterSecretのMACを計算するのと同じことです）。それから双方がMACを交換し、それらが一致しなければ攻撃を受けたとわかるわけです。攻撃者がたとえ両方のZZを知っていても、パスワードを知らないので、パスワードを使って新しいMACを計算することはできません。

このアプローチで古典的なman-in-the-middle攻撃を防ぐことはできますが、これが役に立たないバリエーションもあります。偽造鍵を適切に選択すれば、ZZを同じものにし、さらに、非常に限られた値の集合の1つに限定できることが明らかになっています。こうしてZZの署名◆監訳注7が同じになり、攻撃者はそれをクライアントとサーバの間で双方向に転送できるようになるのです。

図 7.5
より高度な man-in-the-middle 攻撃

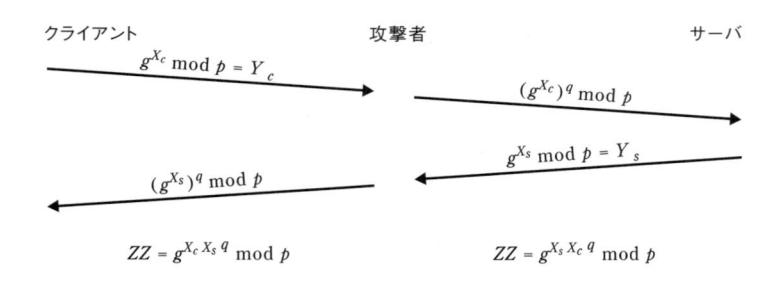

$$
\begin{array}{ccc}
\text{クライアント} & \text{攻撃者} & \text{サーバ} \\
\xrightarrow{g^{X_c} \bmod p = Y_c} & & \\
& \xrightarrow{(g^{X_c})^q \bmod p} & \\
& \xleftarrow{g^{X_s} \bmod p = Y_s} & \\
\xleftarrow{(g^{X_s})^q \bmod p} & & \\
ZZ = g^{X_c X_s q} \bmod p & & ZZ = g^{X_s X_c q} \bmod p
\end{array}
$$

図7.5もこの攻撃の一種です。$p = 2q + 1$（ただし、qは素数で、pは比較的小さい数）となるケースを考えてみましょう。このような条件の下では、実は$g^q = -1$となります。そこで、攻撃者が転送中の公開鍵XのそれぞれをX^qに置き換えた場合、生成される共通鍵ZZを強制的に$g^{2X_s X_y q}$にすることになります。ZZが双方で同じになることに注意してください。このことになぜ意義があるかというと、次が成立するからです。

◆7. ここでの「署名」は、「MAC」のことを意味します。

$$g^{X_s X_y q} = (g^q)^{X_s X_y} = (-1)^{X_s X_y} = 1 \text{ または} -1$$

攻撃者は、このようにして強制的にZZを1または-1にしてから、両方とも試してみればよいわけです。この攻撃は$p \neq 2q + 1$となるDHグループに拡張できます。

7.16.3　有効なアプローチ

　これで、PreMasterSecretをMACしても効果がないことがわかりました。ServerKeyExchangeメッセージをMACするのは有効だとしても、SSLの変更が必要になるという点が問題です。しかし、FinishedメッセージをMACすれば、DHの公開鍵を間接的にMACすることができます。Finishedメッセージには公開鍵のダイジェストが含まれるので、これで公開鍵そのものが推移的にMACされます。クライアントが見る公開鍵とサーバが見る公開鍵は同じではないので、これによってこの攻撃が検出されます。これは、STSプロトコル (Station-To-Station Protocol) で使われている手続き ([Diffie1992]) のバリエーションです。このバリエーションは、OpenSSL メーリングリストでBodo Moellerによって最初に提案されました。

　このプロセスを図7.6に示します。SSLによる接続が確立されたら、アプリケーションは最初のアプリケーションデータとしてFinishedメッセージのMACを送信します。双方がそれぞれ自分のFinishedメッセージをMACすることが大切です。この方法では、証明書を使わずに、共有したパスワードで安全なチャネルを構築できます。しかも、クライアントもサーバも、他方がそのパスワードを知っていることを把握しているので、相互認証が可能になります。この仕組みでは、パスワードを知っていることを証明するようサーバに強制することになるので、ある意味、ユーザ名とパスワードを用いた方式と証明書を用いた方式の組み合わせよりも優れています。なお、SSLはこのテクニックをネゴシエートするためのメカニズムを持っていないことに注意してください。クライアントとサーバは、SSL以外の何らかのメカニズムによって、これを合意しなければなりません。

図 7.6
パスワードを用いる相互認証

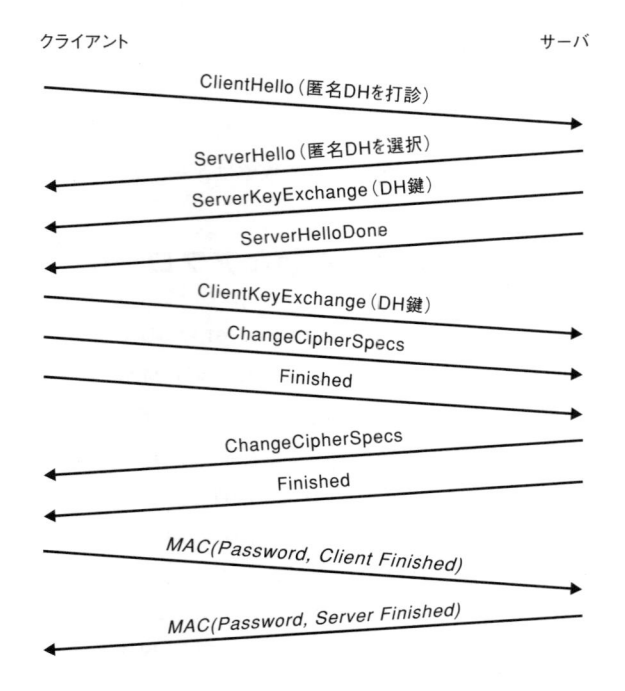

```
クライアント                                              サーバ
    |------------ ClientHello（匿名DHを打診）----------→|
    |←----------- ServerHello（匿名DHを選択）-----------|
    |←----------- ServerKeyExchange（DH鍵）-------------|
    |←----------- ServerHelloDone ---------------------|
    |------------ ClientKeyExchange（DH鍵）------------→|
    |------------ ChangeCipherSpecs -------------------→|
    |------------ Finished ----------------------------→|
    |←----------- ChangeCipherSpecs --------------------|
    |←----------- Finished -----------------------------|
    |------------ MAC(Password, Client Finished) ------→|
    |←----------- MAC(Password, Server Finished) -------|
```

▼ 7.16.4　能動的辞書攻撃

　ここまで説明してきた方法は確かに優れているのですが、パスワードに対して完全なセキュリティを提供することはできません。攻撃者が接続に対してアクティブ攻撃を仕掛け、パスワードを再現できる可能性があります。攻撃者は、よくある man-in-the-middle 攻撃を仕掛け、クライアントおよびサーバと秘密情報を共有します。そして、MAC された Finished メッセージをクライアントまたはサーバから収集し、それを攻撃に利用します。

　この攻撃は、第 5 章で論じた辞書検索攻撃の単純なバリエーションです。攻撃者には Finished メッセージの内容はわかっても、MAC を計算するために使われたパスワードはわかりません。そこで、正しい MAC を生成するパスワードが見つかるまで、考えられるパスワードをいろいろと試してみます。

　この攻撃は、通常のユーザ名とパスワードを用いた認証方式に有効なパスワード推測攻撃よりはるかに強力です。というのも、ほとんどの作業をオフラインで行えるからです。能動的なのは、Finished メッセージを収集する部分だけです。それに対し、通常のパスワード推測攻撃では、すべての試行をサーバに確認してもらわなければなりません。

7.17 再 Handshake

第 4 章で述べたとおり、SSL Handshake が完了したら、新しい SSL Handshake を開始することができます。このことが役立つ代表的なケースは、要求されたプロトコルの種類に応じてセキュリティの種類を使い分けるようにサーバを設定する場合です。SSL の接続がネゴシエートされるのは、アプリケーションデータの最初のバイトが書き込まれる前なので、その接続にどのようなセキュリティを適用したらよいのか、最初の Handshake で知る術はありません。したがって、その接続で 2 度目の Handshake を開始して、この新しい情報を得るという方法が有効です。

7.17.1 クライアント認証

再ネゴシエーションを行う主な理由の 1 つに、クライアント認証があります。多くの環境に、すべてのクライアントに対してアクセスを許すリソースと、アクセスに際して認証を求めるリソースがあります。すべての接続について SSL クライアント認証を要求すると、一部のクライアントを締め出すことになり、都合が悪いのですが、これが必要な接続もあります。

1 つのアプローチとして、ポートの分離を応用し、クライアント認証が必要な接続には別のポートを使用する方法が考えられます。しかし、もっとエレガントなアプローチがあります。クライアントに接続を許し、クライアントが保護されたリソースへのアクセスを要求してきたら認証を要求するのです。多くの Web サーバでこの方法が用いられています。

再ネゴシエーションでの一番の課題は、正しいタイミングで行われるよう調整することです。SSL の仕様には、再ネゴシエーションのタイミングについて実質的なガイダンスが何もなく、次のような記述があるだけです。

> クライアントがセッションの再ネゴシエーションを望まない場合、このメッセージはクライアントによって無視される可能性がある。もしくは、クライアントがそれを望む場合、クライアントは no_renegotiation Alert で応答することができる。Handshake メッセージはアプリケーションデータに先立って送信するべきものなので、クライアントからレコードが届かないうちにネゴシエーションが始まることが期待されている。

クライアント認証の場合、話はごく単純です。サーバは制限されたサービスを提供する前に、クライアントが認証されているかどうかを確認したいだけなので、サーバは HelloRequest メッセージを送信した上で、クライアントが Handshake を開始するのを待ちます。HelloRequest メッセージを送信してから Handshake が完了するまでの間に受信した要求は、キューに入れておき、クライアントの認証が終わってから処理します。

もちろん、認証が失敗した場合は接続がクローズされるか、少なくとも要求は拒否されます。

7.17.2　暗号スイートのアップグレード

再ネゴシエーションのもう1つの目的は、より強い暗号スイートにアップグレードすることです。クライアント認証の場合と同様、サーバはクライアントが機密度の高いデータを要求していることに気付き、もっと強い暗号を使ったほうがよいと判断することもあるでしょう。しかし、暗号スイートをアップグレードするタイミングは、クライアント認証の場合よりも厄介です。ここで、サーバに出入りする通信の中には、特に機密度の高いものがあると考えてください。サーバが、通常はDESまたはRC4によるネゴシエーションを行い、機密の通信をやり取りするときには3DESにアップグレードするというような場合、再ネゴシエーションを利用することができます。再ネゴシエーションは、PFS▼を確保するために、新しい一時的DH鍵による新しい接続をネゴシエートする目的で利用される可能性もあるでしょう。

▼Perfect Forward Secrecy

この場合、タイミングの問題はずっと厄介になります。サーバから送信するデータについてだけ機密性を守ればよいのなら、クライアント認証のときと同じように、単にHelloRequestメッセージを送信して待てばよいでしょう。しかし、クライアントが送信してくるデータの機密性も守らなければならないとしたら、事態はもっと複雑になります。なぜなら、クライアントにすぐに再ネゴシエーションさせる方法がないからです。サーバにできることは、クライアントが再ネゴシエーションしないうちに機密データを送信し始めたら、接続を打ち切ることだけです。クライアントはTCPウィンドウのサイズまではデータを送信できるので、サーバが機密データの最初のバイトを受け取ってすぐにエラーを送ったとしても、セキュリティの低い暗号スイートの下で相当量の機密データが送信されてしまうでしょう。

7.17.3　鍵素材の補給

SSLの実装に際してしばしば問題になるのが、鍵素材を補給するための再ネゴシエーションを行うべきかどうかということです。鍵素材の補給は、主に、長時間継続する接続への大規模な攻撃を防ぐための措置です。大量のデータを転送するつもりなら、CBCのロールオーバーを防ぐため、ときどき新しい鍵を生成する必要があります。アプリケーションの観点からすると、タイミングはそれほど重要ではありません。なぜなら、これが問題となる典型的なケースはメガバイト規模のデータを転送する場合で、再ネゴシエーションの前にキロバイト程度のデータが送られるケースでは大した問題にはなりません。

7.17.4　クライアントの振る舞い

前節で、サーバがHelloRequestメッセージを送信してから新しい接続を待つのを止めるケースについて、いくつか説明しました。結論としては、HelloRequestメッセージを受け取ったクライアントは、ただちに新しいHandshakeの開始を試みるべきです。クライアントがすべての通信を送信し終えていて、サーバがアイドル状態なら、特にそうすべきです。そうしないと、デッドロックに陥るリスクがあります。

7.18　2番目の通信路

プロトコルの中には、1つ以上のTCPの接続で実行されるように設計されているものがあります。FTP［Postel1985］はその好例です。クライアントは、サーバへの接続を開始し、ログインします。この接続を「制御コネクション(control connection)」といいます。この接続を通じて、いろいろなコマンドが発行されます。クライアントとサーバの間でファイルが転送されるたびに、そのファイルは「データコネクション(data connection)」という2番目の接続を通じて送信されます。

データコネクションは、通常はサーバによって作成されます。クライアントは、一時的に利用するポート番号を選択し、制御コネクションを通じてそれをサーバに伝えます。サーバは、そのポートへの接続を開き、サーバからクライアントへの2番目の接続をデータの送信に使用します。

このケースでは、サーバがアクティブ(能動的)に接続を開始するため、わかりにくくなっています。つまり、サーバが伝統的なTCPクライアントのように振る舞っているわけです。このサービスをTLS上で提供する場合、どちらの側がTLSクライアントなのでしょうか。FTP over SSLは標準化されてはいませんが、いくつかのドラフトが公表されており、この問題に対する見解が明らかにされています([Ford-Hutchinson2000])。それによれば、誰が能動的な接続を行うにせよ、クライアントは常にTLSクライアントとして振る舞うとされています。

これによって、状況はいくらか単純になります。なぜなら、セッション再開を、そのセッションの作成時と同じモードでのみ行うような実装が考えられるからです(すなわち、最初のセッションでTLSクライアントであったなら、再開されたセッションでもクライアントでなければなりません)。しかし、もっと重要なことは、相互運用性を目指すならこの選択が必須であるという点です。

7.19 接続の終了

多くのプロトコルでは、送るべきデータがもうないことを、TCPにおける接続のクローズによって知らせます。しかし、この方法にはセキュリティの面で問題があります。TCP FINは簡単に偽造できるからです。この問題を解決するため、SSLはclose_notifyメッセージという独自の終了メカニズムを提供しています。とはいえ、セキュリティのためのアプローチはこれだけではありません。接続を間もなくクローズすることを知らせるための機能がアプリケーション層プロトコル自身に備わっていて、それがSSLを通じて送られるなら、セキュリティ的にはclose_notifyメッセージは余分なものといえます。

仕様で定められている場合を除き、すべてのプロトコルは完全なSSLの終了Handshakeを行うべきです。そして、終了Handshakeを行わない限り接続を再開することが技術的に禁じられます（とはいえ、この規則に違反している実装も多くあります）。ともかく、終了Handshakeを完遂できなかったときにどうするかを、プロトコル設計の中で規定しておくことが大切です。場合によってはセキュリティ上のリスクがあるかもしれません。

7.19.1　不完全な終了

多くのプロトコルでは、相手側から送られてくるデータがもうないことを示す状態が定義されています。データがFTPで転送されるケースを考えてみましょう。データ用の通信路は一方通行なので、送信側の処理が終われば送信するデータがもうないことを意味します。

このような場合、多くの実装はclose_notifyメッセージを送信してから、ただちに接続をクローズします。これによって、RFC 2818 ［Rescorla2000］で「不完全な終了（incomplete close）」と呼ばれている状態が生じます。接続の相手側は、close_notifyメッセージを受信すると、TLS仕様の7.2.1項の規定に従って、受信者自身のclose_notifyメッセージで応答します。しかし、最初のclose_notifyを送信した側がすでに接続をクローズしているので、この応答はTCP RSTセグメントになります。

ここまで、「終了」という言葉を非常に曖昧に使ってきました。TCPは、ハーフクローズ(half-close)という状態をサポートしています。これは、一方の側はデータの送信を終えたが、まだ受信する用意はあるという状態です。ソケットAPIでは、how値を1に設定したshutdown()呼び出しを使ってハーフクローズが実装されています。そのほかのAPIでも、たいていは同様の機能を提供しています。

しかし、多くのアプリケーションでは、単純にclose()を使用しています。こちらは、相手側からのデータも受け付けないことを意味します。これはRSTセグメントの原因になります。つまり、サーバが接続をクローズした後に、通信を受信したということです。

図 7.7
不完全な終了

```
クライアント                                          サーバ
      ←─────────── close_notify ───────────
                                               close()
      ←─────────── TCP FIN ─────────────────
      ─────────── close_notify ───────────→
close()
      ─────────── TCP FIN ─────────────────→
      ←─────────── TCP RST ─────────────────
```

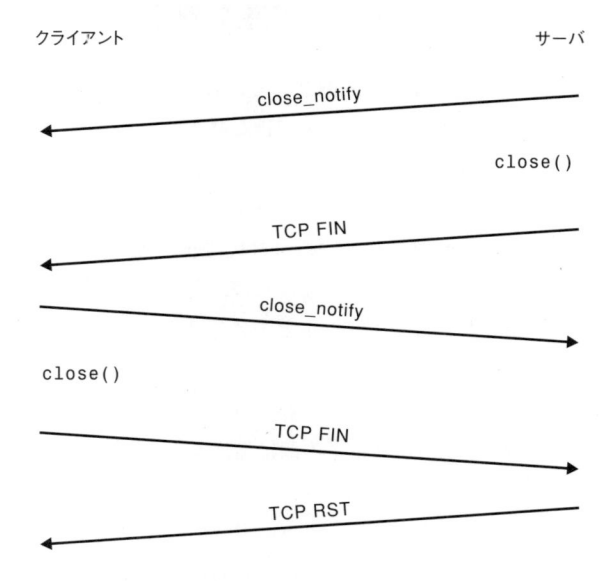

　図 7.7 は典型的な状況を示したものです。サーバは接続が終了したことを知って、close_notify メッセージを生成します。それから close() を呼び出すことにより、接続を完全に終了します(その過程でFINを生成します)。クライアントにはサーバがもはやデータを受信する態勢にないことを知る術がないので(ハーフクローズである可能性もあるため)、応答として自身の close_notify メッセージと FIN を送信します。ソケットはサーバ側ですでにクローズされているので、サーバは RST セグメントで応答します。RSTを受け取るもう1つのケースは、クライアントが close_notify メッセージを受け取ったときにデータをさらに書き込んでいた場合です。なお、RFC 2246 では、close_notify メッセージを受け取ったらデータの送信を止めるよう規定していますが、データはすでにネットワークバッファ内または通信路上にあるかもしれません。

　不完全な終了は、必ずしもセキュリティ上の問題を引き起こすわけではありません。このことを確認するため、この状況を接続の両側から考えてみましょう。サーバはプロトコルデータがもうない(少なくとも、それ以上は関心がない)ことを知っています。そうでなければ、最初に close_notify メッセージを送信していないでしょう。なぜかデータがまだあるとすれば、SSL の接続ではなくて、アプリケーションプロトコルに問題があることになります。もうデータがないと実装に思わせたアプリケーションデータは、いずれも close_notify メッセージと同様に安全に保護されていなければなりません。

　今度は、接続のクライアント側から見てみましょう。クライアントはサーバから送られてくるデータがもうないことを知っています。なぜなら、(クライアントは)適切な close_notify メッセージを受信したからです。しかしながら、クライアントが適切な close_notify メッセージを生成したとしても、クライアントが生成した close_notify メッセージはサーバによって拒否されてしまいます。

7.19.2 未完遂な終了

　終了処理の失敗例として、もう1つ、未完遂な終了(premature close)について見ておく必要があります。未完遂な終了は、一方の側がclose_notifyメッセージを送信しないでTCPの接続を終了(すなわちFINを送信)するというものです。不完全な終了と違って、未完遂な終了は、セキュリティ上の脅威を表している可能性が高いと思われます。close_notifyメッセージには、強制切断攻撃を防ぐという役割があります。close_notifyメッセージを受信しなければ、受信者は送信者が生成したFINセグメントと攻撃者が偽造したFINセグメントとを見分けられず、強制切断攻撃が疑われます。

　2つのケースの違いを考えてみましょう。まず、アプリケーションプロトコルには独自のデータ終了マーカ(marker)があります。こうしたマーカをFINより先に受信した場合、受信者は送信者の側に実装エラーがあったと判断すべきです。このエラーの原因は、おそらくデータ終了マーカを送信するのが早すぎたかclose_notifyメッセージを省略したかのどちらかでしょう。データ終了マーカがSSLの通信路を通じて送信されている限り、偽造されているとは考えられません。

　一方、プロトコルにデータ終了マーカが含まれていない(あるいは含まれていてもFINより先に受信しなかった)場合は、強制切断攻撃が行われている可能性が高いといえます。このケースと送信者側の実装エラーとを見分けるのは不可能です。アプリケーションでは、このケースはエラーとして扱わなければいけません。決して、未完遂な終了で終わったセッションを再開してはなりません。SSLの仕様はこれを明確に禁じています。

　ただし、不適切に終了された接続を再開しなくても、セキュリティとしての価値が高まるわけではありません。未完遂な終了は、接続が何らかの攻撃を受けている可能性を示すだけで、鍵素材が攻撃されたことを示しているわけではありません。

　図7.8は、接続終了に関する問題への正しい対応をまとめたものです。

図7.8
終了問題への正しい対応

ケース	エラー生成	セッション再開
不完全な終了	×	○
データ終了後の未完遂な終了	×	×
データ終了なしの未完遂な終了	○	×

7.20 まとめ

本章では、SSLを使用するアプリケーションプロトコルの設計について論じました。ナイーブなアプローチでも、セキュリティをある程度まで実現することは可能でしょう。しかし、細かい点で留意すべき問題がいくつかあるので、最大限のセキュリティを得るためには、そうした問題に気を配ることが大切です。

- すべてのセキュリティサービスをSSLで提供する必要はありません。SSLは、いろいろなプロトコルのセキュリティを確保するのに有効ですが、提供できないサービスもあります。例えば、静的なデータに対してセキュリティを提供することはできません。時には、SSLとほかのセキュリティ手段を併用することも検討すべきでしょう。
- プロトコル選択メカニズムには2種類あります。実装しやすいのはポートの分離ですが、上方向ネゴシエーションのほうが多少高級で、パッシブ攻撃に対するセキュリティが著しく向上します。
- サーバは証明書で認証すべきです。本章では、サーバをパスワードで認証できる特別なケースを紹介しましたが、一般にはあくまでもサーバの証明書を使用するのが一番です。
- クライアントにセキュリティに関する参考情報を提供する機能を用意すべきです。アクティブ攻撃を防ぐため、クライアントはサーバにどのようなセキュリティを期待するのか把握していなければなりません。つまり、期待するサーバ識別情報とサーバがセキュリティを要求していることを示す何らかの情報が、サーバを示す参照情報に含まれていなければなりません。
- 証明書は、パスワードより扱いが難しい分、強力です。証明書によるクライアント認証には普及の面で大きな問題がありますが、SSLを通じて送信するときでさえ、パスワードよりもはるかに安全です。
- 再Handshakeのセマンティクスを明確にすべきです。再Handshakeは有益なツールかもしれませんが、再Handshakeのタイミングについての明確な仕様がないため、競合状態を引き起こす恐れがあります。アプリケーションプロトコルのどんな状態で再Handshakeが許されるのか、設計者は仕様を決めておく必要があります。
- 終了の処理には注意が必要です。プロトコルによって、独自のデータ終了メッセージを持っているものと持っていないものがあります。前者の場合、SSLのclose_notifyメッセージが不要ですが、後者の場合は、強制切断攻撃を防ぐのにclose_notifyメッセージが不可欠です。設計者は、自分のプロトコルにおける終了の振る舞いを慎重に調べる必要があります。

第8章
SSLのコーディング

8.1　はじめに

　ここまでの各章では、SSLのプロトコルに関する側面だけを集中的に見てきました。プロトコルやシステムの設計者にとっては、適切なレベルの解析だったはずです。しかし、プロトコルの設計がどんなにすばらしくても、それが実装できないものでは意味がありません。そこで、第8章では、実装に関する側面からSSLを解説していきます。

　第7章では、SSLを扱う際に直面することの多い、設計上の問題について説明しました。これらの問題のほとんどは、典型的な設計パターンにより対処できるものでした。同様にSSLの実装でも、使用するアプリケーションプロトコルにかかわらず、共通の実装作業が必要な場面が数多くあります。本章ではこれらの作業について説明します。またプログラミング手法についても、すでにうまくいくことが実証されているものについて、いくつか紹介します。

8.2　SSLの実装

　一般的な言語にはあらかじめSSLの実装が用意されていることが多いため、ほとんどのプログラマは自分でSSLを実装せず、ツールキットを利用することになるでしょう。ここでは、読者がそのようなツールキットを利用できることを前提にしています。各種のSSLツールキットには、それぞれ独自のAPI▼がありますが、どの言語もインタフェースのスタイルは共通している場合が多いので、あるツールキット用に書かれたコードを別のツールキットでも参考にすることができます。

▼Application Programming Interface

　ここでは、フリーで入手できる、CとJavaの2つのSSLのツールキットを使用します。Cでは、Eric Youngが開発したSSLeayというツールキットから派生したOpenSSLを選択しました。Javaでは、筆者が作成したPureTLSを使います。どちらのツールキットにも、それぞれの言語特有のAPIがあります。さらに、どちらもインターネットからダウンロードして利用することができます。詳しくは第2章を参照してください。

8.3　サンプルプログラム

　プログラミング技術について学ぶには、実際にプログラムを書いてみるのが一番です。そこで本章では、クライアントとサーバの2つのプログラムを作成します。それぞ

れを C と Java の両方で書くため、全部で 4 つのプログラムができあがります。ここでの目的は、PureTLS や OpenSSL を使ったプログラミングを詳細に解説することではなく、プログラミング技術の実例を示すことです。したがって、OpenSSL と PureTLS との間でほとんど変わらないコードについては、どちらか一方だけを紹介します。C と Java とで技術が大きく異なるコードについては、両方の言語での例を示します。

8.3.1 プラットフォームに関する情報

　C のサンプルプログラムは、FreeBSD 上で作成した OpenSSL によるものです。これらは、OpenSSL 0.9.5a でも動作します。OpenSSL のごく基本的な関数しか使用していないので、これ以前やこれ以降のバージョンでも問題なく使用できるはずです。FreeBSD などの UNIX システムおよび UNIX 系の OS であれば、修正なしでコンパイルできます。Windows でコンパイルするには、多少の修正が必要になるでしょう。

　Java のサンプルプログラムは、FreeBSD に JDK 1.1.8 をインストールし、PureTLS 0.9b1 を使って作成しました。Windows NT 上でも JDK 1.2.2 を使ってテストしてあります。さらに上位のバージョンの PureTLS でもコンパイルおよび実行できるはずです。

　本章で、Windows よりも UNIX に重点を置いているのには、いくつか理由があります。まず 1 つ目は、OpenSSL の前身である SSLeay が UNIX 用に設計されたため、OpenSSL のインタフェースが Windows より UNIX のインタフェースに近いという理由です。またネットワーキング API については、UNIX 以外のシステムでも、BSD ソケットをベースにしたものが一般的です。したがって、ソケットをベースに書かれたコードは適用範囲が広くなります。ただし Windows のネットワーキングインタフェース（Winsock）は、ソケットをベースにしていますが、まったく同じものではありません。

　もう 1 つの理由は、Microsoft が SChannel（[Microsoft2000]）という独自の SSL 用 API を提供していることです。SChannel のインタフェースは、ほかの SSL における実装のインタフェースとはかなり違うので、これを使ったサンプルプログラムを紹介しても、Windows 以外のプログラムにとってはあまり役に立たないでしょう。これに対し、OpenSSL を使って書いたコードは適用範囲がとても広くなります。ここで紹介する UNIX コードは汎用性が非常に高いので、Windows にもそれほど問題なく移植できるはずです。

　最後の理由は「単純さ」です。筆者の考えでは、UNIX プログラミングの API はほかと比べて明快なため、動作に固有の説明を最小限に抑え、SSL に関する事項をより簡明に解説できます。

8.3.2 クライアントプログラム

　ここで作成するのは、インタラクティブな通信を行う非常に単純なクライアントです。サーバへの SSL での接続を開始し、その後ユーザとサーバとの間でデータを送信するだけです。つまり、キーボードからデータを読み取り、SSL の接続上でそのデータを

サーバに送ります。逆に、SSL の接続上でサーバからのデータを読み取り、そのデータを画面に書き出します。

このようなプログラムは、単純ながら、デバッグ用として活躍します。多くのインターネットプロトコル(SMTP、HTTP、IMAP など)は、単純な ASCII コマンドとレスポンスから構成されています。したがって、デバッグをするために簡単なクライアントを使ってサーバに直接接続するような使い方ができます。この種のサーバのデバッグには、単純な TCP の接続を確立するために、UNIX の telnet プログラムを使います。

このクライアントには1つ特別な点があります。それは、大部分のシステムでデータが1行ずつサーバへ送信されるということです。UNIX のターミナルドライバなどのプログラムでは、ユーザが Return キーを押すまでの間、キーボードからの入力データをバッファに保存するのがデフォルトの動作です。この動作を変更することもできますが、特に役に立つ実例はありません。

8.3.3 サーバプログラム

ここで作成するサーバプログラムは、単純なエコーサーバです。まず、クライアントからの TCP の接続を待機します。クライアントからの接続を受け取ると、SSL の接続をネゴシエーションします。接続のネゴシエーションが終わると、クライアントからのデータを読み取り、それをそのまま送り返します。最後に、クライアントが接続を閉じると、サーバも接続を閉じます。

おわかりのとおり、これはとりたてて便利なサービスではありません。標準の UNIX システムには、これと同じ処理を安全ではない方法で実行するエコーサーバが付属しています。しかしこのプログラムは、ネットワークサーバの基本機能(接続を待機し、それを処理し、最後に後処理を行う)の例としては十分に役立ちます。

8.3.4 プログラムの振る舞い

図8.1 は、単純なクライアントプログラムとサーバプログラムとのやり取りを図解したものです。ユーザがキーボードからデータを入力すると、それがサーバに転送されます。サーバはそのデータを単にクライアントにエコーして返します。最後に、クライアントプログラムがデータを画面に表示します。

図 8.1
クライアントとサーバ
のやり取り

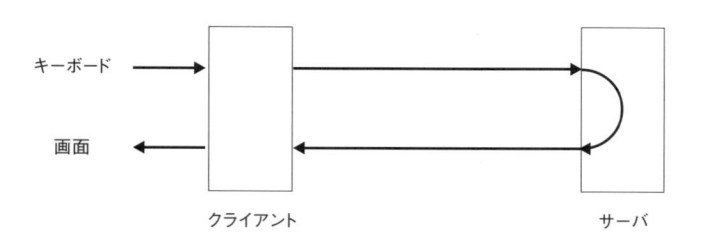

図8.2は、JavaのクライアントをJ実行した実例です（Cのクライアントの出力もほとんど同じです）。

図 8.2
SClient プログラムの実行例

```
[63] java SClient          プログラムを起動する
line 1                     キーボードから入力する
line 1                     クライアントプログラムによって表示される
line 2                     キーボードから入力する
line 2                     クライアントプログラムによって表示される
[64]                       Control-Dを押してプログラムを終了する
```

8.3.5　プログラムの表記に関して

本章では、本文で説明している手法に関係する部分のソースコードだけを、部分的に記載します。付録Aには、すべてのサンプルプログラムの全ソースコードと、各ソースファイルの関係を示したロードマップが収録されています。それぞれのコードを含むソースファイル名は、各コードの先頭と末尾にある区切り線に記載しています。

8.4　コンテキストの初期化

　SSLを使用するプログラムを書く際にまず行うのは、システムが使用するコンテキストのセットアップです。ほとんどの実装では、そのためのコンテキストオブジェクトが用意されており、プログラマがこれを初期化します。このコンテキストオブジェクトは、新しくSSLの接続を開始するたびに、新しい接続オブジェクトの生成に使われます。これらの接続オブジェクトは、SSLのHandshake、読み取り、書き込みを行うために使われます。

　この手法には2つの利点があります。まず、コンテキストオブジェクトを使えば多数の構造体の初期化が1回で済み、時間の節約になることです。ほとんどのアプリケーションでは、すべてのSSLによる接続が、同じ鍵素材やルートCAの一覧などを使用します。したがって、接続ごとにこれらの情報を再ロードせずプログラムの起動時にコンテキストオブジェクトにロードしておけば、新しい接続を作成する際に、その接続からコンテキストオブジェクトを指すだけで済みます。

　単一のコンテキストオブジェクトを使用するもう1つの利点は、複数のSSLによる接続でデータを共有できるということです。これに関連する最もわかりやすい例は、SSLのセッション再開です。セッションのデータをコンテキストオブジェクトに保存しておけば、同じコンテキストオブジェクトを使って新しい接続を生成するだけで、セッションを自動的に再開することができます。

8.4.1 クライアントの初期化

一般に、クライアントでは次の初期化作業を行わなければなりません。

- **CA をロードする**
  ほとんどの SSL による接続では、サーバが自分自身を識別させるための証明書を提供します。この証明書を検証するには、当然ながら、クライアントがサーバ証明書の電子署名として信頼できる CA のリストを持っていなければなりません。一般に、このリストはディスク上のどこかのファイルに保存されており、クライアントはそれをロードする必要があります。
- **クライアントの鍵素材をロードする**
  クライアント認証に使用する鍵をクライアントが持つ場合は、その鍵と、それに関連付けられている証明書をロードする必要があります。第 5 章で説明したとおり、これらはディスク上のファイルか、何らかのハードウェアデバイスに保存されています。どちらにしても、プログラムから鍵にアクセスするには、パスワードが必要となります。
- **乱数生成器にシードを与える**
  アプリケーションの実行環境はすべて異なるので、ツールキットのプログラマが優れた乱数のシードデータを生成するのは難しいことです。例えば、画面やマウスのデータは乱数の生成源として適していますが、環境によっては画面もマウスもないことがあります。したがって、多くのツールキットでは、乱数のシードを与える作業がアプリケーションのプログラマに任されています。つまり、通常はシステム上で何らかの乱数生成源を探し、それをツールキットに送る必要があります。
- **使用可能な暗号を設定する**
  大部分のツールキットには、デフォルトでネゴシエーションするために準備された暗号スイートがいくつか用意されています。これが自分のアプリケーションに合わない場合は、変更する必要があります。多くのツールキットでは、コンテキストのセットアップ時、または接続ごとにこれを行うことができます。

これらの作業に必要となる操作の数は、使用するツールキットによって異なります。例えば、SPYRUS の TLSGold はすべての鍵素材を 1 つのファイルから 1 回の操作でロードしますが、OpenSSL の場合はさまざまなロード操作が必要となります。

8.4.2 サーバの初期化

一般に、サーバの初期化作業には、クライアントの初期化作業がすべて含まれます。クライアント認証を必要としないサーバであれば、信頼する CA のリストを保持しないことも技術的には可能ですが、初期化の際には自分の証明書を確認するのが良い習慣とされています。これは、データの破損やユーザエラーに対する保護手段になります。したがって、CA のリストをロードすることは、サーバにとっても利点となります。このほ

かに、サーバ特有の初期化作業もいくつか必要になります。

- **DH グループを設定する**

  一時的 DH モードを使う予定がある場合は、サーバは使用する DH グループもロードする必要があります。DH グループの生成には非常に時間がかかるので、これは起動時に行ったほうがよいでしょう。長期にわたって使用する DH グループがある場合は、起動時に毎回新しいグループを生成するのではなく、ディスク上に保存しておいて、起動時にロードするとよいでしょう。

- **一時的 RSA 鍵を設定する**

  一時的 RSA を使う場合(長い RSA 鍵を使用していて、輸出可能な暗号スイートをサポートしているほとんどの場合)は、初期化の際に一時的 RSA 鍵をロードするとよいでしょう。多くのツールキットでは、必要に応じてこれが生成されますが、起動時にロードしておけば、後から実行時のコストがかさむのを防ぐことができます。

8.4.3 初期化(Java)

図 8.3 の Demo.java には、本章で PureTLS に使用する汎用の初期化コードがすべて含まれています。また、ポート番号などの情報を設定するためのグローバルな定義も数多く含まれています。本章で紹介するクライアントプログラムとサーバプログラムは、すべて、この Demo クラスのサブクラスです。

図 8.3 Demo ソースコード

— Demo.java

```
1  import COM.claymoresystems.sslg.*;
2  import COM.claymoresystems.ptls.*;
3  public class Demo {
4      public static final String host= "localhost";
5      public static final int port= 4433;
6      public static final String root= "root.pem";
7      public static final String random= "random.pem";
8      static SSLContext createSSLContext(String keyfile,String password){
9        SSLContext ctx=new SSLContext();
10       try {
11         ctx.loadRootCertificates(root);
12         ctx.loadEAYKeyFile(keyfile,password);
13         ctx.useRandomnessFile(random,password);
14       } catch (Exception e){
15         thrownew InternalError(e.toString());
16       }
17       return ctx;
18     }
19 }
```

— Demo.java

■パッケージのインポート

1〜2行目　　PureTLS の public なインタフェースは、2つの Java パッケージに属しています。`COM.claymoresystems.sslg` にはインタフェースが、`COM.claymoresystems.ptls` には実装が含まれています。

■定数の設定

4〜7行目　　実際のプログラムでは、ファイルの位置やホスト名、ポート番号のような変数は設定ファイルに含まれているか、ユーザからの入力として受け取ります。ここでは、単なる例なので、これらの情報をコード内に直接書き込んでいます。

■コンテキストを初期化する

9〜18行目　　PureTLS では、コンテキストを保存するために `SSLContext` オブジェクトを使います。このコンテキストオブジェクトを作成したら、ルート証明書と使用する鍵ファイルをロードする必要があります。PureTLS の場合は、ファイルがディスク上で暗号化されているため、乱数のファイルをロードするためにパスワードが必要となります。これによって、乱数のファイルを読み取ることに成功した攻撃者が乱数のストリームを再現するのを防ぐことができます。

8.4.4　初期化(C)

図 8.4 に示す `initialize_ctx()` は、PureTLS の Demo クラスと同じ機能を持つ OpenSSL 用のコードです。この関数が Demo クラスよりもかなり長くなっている理由の1つは、呼び出しごとにエラーチェックを行っているためです。PureTLS では Java の例外処理メカニズムがこれを自動的に行ってくれていました。OpenSSL はセットアップが少し複雑なので、サンプルコードも少し複雑になっています。

図 8.4
`initialize_ctx()`: OpenSSL 用の初期化

— common.c

```
38 SSL_CTX *initialize_ctx(keyfile,password)
39   char *keyfile;
40   char *password;
41   {
42     SSL_METHOD *meth;
43     SSL_CTX *ctx;

44     if(!bio_err){
45       /* グローバルなシステムの初期化 */
46       SSL_library_init();
47       SSL_load_error_strings();

48       /* エラーの書き込みコンテキスト */
49       bio_err=BIO_new_fp(stderr,BIO_NOCLOSE);
50     }

51     /* SIGPIPEハンドラをセットアップする */
52     signal(SIGPIPE,sigpipe_handle);

53     /* コンテキストを作成する */
```

```
54      meth=SSLv3_method();
55      ctx=SSL_CTX_new(meth);

56      /* 鍵と証明書をロードする */
57      if(!(SSL_CTX_use_certificate_file(ctx,keyfile,SSL_FILETYPE_PEM)))
58        berr_exit("Couldn't read certificate file");

59      pass=password;
60      SSL_CTX_set_default_passwd_cb(ctx,password_cb);
61      if(!(SSL_CTX_use_PrivateKey_file(ctx,keyfile,SSL_FILETYPE_PEM)))
62        berr_exit("Couldn't read key file");

63      /* 信頼するCAをロードする */
64      if(!(SSL_CTX_load_verify_locations(ctx,CA_LIST,0)))
65        berr_exit("Couldn't read CA list");
66      SSL_CTX_set_verify_depth(ctx,1);

67      /* 乱数のファイルをロードする */
68      if(!(RAND_load_file(RANDOM,1024*1024)))
69        berr_exit("Couldn't load randomness");

70      return ctx;
71    }
```
―――― common.c

■ **グローバルなデータを初期化する**

44～52行目

SSL コンテキストを作成する前に、`SSL_library_init()`を使って、OpenSSL ライブラリそのものを初期化する必要があります。残りのコードは、エラーリストを初期化することによって、エラー番号ではなく、少しわかりやすいエラー文字列を表示するためのものです。

■ **コンテキストを初期化する**

53～69行目

OpenSSL の SSL コンテキスト変数は、`SSL_CTX` という名前です（SSL context の略だと思われます）。初期化コードはごく単純ですが、いくつか説明しておくべき点があります。まず、`SSL_CTX_new()`に meth というパラメータを与えている点に注目してください。このパラメータには2通りの目的があります。まず、このパラメータによって、このコンテキストがネゴシエーションすることになる SSL のバージョンを設定できます。

さらに重要なのが、このパラメータを使うことにより、コードの必要な部分だけをリンクして利用できるという点です。各 method は、それを実装するのに必要なさまざまな関数とオブジェクトファイルを参照します。ほとんどのシステムでは、リンカがリンクするライブラリ関数は、`main()`によって推移的に参照されるものだけです（つまり、`main()`が参照する関数、および`main()`が参照する関数から参照される関数など）。したがって、`SSLv3_method()`だけを指定した場合は、SSLv2 と TLS の関数は最終的なオブジェクトにリンクされないので、バイナリのサイズが減ります。すべての SSL バージョンで使用できるクライアントまたはサーバを作成するには、`SSLv23_method()`を使います。

また、59～60行目ではパスワードのコールバックを実行している点に注目してください。PureTLS では、API を通じた呼び出しにより、ライブラリに直接パスワードを渡

していました。OpenSSL（OpenSSL 0.9.4）では、コールバックを介してユーザにパスワードを要求します。この例では、デフォルトのコールバック（ターミナルを介してユーザにプロンプトを表示する方式）ではなく、コード内に直接書き込んだパスワードを返すだけのコールバックを使用しています。最近のバージョンのOpenSSLでは、プログラマがAPI呼び出しを介してパスワードを直接渡すことが可能になっています。

▌ 8.4.5　Cによるサンプルに共通のコード

このサンプルプログラムでは、このほかに、common.cに含まれる共通のサブルーチンや変数も数多く使用されています。これらの関数のプロトタイプはcommon.hに含まれています。このファイルは、ほかのすべてのソースファイルにインクルードされます。またcommon.hでは、ほかのソースファイルで必要となる数多くのヘッダファイルをインクルードしています。さらに、ポート番号やルートファイルといったコード上で定義する定数も数多く設定しています。common.hを図8.5に示します。

図8.5
common.h

――――――――――――――――――――――――――――――― common.h

```
1  #ifndef _common_h
2  #define _common_h

3  #include <stdio.h>
4  #include <stdlib.h>
5  #include <errno.h>
6  #include <sys/types.h>
7  #include <sys/socket.h>
8  #include <netinet/in.h>
9  #include <netinet/tcp.h>
10 #include <netdb.h>
11 #include <fcntl.h>
12 #include <signal.h>

13 #include <openssl/ssl.h>

14 #define CA_LIST "root.pem"
15 #define HOST "localhost"
16 #define PORT 4433
17 #define BUFSIZZ 1024

18 extern BIO *bio_err;
19 int berr_exit (char *string);
20 int err_exit(char *string);

21 SSL_CTX *initialize_ctx(char *keyfile, char *password);
22 void destroy_ctx(SSL_CTX *ctx);

23 #endif
```

――――――――――――――――――――――――――――――― common.h

8.4.6 サーバの初期化

サーバでは、クライアントでは必要ない初期化手順がいくつか必要になることがあります。前述のとおり、一時的な鍵を必要とするサーバでは、使用するDHグループまたはRSA鍵をロードすることになるでしょう。またOpenSSLでは、サーバのセッション再開を明示的にアクティブにする必要があります。この処理は23〜24行目で行っています。図8.6に、OpenSSLでサーバ用に必要となる追加の初期化手順を示します。

図 8.6
OpenSSL 用のサーバの初期化

─────────────────────────────── sserver.c
```
19      /* SSLコンテキストを作成する */
20      ctx=initialize_ctx(KEYFILE,PASSWORD);
21      load_dh_params(ctx,DHFILE);
22      generate_eph_rsa_key(ctx);

23      SSL_CTX_set_session_id_context(ctx,(void*)&s_server_session_id_context,
24        sizeof s_server_session_id_context);
```
─────────────────────────────── sserver.c

8.5　クライアントの接続

クライアントでSSLコンテキストの初期化が終わると、サーバに接続する準備は完了です。一般的なSSLツールキットのAPIでは、通常のネットワーキングAPIに忠実に従ったモデルが使われています。したがってCでは、APIがBerkeley Sockets APIに類似しており、一連のSSL呼び出しはソケット呼び出しと同様です。JavaでのAPIは、一般には`java.net.Socket`のサブクラスです。SunのJSSE（Java Secure Socket Extention）（[JavaSoft1999]）では異なる手法を採用していますが、ここでは触れません。

8.5.1　クライアントの接続（Java）

PureTLSでは、`java.net.Socket`のサブクラスである`SSLSocket`クラスを実装しています。そのため、単純なSSLによる接続であれば、通常のソケットによる接続を確立する場合とほとんど同じコードを使って確立することができます。ただ、1つ必要なのは、サーバの証明書の識別名を、接続先のホスト名と突き合わせることです。図8.7に、そのためのコードを示します。

図8.7
PureTLS用のクライアントの接続

─── Client.java

```
13      private static String dnToCommonName(DistinguishedName dN)
14         throws IOException {
15         Vector dn=(Vector)dN.getName();
16         Vector rdn=(Vector)dn.lastElement();

17         if(rdn.size()!=1)
18           thrownew IOException
19             ("DN forms with multiple AVAs per RDN are unacceptable");

20         String[] ava=(String [])rdn.firstElement();

21         if(ava.length!=2)
22           throw new IOException("Bogus AVA array");

23         if(!ava[0].equals("CN"))
24           throw new IOException("CN must be most local AVA");

25         return ava[1];
26      }
27      public static SSLSocket connect(SSLContext ctx,String host,int port)
28         throws IOException {
29         // リモートホストに接続する
30         SSLSocket s=new SSLSocket(ctx,host,port);

31         // 証明書チェーンをチェックする
32         Vector certChain=s.getCertificateChain();

33         // 証明書チェーンの長さをチェックする
34         if(certChain.size()>2)
35           throw new IOException("Certificate chain too long");

36         // ホスト名をチェックする (Common Nameを使用)
37         Certificate cert=(Certificate)certChain.lastElement();
38         String commonName=dnToCommonName(cert.getSubjectName());
39         if(!commonName.equals(host))
40           throw new IOException("Host name does not match commonName");

41         return s;
42      }
```

─── Client.java

■Common Nameを取り出す

13〜26行目

▼Relative Distinguished Name

▼Attribute Value Assertion

サーバの証明書をチェックするには、DNからCommon Nameを取り出す必要があります。これはdnToCommonName()メソッドで行います。ご存知のとおり、識別名とは一連のRDN▼のことです。RDNそのものは、AVA▼のリストです。AVAは、単なる属性と値の対です。PureTLSでは、DNはVectorとして表されます。その内容であるRDNもやはりVectorで、AVAそのものはStringの配列として表されます。この配列の0番目の要素は属性で、続く1番目の要素が値です。したがって、このコードでは、DNの1つ目の(最もローカルな)RDNからCommon NameのAVAを取り出しています。

■サーバに接続する

30行目

接続そのものは単純です。Javaでは、新しいSocketを作成したときに接続が形成されます。Socketには名前解決を自動的に行うコンストラクタがあるので、サーバのIPアドレスを検索する必要もありません。

■サーバの証明書をチェックする

31～42 行目

この関数の大部分は、サーバのドメイン名をサーバの証明書と突き合わせる処理です。ソケットを作成する際にドメイン名を使用しているため、理論的にはPureTLSがこの処理を自動的に行うこともできます。しかし、そうするとプログラマにとっての柔軟性は低くなります。ここで行っているチェックは、最も単純なものです。Basic Constraints拡張に頼らずに、証明書チェーンの長さをチェックしている点に注目してください。Basic Constraintsが汎用的に利用できるのであれば、PureTLSがこれを自動的に行ってくれるはずなのですが、実際にはそうはいきません。

8.5.2　クライアントの接続 (C)

PureTLSのAPIと比べると、OpenSSLのAPIの使い方はずっと複雑です。これは、Berkeley Socketsが、Javaのネットワーキングよりもかなり複雑であるためです。ただ、これから見ていくとおり、OpenSSLのAPIはPureTLSのAPIよりもいくらか柔軟です。

PureTLSとは異なり、OpenSSLではクライアントとサーバの間のTCPによる接続を手動で作成し、その後TCPソケットを使用してSSLソケットを作成しなければなりません。このためにはtcp_connect()関数を使います (図8.8)。これは、TCPプログラミングを行ったことがある人にはおなじみの関数でしょう。サーバのIPアドレスを解決するためには、gethostbyname()を使用し、その後socket()とconnect()を使用します。

図 8.8
tcp_connect()関数

client.c

```
3    int tcp_connect()
4    {
5      struct hostent *hp;
6      struct sockaddr_in addr;
7      int sock;

8      if(!(hp=gethostbyname(HOST)))
9        berr_exit("Couldn't resolve host");
10     memset(&addr,0,sizeof(addr));
11     addr.sin_addr=*(struct in_addr*)hp->h_addr_list[0];
12     addr.sin_family=AF_INET;
13     addr.sin_port=htons(PORT);

14     if((sock=socket(AF_INET,SOCK_STREAM,IPPROTO_TCP))<0)
15       err_exit("Couldn't create socket");
16     if(connect(sock,(struct sockaddr *)&addr,sizeof(addr))<0)
17       err_exit("Couldn't connect socket");
18     return sock;
19   }
```

client.c

TCPの接続をSSLの接続から切り離すことには、利点も欠点もあります。主な欠点はもちろん、プログラミングが難しいということです。しかし、tcp_connect()のような関数はごく一般的なCプログラミングの手法なので、有能なネットワークプログラマならば何度も書いたことがあるはずです。さらに、既存のネットワークアプリケーションを使うような場合は、すでにこのようなコードがあるので、SSLのAPIをこのスタイ

ルに統合する作業は簡単になるでしょう。

　しかし、TCP の接続と SSL Handshake を切り離してしまうと、SSL の API が、サーバ上にあるはずの DNS 名やポートを知ることができなくなってしまいます。つまり、このようなツールキットでは、原理上も、サーバの証明書を DNS 名と自動的に照らし合わせることはできないのです。このチェックは、アプリケーションコードで行わなければなりません。また後述するとおり、サーバのドメイン名がわからないと、クライアントは再開を試行すべきセッションを知ることができません。したがって、クライアント側のセッション再開はプログラマが意図的に行わなければなりません。

　プログラマが意図的に TCP で接続を行うということは、柔軟性の面からは数多くの利点があります。上方向ネゴシエーション（第7章を参照）を行うには、SSL への移行をネゴシエートするのにアプリケーションプロトコルからソケットにアクセスできなければならないので、この種の API が必要となります。さらに、第9章で説明するとおり、一部のプロキシ処理ではアプリケーションプロトコルが SSL Handshake よりも前にソケットにアクセスできなければなりません。

8.5.3　クライアントの SSL Handshake（C）

　図 8.9 に示す sclient.c の main() 関数では、サーバに接続して SSL Handshake を行っています。

図 8.9 sclient.c の main() 関数

sclient.c

```
10   int main(argc,argv)
11     int argc;
12     char **argv;
13     {
14       SSL_CTX *ctx;
15       SSL *ssl;
16       BIO *sbio;
17       int sock;

18       /* SSLコンテキストを作成する */
19       ctx=initialize_ctx(KEYFILE,PASSWORD);

20       /* TCPソケットに接続する */
21       sock=tcp_connect();

22       /* SSLソケットに接続する */
23       ssl=SSL_new(ctx);
24       sbio=BIO_new_socket(sock,BIO_NOCLOSE);
25       SSL_set_bio(ssl,sbio,sbio);
26       if(SSL_connect(ssl)<=0)
27         berr_exit("SSL connect error");
28       check_cert_chain(ssl,HOST);

29       /* 読み込みと書き込み */
30       read_write(ssl,sock);

31       destroy_ctx(ctx);
32     }
```

sclient.c

■SSL_CTX を作成する

18〜19行目

まず、initialize_ctx()を使ってSSL_CTXオブジェクトを作成しなければなりません。クライアントでは、初期化に際してこれ以上の処理は必要ありません。

■サーバに接続する

20〜21行目

先に作成したtcp_connect()関数を使ってサーバに接続します。

■SSLHandshake

22〜28行目

サーバへのTCPの接続を作成したら、SSLを有効にしなければなりません。OpenSSLでは、SSLの接続をSSLオブジェクトで表現します。ここで重要なのは、SSLオブジェクトをソケットに直接関連付けるわけではないということです。その代わりに、ソケットを使用してBIOオブジェクトを作成し、SSLオブジェクトをBIOに関連付けます。OpenSSLでは、I/O用の抽象層を提供するためにBIOオブジェクトを使用します。オブジェクトがBIOインタフェースに合致してさえいれば、どのようなI/Oデバイスを使っていても影響はありません。

　この抽象層によって、単にTCPの接続とSSL Handshakeを切り離すというだけではなく、さらなる柔軟性が生まれます。OpenSSLでは、適切なBIOオブジェクトさえあれば、ソケット以外のデバイス上でSSL Handshakeを行うことも可能です。例えば、あるOpenSSLのテストプログラムでは、純粋にメモリバッファだけを通してSSLクライアントとサーバを接続しています。もっと実用的な用途としては、ソケットを介してアクセスできないプロトコルをサポートするというものがあります。例えば、シリアル回線上でSSLを実行することができます。

　SSLの接続を確立したら、すでにお馴染みとなった方法で証明書チェーンをチェックします。つまり、ホスト名とCommon Nameを照らし合わせます。図8.10に示すcheck_cert_chain()関数は、図8.7に示した証明書チェックとほとんど同じ処理を行っています。しかしながら、ここでは証明書チェーンの長さをチェックしていない点に注意してください。initialize_ctx()で行っているように、SSL_CTX_set_verify_depth()を使ってチェーンの最大長を設定していれば、長さチェックはOpenSSLによって自動的に行われます。

図8.10
check_cert_chain()
関数

―――――――――――――――――――――――――――――― client.c

```
25    void check_cert_chain(ssl,host)
26      SSL *ssl;
27      char *host;
28      {
29        X509 *peer;
30        char peer_CN[256];

31        if(SSL_get_verify_result(ssl)!=X509_V_OK)
32          berr_exit("Certificate doesn't verify");

33        /* 証明書チェーンをチェックする
34           チェーンの長さは、ctxで深さを設定したときに、
35           OpenSSLによって自動的にチェックされる
```

```
36          ここでは、Common Nameが一致することを
37          確認するだけでよい
38       */
39       /* Common Nameをチェックする */
40       peer=SSL_get_peer_certificate(ssl);
41       X509_NAME_get_text_by_NID(X509_get_subject_name(peer),
42         NID_commonName, peer_CN, 256);
43       if(strcasecmp(peer_CN,host))
44         err_exit("Common name doesn't match host name");
45    }
```
———— client.c

8.6 サーバでの接続の受け入れ

　SSLによる接続を確立するサーバ側のコードは、概念的にはクライアント側のコードと同じです。以前と同様、ツールキットのAPIは使用する言語のプログラミング手法を模倣しているので、JavaのコードではServerSocketのサブクラスを使い、Cのコードではaccept()とSSL_accept()を使用します。

8.6.1　サーバでの接続の受け入れ（Java）

　java.netでは、サーバで接続を受け入れるために、ServerSocketというクラスを使用しています。ServerSocket.accept()はSocketを返します。Socketは、ServerSocket.accept()を使って作成した場合でも、new Socket()を使って作成した場合でも、同じように動作します。PureTLSでは、SSLServerSocketというクラスでこれを模倣しています。図8.11は、PureTLSを使って接続を受け入れるためのコードです。

———— Server.java

図8.11
PureTLSサーバの受け入れループ

```
23    SSLServerSocket listen=new SSLServerSocket(ctx,port);

24    while(true){
25      SSLSocket s=(SSLSocket)listen.accept();

26      // この接続を新しいスレッドで処理する
27      ReadWrite rw=new ReadWrite(s,s.getInputStream(),
28        s.getOutputStream());
29      rw.start();
30    }
```
———— Server.java

　このコードは非常に単純です。SSLServerSocketを作成した後は無限ループに入り、accept()を呼び出して、作成されるソケットを処理します。accept()の戻り値はSocketです。実は、SSLをまったく認識しないサーバでも、ServerSocketではなく

SSLServerSocket を渡すだけで SSL 対応にすることができます。これが可能なのは、PureTLS のクラスが java.net クラスを拡張したものだからです。

しかしながら、実際には大部分のアプリケーションで SSLSocket 対応のメソッドを使用するので、accept() の戻り値を SSLSocket にキャストします（25行目を参照）。例えば、ネゴシエートした暗号スイートを知るためには、このキャストが必要です。accept() は Socket を返すので、25行目では、accept() の戻り値を SSLSocket にキャストしています。すべてのコードを Socket のメソッドを使って書く場合はこのキャストは必要なく、Socket のメソッドだけを使って処理を行います。

8.6.2　サーバでの接続の受け入れ（C）

Java のクライアントの受け入れと同様、OpenSSL でも TCP の受け入れはプログラマが行わなければなりません。TCP ソケットがあれば、後は接続のときとまったく同じようにして BIO オブジェクトと SSL オブジェクトを作成します。ただし、図8.12 に示すとおり、SSL_connect() ではなく SSL_accept() を呼び出します。

図 8.12
OpenSSL サーバの受け入れループ

――――――――――――――――――――――――――― sserver.c
```
90      sock=tcp_listen();

91      while(1){
92        if((s=accept(sock,0,0))<0)
93          err_exit("Problem accepting");

94        sbio=BIO_new_socket(s,BIO_NOCLOSE);
95        ssl=SSL_new(ctx);
96        SSL_set_bio(ssl,sbio,sbio);

97        if((r=SSL_accept(ssl)<=0))
98          berr_exit("SSL accept error");

99        echo(ssl,s);
100     }
```
――――――――――――――――――――――――――― sserver.c

一見しただけではわかりにくいですが、CのコードとJavaのコードの違いは、sserver が一度に1つのクライアントしか処理できないのに対し、Server（Java のサーバ）では任意の数のクライアントを処理できるという点です。この違いは、図8.11 の29行目から推し量ることができます。ここでは、クライアントとサーバの間でデータをエコーするために使う ReadWrite クラスを、Thread からサブクラス化しています。start() を呼び出すと、新しいクライアントを処理するために新しいスレッドが生成され、元のスレッドは新しいクライアントを処理するために残されます。

sserver で fork() を呼び出しても、これと同じような効果を得ることができます。しかしながら、Java のようにきれいな結果を得るためには、さらにいくつか手を加えなければなりません。これについては「8.8 スレッドを使った多重化 I/O」で詳しく説明します。

8.7 単純な I/O 処理

SSL による接続を確立したら、次はその接続上でデータを送信します。基本的には、TCP ソケット上でデータを送信する場合と似ています。ただし実際には、SSL を使うことで考慮しなければならない細かな点がいくつか生じます。まずは単純な作業から始めて、より複雑な例へと徐々に進んでいくことにしましょう。

図 8.13 サーバの I/O

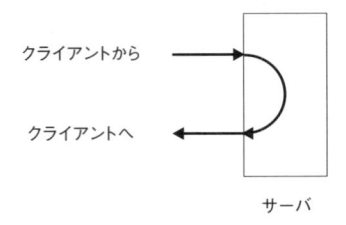

プログラムの中で SSL の I/O が最も単純なのは、サーバ側です。図 8.13 は、前に示した図 8.1 から、サーバ側の部分を取り出したものです。ご覧のとおり、サーバの処理はごく単純です。クライアントからのデータを読み取り、それをエコーして返すだけです。クライアントに書き込むデータがない場合には、何もしません。図 8.14 にこのコードを示します。

図 8.14 echo(): 単純なサーバエコールーチン

― echo.c

```
3    void echo(ssl,s)
4      SSL *ssl;
5      int s;
6      {
7        char buf[BUFSIZZ];
8        int r,len,offset;

9        while(1){
10         /* まず、データを読み取る */
11         r=SSL_read(ssl,buf,BUFSIZZ);
12         switch(SSL_get_error(ssl,r)){
13           case SSL_ERROR_NONE:
14             len=r;
15             break;
16           case SSL_ERROR_ZERO_RETURN:
17             goto end;
18           default:
19             berr_exit("SSLread problem");
20         }

21         /* 次に、すべてを書き終えるまで書き込みを続ける */
22         offset=0;

23         while(len){
24           r=SSL_write(ssl,buf+offset,len);
25           switch(SSL_get_error(ssl,r)){
26             case SSL_ERROR_NONE:
27               len-=r;
28               offset+=r;
```

```
29                break;
30            default:
31                berr_exit("SSLwrite problem");
32        }
33      }
34    }
35  end:
36    SSL_shutdown(ssl);
37    SSL_free(ssl);
38    close(s);
39  }
```

———— echo.c

echo()の実装は、TCPのサーバを書いたことのある人にはお馴染みでしょう。read()とwrite()の代わりにSSL_read()とSSL_write()を使用していることを除けば、大部分は標準的なTCPの読み込みと書き込み処理のループです。このことから、OpenSSLでは、SSLによって新しく生じる複雑な部分を意識せずにプログラミングを行えることがよくわかります。これについては「8.9 select()を使った多重化I/O」で詳しく説明します。

echo()は、引数sslによってSSLオブジェクトを、引数sによってsslに関連付けられているソケットを引き渡されます。sは関数の中でほとんど使用されませんが、最後にソケットを閉じる際に必要になります。

■データを読み取る

10～20行目

ループの中では、まず、SSLによる接続のクライアント側からデータを読み取ります。これは、適切なサイズのバッファを選択し、SSL_read()を呼び出すだけで簡単に行えます。ここで、バッファサイズがそれほど重要ではないことに注意してください。SSL_read()は、read()と同様に、要求された量より少ないサイズであっても利用できるデータを返します。一方、利用できるデータがまったくない場合は呼び出しがブロックされ、何らかのデータが利用できるようになるまで待機し、そのデータを返します。

BUFSIZZの選択は、基本的にはパフォーマンスとの兼ね合いを考えて選択します。パフォーマンスのトレードオフは、通常のソケットから単純にデータを読み取る場合とは大きく異なります。通常のソケットの場合は、read()を呼び出すたびに、コンテキストをカーネルに切り替える必要があります。コンテキストスイッチはコストが高いので、プログラマは大きなバッファを使ってコンテキストスイッチの回数を減らそうとします。しかしSSLを使う場合は、SSL_read()を呼び出す回数ではなく、主にデータが書き込まれたレコードの数によってread()を呼び出す数(つまりコンテキストスイッチの回数)が決まります。

例えば、クライアントが1000バイトのレコードを書き込み、サーバが1バイト単位でSSL_read()を呼び出したとしましょう。この場合、1回目のSSL_read()でレコードが読み取られ、残りの呼び出しでは単にSSLのバッファからデータが読み取られます。したがって、SSLを使う場合は、バッファサイズの選択は通常のソケットを使う場合ほ

ど重要ではありません◇。

> ◇ いくつもの小さなレコードという形でデータが書き込まれている場合は、1回のread()呼び出しでそれらをすべてまとめて読み取りたいときがあるかもしれません。OpenSSLには、この動作をオンにするSSL_CTRL_SET_READ_AHEADフラグが用意されています。

12行目では、SSL_get_error()の戻り値に対してswitchを使用している点に注目してください。通常のソケットの場合は、負の値（通常は−1）は失敗を表し、その場合はerrnoをチェックして実際に何が起こったかを判断します。しかし、errnoはシステムエラーしか示しません。ここではSSLエラーに対処する必要があるので、この場合はerrnoが役に立ちません。また、プログラムをスレッドセーフにするためには、errnoを慎重に扱う必要があります。

OpenSSLでは、errnoの代わりにSSL_get_error()を使います。これによって戻り値を調べ、エラーが起こったかどうか、それがどのようなエラーなのかを知ることができます。ここで調べなくてはならないのは、次に示す3つの状況だけです。

- **戻り値が正の場合**
  この場合はデータを読み取り、lenにその長さが設定されます。後から書き込む際にこの値を使います。
- **戻り値が0の場合**
  これは、利用できるデータがないという意味ではなく（利用できるデータがない場合は、前述のとおりブロックされます）、ソケットが閉じられており、データを読み取ることができないことを示します。したがって、ループから抜けます。
- **戻り値が負の場合**
  これは何らかのエラーを表しますが、それが何かを正確に知るにはSSL_get_error()を使う必要があります。このサンプルプログラムではエラー処理を行っていないので、単純にデフォルトでberr_exit()を呼び出し、エラーメッセージを出力して終了します。もう少し高度なプログラムになると、より多くのswitch分岐を使用してエラーの正確な種類を突き止め、適切な処置を取ります。

このサンプルプログラムではすべてのエラー状態を同じように処理するので、単に戻り値が正か、負か、0かだけをチェックして、それぞれに対処しました。実際のプログラムでは、値が負の場合にだけswitchステートメントに入り、エラー以外の状況はインラインで直接処理するほうが得策です。また、SSL_get_error()はOpenSSL特有の機能だということに注意してください。ほかのツールキットでは、エラー値を示すために戻り値が直接使われていることもあります。

■データを書き込む

21〜33行目　　コードのこの部分に到達する頃には、確実にクライアントから何らかのデータを読み取っています。このデータはbuf（データの起点は0）に保存され、lenで長さが示されま

す。このコードの仕事は、データをクライアントにエコーして返す（データを`ssl`に書き込む）ことです。

　外側の`while()`ループの意義は、一見しただけではよくわからないかもしれません。ネットワークからデータを読み取る際には、このようなループはありませんでした。このループがある理由は簡単で、すべてのデータをネットワークに書き込むためです。`SSL_write()`では、確実に書き込まれるのは一部のデータだけで、必ずしもすべてのデータが書き込まれるとは限りません。書き込まれたデータの量は戻り値から知ることができます。したがって、1回の呼び出しですべてのデータが書き込まれなかった場合には、すべてを書き込むまでループを続ける必要があります。

　しかしながら、書き込むのはまだ書き込んでいないデータだけで、すでに書き込んだデータを再度書き込むわけではありません。これをうまく調整するには、すでに書き込んだデータの終わり（次に書き込むデータの先頭）を指すポインタを維持する必要があります。そこで、`offset`変数を使います。このループの先頭ではまだデータを書き込んでいないので、この変数は0に設定されます。しかし、いったんデータを書き込んだら、書き込んだデータの長さだけこの値をインクリメントし、それに従って`len`をデクリメントします。最後に`len`が0になり、`offset`がバッファの最後に達したら、ループから抜けます。

　すべてのデータを書き込むことが、なぜそれほど重要なのでしょうか。ユーザが何かを入力し、サーバが応答するのを待っている状況を考えてください。サーバはデータを書き込みますが、その一部しか書き込まれないとします。23行目のループがないと、サーバは9行目に戻り、クライアントからデータを読み取ろうとします。しかし、クライアントはサーバからの応答を待っているので、読み取るデータはありません。したがって、サーバの処理は`SSL_read()`内でブロックされてしまいます。サーバにはデータを書き込むという仕事が残っているにもかかわらず、クライアントはサーバを、サーバはクライアントを待っているので、プログラムはデッドロックに陥ります。

　当然のことですが、この状況から抜け出すには、クライアントからのデータを待機する前にサーバがすべてのデータの書き込みを終えればいいのです。つまり、サーバがすべてのデータを先に書き込んでしまえばよいのですが、その方法は`SSL_write()`の周囲でループをする以外にもいくつかあります。ほかの対処法については、「8.8 スレッドを使った多重化 I/O」で説明します◇。

> ◇　この`SSL_write()`の呼び出しでは、実際には返る前に常にすべてのデータを書き込むようにすべきです。デフォルトでは、OpenSSLはこの動作が強制されています。しかし、`SSL_MODE_ENABLE_PARTIAL_WRITE`フラグが設定されている場合は、書き込みバッファに1つ以上のレコードがあっても、1つのレコードのみを書き込んで返ります。したがって、このフラグが設定されており、1024バイトよりも大きなブロックを使用している場合には、その一部しか書き込まれない可能性があります。

　読み取りの際と同様、戻り値を処理するためには`SSL_get_error()`を使います。しかしながら、ここでは次に示す2つの値だけを調べます。

- **戻り値が正**

  この場合は何らかのデータを書き込んだことになります。

- **戻り値が正ではない**

  何らかのエラーが起きたことになります。0の戻り値が返されることはありません。書き込むデータがない場合はブロックされます。ソケットが閉じられている場合には、実際のエラーを確認できるはずです。

■接続を終了

36～39行目　ループの最後に達すると、クライアントが送信したすべてのデータを読み取ったことになるので、ソケットを閉じる準備が整います。`SSL_shutdown()`を呼び出して`close_notify`メッセージを送り、SSL構造体を解放してソケットを閉じます。

8.8　スレッドを使った多重化 I/O

　これまでに見てきた単純なI/O処理は、サーバにはうまく適用できます。これは、サーバの入力源がクライアントだけだからです。しかし、クライアント側のI/Oにはこの方法では不十分です。図8.15を見てください。この図はクライアントの入出力を表しています。クライアントはキーボードとサーバという2つの入力源を同時に待ち受けなければなりません。キーボードとサーバからの入力は、非同期的に送られる可能性があります。つまり、どのような順序で送られるかはわかりません。このため、これまでに見てきたような単純なI/O処理では根本的に不足です。

図 8.15
クライアント I/O

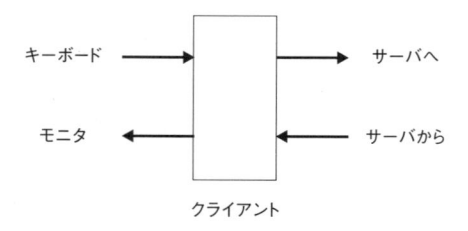

　本章で作成した単純なサーバでも、このことは簡単に確認できます。図8.16に示す疑似コードを使って、サーバで使用したI/O処理をクライアントで使う場合について考えてみましょう。

図 8.16
欠陥のあるクライアント I/O 処理

```
1    while(1){
2      read(keyboard,buffer);
3      write(server,buffer);

4      read(server,buffer);
5      write(screen,buffer);
6    }
```

使用しているサーバが低速であると仮定します。ユーザはキーボードで何かデータを入力し、クライアントはこれをサーバに送ります。しかし、サーバは低速で、応答を返すのに長い時間がかかります。その間に、ユーザはさらにデータを書き込みます。しかし、クライアントは4行目で止まり、サーバからのデータを読み取るために待機しているので、読み取りも書き込みも行うことができません。最終的にサーバがデータの書き込みを終えると、クライアントはそれを画面に表示します。これでクライアントは解放され、ユーザからのデータを読み取ってサーバに送ることができます。この時点で、すでにこの動作は好ましくありません。サーバが低速なせいで、サーバにデータを書き込むことができないためです。一方、このプロトコルは非常に単純なので、あまり美しくはありませんが、ユーザの使用感には直接影響しません。

次に、この動作が深刻な問題につながるリモートログインの例を見てみましょう。リモートからコンピュータにログインして、ディレクトリの一覧を要求した場合を考えてください。この要求は、ほとんどの場合1行で済みますが(UNIX システムの ls など)、これに対する応答は何行にもわたるものになるでしょう。一般には、これらの行は複数回に分けて書き込まれます。したがって、サーバからのデータを読み取るには、1回以上の読み取りが必要になる可能性があります。そのため、図 8.16 の I/O 処理では問題が生じます。

このコードでは、ユーザからのコマンドとサーバからの応答の最初の一塊は読み取ることができますが、その後はデッドロックに陥ります。クライアントは2行目でユーザからの入力を待機しますが、ユーザはディレクトリの一覧の残りが表示されるのを待っています。この時点でデッドロックとなります。これは「8.7 単純な I/O 処理」で見たデッドロックと同じで、したがって解決法も同じです。これを解決するには、使用できるすべてのデータをサーバから読み取る必要があります。

しかしながら、ここでは前回とまったく同じ解決法は通用しません。データがない状態で `SSL_read()` を呼び出すと、サーバからのデータを待機するので、クライアントはブロックされます。サーバのデータが終わりに達したら、次はキーボードから入力を読み取らなければならないのに、そこで止まってしまうのです。したがって、この方法は使えません。同じように、読み取りと書き込みを逐次行うようにしたとしても、うまくいきません。ここでは、キーボードとサーバのうち、どちらか準備の整っているほうからデータを確実に読み取れる方法が必要です。

この問題の解決法として、従来は、使用する言語によって異なる方法が取られてきました。Java のような言語では、スレッドを使うという方法を取ります。C のように、スレッドを標準でサポートしない言語に対しては、もっと複雑な仕組みが開発されてきました。本節では、スレッドを使った Java での解決法を紹介します。次節では、`select()` を使った C での解決法を示します。

図 8.17 は、Java のクライアントの `main()` メソッドです。12〜14 行目では、すでに説明したコンテキストとソケットを作成するコードを呼び出しているだけなので、ここでは説明しません。重要なのはそれ以降のコードです。

図 8.17
Java のクライアントのmain()

―――――――――――――――――――――――――――――――――― SClient.java
```java
11    public static void main(String []args)
12      throws IOException {
13      SSLContext ctx=createSSLContext(keyfile,password);
14      SSLSocket s=connect(ctx,host,port);

15      // このスレッドはコンソールからデータを読み取り、それをサーバに書き込む
16      ReadWrite c2s=new ReadWrite(s,System.in,s.getOutputStream());
17      c2s.start();

18      // このスレッドはサーバからデータを読み取り、コンソールにそれを書き込む
19      ReadWriteWithCancel s2c=new ReadWriteWithCancel(s,
20        s.getInputStream(),System.out,c2s);
21      s2c.start();
22      s2c.setPriority(Thread.MAX_PRIORITY);
23      s2c.join();
24    }
```
―――――――――――――――――――――――――――――――――― SClient.java

■スレッドを開始する

15～23 行目　　クライアントの構造は単純です。図 8.16 に示したような 1 つの読み取り/書き込みループを使用するのではなく、2 つのループを用意し、それぞれを別々のスレッドで実行します。それぞれのループは、読み取るデータがない場合にはブロックされます。しかし、読み取るデータまたは書き込むデータがあるスレッドは、スレッドスケジューラによって自動的に実行されるので、これがデッドロックにつながることはありません。

これを実現するには、2 つの `ReadWrite` オブジェクトをインスタンス化します（`ReadWriteWithCancel` は `ReadWrite` のサブクラスで、接続の終了時に正しい動作をするために使用します。これについては「8.10 終了」で詳しく説明します。ここでは、`ReadWriteWithCancel` は `ReadWrite` と同じようなものと考えてください）。`ReadWrite` は `Thread` をサブクラス化したものなので、`start()` を呼び出すと自動的に新しいスレッドとして開始されます◇。

> ◇　22 行目は必要ない場合もあります。これは、JDK 1.1.8 におけるスレッドスケジューラの問題点への対処です。これがないと、`c2s` スレッドによって `s2c` スレッドが抑制されてしまいます。JDK 1.2.X ではこのような対策は必要ありません。23 行目の `join()` によって、このスレッドは `s2c` スレッドが終わるまで待機します。このような処理は、この例では必須ではありませんが、サーバへの接続がいつ終わったかを知るためには必要です。

図 8.18 は、`ReadWrite` の中の関連する部分を示しています。終了コードについては「8.10 終了」で説明するので、ここでは省略しました。コンストラクタでは、ただオブジェクトを作成し、インスタンス変数に引数を割り当てています。指定した引数には `InputStream` と `OutputStream` が含まれています。これらは標準的な Java の I/O クラスで、PureTLS ではこれらをサブクラス化しています。したがって、このコードは PureTLS に限らず、標準のソケットでもこのまま使うことができます。

図 8.18
ReadWrite I/O 処理

ReadWrite.java

```
8   public class ReadWrite extends Thread {
9     protected SSLSocket s;
10    protected InputStream in;
11    protected OutputStream out;

12    /** ReadWriteオブジェクトを作成する

13       @param sは、使用するソケットを表す
14       @param inは、読み取るストリームを表す
15       @param outは、書き込むストリームを表す
16    */
17    public ReadWrite(SSLSocket s,InputStream in,OutputStream out){
18      this.s=s;
19      this.in=in;
20      this.out=out;
21    }

22    /** inからoutにデータをコピーする */
23    public void run() {
24      byte[] buf=new byte[1024];
25      int read;

26      try {
27        while(true){
28          // スレッドが終了したかどうかをチェックする
29          if(isInterrupted())
30            break;

31          // データを読み取る
32          read=in.read(buf);

33          // 利用できるデータがなくなったら終了する
34          if(read==-1)
35            break;

36          // データを書き出す
37          out.write(buf,0,read);
38        }
39      } catch (IOException e){
40        // run()ではIOExceptionをスローできない
41        thrownew InternalError(e.toString());
42      }

43      // 後処理
44      onEOD();
45    }
```

ReadWrite.java

■読み取りと書き込み

22〜45行目　　ReadWrite は Thread のサブクラスなので、自動的に実行される動作があります。具体的には、このクラスは start() メソッドを継承しています。start() メソッドは、新しいスレッドを自動的に作成し、その後 run() を呼び出します。ReadWrite の実際の処理を行うコードが run() メソッドに含まれているのは、このためです。

　　run() そのものは単純です。InputStream(in) からデータを読み取り、それを OutputStream(out) に書き出すだけです。OpenSSL とは異なり、PureTLS では、write() はすべてのデータがネットワークに送り出されてから返ることが保証されています。したがって、図 8.8 で行ったように、write() をループに入れる必要もありません。もち

ろん、プログラム全体がwrite()でブロックされてしまったら、この動作は問題になります。しかし、この例ではこのメソッドを独自のスレッド内で使用しているので、何も問題はありません。

PureTLSでは、OpenSSLとは異なる方法でネットワークのエラーを解決します。Javaの標準的な方法では、例外処理を使ってネットワークエラーを通知しますが、PureTLSでもこの方法に従います。したがって、32～35行目でデータを読み取る際には、読み取りエラーをチェックする必要がありません。必要なのは、読み取りの成功とデータの終わりとを区別することだけです。read()は、読み取ったデータの長さか、データの終わりを表す−1を返すので、これは簡単に行えます。データを読み取った場合は、37行目の書き込みまでのコードを実行します。それ以外の場合は、ループから抜けて接続を閉じます。

前述のとおり、ネットワークエラーはIOExceptionをスローすることによって処理されます。このプログラムでは、これらのエラーを単にキャッチし、致命的エラーとして扱い、応答としてInternalErrorをスローします。実際のプログラムでは、致命的エラーかそうでないかを何らかの方法で判断し、それをユーザに報告する必要があります。

8.9　select()を使った多重化I/O

スレッドを使う方法はJavaには有効ですが、Cでは通用しません。Cの標準にはスレッドのサポートは含まれていないので、仮にスレッドサポートを追加する場合には、プラットフォームがそれを担当します。Windowsには非常に完成度の高いスレッドサポートが用意されているので、Windowsを対象とする場合は、スレッドを使ってI/Oを多重化してもよいでしょう。

残念ながら、UNIXの場合はこんなに恵まれた状況ではありません。UNIXのスレッドサポートは標準化されておらず、さらにUNIXのCベースのライブラリの多くはスレッドセーフではありません。コードをUNIXに移植できるようにしたいのであれば、スレッドを使うべきではありません。このため、多重化I/Oを行うには、select()を使う必要があります。このようなselect()の使い方はUNIXではごく一般的ですが、select()とSSLとのやり取りは明確とはいえず、ここまでにも示唆してきた細かい点について理解する必要があります。

▶ 8.9.1　読み取り

ここでの根本的な問題は、SSLがレコード指向のプロトコルだということです。つまり、SSLの接続から1バイトだけ読み取りたい場合でも、そのバイトを含むレコード全体をメモリに読み込まなければなりません。レコード全体がなければ、SSLの実装では

レコードのMACをチェックできないので、データをプログラマに安全に渡すことができません。残念ながら、図8.19に示すとおり、この動作とselect()の対応関係は決して良いとはいえません。

図 8.19
SSL との読み取り

図8.19の左側は、レコードを受け取った後も、マシンがまだネットワークのバッファで待機している様子を表しています。矢印は、バッファの先頭に設定されている読み取りポインタを表します。下の段は、SSLの実装によってデコードされ、まだプログラムで読み取られていないデータ(SSLのバッファ)を表します。このバッファは今のところ空なので、四角形は示されていません。この時点でプログラムがselect()を呼び出すと、これはすぐに返ってread()の呼び出しが成功したことを示します。次に、プログラマがSSL_read()を呼び出し、1バイトを要求した場合を想像してください。すると、今度は図8.19の右側の状況になります。

前述のとおり、SSLの実装では、たった1バイトのデータをプログラムに送るにもレコード全体を読み取らなければなりません。一般に、アプリケーションはレコードのサイズを知らないので、読み取るデータのサイズはレコードのサイズと一致しません。したがって、右上の四角形では、読み取りポインタがレコードの終わりに移動しています。これで、ネットワークのバッファのデータはすべて読み取ったことになります。SSLの実装がレコードを復号して検証すると、そのデータはSSLのバッファに入れられます。その後、SSL_read()で要求された1バイトをプログラムに送ります。SSLのバッファを表す右下の四角形では、読み取りポインタがバッファ内のどこかにあります。これは、まだ読み取ることができるデータが残っており、一部のデータはすでに読み取られていることを示しています。

この時点でプログラムがselect()を呼び出すと、何が起きるでしょう。select()の対象はネットワークのバッファ内のデータだけですが、この時点でネットワークのバッファは空です。したがって、select()から見た限り、読み取るデータはもうありません。渡した引数によって、select()は、読み取るデータがないことを報告するか、更なるネットワークのデータが到着するまで待機するかのいずれかの動作をします。どちらにしても、SSLのバッファのデータは読み取りません。ここで別のレコードが届けば、select()はソケットの読み取り準備が整ったことを報告し、追加のデータを読み取ることができるようになります。

したがって、読み取ることのできるSSLのデータがあるかどうかを知る上では、select()は役に立ちません。SSLのバッファの状態を判別する何らかの手段が必要です。OSはSSLのバッファにアクセスできないので、OSの機能に頼ることはできません。

このための機能はツールキットで用意しなくてはなりません。OpenSSL の場合は、まさにこのための関数が用意されています。特定のソケットの SSL のバッファにデータがあるかどうかを報告する、SSL_pending() 関数です。図 8.20 に、SSL_pending() の使用例を示します。

このコードのロジックはきわめて単純です。前もって select() が呼び出されており、readfds 変数には読み取る準備が整ったソケットが設定されています。SSL のソケットの読み取り準備が整っている場合は、先に進み、バッファにデータを保存します。データを読み取ったら、それをコンソールに書き出します。その後、SSL_pending() を調べ、レコードがバッファよりも長いかどうかを判断します。長い場合はループの先頭に戻り、さらにデータを読み取ります。

switch 文に、SSL_ERROR_WANT_READ をチェックする新しい分岐を追加していることに注目してください。ここでは、非ブロック操作のためのソケットを設定しています。「8.7 単純な I/O 処理」で、ネットワークのバッファが空の状態で read() を呼び出すと、空ではなくなるまで単にブロックされる (待機する)、と述べました。ソケットを非ブロッキングに設定しておくと、read() はすぐに返り、本来ならばブロックされていたはずであることを報告します。

このような措置の意義を理解するために、SSL のレコードが 2 つの断片に分かれて届いた場合を想像してください。1 つ目の断片が届くと、select() は読み取りの準備が整ったことを報告します。しかしながら、データを返すためにはレコード全体を読み取る必要があるので、この報告は間違いです。すべてのデータを読み取ろうとするとブロックされ、避けなければならないデッドロックに陥ります。そこで、ここではソケットを非ブロックに設定し、エラーをキャッチします。OpenSSL では、これは SSL_ERROR_WANT_READ に相当します。

図 8.20
SSL_pending() によるデータの読み取り

─────────────────────────────── read_write.c

```
43      /* 読み取るデータがあるかどうかを調べる */
44      if(FD_ISSET(sock,&readfds)){
45        do{
46          r=SSL_read(ssl,s2c,BUFSIZZ);
47          switch(SSL_get_error(ssl,r)){
48            case SSL_ERROR_NONE:
49              fwrite(s2c,1,r,stdout);
50              break;
51            case SSL_ERROR_ZERO_RETURN:
52              /* データの終わり */
53              if(!shutdown_wait)
54                SSL_shutdown(ssl);
55              gotoend;
56              break;
57            case SSL_ERROR_WANT_READ:
58              break;
59            default:
60              berr_exit("SSLread problem");
61          }
62        }while (SSL_pending(ssl));
63      }
```

─────────────────────────────── read_write.c

8.9.2 書き込み

ネットワークにデータを書き込む際にも、読み取りの際と同じ非一貫性に対処しなければなりません。ここでもやはり、SSLのレコード転送の「all-or-nothing」という性質が問題になります。説明を単純にするため、ネットワークのバッファがほとんどいっぱいの状態で、小さいサイズ、例えば1キロバイトの書き込みをプログラムから行おうとした場合について考えてみましょう。図8.21はこの状況を図解したものです。

図 8.21 SSLの書き込み

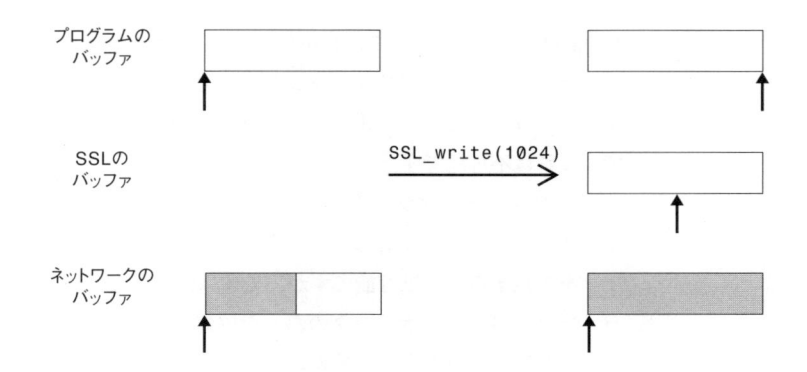

この図の左側は、最初の状態を表しています。プログラムは、バッファ内に書き込み用の1キロバイトのデータを持っています。書き込みポインタは、このバッファの先頭に設定されています。SSLのバッファは空です。ネットワークのバッファには半分だけデータが入っており（網かけ部分がデータの入っている部分）、書き込みポインタは先頭に設定されています。各TCPのバッファの相違点や、TCPのウィンドウのサイズは、ここではあえて明確にしていません。ブロックされることなくプログラムが安全に書き込めるデータ量が512バイトであるということだけわかっていれば十分です。

さて、プログラムは1024バイトのデータを引数にしてSSL_write()を呼び出します。ツールキットには、安全に書き込むことのできるデータ量を知る手段がないので、バッファの内容を単純に1つのレコードとして書式化し、プログラムのバッファの書き込みポインタをバッファの最後に移動します。SSLのヘッダとMACによってデータが多少大きくなることはここでは無視して、ネットワークに書き込まれるデータはちょうど1024バイトであるものとします。

ここで、ツールキットがwrite()を呼び出すとどうなるでしょうか。512バイトの書き込みは成功しますが、レコードの終わりよりも後に書き込もうとすると、would blockエラーが発生します。その結果、半分のデータがネットワークに書き込まれたことを示すために、SSLのバッファの書き込みポインタは半分だけ移動します。図8.21では、ネットワークのバッファがいっぱいになったことを示すために全体が網かけされています。ネットワークの書き込みポインタは移動していません。

ここで、2つの問題を解決しなければなりません。1つは、ツールキットでこの状況をユーザに示すにはどうしたらよいかということ、もう1つは、ネットワークバッファ内の領域が利用できるようになったときに、ユーザはどうやってSSLのバッファをフラッ

シュするのかということです。ネットワークのバッファは、利用可能な場合にカーネルによって自動的にフラッシュされるので、心配いりません。select()を使って、ネットワークバッファに利用できる領域があるかどうか、SSLのバッファをフラッシュすべきかどうかを調べることができます。この状況の対処法は、少なくとも2つあります。次では、OpenSSLで使われている方法を説明し、その後もう1つの方法を説明します。

8.9.3 OpenSSLの書き込み処理

OpenSSLは、ネットワークからwould blockエラーを受け取ると、処理を強制終了してそのエラーをアプリケーションに伝えます。これは、SSLバッファのデータを破棄するという意味ではありません。レコードの一部はすでに送られている可能性があるので、これは不可能です。

このバッファをフラッシュするには、プログラマは最初にSSL_write()を呼び出したのと同じバッファに対して、もう一度SSL_write()を呼び出す必要があります(バッファを拡張することは可能ですが、先頭は同じでなければなりません)。OpenSSLでは、バッファの書き込みポインタのあった位置を自動的に記憶し、書き込みポインタの後からデータを書き込みます。図8.22にこの処理を示します。

図 8.22
OpenSSLを使ったクライアントからサーバへの書き込み

read_write.c

```
66      /* コンソールからの入力をチェックする */
67      if(FD_ISSET(fileno(stdin),&readfds)){
68        c2sl=read(fileno(stdin),c2s,BUFSIZZ);
69        if(c2sl==0){
70          shutdown_wait=1;
71          if(!SSL_shutdown(ssl))
72            return;
73        }
74        c2s_offset=0;
75      }

76      /* 書き込むデータがある場合は、書き込みを試行する */
77      if(c2sl&& FD_ISSET(sock,&writefds)){
78        r=SSL_write(ssl,c2s+c2s_offset,c2sl);

79        switch(SSL_get_error(ssl,r)){
80          /* 何かを書き込んだ */
81          case SSL_ERROR_NONE:
82            c2sl-=r;
83            c2s_offset+=r;
84            break;

85          /* ブロックされた */
86          case SSL_ERROR_WANT_WRITE:
87            break;

88          /* そのほかのエラー */
89          default:
90            berr_exit("SSLwrite problem");
91        }
92      }
```

read_write.c

■コンソールからデータを読み取る

66〜75行目

まず必要な作業は、書き込むデータを取得することです。コンソールの読み取りの準備ができているかを調べ、できている場合はその内容(最大でBUFSIZZバイト)を読み取ってc2sバッファに保存し、c2sl変数にその長さを保存します。

■ネットワークへデータを書き込む

76〜92行目

c2slが0ではなく、ネットワークのバッファが(少なくとも一部が)空の場合は、ネットワークに書き込むデータがあることになります。ここでも、c2sバッファに対してSSL_write()を呼び出します。前と同じように、一部のデータの書き込みは成功したものの、まだすべてのデータを書き込んでいないという場合は、c2s_offsetをインクリメントしてc2slをデクリメントします。

ここで今までと違うのは、SSL_ERROR_WANT_WRITEエラーをチェックしている点です。このエラーは、SSLのバッファ内にフラッシュされていないデータがあることを示します。前述のとおり、同じバッファに対してもう一度SSL_write()を呼び出す必要があるので、c2slとc2s_offsetは変更せず、そのままにしておきます。これで、次にSSL_write()を呼び出すと、自動的に同じデータを処理することになります◇。

> ◇　OpenSSLでは、実際にはSSL_MODE_ACCEPT_MOVING_WRITE_BUFFERというフラグが用意されています。これを使うと、would blockエラーの後に、別のバッファに対してSSL_write()を呼び出すことができます。しかしながら、これは同じ内容に対して新しいバッファを割り当てるだけです。SSL_write()は、新しいデータを探す前に、やはり同じ書き込みポインタをシーク(seek)します。

8.9.4　もう1つの非ブロック手法

SPYRUS社のTLSGoldというツールキット(Cベースの商用ツールキット)では、非ブロックI/Oの処理に少し異なる方法が使われています。このツールキットは、SSLのバッファを完全にフラッシュできない場合でも、プログラムの書き込みバッファを完全にエンコードできれば、成功を示す値を返します。ブロックされることを示す値を返すのは、SSLのバッファ内にすでにデータがあり、それをすべてフラッシュすることができない場合だけです。この動作は、UNIXのソケットの動作によく似ています。

しかし、呼び出し元は、データが実際に送られるのはネットワークではなくSSLのバッファであるということを知らされないので、能動的に機能しなければなりません。TLSGoldにはSSL_IsMoreWriteData()という呼び出しが用意されています。これは、読み取りのときにSSL_pending()が行ったのと同じ処理を、書き込みに対して提供します。したがって、TLSGoldでプログラミングを行う際には、プログラマはTSW_SSL_IsMoreWriteData()をチェックし、ネットワークの書き込み準備ができたら、バッファのフラッシュを試してみる必要があります。書き込みバッファをフラッシュするには、長さ0のバッファを使用してTSW_SSL_Write()を呼び出します。

8.9.5　select()を用いた完全な解決法

図8.23にread_write()の全コードを示します。大部分のコードはすでに見たものですが、関数全体を見ることができると便利なので、ここにまとめて記載します。

図 8.23
read_write()関数

read_write.c

```c
8    void read_write(ssl,sock)
9      SSL *ssl;
10     {
11       int width;
12       int r,c2sl=0,c2s_offset=0;
13       fd_set readfds,writefds;
14       int shutdown_wait=0;
15       char c2s[BUFSIZZ],s2c[BUFSIZZ];
16       int ofcmode;

17       /* まず、ソケットを非ブロックにする */
18       ofcmode=fcntl(sock,F_GETFL,0);
19       ofcmode|=O_NDELAY;
20       if(fcntl(sock,F_SETFL,ofcmode))
21         err_exit("Couldn't make socket nonblocking");

22       width=sock+1;

23       while(1){
24         FD_ZERO(&readfds);
25         FD_ZERO(&writefds);

26         FD_SET(sock,&readfds);

27         /* 書き込むデータがまだある場合は、読み取りを行わない */
28         if(c2sl)
29           FD_SET(sock,&writefds);
30         else
31           FD_SET(fileno(stdin),&readfds);

32         r=select(width,&readfds,&writefds,0,0);
33         if(r==0)
34           continue;

35         /* 読み取るデータがあるかどうかチェックする */
36         if(FD_ISSET(sock,&readfds)){
37           do{
38             r=SSL_read(ssl,s2c,BUFSIZZ);

39             switch(SSL_get_error(ssl,r)){
40               case SSL_ERROR_NONE:
41                 fwrite(s2c,1,r,stdout);
42                 break;
43               case SSL_ERROR_ZERO_RETURN:
44                 /* データの終わり */
45                 if(!shutdown_wait)
46                   SSL_shutdown(ssl);
47                 goto end;
48                 break;
49               case SSL_ERROR_WANT_READ:
50                 break;
51               default:
52                 berr_exit("SSLread problem");
53             }
54           } while (SSL_pending(ssl));
55         }
```

```
56          /* コンソールからの入力をチェックする */
57          if(FD_ISSET(fileno(stdin),&readfds)){
58            c2sl=read(fileno(stdin),c2s,BUFSIZZ);
59            if(c2sl==0){
60              shutdown_wait=1;
61              if(SSL_shutdown(ssl))
62                return;
63            }
64            c2s_offset=0;
65          }
66          /* 書き込むデータがある場合は、書き込みを試行する */
67          if(c2sl&& FD_ISSET(sock,&writefds)){
68            r=SSL_write(ssl,c2s+c2s_offset,c2sl);
69            switch(SSL_get_error(ssl,r)){
70              /* 何かを書き込んだ */
71              case SSL_ERROR_NONE:
72                c2sl-=r;
73                c2s_offset+=r;
74                break;
75              /* ブロックされた */
76              case SSL_ERROR_WANT_WRITE:
77                break;
78              /* そのほかのエラー */
79              default:
80                berr_exit("SSLwrite problem");
81            }
82        }
83      }
84    end:
85      SSL_free(ssl);
86      close(sock);
87      return;
88    }
```

――――――― read_write.c

■非ブロックを設定する

17～21 行目　　まず、ソケットを非ブロックにする必要があります。これは UNIX の標準的なコードです。

■select()のマスクをセットアップする

24～34 行目　　常に、サーバからデータを読み取れる状態を保ちたいのですが、サーバに書き込むデータに対してはフロー制御が必要です。そのために、読み取り準備が整ったサーバのソケットを常に探し続けますが、キーボード上のデータを探す処理と、サーバへの書き込み準備が整ったソケットを探す処理を切り替えながら行います。c2slが0ではない場合は、サーバに書き込むデータがあるので、select()を呼び出して書き込み可能なサーバのソケットを探します。そうでなければ、キーボードが読み取り可能な状態になるのを待ちます。

確かに、キーボード上でデータが利用できるようになるのを常に待機することも可能です。しかしながら、そうすると、サーバに書き込むデータがまだある状態でキーボー

ドからデータが届くこともあります。その場合は新しいデータをc2sのバッファに追加しなければならず、コードが複雑になります。サーバのソケットが書き込み可能かどうかを調べるのは、書き込むデータがある場合だけにとどめるべきです。ほとんどの場合は書き込むデータも読み取るデータもないので、サーバのソケットは大部分の時間、書き込み可能な状態になります。したがって、サーバのソケットが書き込み可能になるのを待ち受けるとすれば、select()のループを常に回り続けなければなりません。これは望ましい動作ではありません。その代わり、何か必要な処理が生じるまで、プログラムをスリープ状態にします。

残りの部分のコードについてはすでに説明しましたが、1つだけ非効率的な処理が気になります。キーボードからデータを読み取ったら、サーバへの書き込みを試行するために、select()に入り直さなければならないという点です。ほとんどの場合、サーバへの書き込み準備は整っているので、すぐに書き込みを試行すれば処理が若干速くなります。しかし、これはコードが複雑になるだけで、最適化の効果はあまり得られません。

8.10 終了

データの読み取りと書き込みを行うコードを見てきたので、今度は終了のためのコードを見ていきましょう。ここでは主に2つの点に注目します。まず、プログラムではclose_notifyメッセージの送信と受信を両方行わなければなりません。close_notifyメッセージを受信しなかった場合にはエラーをスローします。また、「不完全な終了」を正しく処理する必要があります。まずは、図8.23に示したOpenSSLを用いた終了コードを見ていきましょう。

8.10.1 終了（OpenSSL）

サーバの終了処理についてはすでに説明したので、ここではクライアント側についてのみ説明します。クライアントが接続をシャットダウンする状況は2つあります。まず1つは、キーボードからデータの終わりを受け取った場合です。もう1つは、サーバからclose_notifyメッセージを受け取った場合です（close_notifyメッセージを受け取る前にTCP FINを受け取った場合は、SSL_read()の最後にエラーを生成して終了します）。サーバが終了するのは、ユーザからデータの終わりを受け取った場合だけです。

■ユーザからのデータの終わり

59～63行目　キーボードからデータの終わりを受け取った場合は、終了プロセスを開始する必要があります。OpenSSLには、このための関数として、SSL_shutdown()しか用意されていません。この関数は、終了プロセスを完了できた場合は1を、そうでなければ0を返し

ます。0が返されるのは、close_notify メッセージを受け取らなかった場合のみです。したがって、戻り値として0を受け取った場合は、close_notify メッセージを待機する必要があります。shutdown_wait を 1 に設定し、select() のループに戻ります。

■終了の待機

43〜47 行目

　この部分のコードは、要求していないのにサーバから close_notify メッセージを受け取った場合と、送信した close_notify メッセージに対する遅延応答として close_notify メッセージを受け取った場合の両方に対処します。サーバソケットが読み取り可能なのに、戻り値として0を受け取った場合は、close_notify メッセージを受け取ったということになります(ただの TCP FIN だとエラーが生成されるため)。これが要求していない close_notify メッセージである場合は、shutdown_wait は 0 になるので、SSL_shutdown() を使って自分から close_notify メッセージを送信する必要があります。一方、すでに自分から close_notify メッセージを送っている場合は、ただループから抜けます。

　要求していない close_notify メッセージを受け取った場合には、サーバが接続を完全に閉じている可能性があります。その場合は、自分から close_notify メッセージを送信すると TCP RST が発生する可能性があります。これは、送信側では SIGPIPE シグナルを生成することによって認識されます。SIGPIPE に対するデフォルトの応答はプロセスをシャットダウンすることですが、ここではそれを無視するように調整する必要があります。common.c (図 8.4) の 52 行目の signal() の呼び出しでは、ダミーのハンドラをセットアップすることによってこれを処理しています。このほかに、シグナルを無視するように設定する方法もあります。この方法を使うと、シグナルをキャッチし、それに対して何か処理(接続を閉じるなど)を行うことができます。

■オブジェクトの後処理

84〜88 行目

　後処理には、SSL オブジェクトの解放と、使用中のソケットを閉じる作業が含まれます。

▍8.10.2　終了(PureTLS)

　OpenSSL とは異なり、PureTLS には SSL の終了プロセスのために 3 つのメソッドが用意されています。close() の動作は SSL_shutdown() とほとんど同じですが、sendClose() と recvClose() を使うと、細かい制御が可能になります。サンプルプログラムでは、close() ではなくこの 2 つを使用しています。

　「8.8 スレッドを使った多重化 I/O」の説明では、ReadWrite.onEOD() のコードを省略していました。図 8.24 にこの部分のコードを示します。

図 8.24
ReadWrite.onEOD()

―― ReadWrite
```
56     protected void onEOD(){
57       try {
58         s.sendClose();
59       } catch (IOException e){
60         ;  // 壊れたパイプを無視する
61       }
62     }
```
―― ReadWrite

onEOD()はReadWrite.run()の最後に呼び出されます。一般に、これはスレッドがキーボードからデータの終わりを受け取ったときに起こります。その場合、スレッドはsendClose()を使ってclose_notifyメッセージを送信し、終了します。しかし、要求していないclose_notifyメッセージをサーバから受け取った場合にもReadWrite.onEOD()が呼び出されることがあります。このプロセスは図8.25に示すReadWriteWithCancelクラスによって開始されます。

図 8.25
ReadWriteWithCancel クラス

―――――――――――――――――――――――――――――――――――――― ReadWriteWithCancel.java
```
11   public class ReadWriteWithCancel extends ReadWrite {
12     protected ReadWrite cancel;

13     public ReadWriteWithCancel(SSLSocket s,InputStream in,OutputStream out,
14       ReadWrite cancel){
15       super(s,in,out);
16       this.cancel=cancel;
17     }

18     protected void onEOD(){
19       if(cancel.isAlive()){
20         cancel.interrupt();
21       try {
22         cancel.join();
23       } catch (InterruptedException e){
24         thrownew InternalError(e.toString());
25       }
26     }
27   }
```
―――――――――――――――――――――――――――――――――――――― ReadWriteWithCancel.java

ReadWriteWithCancelは、onEOD()をオーバーライドしているという点でReadWriteとは異なります。「8.8 スレッドを使った多重化I/O」で説明したとおり、サーバを待ち受けるスレッドはReadWriteWithCancelのインスタンスです。このスレッドでサーバからデータの終わりを受け取ったということは、close_notifyメッセージを受け取ったということです(ただのTCP FINを受け取った場合はIOExceptionがスローされます)。そこで、サーバに対して書き込みを行うスレッドを開始し、自分からclose_notifyメッセージを送ります。これによって、2つのスレッドが同じソケットに同時に書き込みを行わないようにすることができます。これは、ReadWriteWithCancelが自分でsendClose()を呼び出そうとした場合に起こります。

シグナルの送信は、cancel.interrupt()を呼び出すことによって行います。

ReadWrite は、interrupted()を使用して割り込みをテストします。interrupted()
がtrue を返した場合は、読み込みと書き込みのループを抜け、onEOD()を呼び出します。一方、サーバからクライアントにデータを送るためのスレッドは、クライアントからサーバにデータを送るスレッドが終了するのを待ってから、終了します。

この場合も、要求していないclose_notify メッセージを他方が送ってきた場合には、自分からclose_notify メッセージを送ったときにRST が発生する可能性があります。sendClose()の呼び出しをtry とcatch で囲んでいるのはそのためです。RST はIOException を生成しますが、このプログラムではこれを無視します。

8.11 セッション再開

本章で取り上げる最後のトピックはセッション再開です。「4.12 セッション再開の詳細」で説明したとおり、クライアントがサーバのドメイン名を知っている場合は、セッション再開を自動的に行うことが可能です。PureTLS はこの処理を行います。図 8.26 は、クライアント側でセッションを再開するPureTLS のクラスの例です。ここまでに使用してきたPureTLS サーバは、自動的にループするので、セッション再開を行うために特別な作業は必要ありません。

8.11.1 セッション再開（Java）

図 8.26
PureTLS のセッション再開

―――――――――――――――――――――――――――――――――― RClient.java
```
 6    public class RClient extends Client {
 7      public static void main(String []args)
 8         throws IOException {
 9         SSLContext ctx=createSSLContext(keyfile,password);

10         /* 接続して閉じる */
11         SSLSocket s=connect(ctx,host,port);
12         s.close();

13         /* 再接続する：再開は自動的に行われる */
14         s=connect(ctx,host,port);
15         s.close();
16      }
17    }
```
―――――――――――――――――――――――――――――――――― RClient.java

セッション再開を有効にするために、特別な処理は何も行っていないのがわかるでしょう。前に使用したSClient クラスではセッションを再開しませんでしたが、このクラスは再開します。

8.11.2　セッション再開（C）

OpenSSLでセッションを再開するためには、追加の作業が必要です。サーバに必要な初期化コードは前に紹介しましたが、その部分には何も追加する必要はありません。しかし、クライアント側では追加の作業が必要です。図8.27に、セッション再開を行うクライアントのコードを示します。このうち重要なのは27行目と34行目のコードです。`SSL_get_session()`を使って最初のSSLオブジェクトからセッションデータを取得し、その後`SSL_set_session()`を使用してデータを2つ目のSSLオブジェクトに割り当てます。後は、もう一度`SSL_connect()`を呼び出すだけです。

図 8.27
OpenSSLによるセッション再開

――――― rclient.c

```
 6    int main(argc,argv)
 7      int argc;
 8      char **argv;
 9      {
10        SSL_CTX *ctx;
11        SSL *ssl;
12        BIO *sbio;
13        SSL_SESSION *sess;
14        int sock;

15        /* SSLコンテキストを作成する */
16        ctx=initialize_ctx(KEYFILE,PASSWORD);

17        /* TCPソケットを接続する */
18        sock=tcp_connect();

19        /* SSLソケットを接続する */
20        ssl=SSL_new(ctx);
21        sbio=BIO_new_socket(sock,BIO_NOCLOSE);
22        SSL_set_bio(ssl,sbio,sbio);
23        if(SSL_connect(ssl)<=0)
24          berr_exit("SSL connect error (first connect)");
25        check_cert_chain(ssl,HOST);

26        /* 切断して再接続する */
27        sess=SSL_get_session(ssl); /* セッションを集める */
28        SSL_shutdown(ssl);
29        close(sock);

30        sock=tcp_connect();
31        ssl=SSL_new(ctx);
32        sbio=BIO_new_socket(sock,BIO_NOCLOSE);
33        SSL_set_bio(ssl,sbio,sbio);
34        SSL_set_session(ssl,sess); /*ここで再開する */
35        if(SSL_connect(ssl)<=0)
36          berr_exit("SSL connect error (second connect)");
37        check_cert_chain(ssl,HOST);

38        /* もう一度すべてを終了する */
39        SSL_shutdown(ssl);
40        close(sock);
41        destroy_ctx(ctx);
42      }
```

――――― rclient.c

当然ながら、このコードは実用のアプリケーションには向きません。このコードでは、セッションを作成したのと同じサーバに対してしかセッションを再開することができません。またこのコードでは、サーバ名がコード内に直接書き込まれているため、さまざまなサーバを区別する作業を行っていません。実際のアプリケーションでは、ホスト名とポートの対を`SESSION`オブジェクトにマッピングするための、何らかのルックアップテーブルが必要になるでしょう。また、対応する`SSL`オブジェクトが解放されたとき、OpenSSLにおいては`SESSION`オブジェクトが解放されることに注意してください。OpenSSL0.9.5 もしくはそれ以上のバージョンには、`SSL_get1_session()`という新しいAPIがあります。これは、`SESSION`の参照カウンタをインクリメントするので、`SSL`が解放された後、`SESSION`オブジェクトが利用できるようにしています。

最後に、ホスト名とポートを`SSL`ツールキットに渡さなくても、セッションを自動的に再開することは可能だということに注意してください。ツールキットは、ソケットに対して`getpeername()`を呼び出し、リモートホストとポートを取得することができます。しかしながら、OpenSSLでは`BIO`による抽象化によって`SSL`のコードがソケットから切り離されているので、これは不可能です。TLSGoldでは、I/Oの抽象化の一部として`getpeername()`関数を取り入れることにより、この問題を解消しています。これを行っていないOpenSSLでは、アプリケーションで明示的に再開を扱う必要があります。セッションをルックアップする検索キーとしてIPアドレス、もしくはIPアドレスから導出されるドメイン名を使うときには、接続しようとしているサーバにキャッシュされている証明書の識別子をチェックしなければならないことに注意してください。それを怠ると、キャッシュしているセッションに関連付けられたサーバが、ほかのサーバになってしまうかもしれません。

8.12　補足

本節では、ここまでの解説では触れなかった、SSLプログラミングのいくつかの側面について簡単に説明します。

▼ 8.12.1　より優れた証明書チェック

第7章で説明したとおり、サーバの証明書をサーバのホスト名と照らし合わせるためのより高度な方法として、X.509の`subjectAltName`拡張の利用があります。このチェックを行うには、証明書からこの拡張を取り出し、それをホスト名に対してチェックする必要があります。これは特に難しいことではありませんが、入り組んでいて、SSLツールキットの証明書処理のためのAPIと密接に結び付いているため、本章では説明しませんでした。さらに、証明書内のワイルドカードで指定された名前に対しても、ホスト名

をチェックできると便利です。この方法についてもここでは説明しません。

8.12.2 /dev/random

/dev/randomというデバイスをサポートするUNIXシステムが増えてきています。/dev/randomは、基本的に、乱数のバイト列の連続した生成源として動作します。使い方は、このデバイスを開いて読み取るだけです。/dev/randomは、システム変数やタイマーの値を調べ、それを遮ったり混ぜたりして疑似乱数生成器に渡し、出力として高品質な乱数を生成します。/dev/randomのあるシステムでは、これを、OpenSSLやPureTLSにおける乱数生成用のファイルの代替、または補助的な乱数の生成源として活用できます。Windows 2000にもこれと似た機能があります。言及には値するのですが、ポータビリティ(移植性)の関係から、これらの機能にアクセスする方法は示しませんでした。

8.12.3 並列化処理

本章のサンプルで省略した機能のうち最も重要なのは、サーバが複数のクライアントをサポートするための機能です。前述のとおり、PureTLSサーバは、実際にクライアントを処理するために新しいスレッドを開始しますが、SSLはすべての処理をメインのスレッドで引き受けます。通信の多いサーバでは、これは好ましくありません。本章で紹介したOpenSSLを用いたサーバでは、複数のクライアントを同時に処理することは不可能です。複数の同時接続を低コストで処理することが非常に重要となるWebアプリケーションでは、このような状況にうまく対処しなければならないことが非常によくあります。このため、次の章でTLS上のHTTPについて説明する際に、これについても取り上げます。

8.12.4 優れたエラー処理

本章のアプリケーションでは、エラーに対する処置として、単純にエラーを返して終了していました。もちろん、実際のアプリケーションでは、単に終了するのではなく、エラーを認識してユーザに知らせたり、監査ログに記録したりしなければなりません。

8.13 まとめ

　本章では、SSLを使用するアプリケーションのプログラミング手法について説明してきました。OpenSSLを使ってCで書いたものと、PureTLSを使ってJavaで書いたものの、2種類のサンプルプログラムを紹介しました。これらのサンプルプログラムから、SSLを使用するアプリケーションに共通して見られる特性を数多く学びました。

- PureTLSとOpenSSLは、それぞれのプログラミング言語におけるネットワーキングAPIを模倣しています。最適なI/O手法は、使用する言語の機能によって異なります。
- 初期化は、コンテキストオブジェクトを使って1回で済ませます。鍵ファイルのロードや乱数の生成など、多くの初期化手順には時間がかかります。SSLの接続ごとにこれらの作業を繰り返し実行するのを防ぐために、コンテキストオブジェクトを初期化し、それを使って新しい接続を作成する方法を紹介しました。
- 接続が1つのI/Oは、比較的容易に対応できます。単純なサーバでは、通常はSSLの接続からデータを読み取り、何らかのサービスを実行し、応答を返すだけです。このような場合、適切な読み取りと書き込みのプログラミングは単純です。ソケットのプログラミングとほとんど変わりません。
- 多重化I/Oについては、対応が難しくなります。複数の接続を処理しなければならない場合は、スレッドまたは`select()`を使用して、スタベーション(starvation)が起こらないようにすべてのI/Oを処理する必要があります。このためには、正しいレコードの通信処理と終了を行うように、慎重な処理が必要となります。
- SSLレコードの通信処理が問題の原因になることがあります。ネットワーク上のSSLのデータの読み書きは、一度に1レコードずつ行わなければなりません。アプリケーションでは、レコードとは異なるサイズでデータを読み書きすることが多いので、利用できるデータ量について`select()`が返す応答が正確でないことがよくあります。このような場合、プログラマはツールキット特有のメカニズムを使用して、SSLの読み取りと書き込みバッファの状態を判断しなければなりません。
- 終了は慎重に行わなければなりません。自分から要求した終了と要求していない終了の両方を処理できることが重要です。自分から要求した終了の場合は、ただ接続を閉じるのではなく、`close_notify`メッセージを受け取るまで待機する必要があります。要求していない終了の場合は、自分からも`close_notify`メッセージを送信しますが、応答としてRSTが返されたときに回復できるように準備しておく必要があります。
- 多様なセッション再開のAPIがあります。PureTLSでは、セッションは必要に応じ、自動的に再開されます。OpenSSLの場合はユーザの介入が必要です。このほかのCを用いたツールキットの中には、再開を自動的に行うものもあります。

第9章
HTTP over SSL

9.1 はじめに

　HTTP（HyperText Transfer Protocol）は、SSLを使って安全にすることができるプロトコルの好例です。HTTPはSSLが使用された最初のプロトコルであり、その成果は、現在でも安全なプロトコルのうちで最も重要な存在です。ほとんどのWebブラウザおよびサーバでは、HTTPの安全なバージョンと安全でないバージョンとで別々のポートを使う方法を採用しています。しかしIETFでは、HTTPにおけるTLSへのアップグレードに際し、上方向ネゴシエーションによる手法を標準化しています。

　本章では、Webにおけるセキュリティの問題を包括的に説明します。基本的なWebテクノロジについても紹介し、SSLを使用したHTTP（RFC 2818に記述されたHTTPS）と、これらのWebテクノロジとの関係について見ていきます。ここでの説明は、HTTPに新しく追加されたアップグレードという手法（RFC 2817）と、その手法がどのようにHTTPSと関連するかについてです。最後に、SSLをHTTPと使用する際に起きやすいプログラミング上の問題をいくつか紹介します。

9.2 Webを安全にする

　Web上でセキュリティが要求される代表的なアプリケーションとして、Webサーバへのクレジットカード情報の送信があります。まずユーザは、いくつかのWebサイトを見て回り、商品を仮想的な買い物かごに入れます。一般的に、この段階ではセキュリティ対策が講じられていません。人に知られたくないような物を購入する場合でも、その情報は機密とは見なされません。

　セキュリティの必要性が生じるのは、顧客が会計をするときです。会計をするには、クレジットカード番号をサーバに送らなければなりません。クレジットカード番号さえあれば、誰でもそのユーザを装って支払いを開始できるので、当然ながらクレジットカードを機密扱いにする必要が生じます。さらにユーザは、偽のサーバにクレジットカード情報を盗まれることがないように、その情報が正しいサーバに送られることを確認できなければなりません。

　会計時には、サーバはユーザに安全なページを送り、ユーザはそこにクレジットカード番号と有効期限を入力します。これらの情報が安全な状態で送信されたら、ユーザは、注文が受け付けられたという確認をサーバから受け取る必要があります。攻撃者がこっそりと注文を妨害するのを防ぐために、これも安全な方法で行う必要があります。

　この例の場合、要求されるセキュリティは非常に単純です。つまり、クライアントとサーバとの間でやり取りされるデータに機密性を持たせる必要があり、ユーザはクライ

アントが正しいサーバに接続していることを確認できなければなりません。アプリケーションによっては、もっと高度なセキュリティが要求されることもありますが、どのようなWebセキュリティプロトコルでも、これらの要件は最低限満たさなければなりません。

▌9.2.1　基本的な技術

セキュリティについての説明を続ける前に、World Wide Webというインフラストラクチャを構築している基本的なテクノロジについて理解しておくことが重要です。本章の説明に関係があるのは、HTTP、HTML、URLという3つの技術です。

■HTTP

HTTP（HyperText Transfer Protocol）は、Webの基本となる転送プロトコルです。Webはクライアント/サーバシステムであり、サーバとクライアントとの間にはデータをやり取りするための何らかのメカニズムが必要です。HTTPは、そのためのメカニズムを提供します。ほとんどのWebブラウザはFTPなどのプロトコルもサポートしていますが、Web通信の大部分はHTTPを使って送信されます。

■HTML

HTML（HyperText Markup Language）は、Webにおけるドキュメントの基本的な形式です。HTMLは、基本的にASCIIコードのテキストを拡張したものです。HTMLの最も重要な特徴は、段落や改行などを含めてドキュメントを構造化できる点と、リンクを提供する点です。リンクを使うと、1つのドキュメントからほかのドキュメントへ、クリックするだけで移動できます。

■URL

URL（Uniform Resource Locator）は、リンクで使われる参照情報を提供します。すべてのHTMLリンクにはURLが関連付けられており、ユーザがそのリンクをクリックしたときに実行する処理をブラウザに伝えます。理論的にはどのプロトコルで取得するデータでも参照できますが、実際にはHTTPで取得されるデータを参照するURLが大半です。

▌9.2.2　実際上の考慮事項

実際のWeb環境には、これまでに例として挙げてきた単純なクライアント/サーバモデルでは理解しにくい特徴がいくつかあります。Webセキュリティについて考える際には、このうち、接続の振る舞い、プロキシ、仮想ホストの3つが特に重要です。

■接続の振る舞い

ほとんどのWebページには、数多くの埋め込み（インライン）画像が含まれています。これらの画像は、独自のHTTPリクエストを使って別々に取得する必要があります。パフォーマンスを上げるために、ほとんどのクライアントでは複数の取得処理を並行して行います。したがって、どのようなページを取得する際にも、実際には大量のリクエストがいくつも送られることになります。ある程度のパフォーマンスを保つためには、リクエストごとのオーバヘッドを最小限に抑える必要があります。

■プロキシ

大規模なイントラネット環境では、非常に多くのWebトランザクションが発生します。これらのイントラネットは、ファイアウォールによってインターネットから切り離されていることが多く、インターネット上のリソースにはプロキシを介してのみアクセスできます。Webにおけるセキュリティを正しく機能させるためには、プロキシを通過できなければなりません。

■仮想ホスト

ISPなどでは、1つのサーバに多数の組織のWebサイトが設置されています。例えば、クレジットカード処理を自前で用意できない小規模なショップに対し、ISPがWebホストとクレジットカード処理の両方の機能を提供することは珍しくありません。しかし、1つのコンピュータ上で別のショップのサーバと一緒に運用されているこのような環境でも、各ショップは独自のWebサーバを持っているかのように見せたいはずです。これを可能にするのが仮想ホストという技術です。しかし、この技術はセキュリティとの相性が良くありません。

■セキュリティ上の考慮事項

実行するトランザクションの種類と、それが動作するWebプロトコルと環境について理解したら、次は適切なセキュリティサービスを提供する方法について考えましょう。特に、第7章で説明した重要な問題、つまりプロトコルの選択、クライアント認証、参照情報における整合性、接続のセマンティクスにどのように取り組むかを考える必要があります。

9.3 HTTP

本節では、HTTP（[Fielding1999]）についてごく簡単に、概要のみを説明します。ここでの目的は、HTTPについて完璧に説明することではありません。HTTPについての詳細な解説は、あまたある文献（[Stevens1994] など）に譲ることにして、ここでは、SSLを使ってHTTPを保護することの意味を十分に理解できる程度の解説を行うことを目標にします。したがって、セキュリティおよびSSLとの関係が深い部分にのみ焦点を当てます。

HTTPは、概念としては単純なプロトコルです。HTTP通信の基本単位はリクエストとレスポンスです。クライアントはサーバへのTCPによる接続を確立し、リクエストを送ります。サーバはレスポンスを返します。サーバからのレスポンスの終わりは、lengthヘッダから判断できます。あるいは、単に接続を閉じることによってレスポンスを終えることもできます。

9.3.1 リクエスト

HTTPリクエストには、リクエスト行、ヘッダ、ボディ（オプション）の3つの部分が含まれます。リクエスト行は1行です。ヘッダは、コロンで区切られた一連のキーと値の対で、本体は任意のデータです。ヘッダとボディは空行1つで区切られています。図9.1にリクエストの例を示します。

図9.1
HTTP リクエスト

```
GET / HTTP/1.0
Connection: Keep-Alive
User-Agent: Mozilla/4.7 [en] (X11; U; FreeBSD 3.4-STABLE i386)
Host: www.rtfm.com
Accept: image/gif, image/x-xbitmap, image/jpeg, image/pjpeg, image/png, */*
Accept-Encoding: gzip
Accept-Language: en
Accept-Charset: iso-8859-1,*,utf-8
（空行）
```

図9.1のリクエストは、リクエスト行とヘッダだけから構成されています。1行目（GETで始まる行）がリクエスト行です。残りはすべてヘッダです。HTTPのリクエスト行の形式は次のとおりです。

Method Request-URI HTTP-Version

HTTP/1.1を規定したRFCでは、リクエストのメソッドとして、OPTIONS、GET、HEAD、POST、PUT、DELETE、TRACEの7つが定義されています。WebDAV（Web Distributed Authoring and Versioning）では、これ以外にもさまざまなメソッドが定義されています（[Goland1999]）。それぞれのリクエストメソッドの違いについては、ここではそれほど気にする必要はありません。この中で特に一般的なメソッドは、GETとPOSTです。この

両者の違いとして理解しておく必要があるのは、POSTにはメッセージ本体を含めることができるのに対し、GETには含めることができないという点だけです。

Request-URIとは、アクセス先のリソースの名前のようなものと考えることができます。一般には、UNIXにおけるパス名のように、/foo/bar/bazのような形をしています。末尾に引数がいくつか追加されることもあります。そして、HTTP-Versionは、通常はHTTP/1.0かHTTP/1.1のどちらかです。現在IETFが標準化しているバージョンはHTTP/1.1です。ここでは2つのバージョンの違いは気にしなくて構いません。

ヘッダには数多くのフィールドを含めることができますが、その大部分はSSLとは無関係です。ただし、図9.1のリクエストには、SSLに関係のあるヘッダ行が1つあります。それはConnectionヘッダです。ここでは、Keep-Aliveという値が設定されています。これは、サーバに対し、レスポンスを返した後に接続を開いたままにしてもらうように要求するものです。このKeep-Aliveは、SSLの終了プロセスと連携します。詳しくは「9.15 接続の終了」で説明します。

クライアントがサーバに送るすべての情報は、クライアントからのリクエストの中に含められます。したがって、データを保護するためには、クライアントからのリクエストを暗号化する必要があります。クライアントが取得しようとしているリソースの識別情報そのものが機密情報である可能性もあるので、リクエスト行も保護しなければならない点に気を付けてください。当然ながら、このサービスを提供する上では、正しいサーバと通信していることをクライアントが確認できなければなりません。

9.3.2 レスポンス

HTTPレスポンスの形式は、リクエストとよく似ています。異なるのは、リクエスト行の代わりに、サーバがリクエストをどのように処理したかを示すステータス行が挿入されるという点だけです。ステータス行の形式は次のとおりです。

HTTP-Version Status-Code Reason-Phrase

HTTP-Versionはリクエストと同じです。Status-Codeは、サーバが実行したアクションを表す数値です。リクエストが成功した場合は200、失敗の場合はそのほかの数値です(300番台は、エラー以外の理由でリクエストが処理されなかった状況を示すのに使われています)。「9.21 アップグレード」でアップグレードについて説明しますが、それまでにもっと多くのステータスコードを紹介します。ステータス行の最後にあるReason-Phraseは、何が起こったかを示す単なる説明文です。トランザクションが成功した場合、通常はOKです。図9.2は、図9.1のリクエストに対する成功したHTTPレスポンスの例です。

図 9.2
HTTP レスポンス

```
HTTP/1.1 200 OK
Date: Sat, 15 Jan 2000 05:15:54 GMT
Server: Apache/1.3.1 (UNIX)
Last-Modified: Tue, 22 Jun 1999 19:25:14 GMT
ETag: "2a99d-672-376fe31a"
Accept-Ranges: bytes
Content-Length: 1650
Keep-Alive: timeout=15, max=100
Connection: Keep-Alive
Content-Type: text/html

<!DOCTYPE HTML PUBLIC "-//W3C//DTD HTML 3.2 Final//EN">
<HTML>
 <HEAD>
  <TITLE>RTFM</TITLE>
 </HEAD>
<!-- Background white, links blue (unvisited), navy (visited), red (active) -->
 <BODY
  BGCOLOR="#FFFFFF"
  TEXT="#000000"
  LINK="#0000FF"
  VLINK="#000080"
  ALINK="#FF0000"
 >
<CENTER>
<A HREF="contact.html">
<IMG SRC="rtfm.gif" BORDER=0></A>
</CENTER>
省略
RTFM in cooperation with Claymore Systems is releasing a free
Java SSLv3/TLS implementation: <A HREF="/puretls>PureTLS"</A>.
<P>
 
<CENTER>

<A HREF="contact.html">Contact Us</A>
</BODY>
</HTML>
```

　図 9.2 のレスポンスには重要な点が数多くあります。まず、`HTTP/1.1 200 OK` というステータス行は、リクエストが成功したことを示しています。また、次の 3 つのヘッダフィールドに注目してください。

```
Content-Length: 1650
Keep-Alive: timeout=15, max=100
Connection: Keep-Alive
```

　`Keep-Alive` と `Connection: Keep-Alive` は、サーバがレスポンスを送信した後に接続を閉じないよう指示します。このためクライアントは、レスポンスの終わりをその内容から判断しなければなりません。`Content-Length` ヘッダは、レスポンス本体のバイト数を示します。`Content-Type` 行は、メッセージの本体が `text/html`、つまり HTML ドキュメントであることを示します。

　当然ながら、HTTP トランザクションを安全にするためには、レスポンスに対してもセキュリティを確保する必要があります。これには、攻撃者に見られるのを防ぐだけではなく、攻撃者がサーバを装ってクライアントにデータを送ったり、転送中にデータを変更したりするのを防ぐという目的もあります。

9.4 HTML

　HTMLは単純なASCIIコードのテキストですが、ドキュメントを構造化するためのマーカ（タグ）が埋め込まれています。例えば、<P>タグは新しい段落を開始することを示します。WebブラウザにはHTMLの構文を解析するプログラム（パーザ）が組み込まれており、HTMLを入力として受け取り、フォーマットしたページを出力として返します。マークアップの大部分はレイアウトではなく構造を定義するものなので、1つのページをフォーマットする方法は数多くあります。

　HTMLの要素のうち、ここでの解説に関連があるのは、ドキュメントに含まれるリンクだけです。リンクとは、ページ内でほかのコンテンツを指し示す単なる参照です。Webブラウザは、現在のページの代わりとしてそのコンテンツを取得します。取得の際、通常はHTTPが使われますが、ほかのプロトコルが使われることもあります。

9.4.1　アンカー

　最もよく使われる種類のリンクは、アンカーと呼ばれるものです。これは、HTMLの中で、与えられた参照に対応するようにタグ付けされた部分（通常はテキスト領域）です。画面上でそのHTMLセクションに相当する部分をクリックすると、ブラウザは参照先のコンテンツを取得します。Webブラウザ上で下線付きのハイライト表示された部分をクリックするとき、このアンカーを使っていることになります。図9.2のHTMLページには、次のアンカーが含まれています。

<A HREF="/puretls">PureTLS</A>

　画面上には、PureTLSという文字が表示されます。下線付きの部分をクリックすると、ブラウザはリンクを逆参照し、/puretlsが指すドキュメント（元のドキュメントを取得したのと同じwww.rtfm.comサーバ上のドキュメント）を取得します。HREF="/puretls"は、リンクのターゲットを指定する部分です。リンクのターゲット（この例では/puretlsという文字列）は、URLと呼ばれます。URLの構文については「9.5 URL」で説明します。リンクそのものは<A HREF="/puretls">（開始タグ）と</A>（終了タグ）で囲まれた部分によって定義されます。

9.4.2　インライン画像

　もう1つの種類のリンクとして、インライン画像と呼ばれるものがあります。アンカーの場合はユーザがクリックするまで何も起こりませんが、インライン画像はブラウザによって自動的に取得され、Webページの中でHTMLによってimageタグが記述されてい

る部分に表示されます(HTMLページのレイアウトはブラウザによって決められる部分もあるので、はっきりと正確な位置が決まっているわけではありません)。

Webページに画像が表示されている場合、それは何らかのインライン画像です。アニメーションも、一種のインライン画像として表示されます。図9.2のHTMLページには、次のようなインライン画像への参照が含まれています。

```
<IMG SRC="rtfm.gif" BORDER=0>
```

IMGタグは、基本的にはAタグとよく似ています。異なるのは、コンテンツの参照を示すURLの指定に、HREFではなくSRCフィールドを使うという点です。したがって、このページにはrtfm.gifファイルに含まれるピクチャ(RTFMのロゴ)が表示されます。このタグにはBORDER=0という属性も含まれています。これは、枠線なしで画像を表示するよう指定するものです。

インライン画像のセキュリティは、参照元のページのセキュリティと同じとは限りません。ページによっては、画像が不可欠な場合も多いため、画像とその埋め込まれているページとでセキュリティの性質が異なるなら、そのことがWebブラウザ上で明確に表示されるべきです。

9.4.3 フォーム

最後に紹介するリンクは、一般にWebフォームと呼ばれているものです。Webフォームの実装は複雑ですが、その考え方は非常に単純でわかりやすいものです。Webページには、テキストフィールドやプルダウンメニューなど、数多くのユーザインタフェース用の部品が表示されます。また、送信ボタンと呼ばれる特別なボタンもあります。このボタンには「送信(submit)」というラベルが付いていることもあります。

ユーザは、これらの部品をいろいろと操作します。例えば、支払いに使用するクレジットカードの種類を選択したり、クレジットカード番号と有効期限を入力したりして、最後に送信ボタンをクリックします。すると、ここで一種のマジックが起こります。Webブラウザが、すべての部品から現在の値を取り出し、それぞれの値をサーバに送信する文字列としてまとめます。それから、フォームに関連付けられたURLのサーバ宛にリクエストを送り、リクエストと一緒にその値を渡すのです。

フォームやリンクには、リンクの参照をたどる(逆参照する)際に使用するHTTPのメソッドを指定することができます。フォームに関しては、POSTとGETの2つのメソッドを覚えておいてください。この2つには重要な違いがあります。GETの場合は、フォームのフィールドの値がリクエスト行のURI(Uniform Resource Identifier)に追加されて送られます。POSTの場合はメッセージ本文として送られます。

9.4.4 動的なコンテンツ

Web ページには、さまざまな種類の動的なコンテンツを含めることができます。動的なコンテンツは、実際には Web クライアントによって実行されるコードです。このコードは、HTML 内に直接書き込まれることも、インライン画像のようにリンクによって参照されることもあります。このコードは、Java や JavaScript、VBScript など、さまざまな言語で書くことができます。また、バイナリプログラムを参照するリンクもあります。このプログラムは Web ブラウザのメモリ空間にロードされます。このようなプログラムは「プラグイン」と呼ばれます。

9.5 URL

URL は、World Wide Web におけるアドレッシングの基本的な形態です。URL では、ネットワークからアクセスできるすべてのリソースを識別できるように、1 つの短い文字列を使います。つまり URL は、多様なアクセス方法に対し、統一されたインタフェースを提供するものです。URL は、HTTP、FTP、Gopher などを介してアクセスできるドキュメントを参照するだけでなく、電子メールのメッセージを作成するように Web ブラウザに指示することもできます。ユーザは、以前は anonymous FTP のような特定のアクセス方法の規則を把握していなければなりませんでしたが、その必要がなくなります。

URL はアクセス方法によって大きく異なり、なかには非常に複雑なものもあります（詳細は［Berners-Lee1998］を参照）。しかし、ここでの説明に関係する URL は、すべて次のような共通の形式です。

<scheme>://<host>[:<port>]/<path>[?<query>]

<scheme>（スキーム）は、リソースにアクセスするために使われるプロトコルに対応しています。HTTP の場合は http、FTP の場合は ftp、という具合です。<host>（ホスト）と <port>（ポート）は、接続先のサーバを指定します。ポートのフィールドが [ ] で囲まれているのは、このフィールドが省略可能であることを示しています。通常は、プロトコルごとにデフォルトのポートが定義されていますが、任意のポートでアクセスを許可することもできます。HTTP のデフォルトのポートは 80 です。

<path>（パス）は、指定したサーバ上のリソース名（位置）を示します。通常は、UNIX のファイル名のように、/foo/bar/baz という形をとります。表記は似ていますが、両者は厳密には別物です。ただ実際のところ、各部がディレクトリやファイルに対応していることが多く、その場合サーバはそのリソースに対応するファイルを返します。

URL の最後には、?で区切られたクエリが追加されることもあります。<query>（クエリ）の内容はリソースごとに異なり、「リソースが解釈する」ことになっています。クエリは、リソースが単なるファイルではなく、動的に目的のリソースを生成するプログラムである場合によく使われます。プログラムへの入力としてクエリが使われるのです。例えば、`ldap:`という URL は LDAP（Lightweight Directory Access Protocol）ディレクトリサーバ内のリソースを示しますが、クエリ情報を使うことで、クライアントが求めている属性やクエリのスコープ、そのほかのクエリパラメータをサーバに渡すことができます。

9.5.1　URL の例

図 9.3 は、単純な URL の例です。

図 9.3
単純な URL

```
http://www.example.com/local/foo.html
```
スキーム　　ホスト　　　　　　　パス

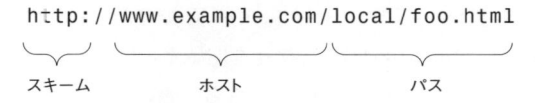

この URL では、「HTTP を使用し、`www.example.com` というコンピュータのポート 80 に接続する。`/local/foo.html` のリソースをリクエストする」というリソースが記述されています。

URL の指定では、`/local/foo.html` という相対 URL を使うこともできます。この場合、URL を含むドキュメントを取得したときと同じスキーム/ホストだと見なされます。

9.5.2　URI vs. URL

HTTP のリクエスト行には URI が含まれています。URL については前節で説明しましたが、URI とは何なのでしょうか。URI という名前は「Uniform Resource Identifier（ユニフォームリソース識別子）」からきています。URI は、URL のスーパーセットで、特定のリソースを指す短い文字列のことです。逆に URL は、リソースの取得方法についての明示的な指示を含む URI だといえます。リソースを一意に識別するだけで、その取得方法を指定しない URI を使うこともできます。このような URI のことを URN（Uniform Resource Name：ユニフォームリソース名）と呼びます。

最もよく目にする URI は、やはり URL です。URL には、リソースを取得する方法（HTTP や FTP など）が指定されているからです。ただし、HTTP のリクエスト行には、URL ではない URI を含めることも可能です。このため RFC 2616 では、URI という用語が使われています。これ以降、HTTP リクエスト内に含まれる文字列を指すときは URI、リンクに含まれる文字列を指す場合は URL というように、2 つを使い分けます。この辺りの詳細については、［W3C2000］を参照してください。

9.6　HTTP 接続の振る舞い

　典型的な Web ページを考えてみましょう。ページには 5 〜 10 個のインライン画像が含まれているとします。前節で説明したとおり、それぞれの画像には別々の HTTP リクエストとレスポンスの対が必要です。古い Web ブラウザやサーバの多くは、レスポンスが終わるたびに接続を閉じていたので、1 つのページを取得するために 11 もの別々の TCP による接続が必要になることもありました。

　Mosaic のような非常に古いブラウザでは、これらの TCP の接続を順番に処理していたため、パフォーマンスはかなりひどい状況でした。間もなく Netscape が、複数の HTTP の接続を同時に開くという手法を取り入れました。1 つの画像に 1 つずつの接続を、できる限りたくさん開く方法です。

　しかし 1994 年、Spero が、複数の接続を開く方法は（順番に処理しても並列に処理しても）パフォーマンスの面で TCP との相性が非常に悪いことを指摘しました（[Spero1994]）。各接続を開始するには 3 ウェイハンドシェイクが必要です（1.5 ラウンドトリップかかります）。さらに悪いことに、TCP のスロースタート（[Jacobsen1988]）は、クライアントのリクエストがサーバの最大セグメントサイズよりも大きい場合に、深刻な遅延を引き起こします。

　これらの問題への対策として、ページを返した後に TCP の接続を開いたままにするという方法が提案されました（[Padmanabhan1995][Mogul1995]）。この手法は、最終的には図 9.1 で紹介した `Connection: Keep-Alive` ヘッダとして使われるようになりました。この方法では、データの終わりは `Content-Length` ヘッダによって示されます。接続を開いたままにすることで、ブラウザが確立する接続の数は減ります。しかし多くのブラウザでは、画像を多く含むページをロードする際にすべての画像を並行してロードしようとして、やはり複数の接続を開始しています。

　SSL でセッション再開機能が取り入れられた背景には、このように複数の接続が並行して処理されているという現状があります。単純なページでも数秒の間に数多くの接続を使用しているため、セッション再開によって SSL のパフォーマンスを大きく向上できるのです。

9.7　プロキシ

　HTTP プロキシは、クライアントとサーバの間に位置するプログラムです。クライアントからのリクエストを受け取り、サーバに対して独自のリクエストを送信します。HTTP でプロキシが有用な理由は、主に 2 つあります。1 つは、複数のクライアントに対

するキャッシュとして機能すること、もう1つは、ファイアウォールの抜け道として利用できることです。ここで考えなければならない課題は、SSLを使用したHTTPをプロキシ環境でも確実に動作させることです。本節では、プロキシの仕組みについて、背景を少しだけ説明します。

　ブラウザとプロキシの間のプロトコル通信は、ブラウザとサーバの間のプロトコル通信とほぼ同じです。ただし、まったく同じというわけではなく、主にリクエスト行に違いがあります。問題は、標準的なリクエスト行にはサーバの識別情報が含まれていないということです。リソースは含まれていますが、サーバ上のリソースのアドレスだけです。したがって、プロキシと通信する際には、クライアントはリソースのパスに加え、ホスト名も含む完全なURLを指定しなければなりません。図9.1に示したリクエストの場合、リクエスト行は次のようになります。

```
GET http://www.rtfm.com/ HTTP/1.0
```

　サーバと通信する際には、プロキシはホスト名を取り除き、クライアントがサーバに送信するものと同じリクエストを送ります。これ以外にも、プロキシとの通信には細かく異なる点がいくつかあり、特に、さまざまなヘッダフィールドの意味に違いが見られます。一部のヘッダフィールドはプロキシ用に記述されるもので、プロキシはサーバにリクエストを送るときにそれを処理（そして削除）します。これ以外はサーバ用のフィールドなので、プロキシでは無視します。「9.21 アップグレード」でHTTPアップグレードを解説する際に、この違いの例を紹介します。

9.7.1　キャッシュプロキシ

　キャッシュプロキシの背景にある概念は単純です。多くのWebページは静的で、頻繁にリクエストされます。そのページをクライアントコンピュータ上のキャッシュに保存しておけば、サーバの負荷は減り、パフォーマンスが大きく向上します。最近では、多くのブラウザがディスク上またはメモリ内にファイルをキャッシュしますが、これはそのクライアントが同じデータを繰り返しリクエストする場合にしか役立ちません。それでも、この最適化には驚くほどの効果があります。メニューバーやロゴのような1つの画像が1つのサイト内で何度も使われている場合を考えると、よくわかるでしょう。

　多くのユーザが同じページをリクエストする可能性の高い環境では、より積極的な手法が効果を発揮します。プロキシ上にデータをキャッシュし、一人のユーザがページをリクエストした後は、すべてのユーザがそのデータを利用できるようにする方法です。当然、Webブラウザはサーバに直接接続するのではなく、プロキシに接続するように設定しなければなりません。この設定は手作業で行うこともできますが、多くのWebブラウザには自動設定機能が用意されており、この機能を利用すれば、IS（Information System）管理者が内部のすべてのクライアントに対するプロキシを設定することができます。

キャッシュプロキシの設計と実装が複雑になるのは、キャッシュデータをフレッシュに保たなければならないのが主な原因です。キャッシュに保存できない動的なコンテンツを検出するとともに、サーバ上でドキュメントが更新されているかどうかを定期的に調べなければなりません。HTTPにはこの問題に対処する複雑なメカニズムが用意されていますが、これをSSLで利用することはできせん。SSLでは、クライアントからサーバへの通信は暗号化されるので、キャッシュに保存することは不可能だからです。

9.7.2 ファイアウォールプロキシ

ファイアウォールの目的は、保護された内部ネットワークとインターネット全体との間の通信を制限することです。なかには、内部ネットワークとインターネットとの間でTCPによる任意の接続が許可されているファイアウォールもありますが、ごく少数です。このようなファイアウォールは、一般にはアプリケーション層のプロキシに依存して必要な(通常は限定された)サービスを提供します。

ファイアウォールプロキシの第一の設計目標は、当然ながら、セキュリティを確保することです。このためプロキシは、通常は非常に単純で、エラーがないように設計されます。キャッシュプロキシとしての機能を持たせることもできますが、ほとんどのファイアウォールプロキシにはキャッシュ機能が含まれません。SSLとプロキシの関係において最も重要な点は、プロキシがHTTP over SSL(SSL通信路上のHTTP)の通信を破損することなく、確実に通すことができるかどうかです。

9.8 仮想ホスト

顧客のWebサイトがISPのホスト上に置かれている状況を想像してください。ISPは、多くの顧客を抱えていても、サーバコンピュータの数を少なく抑えようとするでしょう。このため、1つのサーバコンピュータ上に数多くのWebサーバがあるように見せるための機能が必要になります。

それぞれの顧客は、独自のWebアドレスを希望するのが普通です。つまり、実際にはwww.provider.comというサーバ上にサイトを置いていても、サイトにアクセスする際にはhttp://www.customer.com/という独自のアドレスを使用できるようにしたいと考えます。Webサーバは1つしかなく、このサーバが複数の仮想サーバに対するリクエストを受け取ります。ここで問題になるのが、リクエストがどの仮想サーバに宛てられたものなのかをどのように判断すればよいかです。Request-URIではサーバ内のリソースのパスしか指定できないので、何かほかの手段が必要です。

最近のWebクライアントは、Hostヘッダを使用して、クライアントが接続しようとしているWebサーバのホスト名を指定します。これによりWebサーバでは、物理的に

同じサーバ上にある複数の仮想サーバを区別することができます。当然ながら、HTTP over SSL の設計では、仮想ホストを利用できるようにする必要があります。

9.9 プロトコルの選択

最初にHTTP over SSL という解決策が設計されたときには、SSL の上方向ネゴシエーション手法はまだ登場していませんでした。また、HTTP サーバの設計で重要だったのは、ステートレスであることでした。つまり、リクエストとレスポンスはそれぞれ独立している必要があったのです。そのため、複数のラウンドトリップを必要とするプロトコルモデル（後述のHTTP アップグレードはこのようなモデルです）を、HTTP エンジンを通して受け入れるのは困難でした。結局、SSL の設計時には、ソケット呼び出しの部分を単純にSSL 呼び出しに置き換え、コードの残りの部分にはまったく手を加えなくて済むようにするアイデアが採用されました。残りのコードへの影響を最小限に抑えることが最優先の設計目標である場合は（よくある話です）、別々のポートを使うのが最も現実的です。

9.10 クライアント認証

証明書ベースのクライアント認証は、保護された（安全な）フォーム送信には必要ありません。実際、ほとんどのWeb サイトでは、ユーザをまったく認証しません。認証を行うWeb サイトでは、何か外部の認証手段（クレジットカード番号など）を使うのが一般的です。そのため、Web アプリケーションにとっては、証明書を用いたクライアント認証はそれほど重要ではありません。

ただ、SSLv2 ではクライアント認証をあまりサポートしていないものの、SSLv3 とTLS の多くの実装ではクライアント認証がサポートされています。イントラネットのように限定された環境では、証明書を用いた認証が非常に便利で現実的です。そこで、Web におけるセキュリティでも、クライアントの証明書をサポートする必要があります。

証明書をサポートするにはSSL の仕組みを使えばよく、HTTP のプロトコルとしての仕組みを使う必要はありません。なぜなら、サーバがクライアントからのクライアント認証を要求する場合は、SSL Handshake が使えるからです。しかし、SSL Handshake は、クライアントがアクセスしようとしているリソースをサーバが知る前に実行されるため、これだけでは「all-or-nothing」になってしまいます。「9.18 クライアント認証」で説明するとおり、クライアント認証を行う場合にはサーバの参照情報でそれを示し、クラ

イアントがHandshakeで認証を提示できるようにするのが理想的です。

9.11 参照情報における整合性

Webには非常に明確な参照のモデルがあります。つまり、リソースがURLによって識別されます。したがって、HTTP over SSLの設計では、URL参照をサーバの識別情報に突き合わせるという単純な方法が採用されました。これには、CAがホスト名を含む証明書を発行する必要がありました。HTTPSの設計者が選んだのはこの方法です。

さらに高度な方法もあります。それは、サーバの識別情報を参照情報そのものに含めるという方法です。この情報は、アンカーに含めることも（この方法はSecure HTTP ［Rescorla1999a］で採用されています。詳しくは第11章を参照）、URL内のどこかに含めることもできます。この方法の主な欠点は、ユーザにとってごく一般的な、URLを入力するという作業が困難になることです。その代わり、サーバが持つことのできる証明書の種類はかなり柔軟になります。「9.17 仮想ホスト」で仮想サーバについて説明する際に、この柔軟性が役立つ例を紹介します。

9.11.1 接続のセマンティクス

HTTP over SSLでは、HTTPと同じ接続のセマンティクスを使わなければなりません。SSL Handshakeは、TCPのハンドシェイクに比べてずっとコストがかさむので、これは明らかに問題です。高速な再開メカニズムが必要とされた要因の1つは、この負荷を減らす必要があったことでした。しかし残念ながら、再開処理は、ステートレスというHTTPのモデルに反したものでした。「9.24 複数のクライアントの処理」で説明するとおり、再開を実装するにはセッションのステート（状態）についてのプロセス間通信が必要になるため、サーバに大きな負荷がかかってしまいます。

SSLがHTTPを考慮せずに設計され、後からHTTPに適用されたのであれば、この負荷は一般的なセキュリティプロトコルとHTTPとの相性から生じる不運な結果だとあきらめることもできます。しかし実際には、SSLは主にHTTP用に設計されたものです。設計者が気付いてさえいれば、ステートにまつわる負荷を減らす修正が可能だったはずです。第11章でSecure HTTPについて説明する際に、このような対策をいくつか紹介します。SSLが設計された頃は、「9.6 HTTP接続の振る舞い」で説明したTCPにおけるパフォーマンスの問題への対策と、UNIXシステムでの許容しがたいパフォーマンス悪化への対策が優先され、不幸にもステートレスな通信モデルは省みられなかったのです。

9.12 HTTPS

ここまで、Web におけるセキュリティの問題について設計の視点から見てきました。これで、HTTPS について説明する準備が整ったはずです。HTTPS は、HTTP over SSL に使われている中心的な方法です。ここでは、これまでに説明してきた課題と突き合わせながら、HTTPS がどれだけ優れているかについても評価していきます。

基本的な機能を理解するために、まずは HTTPS を使った単純なリクエストから見ていきましょう。HTTPS の背景にある基本的な考えは単純ですが、慎重に説明しなければならない技術的な部分もあります。それは、接続終了の動作と、URL による参照情報における整合性の問題です。HTTPS の明確な定義を踏まえて、実際のネットワークで直面する数多くの複雑な機能(プロキシや仮想ホストなど)について見ていくことにします。また、実際の Web 環境で証明書を用いたクライアント認証を要求するタイミングを決定する問題についても説明します。

HTTPS は基本的には安全ですが、攻撃方法や制限も数多く見つかっています。「9.19 Referrer ヘッダ」と「9.20 置換攻撃」では、これらの攻撃と、それを回避するための手法について説明します。最後に、HTTPS に代わる新しい手法、HTTP アップグレードについても説明します。HTTP アップグレードは、HTTPS の既知の問題のいくつかを解決するために作られたものですが、HTTP アップグレード固有の問題も数多くあります。

9.13 HTTPS の概要

HTTP は、SSL を用いてセキュリティを確保する最初のアプリケーション層プロトコルでした。HTTP over SSL が初めて公式に実装されたのは、1995 年、Netscape Navigator 2 においてです。当時はポートを分ける手法しか利用できなかったため、Netscape 社は、HTTP だけではなく NNTP や SMTP でもポートを別々にしていました。HTTP over SSL で取得するページの URL は、HTTP URL と区別するために、`https://` で始まります。この方法は間もなく、HTTPS◇として知られるようになりました。

> ◇ HTTPS とは「HTTP Secure」の略です。気取った表現に思えますが、`shttp://` という URL スキームが「Secure HTTP」(第 11 章を参照)を示すプロトコル名としてすでに使われていたため、Netscape 社はこの表現を避けました。

SSL 対応の実装は広く使われていたにもかかわらず、Netscape 社も他社も、HTTP over SSL の標準を定義することはありませんでした。IETF が標準化を検討し始めたのは、1998 年のことです。一般に、HTTP over SSL を実装する方法は 1 つしかないと考えられ

ており、自明ではない詳細は知識として伝承されていました。最終的に、HTTPS は RFC 2818 としてドキュメント化されました（[Rescorla2000]）。

　HTTPS の手法は非常に単純です。クライアントがサーバへの接続を確立し、SSL 接続をネゴシエートし、その後 SSL アプリケーション用のデータ通信路を通じて HTTP データを転送します。このように説明するとあまりにも簡単に思えますが、原理は本当に簡単です。相互運用可能な HTTPS の実装を作成するには、このほかにポート番号についての情報が必要です。HTTP とは異なるポートを使うようにしたいため、HTTPS の接続には独自のポートが必要です。IANA では、HTTPS ポートとして 443 を割り当てています。デフォルトではこのポート上で HTTPS の接続が生成されます。もちろん、URL 内で別のポートを指定することも可能です。

　図9.4 は、Netscape 4.7 のクライアントと、mod_ssl 2.4.10 を実行する Apache 1.3.9 サーバとの間の HTTPS リクエストの例です。初期通信（レコード 1 〜 9）はいずれも SSL Handshake です。これは、クライアントが SSLv2 と下位互換性のある Handshake を使用して接続しているという点を除けば、ごく一般的な SSLv3 Handshake です。最近の Web ブラウザでも、まだこのような処理をしているものがあります。また、クライアントが提案しているのが、TLS ではなく SSLv3 だけという点に注意してください。本書執筆時点では、Netscape はまだ TLS をサポートしていません◆監訳注1。

図 9.4
HTTPS を使ったリクエスト

```
New TCP connection: romeo(4577) <-> romeo(443)
1 948676151.6444 (0.0005) C>S SSLv2 compatible client hello
    Version 3.0
    cipher suites
        TLS_RSA_WITH_RC4_128_MD5
        value unknown: 0xffe0  (Netscapeの暗号スイートに固有)
        TLS_RSA_WITH_3DES_EDE_CBC_SHA
        value unknown: 0xffe1  (Netscapeの暗号スイートに固有)
        TLS_RSA_WITH_DES_CBC_SHA
        TLS_RSA_EXPORT1024_WITH_RC4_56_SHA
        TLS_RSA_EXPORT1024_WITH_DES_CBC_SHA
        TLS_RSA_EXPORT_WITH_RC4_40_MD5
        TLS_RSA_EXPORT_WITH_RC2_CBC_40_MD5
2 948676151.6495 (0.0051) S>C Handshake
    ServerHello
        session_id[32]=
            15 07 d3 46 a9 40 bc bc 6f 54 f9 60
            40 d0 bf 2f 08 3e 1e 4e f4 1d 7c 52
            31 46 14 20 ad 95 5b 04
        cipherSuite TLS_RSA_WITH_RC4_128_MD5
        compressionMethod NULL
3 948676151.6495 (0.0000) S>C Handshake
    Certificate
4 948676151.6495 (0.0000) S>C Handshake
    ServerHelloDone
5 948676151.6637 (0.0141) C>S Handshake
    ClientKeyExchange
6 948676151.6900 (0.0262) C>S ChangeCipherSpec
7 948676151.6900 (0.0000) C>S Handshake
    Finished
8 948676151.6921 (0.0020) S>C ChangeCipherSpec
9 948676151.6921 (0.0000) S>C Handshake
    Finished
```

◆1. 本書監訳時点（2003 年 11 月）では、Netscape ではすでに TLS をサポートしています。

```
10 948676151.6933 (0.0012) C>S application_data
   data: 284 bytes
   ------------------------------------
   GET /tmp.html HTTP/1.0
   Connection: Keep-Alive
   User-Agent: Mozilla/4.7 [en] (X11; U; FreeBSD 3.4-STABLE i386)
   Host: romeo
   Accept: image/gif, image/x-xbitmap, image/jpeg, image/pjpeg,image/png, */*
   Accept-Encoding: gzip
   Accept-Language: en
   Accept-Charset: iso-8859-1,*,utf-8
   ------------------------------------
11 948676151.7013 (0.0079) S>C application_data
   data: 395 bytes
   ------------------------------------
   HTTP/1.1 200 OK
   Date: Mon, 24 Jan 2000 01:09:11 GMT
   Server: Apache/1.3.9 (Unix) mod_ssl/2.4.10 OpenSSL/0.9.4
   Last-Modified: Sun, 23 Jan 2000 23:08:11 GMT
   ETag: "58820-79-388b89db"
   Accept-Ranges: bytes
   Content-Length: 121
   Connection: close
   Content-Type: text/html

   <HTML>
     <HEAD>
       <TITLE>Test</TITLE>
     </HEAD>
     <BODY>
       <H1>
       Test Page
       </H1>

   This page is just a sample.
   <P>
   </BODY>
   </HTML>
   ------------------------------------
12 948676151.7063 (0.0050) S>C Alert
    level warning
    value close_notify
Server FIN
13 948676151.8052 (0.0989) C>S Alert
    level warning
    value close_notify
Client FIN
```

レコード 10 には HTTP リクエストが含まれています。このリクエストは、基本的には図 9.1 に示したものと同じですが、別の URL を指している点だけが違います。SSL における接続のネゴシエーションが終わるまでは、クライアントのデータは一切送信されないことに注意してください。HTTP システムを HTTPS に移行する際に、これがどのような問題につながるかは、後で説明します。

レコード 11 には HTTP レスポンスが含まれています。HTTP レスポンスのすべては 1 レコードに収まっています。当然ながら、Web ページがもっと長ければ、複数のレコードにまたがることもあります。このレスポンスは、ページそのものの内容は違いますが、基本的には図 9.2 に示したレスポンスと似ています。

大きく異なるのは、Connection: keep-alive の代わりにサーバが Connection: close ヘッダを送っているという点だけです。これは、このページを送った後にサーバ

が接続を終了することを示します。ここでは、終了動作の例を示すために、接続を維持しないようにサーバを設定してあります。

予想どおり、サーバはclose_notifyメッセージの後にTCP FINを送っています。クライアントはこれに対するレスポンスとしてclose_notifyメッセージとFINを返します。技術的には、サーバはクライアントからclose_notifyメッセージを受け取るまで、FINを送らないでおくこともできます。SSLの仕様では、この問題に言及していません。しかし、初期のバージョンのNetscapeはFINを受け取るまでclose_notifyメッセージにレスポンスしないため、実際にはすぐにFINを送ったほうがよいでしょう。

9.14 URLと参照情報における整合性

HTTP接続の大半は、何らかのURLによる参照を逆参照することによって開始されます。HTTPSは、HTTPとは別のポートを使用するので、プロトコルにHTTPSを使うことをURL内で示さなければなりません。そのためには、プロトコル識別子として、以下のように`http`ではなく`https`を使います。

`https://www.example.com/example.html`

▌ 9.14.1 ダウングレード攻撃

プロトコル識別子として`https`を使うと、ダウングレード攻撃を阻止することができます。クライアントがサーバへのSSLの接続を開始しようとしたとき、サーバ(または攻撃者)には、自身がSSLに対応していないことを示す手段がありません。攻撃者は、エラーを生成するだけで事足ります。なぜなら、前にも説明したとおり、HTTPSの接続に失敗したユーザは、攻撃者の思惑どおりHTTPで接続を再試行することがあるためです。

しかし、`https`という識別子が意味している情報はただ1つ、クライアントがセキュリティを求めている、ということだけです。求められているセキュリティの性質については、何も情報を与えていません。SSLv2では、アルゴリズムを弱めるために接続をダウングレードしようとする攻撃者への対策がなかったため、このことが深刻な問題になりました。しかしSSLv3とTLSでは、アルゴリズムのダウングレードへの対策が用意されています。SSLv2へのダウングレードが防止されているため、少なくともサーバがSSLv3を理解できれば、ネゴシエーションの際のアルゴリズムはダウングレードされません。しかしながら、最弱なSSLv2の共通鍵を攻撃者がしらみつぶしに探索できないようにしておく必要はあります。

サーバが正しく認証されれば、安全にHandshakeを行うことができます。クライアントが匿名DHを受け入れず、サーバの識別情報を次節の説明のように十分確認すれば、

SSLv3によるHTTPSがダウングレード攻撃を受ける心配はありません。しかしサーバを正しく認証しなければ、攻撃者がman-in-the-middle攻撃を仕掛ける可能性があります。

9.14.2　エンドポイント真正性

HTTPSでは、サーバの識別情報を確認するための少し複雑なアルゴリズムの仕様が定義されています。これは、さまざまな特殊なケースに対応するためです。たいていの場合、サーバのホスト名は、URLのような形で入手することができます。クライアントは、サーバのものらしいホスト名を入手したら、それをサーバの証明書と照らし合わせて確認しなければなりません。

クライアントが、サーバのホスト名ではなく、サーバの証明書について特定の情報を持っている場合もあります。この場合も、その情報を確認する必要があります。なお、確認をまったく行わないことも明示的に許可されていますが、そうすると接続がアクティブ攻撃に対して無防備になるので、確認は絶対に必要です。

図9.5は、ホスト名を確認する手順を示したフローチャートです。`dNSName`型の`subjectAltName`拡張がある場合は、これを確認しなければなりません。現在、メジャーなCAにはこの種の証明書を発行しているところはありません。しかし、この手法はCommon Nameを使用する方法よりもずっと簡潔なので、将来は発行されるようになると予想されています。Common Nameを使う手法では、CAとユーザとの間で、Common Nameの仕組みについて暗黙の合意が必要となりますが、`dNSName`の仕組みは明快です。

図 9.5
証明書確認アルゴリズム

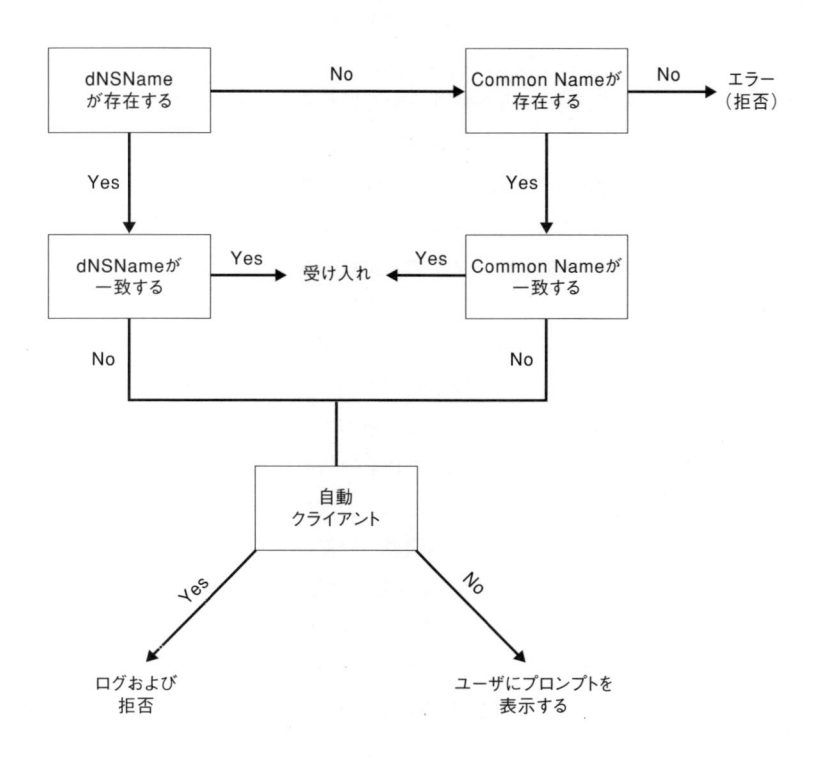

しかし、dNSNameが存在しない場合は、Common Nameを確認しなければなりません。DNには2つのRDNがあり、両方がCommon Nameを指定することもあるので、仕様では最もローカルなRDNを確認することが明記されています。1つのRDNに2つのCommon Nameが含まれている場合については、明示的な規定はありません。もちろん、いずれかの名前が一致した場合に証明書を受け入れるという選択肢はあります。

RFC 2818ではワイルドカードの使用も許可されており、DNの一部を「*」に置き換えて指定することができます。「*」は任意の文字列に一致します。したがって、Common Nameが「*.example.com」である証明書は、foo.example.com、bar.example.comなどに対して使用できることになります。ただしワイルドカードの使用が適しているのは、同じ組織で多くの仮想サーバを実行しているケースのみです。例えば、ワイルドカードを使ってwww.domain.comとwww.anotherdomain.comの両方を表すことはできません。なぜかというと、この2つに一致するワイルドカードは、この証明書の持ち主が所有するものではないドメインにも一致してしまうからです。

9.14.3　失敗の際の振る舞い

証明書とサーバの識別情報との間に不一致がある場合に取るべき対応は、当然ながら接続を終了することです。残念ながら、この動作はユーザにとってはとても腹立たしいものです。このような不一致は、原則としてアクティブ攻撃が仕掛けられた場合に起こるはずですが、実際にはサーバの設定ミスであることもよくあります。

Netscape Navigatorでは当初から、このような不一致（および確認できない証明書）が見つかった場合には、ユーザに対してエラーを説明するダイアログボックスを表示し、接続を閉じるか続けるかを尋ねるようになっています。一方、古いバージョンのInternet Explorerでは、単に接続を終了し、続行を拒否していました。新しいバージョンのInternet Explorerでは、ユーザが続行を選択できるようになっています。

HTTPSの仕様には、不一致の処理方法がこのほかにも数多く用意されています。ブラウザのようなクライアントは、少なくとも、不一致をユーザに知らせなければなりません。その上で、続行するという選択肢を提示するか、単に接続を終了します。自動的に動作しているクライアントの場合は、エラーを記録して接続を終了すべきです。

証明書に不一致が見つかったにもかかわらず接続を続行するのは、アクティブ攻撃に対する耐性という面では適切ではありません。しかし、HTTPSによるページの取得に失敗したユーザは、HTTPを使用して再試行することが多いという事実を忘れてはいけません。ユーザが安全でない方法でページの取得を試行する可能性を考えると、単なる設定ミスかもしれない間違った証明書を受け入れたほうがましです。例えば、サーバの管理者がサーバのDNS名を変更し、新しい証明書を取得していないだけという可能性もあります。図9.6に、考えられるケースを示します。ご覧のとおり、間違った証明書を受け入れることで、ユーザがHTTPを使って接続を再試行するよりも事態が悪くなることはありません（良くなることはあります）。

図 9.6
さまざまなエラー処理手法の結果

状況	クライアントの動作		
	接続の終了	証明書を受け入れる	HTTP を使って再試行する
設定ミス	通信の失敗	通信 OK	データが平文で送信される
攻撃	攻撃は回避される	攻撃が成功する	データが平文で送信される

　証明書の処理が失敗したときの対処を決めるには、それぞれの環境のセキュリティポリシーとユーザの姿勢を考慮しなければなりません。間違っているとわかっている証明書を単に受け入れるというのは、決して良いことではありません。しかし、状況によっては、とにかく証明書を受け入れるほうがよいこともあります。図 9.6 からわかるとおり、接続を完全に拒否してしまうよりは、このほうがましです。Netscape と Internet Explorer は、どちらも証明書の確認に失敗するとダイアログボックスを表示し、ユーザが接続を続行できるようにしています。

9.14.4　ユーザ優先の選択

　前述のとおり、Netscape と最近のバージョンの Internet Explorer では、証明書が一致しない場合でも、ユーザが接続を続行することができます。ユーザから見ると、どちらの場合でも動作は同じです。しかし、通信路上のデータを考えると、両者には大きな違いがあります。

　図 9.7 は、Netscape クライアントが、受け入れられない証明書を使用してサーバに接続する様子を示しています。ご想像のとおり、クライアントは、サーバが Certificate メッセージを送信するのを待ちます。その後、ユーザに証明書を受け入れるか接続を取り消すかを尋ねる間、接続を開いたままにします。図 9.7 では、ユーザは証明書を受け入れることを選択しているため、Handshake が続きます。

図 9.7
受け入れられない証明書を用いた接続（Netscape）

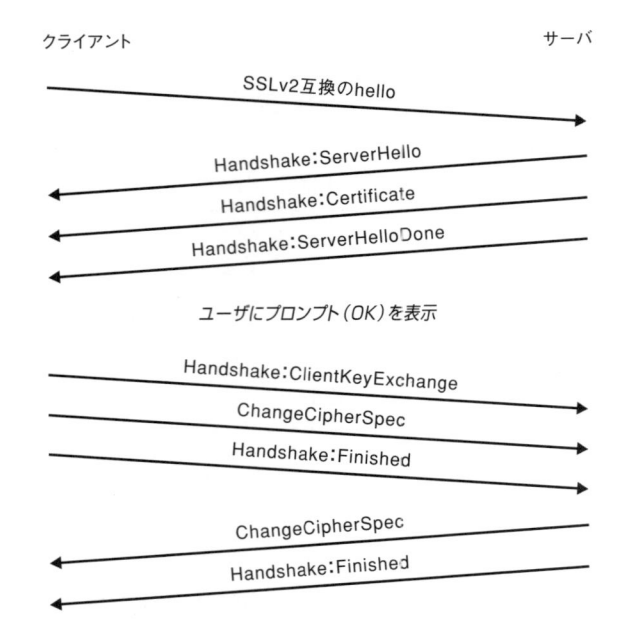

```
クライアント                                  サーバ
     ────────── SSLv2互換のhello ──────────▶
     ◀────── Handshake:ServerHello ──────
     ◀────── Handshake:Certificate ──────
     ◀────── Handshake:ServerHelloDone ──
              ユーザにプロンプト(OK)を表示
     ────── Handshake:ClientKeyExchange ─▶
     ────────── ChangeCipherSpec ────────▶
     ────────── Handshake:Finished ──────▶
     ◀────────── ChangeCipherSpec ───────
     ◀────────── Handshake:Finished ─────
```

　証明書のどこに問題があるのか（ホスト名の誤り、不明な CA、期限切れ、またはこれらすべて）によっては、その証明書を受け入れて続行するために、ユーザが数多くのダイアログボックスをクリックしなければならないことがあります。これには時間がかかるので、この操作中にタイムアウトにならないよう、サーバではタイムアウト時間を長めに設定する必要があります。

　図 9.8 は、ユーザが Handshake を取り消すことを選択した場合の Netscape の動作を示しています。ユーザがダイアログボックスで［キャンセル］ボタンをクリックすると、クライアントはサーバに **bad_certificate** Alert を送り、接続を終了します。

図 9.8
受け入れられない証明書を拒否した場合（Netscape）

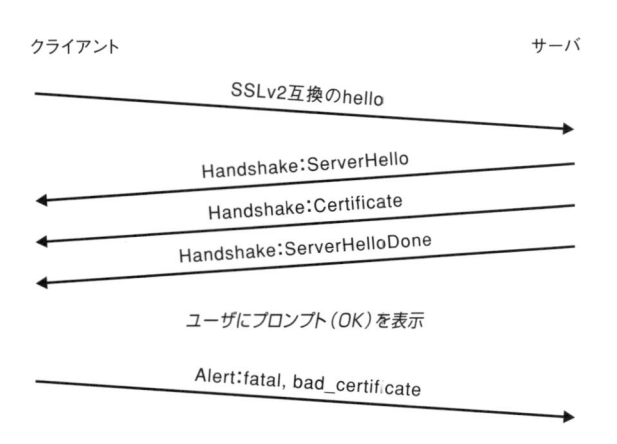

```
クライアント                                  サーバ
     ────────── SSLv2互換のhello ──────────▶
     ◀────── Handshake:ServerHello ──────
     ◀────── Handshake:Certificate ──────
     ◀────── Handshake:ServerHelloDone ──
              ユーザにプロンプト(OK)を表示
     ────── Alert:fatal, bad_certificate ─▶
```

　Internet Explorer の動作は、Netscape よりも多少わかりにくくなっています。図 9.9 に示すとおり、受け入れられない証明書を受け取ると Handshake を完了し、その後接続を終了します。接続を閉じた後で、Internet Explorer は、証明書を受け入れるか拒否するかをユーザに尋ねます。証明書が拒否された場合は、接続を閉じたままにします。証明書

が受け入れられた場合は、サーバに対して新しい接続を開始します。しかしながら、ここではSSLセッションを再開するので、Handshakeを一から再実行する手間は避けることができます。

図 9.9
受け入れられない証明書を用いた接続
（Internet Explorer）

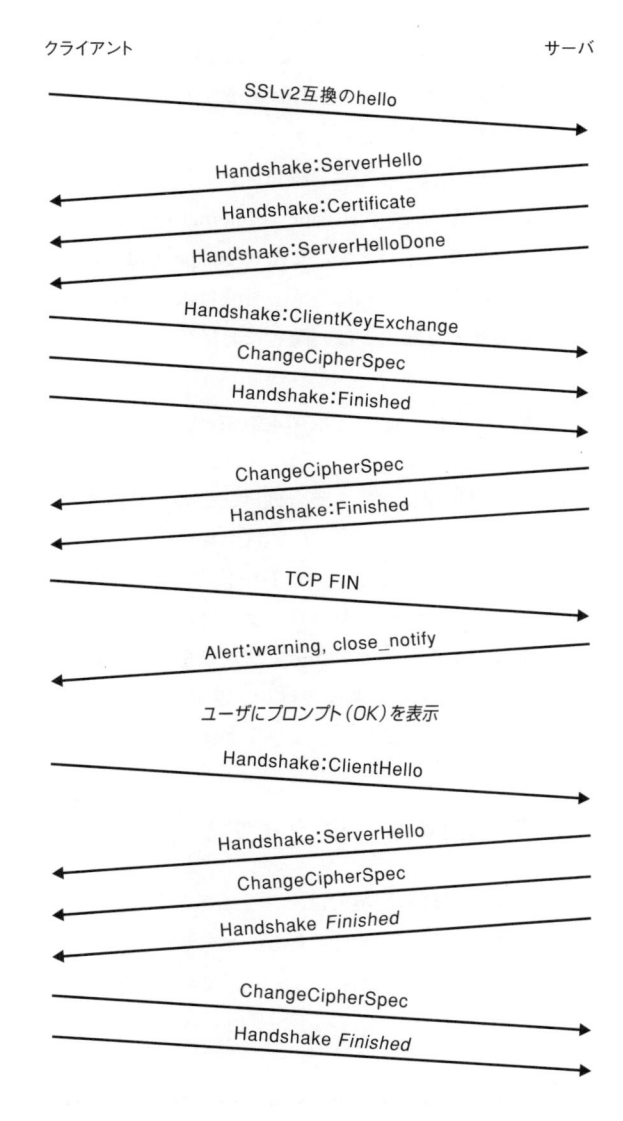

```
クライアント                                      サーバ
    |────────SSLv2互換のhello────────────→|
    |                                              |
    |←───────Handshake:ServerHello────────|
    |←───────Handshake:Certificate────────|
    |←───────Handshake:ServerHelloDone────|
    |                                              |
    |────────Handshake:ClientKeyExchange──→|
    |────────ChangeCipherSpec─────────────→|
    |────────Handshake:Finished───────────→|
    |                                              |
    |←───────ChangeCipherSpec─────────────|
    |←───────Handshake:Finished───────────|
    |                                              |
    |────────TCP FIN──────────────────────→|
    |                                              |
    |←───────Alert:warning, close_notify──|
    |                                              |
    ユーザにプロンプト(OK)を表示
    |                                              |
    |────────Handshake:ClientHello────────→|
    |                                              |
    |←───────Handshake:ServerHello────────|
    |←───────ChangeCipherSpec─────────────|
    |←───────Handshake Finished───────────|
    |                                              |
    |────────ChangeCipherSpec─────────────→|
    |────────Handshake Finished───────────→|
```

　Netscapeは、仕様から予想されるとおりの動作をします。Internet Explorerの動作は、意外ではありますが、実際には禁止されているわけではありません。Internet Explorerの動作の主な利点は、ユーザが証明書を受け入れるかどうかを検討している間、サーバのリソースを消費しないという点です。サーバのソケットは限りあるリソースなので、負荷の高いサーバにとっては、この最適化は貴重です。しかしながら、使用頻度の高いサーバは有名なCAから発行された証明書を使っていることが多いので、実際にはこのケースはあまり重要ではありません。

Internet Explorer のアプローチには 2 つの欠点があります。1 つは、クライアントが証明書を拒否したことを示すフィードバックがサーバに一切送られないということです。サーバ管理者が実際にログファイルを見て、bad_certificate Alert を見つけない限り、問題が発生したことに気付きません。もう 1 つは、サーバがセッションキャッシュを使用していない場合、または再接続する前にクライアントのセッションがタイムアウトになった場合には、Handshake を一から開始しなければならないということです。これはクライアントにとってもサーバにとっても負担の大きい処理です。

　ユーザにとっては、受け入れと拒否を尋ねるダイアログボックスに答えるのは煩わしい作業なので、Netscape も Internet Explorer も、ユーザの選択をキャッシュに保存するようになっています。また Netscape では、ユーザが応答するのが一度で済むように、その証明書をそれ以降もずっと受け入れるかどうかを指定できます。これをバグと見なすか機能と見なすかは、読者にお任せします。

9.14.5　参照情報のソース

　参照情報における整合性は、その参照情報がクライアントへ安全に伝えられるかどうかにかかっています。信頼性を保証できるような形で伝えられた参照情報であれば問題ありません。例えば、HTTPS によるリンクとして参照情報を伝えることができます。これに対し、安全でないリンクによって伝えられた参照情報では、参照情報を含むページを変更するというアクティブ攻撃を仕掛けられる可能性があります。このような攻撃については、「9.20 置換攻撃」で説明します。この種の攻撃は、参照情報における整合性を確認しても避けることはできません。

9.14.6　クライアントの識別情報

　Web 以外の環境では、クライアントが実際にはもう一方のホストである場合があります。そのような状況であることをサーバが承知している場合は、サーバでもここで説明したのと同じ確認を実行する必要があります。

9.15　接続の終了

　最後に、終了についても考えなければなりません。正しい終了の動作は簡単に要約できます。接続を終了したい側が close_notify メッセージを送り、場合によっては close_notify が返されるのを待ちます。この動作は、TLS と HTTPS の両方の RFC で必須とされています。ここで考えるべきことは、close_notify メッセージなしで TCP FIN が送られてきたときにどうするかという点です。この状況は、明らかな攻撃の可能性を

示唆するものであることもあれば、単にプログラミングのミスであることもあります。偽のエラーが数多く記録されるのを防ぐためには、この両者を区別できなければなりません。

9.15.1　セッション再開

第7章で説明したとおり、セッション再開に関する規則は明確です。SSLの実装では、未完遂の終了を受け取った場合にセッションを再開すべきではありません。このような場合にセッションを再開することは、SSLの仕様に明らかに違反しています。しかし、自分からclose_notifyメッセージを送り、相手側のclose_notifyメッセージを待たずに接続を終了することは許可されています。このような場合はセッションを再開することができます。

9.15.2　エラー処理

第一に考えるべきなのは、クライアントの動作です。まず、HTTPのセマンティクスから考えて、サーバよりもクライアントのほうがエラーを重要視します。リクエスト中にサーバがデータの終わりを受け取った場合は、それが適切なSSLの終了であろうがTCP FINであろうが、基本的には同じ動作、つまり、リクエスト処理を中断します。さらに、サーバがエラーを見つけると、通常はそれを監査ログに記録します。したがって、サーバの管理者は異常事態をすべて安全に記録することができます。

一方クライアントでは、エラーが起きると、ダイアログボックスなどでユーザに直接エラーを伝えます。したがって、正規のエラーがユーザに報告されないという状況を避けること(エラーメッセージはユーザにとって重要な情報であるため)と、エラーでないものを報告するのを避けること(ユーザに負担がかかる上、正規のエラーまで無視されてしまいかねないため)の両方が重要です。

一般には、次に示す2種類のエラーを区別できるようにすべきです。

- **プログラミングエラーと思われるもの**
  HTTP通信で接続の終了を示す合図は、SSLの振る舞いには一致しません。仕様に反するメッセージを受け取った場合でも、セキュリティ上問題ないものであれば無視します。
- **強制切断攻撃**
  クライアントが、不完全と思われるレスポンスを受け取ります。

9.15.3　プログラミングエラーと思われるもの

クライアント側で接続の終了を予想していたにもかかわらず、未完遂の終了を受け取った場合について考えてみてください。例えばクライアントが、Connection: close

ヘッダを含むレスポンスをサーバから受け取ったとします。このときクライアントは、Content-Lengthヘッダで指定された長さのデータをすべて読み取ったら、その時点ですぐに接続が終了されるものと予測します。ここでクライアントが、close_notifyを受け取る前にただのFINを受け取ったとします。攻撃者がFINを偽造することも考えられますが、サーバ側のエラーで接続が不適切に終了した可能性のほうが高いと思われます。クライアント側では、サーバが送ろうとしたすべてのデータを受け取っているとわかっているので、ページが破損している心配はありません。つまり、クライアントはエラーを報告せずにページを表示することができます。

もう少し難しい状況としては、クライアントがサーバから何も通信を予想しておらず、かといってサーバが接続を終了することも予想していなかったというケースが考えられます。クライアントがContent-Lengthヘッダを含むレスポンスを受け取り、そのデータをすべて読み取ったとしましょう。しかしクライアントは、接続が継続されると信じており、サーバが接続を閉じようとしていることを知らないという状況です（HTTPでは、サーバがクライアントに通知することなく接続を終了することが許可されています）。それゆえ、クライアントがレスポンス全体を受け取ってから未完遂の終了を受け取った場合は、攻撃者がDoS攻撃を仕掛けていることも考えられます。しかし、実際にはサーバ側のミスであることがほとんどです。いずれにしても、実際に受け取ったレスポンスは完了しているとわかっているので、クライアントはページを表示することができます。

最後のケースとして、予想よりも早く、例えばContent-Lengthヘッダで指定されているバイト数を読み取るよりも前に、適切なclose_notifyメッセージが送られてきた場合を考えてみてください。攻撃者がclose_notifyメッセージを偽造したり、Content-Lengthヘッダをこっそりと変更したりすることはできないので、これは明らかにサーバ上のプログラミングエラーです。

9.15.4 強制切断攻撃

古いバージョンのHTTPでは、接続の終わりによってデータの終わりを示していました。したがってクライアントでは、サーバからさらにデータが送られてくると思っていたのに未完遂の終了を受け取った場合は、それをエラーとして扱わなければなりません。まず、Content-Lengthヘッダがない場合を考えてください。クライアントには、接続の終了以外にレスポンスが終わったことを知る手がかりはないので、レスポンス全体を受け取ったことを知るためには、close_notifyメッセージを受け取ることが不可欠となります。

同様に、Content-Lengthヘッダがあるにもかかわらず、レスポンス全体を受け取る前に未完遂の終了を受け取ったという場合も、エラーとして扱わなければなりません。もちろん、サーバがサイズの計算を間違えただけという可能性もありますが、これと攻撃とを区別する手段はありません。このようなケースは、データすべてを読み取ったケースとは別として扱います。なぜなら、指定されたとおりの長さを受け取っている場

合は、レスポンス全体を受け取ったことがわかっているので、それが攻撃だとしても、次のレスポンスが受け取れないというだけだからです。

　いずれにしても、強制切断攻撃の可能性があり、レスポンスが切り捨てられた可能性がある場合は、クライアントはユーザに警告すべきです。通常はエラーメッセージかダイアログボックスを表示して、接続が予想外に終了されたためにデータが切り捨てられた可能性があることを知らせます。特に神経質なクライアントになると、レスポンスをまったく表示しないものもあります。

9.16　プロキシ

　HTTPSとプロキシはうまく連携できません。問題はHTTPSのセマンティクスにあります。HTTPSでは、クライアントが目的のサーバとの間でSSLセッションをネゴシエートしてからHTTPデータが転送されます。ネゴシエーションが完了すると、クライアントとサーバの間でやり取りされるデータはすべて暗号化されます。そのため、キャッシュプロキシはその役割を果たしません。いずれにしても、クライアントとサーバの間で転送されるデータの機密性は保護されるので、これはこういうものだと考えてよいでしょう。しかし、データの機密性が必要とされない場合でも（メッセージの完全性のためだけの暗号スイートなど）、キャッシュは不可能です。

9.16.1　CONNECTメソッド

　もっと深刻なのは、通常のHTTPプロキシのセマンティクスがHTTPSでは通用しないことです。プロキシは、接続先のサーバを調べるのにクライアントのリクエストを調べます。この方法がHTTPSで使用できないのは明らかです。HTTPSでは、暗号化した通信路を通してクライアントがリクエストを送信するからです。ファイアウォールを通り越してデータを送るには、プロキシを通るしかないので、これはキャッシュができないことよりもずっと深刻な問題です。それゆえ、特別なサポートなしでは、HTTPSはこれらのようなファイアウォールと共存することはできません。

　そこで、新しいプロキシ用のCONNECTというメソッドが特別にサポートされました。これはRFC 2817で定義されています（[Khare2000]）。CONNECTメソッドはプロキシに対して、指定したリモートサーバへのTCPの接続を開始し、クライアントとサーバの間のデータを調べたり変更したりすることなく受け渡しするよう指示を与えます。その後クライアントは、プロキシがサーバであるかのように、SSLデータをプロキシに対して送ります。図9.10に、CONNECTを使用した場合の接続開始からClientHelloの送信までを示します。リクエストのRequest-URIフィールドで、クライアントがプロキシに対して宛先サーバのホストとポートを指示している点に注目してください。

図 9.10
プロキシ環境に対する
CONNECTメソッド
の利用

```
New TCP connection: romeo(2577) <-> romeo(80)
1 949442170.3636 (0.0002) C>S
data: 37 bytes
---------------------------------------
CONNECT www.rtfm.com:443 HTTP/1.0

---------------------------------------
2 949442170.3686 (0.0052) S>C
data: 102 bytes
---------------------------------------
HTTP/1.0 200 Connection established
Proxy-agent: Apache/1.3.9 (Unix) mod_ssl/2.4.10 OpenSSL/0.9.4

---------------------------------------
3 949442170.4403 (0.0769) C>S Handshake
      ClientHello
        Version 3.1
        cipher suites
          TLS_DHE_DSS_WITH_RC4_128_SHA
          TLS_DHE_DSS_WITH_RC2_56_CBC_SHA
          TLS_RSA_EXPORT1024_WITH_RC4_56_SHA
          TLS_DHE_DSS_EXPORT1024_WITH_DES_CBC_SHA
          TLS_RSA_EXPORT1024_WITH_DES_CBC_SHA
          TLS_RSA_EXPORT1024_WITH_RC2_CBC_56_MD5
          TLS_RSA_EXPORT1024_WITH_RC4_56_MD5
          TLS_DHE_RSA_WITH_3DES_EDE_CBC_SHA
          TLS_DHE_DSS_WITH_3DES_EDE_CBC_SHA
          TLS_RSA_WITH_3DES_EDE_CBC_SHA
          TLS_RSA_WITH_IDEA_CBC_SHA
          TLS_RSA_WITH_RC4_128_SHA
          TLS_RSA_WITH_RC4_128_MD5
          TLS_DHE_RSA_WITH_DES_CBC_SHA
          TLS_DHE_DSS_WITH_DES_CBC_SHA
          TLS_RSA_WITH_DES_CBC_SHA
          TLS_DHE_RSA_EXPORT_WITH_DES40_CBC_SHA
          TLS_DHE_DSS_EXPORT_WITH_DES40_CBC_SHA
          TLS_RSA_EXPORT_WITH_DES40_CBC_SHA
          TLS_RSA_EXPORT_WITH_RC2_CBC_40_MD5
          TLS_RSA_EXPORT_WITH_RC4_40_MD5
        compression methods
          NULL
```

　HTTPSのユーザ、つまりプログラマから見ると、この手法はうまく機能するように思えます。しかし、ファイアウォールの管理者から見ると、この結果はあまり好ましくありません。ファイアウォールの管理者は、ファイアウォールを通る通信の種類を制御したいと考えるのが普通だからです。例えば、特定の種類のWebコンテンツを排除したいとします。CONNECTを使って転送される通信は調べないことになっているので（暗号化されるので理論的にも読み取りは不可能です）、特定のデータを排除することが非現実的になってしまいます。

　CONNECTによりファイアウォールを通過できるプロトコルは、HTTP over SSLだけではありません。通信がSSLかどうかをファイアウォールで判断することは、理論上は可能ですが、実際には非常に困難です。したがってCONNECTメソッドでは、クライアントがファイアウォールに穴を開けて、その穴から任意の通信を通すことが許されています。管理者は、クライアントが接続するホストとポート番号を制限することができますが、この制限はそれほど厳しいものとはいえません。

9.16.2 man-in-the-middle プロキシ

これまで見てきたとおり、プロキシは一般にクライアントとサーバ間の通信を見ることができません。しかし、プロキシがその接続に対して man-in-the-middle 攻撃を仕掛けるようにすれば、プロキシで通信の内容を確認することができます。プロキシは CONNECT リクエストを受け入れますが、データをただ転送するのではなく、SSL の接続を 2 つ（クライアントとサーバに対して 1 つずつ）ネゴシエートするようにします。その後、クライアントとサーバとの間でデータを受け渡しますが、プロキシ上ではデータを平文で見ることができます。図 9.11 はこの処理を示しています。

図 9.11
man-in-the-middle プロキシの例

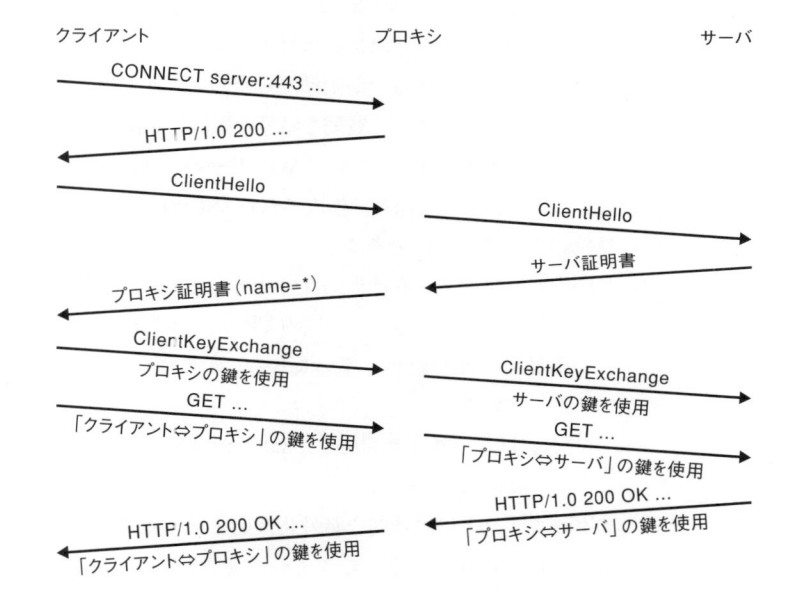

```
クライアント        プロキシ         サーバ
    ──CONNECT server:443 ...──▶
    ◀──HTTP/1.0 200 ...──
    ──ClientHello──▶
                        ──ClientHello──▶
                        ◀──サーバ証明書──
    ◀──プロキシ証明書（name=*）──
    ──ClientKeyExchange──▶
       プロキシの鍵を使用
                        ──ClientKeyExchange──▶
                           サーバの鍵を使用
    ──GET ...──▶
    「クライアント⇔プロキシ」の鍵を使用
                        ──GET ...──▶
                        「プロキシ⇔サーバ」の鍵を使用
                        ◀──HTTP/1.0 200 OK ...──
                        「プロキシ⇔サーバ」の鍵を使用
    ◀──HTTP/1.0 200 OK ...──
    「クライアント⇔プロキシ」の鍵を使用
```

それにしても、man-in-the-middle 攻撃に強いはずの SSL なのに、どうしてこんなことが可能なのでしょうか。実は、このような動作をするには、クライアントの協力が必要なのです。プロキシには、「*」という Common Name を持つ非常に特別な証明書があります。ホスト名がワイルドカードなので、クライアントはどのホストに接続する場合でも、この証明書を受け入れます。もちろん、正規の CA がこのような証明書を発行することはありません。このような証明書を使えば、持ち主はあらゆるサーバを偽装できてしまうからです。そこで管理者は、自らが CA となって証明書を発行し、それをブラウザにインストールする必要があります。この管理者の制御下にないブラウザでは、この CA は信頼済み CA のリストに含まれていないので、この危険な証明書◇に騙されることはありません。

> ◇ 「*」は 1 つのドメイン名コンポーネントにしか一致させることができないので、RFC 2818 では、このような証明書の発行が禁止されています。しかし「9.17 仮想ホスト」で説明するとおり、Netscape では「*」をあらゆるものに一致させることが許可されています。RFC 2818 対応のブラウザでこのトリックを使用するためには、「*」「*.*」「*.*.*」... という一連のパターンを証明書に含める必要があります。

このようなプロキシには重大な欠点があることに注意してください。それは、プロキシが危殆化されると、すべてのクライアントの通信が危殆化されるということです。プロキシはファイアウォールの外にある（またはファイアウォールの一部である）ので、攻撃の対象としては好都合です。また、クライアントはサーバに直接接続しないので、SSLのクライアント認証は使用できません。

9.16.3　暗号スイートの変換

米国の古い輸出規制の影響で、クライアントとサーバの間には奇妙な不均衡が見られます。2大ブラウザである Netscape と Internet Explorer はどちらも米国の企業の製品なので、米国の厳しい輸出規制の対象になります。米国内向けのより安全なブラウザはダウンロードで入手するのが困難だったので、多くの米国人が輸出向けのブラウザを使用していました。その結果、貧弱な暗号化機能しか持たないブラウザが数多く出回りました。

一方、最も広く使われている Web サーバは Apache です。Apache そのものは米国で作成されましたが、米国外で作成された SSL/TLS 対応のためのパッチがいくつかあり、簡単に利用することができました。また、Netscape のサーバはフリーではなかったので、米国内向けのサーバも輸出向けのサーバも、入手の難易度の点ではそれほど差がありませんでした。したがって、米国内で販売された Netscape サーバには、かなりの割合で強力な暗号化機能が備わっていました。一般に、ほとんどのサーバは強力な暗号化をサポートしています。

C2 Net はこの状況を利用し、SafePassage という man-in-the-middle プロキシを作成しました。SafePassage は、クライアントと同じコンピュータ上で実行されます。輸出向けのクライアントには貧弱な暗号化機能を使ってプロキシに接続させますが、自分自身は強力な暗号化機能を使ってサーバに接続します。SafePassage は米国外で作成されたので、外国のユーザもこれを入手してブラウザをアップグレードすることができました。したがって、貧弱な暗号化は、そのコンピュータから決して出ることのないデータを暗号化するためにしか使われないことになります。

しかし、輸出向けの Netscape が強力な暗号スイートをサポートできるようにする Fortify パッチの登場によって、SafePassage への需要は減り始め、2000年1月に米国政府が輸出規制を解除したのをきっかけに、とうとう姿を消しました。それでも SafePassage は、初めての man-in-the-middle プロキシであり、革新的な製品でした。SPYRUS 社では、これと似た手法を使って、通常の RSA を利用する暗号スイートを、米国政府の FORTEZZA カードを使用した暗号スイートに変換しています。

9.17 仮想ホスト

　HTTPSは仮想ホストとも相性が良くありません。やはり、HTTPデータが転送されるよりも前にSSLの接続が確立されることが問題になります。前述のとおり、通常のサーバは、リクエストの`Host`ヘッダを使用してアクセス先の仮想ホストを判断します。リクエストはHandshakeが終わった後に送られるので、サーバは`Host`ヘッダに頼らずにSSLの接続をネゴシエートしなければなりません。

　どのサーバの証明書をクライアントに提示するかという点を考えてみましょう。各サーバが本当に別々のコンピュータに置かれている場合は、それぞれに証明書があるはずなので、それぞれの仮想サーバにも独自の証明書があると考えられます。しかし、どの証明書を提示するかを判断するには、クライアントがどの仮想サーバに接続しようとしているかを知らなければなりません。それぞれの仮想サーバが異なるセキュリティポリシーを使用しており、異なる暗号スイートをネゴシエートする場合にも、同じような問題があります。

　しかし、SSLとの連携が可能な仮想サーバの実装方法が、ほかにあります。それは、1つのコンピュータ上で、1つのネットワークインタフェースカードに複数のIPアドレス（エイリアス）を設定する方法です。そして、それぞれの仮想サーバに独自のエイリアスを割り当てます。したがって、サーバが接続を受け入れる際には、接続を受け入れるIPアドレスを確認し、それを基にクライアントがアクセスしようとしている仮想サーバを判断することができます。

　「9.11 参照情報における整合性」で触れたとおり、アンカーを使用して、例えばURL内のどこかでサーバの証明書を指定するという方法もあります。この方法なら、サーバはすべての仮想サーバに同じ証明書を使用しながら、参照情報における整合性を維持することができます。

図 9.12 IPアドレスエイリアスを使用した仮想ホスト

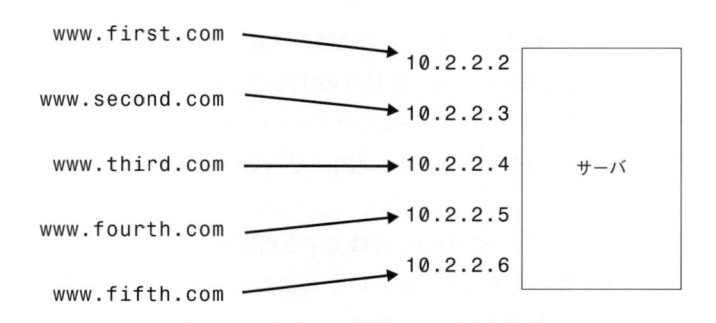

```
www.first.com   → 10.2.2.2
www.second.com  → 10.2.2.3
www.third.com   → 10.2.2.4   サーバ
www.fourth.com  → 10.2.2.5
www.fifth.com   → 10.2.2.6
```

　図9.12は、5つの仮想サーバを含んだ構成例です。`www.first.com`というDNS名は`10.2.2.2`に、`www.second.com`というDNS名は`10.2.2.3`に、という具合に割り当てられています。この手法は、CNAMEレコードを使う方法とは明らかに違います。複数のWebアドレスは同じサーバを指していますが、同じDNSのAレコードではなく、異

なる IP アドレスを持つ異なる A レコードを指しています。

このような状況は、SSL の設計上の欠陥と考えられます。接続しようとしているサーバの DNS 名を ClientHello の中で伝え、サーバが適宜対処できれば、クライアントにとってはとても簡単だったはずです。どのみち攻撃者は、クライアントが接続しようとしているサーバをほかのパブリックネットワークデータ（IP ヘッダや Handshake の残りの部分）から簡単に推測できるので、この変更を行ったからといって機密性が危殆化されることはありません。これは、次のバージョンの TLS に提案されている変更点の 1 つです（次のバージョンがあれば話ですが◆監訳注2）。

ただし、SSL をこのように変更しても、サーバのものと思われる識別情報を証明書と突き合わせて確認する責務をクライアントが免れるわけではありません。この確認を行わないと、脆弱性が生じることになります。この変更はあくまでも、Handshake よりも前にサーバに情報を与えることを目的としたものです。

9.17.1　複数の名前

もう 1 つ、あまり優れたものではありませんが、仮想ホストの問題への対策として、1 つの証明書で複数のホストを証明するという手法があります。RFC 2818 では、ワイルドカードを使ってこれを実現する方法が規定されています。詳細については「9.14 URL と参照情報における整合性」を参照してください。

Netscape はワイルドカードをサポートしています。Netscape における実際のワイルドカードは、RFC 2818 で定義されているものよりも、ずっと柔軟（かつ複雑）です。次のような表記がサポートされています。

- *　　　　　　： 任意の文字列
- ?　　　　　　： 任意の 1 文字
- $　　　　　　： 文字列の終わり
- [abc]　　　　 ： a、b、c のうち、いずれか 1 つ
- [A-Z]　　　　 ： A 〜 Z の範囲の任意の文字
- [^ab]　　　　 ： a と b 以外の任意の文字
- ~　　　　　　： 後に続くパターンの否定
- (パターン 1|パターン 2)　　： パターン 1 または パターン 2

パターンの中で特殊文字を指定するために、Netscape ではエスケープ文字として \ を使います。しかし、いずれにしてもドメイン名で特殊文字を使うことはできないので、実際にはこれは不要です。Netscape のワイルドカードについては、[Netscape1995a] で説明されています。

◆2.　この提案は、本書監訳時点では RFC 3546「Transport Layer Security (TLS) Extensions」で記述されています。

Internet Explorerでは、ワイルドカードに加えてもう1つ別の方法をサポートしており、それぞれの証明書に複数のCommon Nameを含めることが許可されています。つまり、証明書には`foo.example.com`と`bar.example.com`の両方を含めることができます。この方法には、関連のない複数のドメインに対して1つの証明書を発行できるという利点があります。しかし、証明書に新しいホストを1つ追加しただけですべて再発行しなければならないという欠点もあります。これに対し、ワイルドカードの場合は、パターンに一致しさえすれば、任意の数の仮想ホストにその証明書を一致させることができます。

9.18 クライアント認証

ここで、サーバが証明書を使ったクライアント認証を要求すべきかどうかの判断について考えてみましょう。HTTPSを介してリクエストされるすべてのページにクライアント認証を要求するサーバもありますが、一般には、クライアント認証が要求されるのは特定の一部のページに対してのみです。HTTPSでは、このようなポリシーを明確にサポートするのは困難です。

ここでも問題は、HTTPリクエストをサーバに送信するよりも前にSSL Handshakeを終えなければならないことです。したがってサーバは、クライアント認証を要求すべきタイミングに先立って、どのリソースが要求されるか(つまりクライアント認証が必要かどうか)を知ることはできません。

1つの解決策は、サーバは常にクライアント認証を要求するが、クライアント認証なしでもひとまずクライアントに接続を許可するという方法です。後で、その要求がクライアント認証を必要とするものだと判明した際にクライアントが認証済みでなければ、その時点で初めてエラーを返します。この方法は技術的には可能ですが、ユーザインタフェースには好ましくない影響が及びます。ユーザは、認証に使用する証明書をほぼ毎回尋ねられることになるからです。したがって、クライアント認証を毎回要求すると、認証の必要のないユーザも含め、すべてのユーザに負担がかかります。これほどの負担を受け入れてまで、この手法を採用する理由はないでしょう。

一般に使われているのは、サーバがすべてのクライアントに対して通常のSSL接続をネゴシエートするという方法です。その後、要求を受け取ったら、クライアント認証が必要かどうかを判断します。クライアント認証が必要ない場合は、通常どおりに要求を処理します。クライアント認証が必要な場合は、`HelloRequest`を使用して、サーバは再Handshakeを要求します。この2回目のHandshakeで、サーバはクライアント認証を要求します。図9.13にこの接続の様子を示します。

図 9.13
クライアント認証を使
用した再Handshake

```
New TCP connection: romeo(4569) <-> romeo(443)
1 948675468.0084 (0.0005) C>S SSLv2 compatible client hello
    Version 3.0
    cipher suites
        TLS_RSA_WITH_RC4_128_MD5
        value unknown: 0xffe0 Netscape独自の暗号スイート
        TLS_RSA_WITH_3DES_EDE_CBC_SHA
        value unknown: 0xffe1 Netscape独自の暗号スイート
        TLS_RSA_WITH_DES_CBC_SHA
        TLS_RSA_EXPORT1024_WITH_RC4_56_SHA
        TLS_RSA_EXPORT1024_WITH_DES_CBC_SHA
        TLS_RSA_EXPORT_WITH_RC4_40_MD5
        TLS_RSA_EXPORT_WITH_RC2_CBC_40_MD5
2 948675468.0139 (0.0054) S>C Handshake
    ServerHello
      session_id[32]=
        22 0f e0 2c 1e 63 a3 b2 cd 68 6a af
        6c f5 bc ff 0d 77 7d d4 dc bd e5 3f
        80 1e da 33 3c 79 f4 0d
      cipherSuite TLS_RSA_WITH_RC4_128_MD5
      compressionMethod NULL
3 948675468.0139 (0.0000) S>C Handshake
    Certificate
4 948675468.0139 (0.0000) S>C Handshake
    ServerHelloDone
5 948675468.0281 (0.0142) C>S Handshake
    ClientKeyExchange
6 948675468.0796 (0.0515) C>S ChangeCipherSpec
7 948675468.0796 (0.0000) C>S Handshake
    Finished
8 948675468.0818 (0.0021) S>C ChangeCipherSpec
9 948675468.0818 (0.0000) S>C Handshake
    Finished
10 948675468.0830 (0.0012) C>S application_data
    data: 291 bytes
    ---------------------------------------
    GET /secure/tmp.html HTTP/1.0
    Connection: Keep-Alive
    User-Agent: Mozilla/4.7 [en] (X11; U; FreeBSD 3.4-STABLE i386)
    Host: romeo
    Accept: image/gif, image/x-xbitmap, image/jpeg, image/pjpeg, image/png, */*
    Accept-Encoding: gzip
    Accept-Language: en
    Accept-Charset: iso-8859-1,*,utf-8

    ---------------------------------------
11 948675468.0892 (0.0062) S>C Handshake
      HelloRequest
12 948675468.0912 (0.0019) C>S Handshake
    ClientHello
      Version 3.0
      cipher suites
            TLS_RSA_WITH_RC4_128_MD5
            value unknown: 0xffe0 Netscape独自の暗号スイート
            TLS_RSA_WITH_3DES_EDE_CBC_SHA
            value unknown: 0xffe1 Netscape独自の暗号スイート
            TLS_RSA_WITH_DES_CBC_SHA
            TLS_RSA_EXPORT1024_WITH_RC4_56_SHA
            TLS_RSA_EXPORT1024_WITH_DES_CBC_SHA
            TLS_RSA_EXPORT_WITH_RC4_40_MD5
            TLS_RSA_EXPORT_WITH_RC2_CBC_40_MD5
      compression methods
            NULL
13 948675468.0928 (0.0016) S>C Handshake
    ServerHello
      session_id[32]=
        20 60 4a f0 84 cb b4 7c 7e 9b af d0
        3c fe 70 4c 47 58 96 18 2e 02 89 39
```

```
             94 50 4b e2 77 b0 2c a8
         cipherSuite TLS_RSA_WITH_RC4_128_MD5
         compressionMethod NULL
14 948675468.0928 (0.0000) S>C Handshake
         Certificate
15 948675468.1005 (0.0077) S>C Handshake
         CertificateRequest
         certificate_types rsa_sign
         certificate_types dss_sign
         certificate_authority
             30 49 31 0b 30 09 06 03 55 04 06 13
             02 55 53 31 13 30 11 06 03 55 04 0a
             13 0a 52 54 46 4d 2c 20 49 6e 63 2e
             31 13 30 11 06 03 55 04 0b 13 0a 43
             6f 6e 73 75 6c 74 69 6e 67 31 10 30
             0e 06 03 55 04 03 13 07 54 65 73 74
             20 43 41
16 948675468.1005 (0.0000) S>C Handshake
         ServerHelloDone
17 948675471.2692 (3.1687) C>S Handshake
         Certificate
         ClientKeyExchange
           EncryptedPreMasterSecret[128]=
         CertificateVerify
           Signature[128]=
             77 db fe 35 67 0d fa 1d 7d ea 2e 70
             ae 8f b4 a8 6f 26 91 df 81 1b 8b c6
             e1 7a 94 67 ed 9c ad be be 1a 71 74
             6e 1b b1 ae c1 9e 26 81 d7 6c 30 ae
             67 54 b8 12 f5 cf 0a e2 71 81 ae 0e
             8a 14 ee 76 de 39 44 33 9b 6e fd e7
             19 51 73 43 67 28 5d bf d3 74 a2 b8
             4a f1 32 0a 02 c8 27 b7 bd eb 79 38
             ca 3f 91 c7 95 46 b0 c3 32 ff 07 0d
             7b 54 28 30 c3 f4 67 f1 f1 58 e9 7c
             61 4c a7 28 51 c5 ad 92
18 948675471.2997 (0.0304) C>S ChangeCipherSpec
19 948675471.4797 (0.1800) C>S Handshake
         Finished
20 948675471.4811 (0.0013) S>C ChangeCipherSpec
21 948675471.4811 (0.0000) S>C Handshake
         Finished
22 948675471.4848 (0.0037) S>C application_data
         data: 423 bytes
         ----------------------------------
         HTTP/1.1 200 OK
         Date: Mon, 24 Jan 2000 00:57:48 GMT
         Server: Apache/1.3.9 (Unix) mod_ssl/2.4.10 OpenSSL/0.9.4
         Last-Modified: Sun, 23 Jan 2000 23:08:52 GMT
         ETag: "8e469-95-388b8a04"
         Accept-Ranges: bytes
         Content-Length: 149
         Connection: close
         Content-Type: text/html
         Content-Type: text/html

         <HTML>
           <HEAD>
             <TITLE>Test</TITLE>
           </HEAD>
         <BODY>
         <H1>
         Client Auth Test Page
         </H1>
         This page must be fetched with client auth.
         <P>
         </BODY>
         </HTML>
         ----------------------------------
```

```
23 948675471.4895 (0.0047) S>C Alert
        level warning
        value close_notify
Server FIN
24 948675471.5060 (0.0164) C>S Alert
        level warning
        value close_notify
Client FIN
```

　図9.13では、クライアントが最初に接続したときに、サーバは先ほど説明したのとまったく同じ、通常のSSL Handshakeを行っています。Handshakeが完了した後、クライアントはレコード10でリクエストを送信しています。これも図9.4のリクエストとほとんど同じで、違うのはリクエストしているリソースだけです（/tmp.htmlの代わりに/secure/tmp.html）。

　この時点で、サーバはアクセス制御情報を調べ、リクエストされているリソースにクライアント認証が必要かどうかを判断し、現在の接続ではクライアント認証が行われていないことを認識します。サーバは、クライアントに証明書を使って認証を行わせるために、再Handshakeを要求しなければなりません。これは、レコード11で2回目のHelloRequestを送ることによって行われています。

　HelloRequestを受け取ると、クライアントは新しいHandshakeを開始します。技術的には、クライアントがすぐにHandshakeを行う必要はありません。しかしながら、いずれにしてもサーバがレスポンスを返すまではクライアントは何もできません。サーバがHelloRequestを送るというのは、サーバがレスポンスを返す前に新しいHandshakeを待っていることを示す合図なので、実際にはクライアントはすぐに新しいHandshakeを開始し、レコード12でClientHelloメッセージを送ります。

　これ以降は、第4章で説明したSSLクライアント認証のHandshakeと同じようにHandshakeが行われます。ただし、このプロセスはすべて最初のHandshakeで確立された暗号化通信路を通して行われることに注意してください。最後に、レコード18～22でHandshakeが完了すると、サーバは新たにネゴシエートしたフレッシュなセッションを使用して、レコード22でレスポンスを返します。

9.18.1　パフォーマンスへの影響

　クライアントが2回目のClientHelloメッセージを送るときに、セッション再開を申し出ていないことに注目してください。申し出ることもできますが、セッション再開はクライアント認証と両立しないので、いずれにせよサーバはセッション再開を拒否しなければなりません。このため、クライアントとサーバはまったく新しいHandshakeを行わなければなりません。このことから、再ネゴシエーション手法の大きな欠点が明らかになります。もともとHTTPSは通常のHTTPと比べてずっと低速なのに、接続を確立するためにサーバの処理量がさらに倍になるということです（鍵がRSA鍵だとすると、クライアントの処理の大部分は署名を処理することです。よって、最初のHandshakeで単純に認証する場合に比べて、2回目のHandshakeを行うことで余分に生じる負荷は、クラ

イアントにとってはそれほど大きくありません)。

9.18.2　そのほかの方法

　この問題からは、SSL の動作と HTTP の一般的な使用方法とが、いかにミスマッチかがよくわかります。これは SSL の設計ミスと言われがちです。しかし、SSL は汎用のプロトコルであり、最初のアプリケーションデータを転送する前に暗号技術に関する鍵をネゴシエートしなければならないというのは、SSL の設計に最初から組み込まれている本質的な部分です。リクエストには機密情報が含まれている可能性があるので、保護しなければならないのです。

　状況を改善することは可能です。まず、SSL のセッション再開でクライアント認証を行えるようにすることができます。これは技術的にも都合が良く、SSL メッセージの動作を少し変更するだけのことです。修正の方法は数多く考えられますが、そのうちの 1 つは、セッション再開の場合でも ServerHelloDone メッセージを使う方法です。こうすれば、サーバは CertificateRequest メッセージを送る機会を得ることができます。サーバのメッセージ全体は 1 つの Handshake レコード、つまり 1 つの TCP セグメントで送られるので、これによってパフォーマンスが落ちることはありません。

　以前、仮想サーバに関して、クライアントが接続しようとしているサーバを示すという方法を説明しましたが、これは今回は使用できません。この方法では、クライアントは Request-URI を平文でネットワーク上に送らなければなりません。Request-URI そのものが、機密情報の可能性があります。攻撃者は、スニッフィングによって、推測するまでもなく機密情報を手にすることができてしまいます。したがって、この手法は安全ではありません。

　このほかに、クライアント認証が必要なことを示す手がかりを URL に含めるという方法もあります。この場合もやはり、クライアント側がクライアント認証を申し出るような仕組みが SSL に必要です。クライアントは URL に基づいてこの申し出を行うことができます。この方法には、サーバでアクセス制御の設定を変更したときに、それに関する参照情報をすべて変更しなければならないという問題があります。しかし、クライアントが古くなった URL を使って接続を確立した場合には、いつでも再ネゴシエーションを行うことができます。現在のところ、その方法についての標準はありませんが、設計するのは非常に簡単です。

9.19 Referrerヘッダ

1997年、Daniel Kleinは、ReferrerヘッダがHTTPSの接続に対する受動的なスニッフィング攻撃に利用され得ることを発見しました。Referrerヘッダには、現在のページを参照するリンクをクリックしたときにユーザが表示していたページのURLが含まれます。Referrerヘッダは、そのサイトを参照しているほかのサイトを知ることのできる便利な手段で、さまざまな統計情報を収集するのに役立っていました。

この攻撃は、HTTPのGETとReferrerとの組み合わせの結果として起こり得ます。前に説明したとおり、HTMLフォームでGETを使用すると、Request-URIの最後に引数が追加されます。したがって、フォームを送信した結果として表示されるページ内で、ユーザがいずれかのリンクをクリックすると、Referrerヘッダにフォームの引数が含まれることになります。そのリンクがHTTPリンクであれば、次のリクエスト時には引数が平文で転送されます。リンクがHTTPSリンクであっても、ユーザがフォームを送信したサイト以外のサイトを指すものであれば、そのサイトではReferrerヘッダ内の引数を受け取ることになります。

外部に漏れたフォームフィールドにクレジットカード番号が含まれていたら、ユーザは困ってしまいます。この攻撃に対する一般的な対処法は、HTTPのPOSTを使用して送信するフォームを使うことです。POSTの場合、引数はメッセージ本体に含められるので、この攻撃をうまく避けることができます。

9.20 置換攻撃

第7章で説明したとおり、参照情報における整合性を確保するためには、信頼性のある方法でそれを取得しなければなりません。この原則を突いた攻撃は数多くあります。最も多いのは、HTTPSページへの参照情報を含むWebページにman-in-the-middle攻撃を仕掛けるというものです。この攻撃では、攻撃者はそのページに記されたHTTPS URLを、攻撃者のサイトを参照するように書き換えてしまいます。書き換えられたURLは、攻撃者が用意した証明書と一致するので、クライアントが行う、参照情報における整合性のチェックは問題なくパスしてしまいます。

ユーザが取り得る対策は、ブラウザに表示されるURLを調べ、それが自分の意図したサイトかどうかを確認するというものです（ただ、このような対処をするユーザはごく稀です）。しかし攻撃者は、被害者のWebサイトと似た名前のWebサイト（例えば、www.foosoft.comの代わりにwww.foos0ft.comなど）を用意することにより、ユーザによる対策をかわすでしょう。このような置換には、非常に鋭いごく一部のユーザしか

気付きません。

9.20.1　ユーザによる上書き

　前述のとおり、参照情報がサーバの証明書に一致しない場合でも、多くのブラウザでは接続を続行するかどうかを選択する機会をユーザに与えます。この動作を利用して攻撃を仕掛けるのは非常に簡単です。攻撃者は、ユーザが正しいと信じるような証明書（前節で挙げた foos0ft のような）を用意し、クライアントのHTTPSによる接続を乗っ取るだけです。多くの場合、ユーザは接続をそのまま続行するので、これで攻撃が成功します。

9.21　アップグレード

　RFC 2817 [Khare2000] では、HTTP/1.1のUpgradeヘッダを使って、HTTPからHTTP over TLSへの上方向ネゴシエーションを行う方法が定義されています。この手法は、別のポートを利用する以外の方法で、一般的なHTTPSの手法を提供することを目的としたものでした。しかし、実際のWebでは、それは採用されることはありませんでした。アップグレードについては、HTTPを使ったほかのプロトコルへの利用に関心が集まりました。その背景には、TLSを別のポートで提供するHTTPベースのプロトコルの標準化に対し、IESG▼が難色を示したという事情がありました。

▼Internet Engineering Steering Group

9.21.1　クライアントが要求するアップグレード

　説明をわかりやすくするために、クライアントがアップグレードを要求するという最も単純な場面を考えてみましょう。クライアントは、Upgrade: TLS/1.0 というヘッダをリクエストに含めるだけです（図9.14）。このリクエストにはHostヘッダが含まれていることに注目してください。サーバは仮想ホストとして機能しているので、IPアドレスが1つしかなくても、Hostヘッダによりクライアントが通信しようとしているホストを識別できます。また、図9.14のリクエスト中では、TLS/1.0 という識別子が使われています。SSLを表す識別子は標準化されていないため、SSLにアップグレードする公式な手段はありません。

図9.14
アップグレードリクエスト

```
GET /foo.bar HTTP/1.1
Host: www.example.com
Upgrade: TLS/1.0
Connection: Upgrade
（空行）
```

サーバがアップグレードを行う場合、サーバは、101 というレスポンスコードによってダミーのレスポンスを送ります（図9.15）。その直後に、TLS ネゴシエーションが開始されます。クライアントは、レスポンスを受け取ると、ClientHello メッセージを送ります。サーバは、TLS による接続のネゴシエーションが終わって初めて、クライアントの最初のリクエストに対するレスポンスを送ります。サーバの Upgrade ヘッダには、TLS/1.0 と HTTP/1.1 という識別子が両方とも含まれていることに注目してください。これらの識別子は「ボトムアップ（bottom-up）」の順に渡すようになっています。つまりこの場合、サーバは「HTTP over TLS で通信する」と主張していることになります。しかしながら、サーバはアップグレードを行わず、単純にクライアントのメッセージにレスポンスすることもできます。

図 9.15
アップグレードリクエストを受け入れるレスポンス

```
HTTP/1.1 101 Switching Protocols
Upgrade: TLS/1.0, HTTP/1.1
Connection: Upgrade
（空行）
```

　この方法には、クライアントの元のリクエストが平文で送られてしまうという、明らかな欠点があります。クライアントのリクエストには機密情報が含まれていることもあるため、これは問題です。RFC 2817 には、必須アップグレード（mandatory upgrade）と呼ばれる方法が用意されています。これは、クライアントがサーバにダミーのリクエストを送ることによって、実際のリクエストが盗み見られるのを防ぐ方法です。ダミーとして使われるのは、サーバの一般情報を要求する OPTIONS リクエストです。仕様では明らかにされていませんが、必須アップグレードの場合でも、サーバはアップグレードを拒否することができます。その場合、クライアントは機密情報を一切送信することなく、接続を終了することができます。

9.21.2　サーバが要求するアップグレード

　サーバが TLS へのアップグレードを要求することもあります。サーバは、通常のレスポンスに適切な Upgrade ヘッダを含めるだけで、TLS をサポートしているという情報を伝えることができます。場合によっては、サーバが TLS を強制することもあります。そのためには、TLS を必要とするリクエストに対し、426 Upgrade Required というエラーコードを含むレスポンスを返します（図9.16）。

図 9.16
必須アップグレード通知

```
HTTP/1.1 426 Upgrade Required
Upgrade: TLS/1.0, HTTP/1.1
Connection: Upgrade
（空行）
```

　ただし、426 というレスポンスを返すだけでは、TLS Handshake は開始されません。これは、その URL の取得には TLS を使わなければならない、ということをクライアントに示すエラーです。Upgrade Required を受け取ったクライアントは、前述した方法

でアップグレードを開始しなければなりません。必須アップグレードの告知が有用なのは、サーバが送信するデータが機密データの場合だけです。クライアントは、暗号化されていない通信路を使ってすでにデータを送信してしまっているので、もしリクエストに機密データが含まれていた場合には、そのセキュリティはすでに危殆化されている可能性があることになります。

HTTPアップグレードでは、HTTP over TLSをHTTPの接続上でネゴシエートすることができます。この意味では成功を収めた手法といえるでしょう。しかし、その魅力を半減させるような問題点も数多く抱えています。まず、プロキシとの相性はHTTPSよりもさらに悪くなっています。また、アップグレードが必要であることを示す参照情報はないので、セキュリティとパフォーマンスのトレードオフに頭を悩ませることになります。

9.21.3　プロキシとの相性

RFC 2616［Fielding1999］では、Upgradeヘッダを「ホップ・バイ・ホップ(hop-by-hop)」のヘッダとして定義しています。これは、このヘッダを自分宛のものと見なして動作するよう、プロキシに指示するものです。その目的は、サーバがまだアップグレードされていない場合でも、クライアントがプロキシとの間でより優れたプロトコル(例えばHTTP/1.0よりHTTP/1.1)をネゴシエートできるようにすることです。

しかし、クライアントは、サーバとの間にエンドツーエンドのTLSによる接続をネゴシエートしたいので、Upgradeヘッダのホップ・バイ・ホップという性質は、TLSへのアップグレードの際に問題となります。クライアントではこの問題に対処するため、HTTPSのときと同じように、まずCONNECTを使ってサーバへのトンネルを確立しなければなりません。つまり、トンネルを作成してからでないとTLSにアップグレードできないことになります。これではプロキシを介する意味がありません。これよりも良い方法は、クライアントがTLSをサポートしていることをエンドツーエンドで知らせるための、新しいヘッダを用意することです。プロキシはこのヘッダを認識し(変更はしません)、TLSがネゴシエートされている場合はプロキシを透過モードにします。

9.21.4　専用の参照がない

HTTPアップグレードのもう1つの問題は、サーバへの接続時にアップグレードが可能なことをクライアントに伝えるのに、参照情報を利用できないということです。仕様では、httpsの振る舞いはすべて以前と変わらない、と特筆されています。相変わらず、HTTPSを引き合いに出しているのです。

専用の参照情報がないという問題は、望ましくない結果を数多くもたらします。まず、HTTPSによって提供されていた最小限の参照情報における整合性の保護さえなくなってしまいます。アップグレードでは、TLSをネゴシエートすべきだったのにそうしなかった、ということさえもクライアントにはわかりません。クライアントが(たとえ日和

見的にでも）TLSを使うには、すべての接続に対してアップグレードを申し出るしかありません。前述のとおり、これはクライアントがすべてのプロキシに対してCONNECTを使わなければならないということであり、プロキシの効果がまったくなくなってしまいます。

さらに問題なのは、最悪なパフォーマンスでの振る舞いを受け入れる覚悟がクライアントにないと、クライアントのリクエストが丸見えになってしまうことです。リクエストの中には、フォームの内容がすべて含まれていることを思い出してください。それがクレジットカード番号を送信するフォームだったらどうなるでしょうか。サイトによっては、このような情報をURLに直接追加したり、ブラウザのクッキーに含めたりすることもあるので、リクエストに機密情報がいつ含まれるのかをクライアントソフトウェアが判断することはできません。

したがって、セキュリティを最大限に高めるためには、クライアントは常にまずOPTIONリクエストを試行しなければなりません。しかし、通常はTLSがサポートされていないので、その場合は、何の役にも立たないリクエストとレスポンスによるラウンドトリップが余分に発生することになります。アップグレードが成功した場合でも、ダミーリクエストを必要としない分、アップグレードよりもHTTPSのほうが高速です。幸い、このオーバヘッドが生じるのは、セキュリティをサポートしていないサーバのサイトにブラウザが初めて接続するときだけです。クライアントは、サーバがアップグレードをサポートしていないという事実をキャッシュに保存することができるからです。

最後になりますが、参照情報による区別ができないために、HTTPアップグレードはダウングレード攻撃に対して脆弱になります。具体的には、攻撃者がアップグレードを示す識別子を削除し、クライアントとサーバに無理矢理HTTPによるネゴシエートを実行させることができます。HTTPSでは、`https://`で始まるURLを逆参照する際、クライアントにはHTTPSを使用するつもりしかありません。そのため、このような攻撃は不可能です。

これらの問題はいずれも、アップグレードを使用したHTTP over TLSがサポートされていることを示す、URLの新しいスキームがあれば解決します。しかしながら、この目的に`https:`を兼用するわけにはいきません。それでは、HTTPアップグレードを必要とするサーバとHTTPSサーバとをクライアントが区別できなくなってしまいます。

9.22 プログラミングの問題

第8章では、SSLに関する一般的なプログラミングの問題について説明しましたが、プロトコルはそれぞれ異なり、HTTPSを使用したプログラミングにも特有の問題がいくつかあります。これ以降では、そのうちの2つの問題を取り上げます。1つは「9.16 プロキシ」で説明したHTTPのCONNECTメソッドの実装、もう1つは、使用頻度の高いすべてのサーバで必要となる、多数のHTTPS接続のサポートです。

9.23 プロキシのCONNECT

第8章で紹介したサンプルプログラムは、すべて直接サーバに接続していました。しかし「9.16 プロキシ」で説明したように、HTTPSクライアントは、直接ではなくプロキシを通してサーバに接続することもあります。そのため、もう少しプログラムを修正しなければなりません。図9.17に、プロキシを介してサーバに接続できる、新しいバージョンのクライアントを示します。ただしこのクライアントは、プロキシを介してしか接続できない点に注意してください。実際のクライアントは、環境に応じて動作を切り替えられなければなりません。

なお、多くのファイアウォールでは、CONNECTメソッドはポート443でしか許可されていません。しかし、このサンプルプログラムでは、プログラミング上の都合でポート4433を使用しています。ポート4433ならば、root権限がなくてもサーバを実行できるからです。プロキシ環境を試したいときには、テストサーバをポート443で実行しなければならないこともある点に注意してください。

図9.17 プロキシ対応クライアント

pclient.c

```
1   /* プロキシ対応のSSLクライアント
2      sclientと似ているが、プロキシしかサポートしない
3   */
4   #include <string.h>
5   #include "common.h"
6   #include "client.h"
7   #include "read_write.h"

8   #define PROXY "localhost"
9   #define PROXY_PORT 8080
10  #define REAL_HOST "localhost"
11  #define REAL_PORT 4433

12  int writestr(sock,str)
13     int sock;
14     char *str;
15     {
```

```
16      int len=strlen(str);
17      int r,wrote=0;
18      while(len){
19        r=write(sock,str,len);
20        if(r<=0)
21          err_exit("Write error");
22        len-=r;
23        str+=r;
24        wrote+=r;
25      }
26      return (wrote);
27    }
28  int readline(sock,buf,len)
29    int sock;
30    char *buf;
31    int len;
32    {
33      int n,r;
34      char *ptr=buf;
35      for(n=0;n<len;n++){
36        r=read(sock,ptr,1);
37        if(r<=0)
38          err_exit("Read error");
39        if(*ptr=='\n'){
40          *ptr=0;
41          /* CRがある場合は抜き取る */
42          if(buf[n-1]==' '){
43            buf[n-1]=0;
44            n--;
45          }
46          return(n);
47        }
48        *ptr++;
49      }
50      err_exit("Buffertoo short");
51    }
52  int proxy_connect(){
53    struct hostent *hp;
54    struct sockaddr_in addr;
55    int sock;
56    BIO *sbio;
57    char buf[1024];
58    char *protocol, *response_code;
59    /* ホストではなくプロキシに接続する */
60    if(!(hp=gethostbyname(PROXY)))
61      berr_exit("Couldn't resolve host");
62    memset(&addr,0,sizeof(addr));
63    addr.sin_addr=*(struct in_addr*)hp->h_addr_list[0];
64    addr.sin_family=AF_INET;
65    addr.sin_port=htons(PROXY_PORT);
66    if((sock=socket(AF_INET,SOCK_STREAM,IPPROTO_TCP))<0)
67      err_exit("Couldn't create socket");
68    if(connect(sock,(struct sockaddr *)&addr,sizeof(addr))<0)
69      err_exit("Couldn't connect socket");
70    /* 接続したので、プロキシにリクエストを送る */
```

```
71      sprintf(buf,"CONNECT %s:%d HTTP/1.0\r\n\r\n",REAL_HOST,REAL_PORT);
72      writestr(sock,buf);

73      /* レスポンスを読み取る */
74      if(readline(sock,buf,sizeof(buf))==0)
75        err_exit("Empty response from proxy");

76      if((protocol=strtok(buf," "))<0)
77        err_exit("Couldn't parse server response: getting protocol");
78      if(strncmp(protocol,"HTTP",4))
79        err_exit("Unrecognized protocol");
80      if((response_code=strtok(0," "))<0)
81        err_exit("Couldn't parse server response: getting response code");
82      if(strcmp(response_code,"200"))
83        err_exit("Received error from proxy server");

84      /* ヘッダの終わりを示す空行を探す */
85      while(readline(sock,buf,sizeof(buf))>0) {
86        ;
87      }

88      return(sock);
89    }

90    int main(argc,argv)
91      int argc;
92      char **argv;
93    {
94      SSL_CTX *ctx;
95      SSL *ssl;
96      BIO *sbio;
97      int sock;

98      /* SSLコンテキストを作成する */
99      ctx=initialize_ctx(KEYFILE,PASSWORD);

100     /* TCPソケットを接続する */
101     sock=proxy_connect();

102     /* SSLソケットを接続する */
103     ssl=SSL_new(ctx);
104     sbio=BIO_new_socket(sock,BIO_NOCLOSE);
105     SSL_set_bio(ssl,sbio,sbio);
106     if(SSL_connect(ssl)<=0)
107       berr_exit("SSL connect error");
108     check_cert_chain(ssl,HOST);

109     /* 読み取りと書き込み */
110     read_write(ssl,sock);

111     destroy_ctx(ctx);
112   }
```

――――――――――――――――――――――――――――― pclient.c

9.23.1 書き込み関数

12〜27行目 　プロキシ対応のこのクライアントは、プロキシサーバに対し、CONNECTリクエストを送信できなければなりません。書き込みのためのコードはwritestr()内にまとめてあります。この関数は、任意の長さの入力文字列を受け取り、それを指定のソケットに書き出すだけのものです。

9.23.2　読み取り関数

28〜51行目

クライアントは、プロキシサーバからのレスポンスを読み取る必要があります。レスポンスはキャリッジリターン(0x0d)とラインフィード(0x0a)で区切られた一連のHTTPヘッダ行です。readline()関数は、ネットワークから1行を読み取ってバッファに保存するだけです。この関数はあくまでサンプルプログラム用です。ネットワークから一度に1バイトずつ読み取るため、非常に非効率だからです。さらに、バッファが短すぎて行が収まらない場合には、悲惨な結果になります。

9.23.3　プロキシに接続する

52〜69行目

proxy_connect()は、第8章で使用したtcp_connect()に代わる関数です。この関数の最初の部分は、tcp_connect()で使用した接続のコードとほとんど同じです。ただし、今回はサーバに接続するのではなく、プロキシに接続しています。

9.23.4　リクエストを書き込む

70〜72行目

クライアントが最初にすべきことは、プロキシに接続させる本当のホストとポートを含んだCONNECTリクエストを作成することです。文字列の最後の「\r\n\r\n」という文字列は、空行を伴って、HTTPヘッダの終わりを示しています。その後はwritestr()を使用してリクエストをプロキシに送ります。

9.23.5　レスポンスを読み取る

73〜88行目

リクエストをプロキシに送ったら、プロキシに正常に接続できたことを確認するために、レスポンスを読み取らなければなりません。レスポンスの先頭行(ステータス行)を解析して、プロトコルがHTTPであること、ステータスコードが200であることを確認します。ヘッダの残りの部分はただ読み取って破棄します。プロキシのレスポンスの終わりも、やはり空行で表されます。SSLエンジンがServerHelloを探すときにプロキシのレスポンスを読み取ることがないように、ヘッダ行はここですべて読み取っておく必要があります。

9.23.6　main()

90〜114行目

main()関数は、101行目でconnect()ではなくproxy_connect()を呼び出すという点を除いて、sclient.cのmain()関数とほぼ同じです。トンネルを確立した後は、クライアントはプロキシの存在を完全に無視することができます。

プロキシを使う場合、クライアントは、SSL Handshakeを行う前にTCPソケットを直接読み書きしなければなりません。OpenSSLのAPIでは、SSLセッションを開始する前

にconnect()を呼び出すようになっているので、問題なくソケットの読み書きが可能です。しかし、PureTLSのようにconnect()とSSL Handshakeが統合されている場合には、これは不可能です◇。

> ◇ この問題はPureTLSの既知のバグに含まれています。本書が刊行されるまでに、作者がこの問題を修正していればよいのですが…。

9.24 複数のクライアントの処理

　実際のサーバは、複数のクライアントを同時に処理できなければなりません。これは、各クライアントとの間でのデータの読み書きを多重化し、準備ができているクライアントのリクエストから処理し、準備ができていないクライアントは無視するということです。さらに、1つのクライアントばかりに対応して残りを待たせることがないよう、この処理をタイムリーに行わなければなりません。1つのクライアントが多数の異なる接続を使ってデータをリクエストするHTTPSでは、このことが特に問題となります。

　第8章で紹介したように、select()を使ったI/Oの多重化の手法を使ってこの処理を行うこともできますが、あまり好都合ではありません。たくさんの状態を明示的に保持しておかなければならないことを考えると、このようなプログラムを書くのは難しいということがわかります。

　このことを理解するために、HTTPリクエストを読み取るという処理について考えてみましょう。サーバはデータを読み取りますが、リクエストはまだ一部しか準備できていません。サーバは、ほかのクライアントにも対応しなければならないので、リクエストの残りの部分を待っているわけにはいきません。そこで、すでに読み取ったデータを保存して、残りのデータはクライアントが送信し終わってから読み取ることにします。そのためには、そのクライアントとのやり取りを表す明示的なコンテキストオブジェクトを作成し、それをクライアントのソケットに関連付けなければなりません。これは、特別に難しいというわけではありませんが、不便です。

　もう1つの問題は、1つの操作に多くの時間を割り当てすぎないように、サーバが注意する必要があるという点です。例えば、リクエストが、5秒間かかる操作（データベースクエリなど）を実行するよう要求しているとします。当然、そのリクエストを送ったクライアントはその操作が終わるのを待たなければなりませんが、サーバは、そのクライアントのリクエストを処理するためにほかのすべてのクライアントを待たせるわけにはいきません。操作を中断してほかのクライアントのリクエストを処理してから、操作を再開できるようにするためには、やはり暗黙的ではなく明示的に操作の状態を保持する必要があります。

　さらにプログラマは、サーバが時間のかかる処理を実行している間にほかのクライアントのリクエストを処理できないということがないように、さまざまな操作の実行にか

かる時間に常に注意を払わなければなりません。サードパーティ製のライブラリを使う場合には、API呼び出しを中断する機能が用意されていない場合もあるので、これは特に問題になります。

9.24.1　マルチプロセスサーバ

複数のクライアントに対応する必要がある場合、大部分のプログラマはI/Oの多重化以外の手法を採用するでしょう。それは、それぞれのクライアント接続に独自の制御スレッドを割り当てるという方法です。通常、UNIXシステムではプロセスを、Windows（またはJava）ではスレッドを使います。それぞれのクライアントに対応するプロセスやスレッド間でCPU時間を分散する処理は、スケジューラが行います。これにより各クライアントを公平に扱うことができます。

このようなサーバの従来の設計では、クライアントの接続を待ち受けるのに単一のプロセスやスレッドが使われてきました。このプロセスやスレッドが新しい接続を受け取ると、新しいプロセスやスレッドを生成して、その接続を処理します。図9.18にこのようなサーバの疑似コードを示します。

図9.18
単純なサーバ

```
server_process() {
  server_socket=create_socket();

  for(;;){
    client=accept(server_socket);
    if(pid=fork()){
      /* 親プロセス */
      continue;
    }
    else {
      /* 子プロセス */
      serve_request(client);
      exit(0);
    }
  }
}
```

サーバのメインプロセスは無限にループします。そして、ループを1周するごとに`accept()`を呼び出します。新しいクライアント接続を受け取ると、`accept()`はその新しい接続に対応するソケットを返します。それ以外の場合は、新しいクライアント接続が届くまでの間、プロセスをスリープ状態にします。新しい接続が作成されたら、サーバはそれを処理するための新しいプロセスを作成します。UNIXでは`fork()`システムコールを使ってプロセスを生成します。Windowsでは`CreateThread()`を使って新しいスレッドを作成します。その後、親プロセスはループの先頭に戻り、再び`accept()`を呼び出します。

UNIXでは、サーバのリソースを解放するために、サーバに接続されたソケットに対して親プロセスから`close()`を呼び出す必要があります。特定のプロセスが一度に開くことのできるファイルディスクリプタの数には限りがあり、ソケットを閉じないと、親プロセスのソケットがすぐに足りなくなってしまいます。これは、子プロセスのソケッ

トには影響ありません。

　子プロセスまたは子スレッドは、クライアントを処理するだけです。スケジューラが自動的に割り込んで、サーバのほかのスレッドを処理するように制御するので、子プロセスは1つのクライアントの処理に専念できます。特に、ブロッキングI/Oの使用や時間のかかる処理の実行も、ほかのクライアント処理のために操作を中断することなく、安全(safe)にこなすことができます。

9.24.2　SSLを使用したマルチプロセスサーバ

　マルチプロセスサーバのいずれかにSSLを追加する際には、注意が必要です。単にすべてのソケット呼び出しをSSLソケットの呼び出しに置き換えようとしがちですが、これではうまくいきません。特に、SSL Handshakeは親プロセスではなく子プロセスで行わなければなりません。そうしないと、サーバは一度に1つのSSL Handshakeしか実行できなくなります。特に、クライアントとサーバとの間のラウンドトリップ時間が長い場合には、Handshakeは大きなボトルネックとなります。HTTPは接続数が多いため、このボトルネックは特に厄介です。

　このボトルネックを避けるには、親プロセスでTCPの`accept()`を実行し、SSL Handshakeは子プロセスで行う必要があります。OpenSSLでは、`SSL_handshake()`は単独の呼び出しになっているので、これはとても簡単に行うことができます。図9.19は、OpenSSLサーバプログラムのメインループをこのように修正したものです。

図9.19
OpenSSLを用いた単純なマルチプロセスサーバ

―――――――――――――――――――――――――――――――――― mserver.c
```
24    while(1){
25      if((s=accept(sock,0,0))<0)
26        err_exit("Problem accepting");

27      if(pid=fork()){
28        close(s);
29      }
30      else {
31        sbio=BIO_new_socket(s,BIO_NOCLOSE);
32        ssl=SSL_new(ctx);
33        SSL_set_bio(ssl,sbio,sbio);

34        if((r=SSL_accept(ssl)<=0))
35          berr_exit("SSL accept error");

36        echo(ssl,s);
37      }
38    }
```
―――――――――――――――――――――――――――――――――― mserver.c

　この中で新しいコードは、27行目の`fork()`呼び出しだけです。このコードは新しいプロセスを作成します(UNIXの場合)。このプロセスでは、SSL Handshakeを単独で行うことができます。Windowsのコードもほとんど同じですが、`fork()`の代わりに`CreateThread()`を呼び出します。

　PureTLSでは、JavaのソケットAPIをエミュレートしているので、`accept()`とSSL

Handshake はすべて同じ API 呼び出しの中で行われます。したがって、Handshake だけを子プロセスで行う手段はありません。これは PureTLS の不備です。本来なら、プログラマが`accept()`を呼び出してソケットだけを作成し、その後 SSL Handshake を別途行えるようにすべきでしょう。

9.24.3　SSL セッションキャッシュ

　マルチプロセスやマルチスレッドサーバを使う場合には、セッションキャッシュの手法について調整が必要です。すべての制御スレッド間で共有しなければならず、プロセスやスレッドから更新できなければならないので、セッションデータは一意とします。そのほかのデータ（SSL コンテキストデータなど）もすべてのプロセスやスレッドで共有できますが、絶え間なく更新されるわけではありません。セッションキャッシュのデータを更新する状況は、少なくとも 2 つあります。まず、新しいセッションが作成されたときには、それをキャッシュに追加しなければなりません。また、セッションが再開不能の場合（Alert を受け取った場合など）には、セッションキャッシュからそれを削除しなければなりません。同時更新によってキャッシュが破損することのないように、適切な制御を行う必要があります。

　プロセスではなくスレッドを使う場合は、これらの処理はずっと単純です。すべてのスレッドがメモリを共有するので、単純にセッションキャッシュのメモリ内表現を使うことができます。しかし、読み取りと書き込みの間は、やはりキャッシュデータをロックする必要があります。ロックする方法の詳細は、使用するシステムとスレッドパッケージによって異なりますが、Java を使って行うのがおそらく最も簡単です。Java ではメソッドを`synchronized`として宣言することができ、そうするとそのメソッドの呼び出しがシリアル化されます。図 9.20 は、同期を実現した PureTLS の内部セッションのキャッシュを行うコードです。

図 9.20
PureTLS における同期セッションのキャッシュコード

```
                                                                SSLContext.java
438    protected synchronized void storeSession(String key,SSLSessionData sd){
439      SSLDebug.debug(SSLDebug.DEBUG_STATE,"Storing session under key"+key);
440      session_cache.put(key,(Object)sd);
441    }

442    protected synchronized SSLSessionData findSession(String key){
443      SSLDebug.debug(SSLDebug.DEBUG_STATE,"Trying to recover session using key"+key);
444      Object obj=session_cache.get(key);

445      if(obj==null)
446        return null;

447      return (SSLSessionData)obj;
448    }

449    protected synchronized void destroySession(String sessionLookupKey){
450      session_cache.remove(sessionLookupKey);
451    }
                                                                SSLContext.java
```

PureTLS では、SSLContext クラスのインスタンス変数であるハッシュテーブル（session_cache）を使ってセッションデータを保存します。このコードでは、キャッシュにアクセスするために最低限必要な3つのメソッドを使用しています。これらは、エントリを作成するための storeSession()、エントリを探すための findSession()、エントリをキャッシュから削除するための destroySession() です。

9.24.4 マルチプロセスサーバのセッションキャッシュ

サーバで複数のスレッドではなく複数のプロセスを使う場合は、状況はかなり複雑になります。プロセスはメモリを共有しないので、単純にすべてのプロセスからアクセスできる共通の構造体へのポインタを使うことはできません。そのかわり、サーバは OS のサービスに依存してセッションデータを受け渡さなければなりません。

これを実現する方法はたくさんあります。大部分のツールキットでは、プロセス間でセッションデータを共有する機能がサポートされていないため、通常はサーバごとにこの問題を解決しなければなりません。単独のセッションサーバを用意するのが1つの方法です。セッションサーバでは、すべてのセッションデータをメモリ内に保存します。SSL サーバは、プロセス間通信の仕組み（通常は何らかのソケット）を利用して、セッションサーバにアクセスします。この方法の最大の欠点は、この処理のためにまったく異なるサーバプログラムを作成し、SSL サーバからセッションサーバへの通信プロトコルを設計しなければならないという点です。また、権限のあるサーバプロセスだけがアクセスできるようにアクセスを制御するのも困難です。

このほかに、共有メモリを使う方法もあります。多くの OS には、各プロセスでメモリを共有するための何らかの方法が用意されています。共有メモリのセグメントに割り当てられたデータには、通常のメモリと同じようにアクセスできます。しかし残念ながら、共有メモリプールにプロセスを割り当てる良い方法はありません。それらのプロセスは1つの大きなセグメントを割り当て、その中で静的にアドレッシングを行わなければならず、この方法にはそれほど利便性がありません。さらに、共有メモリアクセスは移植が困難です。

最もよく使われるのは、データをディスク上のファイルに保存するという単純な方法です。その後、各サーバプロセスはそのファイルを開き、その内容を読み書きします。flock() のような標準のファイルロックルーチンを使えば、同期と並列性を制御することができます。データをディスクに保存すると、共有メモリに比べて処理がかなり低速になりそうに思われますが、ほとんどの OS にはディスクキャッシュが用意されており、このようなデータはキャッシュに保存されることが多いでしょう。

この方法のバリエーションとして、通常のファイルの代わりに、UNIX の単純なデータベース（DBM など）を使う方法があります。この方法であれば、ファイルへの保存を気にせず、単純に新しいセッションレコードを作成したり削除したりできます。このようなライブラリを使う場合は、バッファに保存されているデータはディスクに書き込まれていないため、それぞれの書き込みの後にライブラリバッファをフラッシュするように

注意する必要があります。

　OpenSSLには、この種のセッションキャッシュのサポートはまったく用意されていません。しかし、プログラマがセッションキャッシュを行う独自のコードを使用するためのフックは用意されています。OpenSSLベースのApacheSSLでは、セッションサーバ手法を使っています。同じくOpenSSLベースのmod_sslでは、ディスクベースのデータベース手法と共有メモリ手法の両方をサポートできます。SPYRUS社のTLSGoldツールキットでは、データベースサポートはなく、ファイルを利用した手法を使います。これらの手法は非常に複雑なので、すべてのコードを紹介することはできませんが、付録Aにmod_sslでのセッションキャッシュのコードを記載してあります。

9.24.5　サーバの高度な構成

　初期のSSLサーバは、本節で説明したような方法で動作していました。しかし、UNIXではfork()のコストが非常に高くつきます。Netscapeのサーバが登場したときには、クライアントごとに新しいプロセスを作成するのではなく、数多くの子サーバを前もって生成しておき、それらのサーバにクライアントを分散するという機能が追加されました。現在では、人気の高いフリーのApacheサーバを含め、多くのUNIXサーバでこの方法が採用されています。

　後に、Netscapeサーバでも、同じサーバプロセス内で複数のスレッドを使うようになりましたが、複数のサーバプロセスによる方法も引き続き使用しています。新しい方法を使えばHTTPサーバの動作は向上しますが、複数のプロセスでセッションデータを共有する対応も、やはり必要です。

9.25 まとめ

　SSLはHTTPで使用するために設計されたので、両者は比較的うまく連携すると思われがちです。一般には確かにそのとおりで、HTTPSクライアントとサーバの普及率がそれを証明しています。しかし、細かいやり取りを見てみると、SSLとHTTPSの欠陥を補うために、力業で対処しなければならない状況が数多くあることがわかります。

- HTTPSは、HTTPを安全にするための代表的な手法です。HTTPSの実装は非常に単純であり、この事実がその急速な普及に貢献していることには疑いがありません。問題は数多くありますが、これからも広く採用されていくことでしょう。
- HTTPSでは、参照情報における整合性のためにホスト名を確認します。HTTPSのURLには、接続するサーバのホスト名が含まれています。クライアントは、ホスト名をサーバの証明書内の名前と突き合わせて確認します。ホスト名と一致しない名前を含む証明書については、特に規定はありません。
- HTTPSの利用はプロキシを無効にします。HTTPSを使うと、プロキシキャッシュはまったく効果がなくなります。さらに、`CONNECT`メソッドでHTTPSデータを送るには、特別なサポートが必要です。
- サーバがさまざまなリソースに対して別々のHandshakeをリクエストするのは困難です。SSL Handshakeはサーバがリクエストを確認するよりも前に行われるので、サーバにはリクエストするリソースに応じてHandshakeを調整する手段はありません。このため、コストの高い再ネゴシエーションが必要になります。
- HTTPアップグレードは、ポートの使用を節約し、仮想ホストに正しく対応するのに役立ちます。残念ながら、プロキシとの相性はHTTPSよりも悪く、参照情報における整合性はずっと弱くなるという問題もあります。
- 複数のHTTPS接続を必要とするWebページは数多くあるので、SSLにおけるセッションキャッシュは非常に重要です。Webサーバは複数のプロセスとして実行されることが多いので、サーバではキャッシュデータをプロセス間で共有しなければならず、実装の問題が生じます。

第10章
SMTP over TLS

10.1　はじめに

　続いて取り上げるプロトコルは、RFC 821◆監訳注1（[Postel1982]）に記述されているSMTP（Simple Mail Transfer Protocol）です。SMTPは、インターネット上で電子メールの転送に使われる、基本的なプロトコルです。インターネットのアプリケーションのうち、電子メールが最も重要な存在であることは間違いありません。したがって、そのセキュリティを確保することは、優先度の高い課題です。実際、SMTP over TLSの標準（RFC 2487［Hoffman1999a］）は、TLSの標準（RFC 2246）とほぼ同時に発表されています。

　HTTPを扱った第8章と同様に、本章でも、まずインターネットメールとSMTPの概要から説明します。その次に、RFC 2487で使われている手法を検討します。これから見ていくように、TLSによって電子メールにセキュリティサービスを提供するのは、基本的な部分でさえ非常に困難です。これは、RFC 2487の執筆者が悪いわけではありません。実のところ、SMTPに必要なセキュリティとTLSが提供できるセキュリティサービスとは、ほとんどかみ合っていないのです。この点でSMTPは、実に興味深いケースといえます。本章の最後では、SMTPをTLS上で使用する際に生じるプログラミングの問題について、簡単に取り上げます。

10.2　インターネットメールのセキュリティ

　電子メールを送信する手順は、ほとんどのインターネットユーザにとっておなじみのものでしょう。メールの送信者は、受信者の宛先を指定してメッセージを作成し、メッセージを書き終えたらそれを送信します。この一連の手順は、送信者が自分のメールプログラムから行います。送信者の側には、メールの配信を担当するローカルのメールサーバが用意されていて、まずこのメールサーバに向けてメールが送出されます。メールサーバでは、指定された受信者にメールが配送されるように手配します。ここで、メールの送信者が求めるセキュリティは、機密性です。すなわち、意図した受信者へと確実にメッセージが送り届けられること、そして、受信者以外にメールの内容が読まれないようにすることが求められます。場合によっては、メッセージが完全な形で受信者に届いたかどうかの確認も求められます。

　同じように、受信者側にもローカルのメールサーバがあります。送信者側のメールサーバが受信者側のメールサーバにメールを配送し、受信者のメールプログラムがメー

◆1.　本書監訳時点（2003年11月）ではRFC 2821となっています。

ルサーバからメールを取り出して、受信者に表示します。メールの受信者が求めるセキュリティは、メッセージ認証とメッセージの完全性です。すなわち、メッセージの送り主の確認と、途中でメッセージが改竄されていないことの確認が求められます。

10.2.1　基本的な技術

電子メールの仕組みと、どのようなセキュリティが適用できるかを理解するためには、電子メールを実現するインフラストラクチャの基本的な技術について理解することが重要です。ここでは、SMTP、RFC 822◆監訳注2 と MIME（Multipurpose Internet Mail Extensions）によるメッセージ形式、電子メールアドレスという、3つの主要な技術について概説します。

■SMTP

SMTPは、電子メールの転送を行う基本的なプロトコルです。送信側（クライアントプログラムまたはメールサーバ）と受信側メールサーバの間でメッセージを転送します。インターネットの黎明期には、これと同じ役割を果たすプロトコルがほかにもいくつかありましたが、現在ではSMTPが唯一の主要なメール配送プロトコルになっています。

■RFC 822 と MIME

SMTPが担当するのは、メッセージの転送だけです。メッセージそのものの仕様については、RFC 822（[Crocker1982]）で規定されました。しかしながら、RFC 822ではASCIIコードのテキストメッセージの書式が規定されただけで、後に、そのほかの書式のコンテンツをサポートする MIME が追加されました（[Freed1996a, Freed1996b, Moore1996, Freed1996c, Freed1996d]）。

■電子メールアドレス

メールを誰かに送信するためには、受信者の名前ではなく、電子メールアドレスを知らなければなりません。送信者側のメールサーバでは、電子メールアドレスを基に、どのメールサーバに配送すべきかを判断します。受信側のメールサーバでも、配送されてきたメールをどのように処理すべきかを電子メールアドレスから判断します。

10.2.2　実際上の考慮事項

ここまでに紹介したのは、いずれも基本事項であり、メールを送受信する環境には、ほかにもさまざまな機能があります。ここでは、そのような機能について考察していきましょう。メールの中継、仮想ホスト、MXレコード、クライアントからのメールアクセスといった機能は、どれも電子メールのセキュリティに関連してきます。

◆2.　本書監訳時点（2003年11月）では RFC 2821 となっています。

■メールの中継

メールが2台のサーバ間で直接受け渡されずに、途中でいくつものメールの中継ホストを経由することは珍しくありません。そのような場合は、これらの中継ホスト全体にわたってセキュリティを確保する必要があります。

■仮想ホスト

Webサーバのように、ISPが個人ドメインや小規模な企業ドメイン用のメールサーバを管理することがあります。ユーザは、インターネットに直接接続しなくても、独自のドメインと電子メールアドレスを持つことができます。このような場合は、HTTPSの場合と同様に、受信側サーバが送信側に適切な証明書を提示できるかどうか確認することが課題になります。

■MXレコード

メールの中継を使用すると、現在インターネットに接続していないマシン宛にメールを送信することができます。送信側では適切な中継ホストに接続し、メールの配信をその中継ホストに任せます。MX(Mail Exchanger)レコードは、接続する中継ホストを指定する手段です。

■クライアントからのメールアクセス

ほとんどのメールがUNIXマシン上で読まれていた時代には、メールサーバはメールをただディスクに置き、ユーザのクライアントがそれをディスクから読み出すという方式が取られていました。現在のネットワーク環境では、大部分のメールクライアントがPC上に存在し、サーバのファイルシステムには直接アクセスできません。これらのクライアントは、さまざまなネットワークプロトコルを使ってメールサーバにアクセスし、メールを取得します。

10.2.3　セキュリティ上の考慮事項

インターネットにおける電子メールの環境について理解すれば、適切なセキュリティサービスを提供する方法が検討できます。ここでも、第7章で解説した「プロトコルの選択」、「クライアント認証」、「参照情報における整合性」、および「接続のセマンティクス」という重要な課題を検討する必要があります。

10.3 インターネットメールの概要

インターネットメールシステムは、クライアントであるMUA（Mail User Agent）と、サーバであるMTA（Mail Transport Agent）の、少なくとも2種類の主体で構成されます。メールクライアントは、ユーザが操作するプログラムです。メールクライアントはユーザ宛のメールを表示したり、新しいメールを作成して送信したりする機能を提供します。しかし、多くの場合クライアントはメールの受信や配信には関与せず、これらの処理はMTAに任されています。

前述のとおり、電子メールは送信者から受信者に直接受け渡されず、途中でいくつかのサーバを経由します。図10.1は、単純なメールシステムが1通の電子メールを配送する様子を示しています。この図では、左側の送信側クライアントが、右側の受信側クライアント宛にメッセージを送信しています。ユーザがメッセージを作成し、メールクライアントはSMTPを使ってそれを送信者側のローカルのメールサーバに送信します。そのローカルのメールサーバは、そのメッセージを（やはりSMTPを使って）受信者側のローカルのメールサーバに送信します。

図 10.1
単純なメールシステム

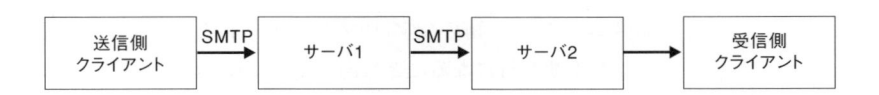

送信側クライアント →SMTP→ サーバ1 →SMTP→ サーバ2 → 受信側クライアント

実際には、メールクライアントから最初のサーバにメッセージを送信するとき、SMTP以外の手段を使うこともあります。UNIXシステムでは、メールクライアントがMTA（普通はSendmail）をプログラムとして呼び出し、SendmailがSMTPを使ってメッセージをネクストホップ（next hop）のサーバに届けることがあります。また、MTAがMicrosoft Exchangeの場合、たいていのクライアントはMAPI（Mail Application Programming Interface）を使ってMTAと通信します。

最後に、受信者側のローカルのメールサーバから受信者へとメールを届けなければなりませんが、この場面ではSMTPが使われません。メールサーバに到着したメールを受信者が読み出すには、POP（Post Office Protocol）［Myers1996］やIMAP（Internet Mail Access Protocol）［Crispin1996］をはじめ、さまざまなプロトコルが利用されています。また、ほとんどのUNIXシステムでは受信者の使用しているマシン上でメールサーバが稼働しているので、受信者はそのままディスク上のメールメッセージを読むこともできます。HTTPを使ってメールを読み出すことも可能です。いずれにせよ、この場面ではSMTPは使われません。

受信者側のメールサーバが一時的にオフラインになった場合はどうなるでしょうか。この場合、送信者側のローカルのメールサーバがメールを預かっておき、配送が可能になるかメッセージがタイムアウトするまで、何度か再送を試みます。メールが受信者側のローカルのサーバに配送されれば、受信者がオンラインである必要はまったくありま

せん。ローカルのサーバでメールを保管しておいて、受信者が取り出すのを待ちます。このように、インターネットのメールシステムは、HTTPと違って、ネットワークの切断にうまく対処するようにできています。インターネットに常時接続していないユーザに対応するには、どうしてもそれなりの仕組みが必要なのです。このようなメッセージングの方式を「ストアアンドフォワード(store-and-forward)」といいます。

10.4 SMTP

　SMTPは、HTTPと同様に、概念は単純でも現実には複雑なプロトコルです。送信側エージェントは、受信側エージェントのTCPポート25に対して接続を確立します。送信側と受信側のエージェントは、一連のリクエストとレスポンスを交換し、送受信に必要なパラメータ(送信者と受信者を含む)を決定します。すべてのパラメータを決定した上で、送信側エージェントがサーバ宛にメッセージを送信します。

　すべての通信は決まりきった手順で行われます。送信側エージェントはコマンドを送信し、受信側エージェントが応答します。CRLFまでの一行がコマンドと見なされます。レスポンスは、3桁の数字(リプライコード)と、それに続く説明文で構成されます。レスポンスが複数行になることもあります。最後の行以外には、まだ続きの行があることを示すため、リプライコードの後ろにハイフンが付きます。図10.2に、SMTPによる接続の簡単な例を示します。

図10.2
SMTPの簡単な例

```
New TCP connection: romeo(3094) <-> speedy(25)
1 949464306.6034 (0.0966) S>C
data: 101 bytes
------------------------------------
220 speedy.rtfm.com ESMTP SendWhale 8.9.1/8.6.4 ready at 28.8K Tue, 1 ↵
Feb 2000 20:05:03 -0800 (PST)
------------------------------------

2 949464306.6036 (0.0969) C>S
data: 21 bytes
------------------------------------
EHLO romeo.rtfm.com
------------------------------------

3 949464306.6089 (0.1022) S>C
data: 173 bytes
------------------------------------
250-speedy.rtfm.com Hello romeo.rtfm.com [216.98.239.227], pleased to ↵
meet you
250-EXPN
250-VERB
250-8BITMIME
250-SIZE
250-DSN
250-ONEX
250-ETRN
250-XUSR
250 HELP
```

```
------------------------------------
4 949464306.6094 (0.1026) C>S
data: 41 bytes
------------------------------------
MAIL From:<ekr@romeo.rtfm.com> SIZE=224
------------------------------------

5 949464306.8004 (0.2937) S>C
data: 39 bytes
------------------------------------
250 <ekr@romeo.rtfm.com>... Sender ok
------------------------------------

6 949464306.8005 (0.2938) C>S
data: 24 bytes
------------------------------------
RCPT To:<ekr@rtfm.com>
------------------------------------

7 949464306.8302 (0.3234) S>C
data: 36 bytes
------------------------------------
250 <ekr@rtfm.com>... Recipient ok
------------------------------------

8 949464306.8303 (0.3236) C>S
data: 6 bytes
------------------------------------
DATA
------------------------------------

9 949464306.8570 (0.3502) S>C
data: 50 bytes
------------------------------------
354 Enter mail, end with "." on a line by itself
------------------------------------

10 949464306.8578 (0.3510) C>S
data: 445 bytes
------------------------------------
Received: from romeo.rtfm.com (localhost [127.0.0.1]) by romeo.rtfm.com ↵
    (8.9.3/8.6.4) with ESMTP id UAA46227 for <ekr@rtfm.com>; Tue, 1 Feb ↵
    2000 20:05:06 -0800 (PST)
Message-Id: <200002020405.UAA46227@romeo.rtfm.com>
To: ekr@rtfm.com
Subject: Test message
Mime-Version: 1.0 (generated by tm-edit 7.108)
Content-Type: text/plain; charset=US-ASCII
Date: Tue, 01 Feb 2000 20:05:06 -0800
From: Eric Rescorla <ekr@rtfm.com>

This is a test
------------------------------------

11 949464306.9991 (0.4924) C>S
data: 3 bytes
------------------------------------
.
------------------------------------

12 949464307.0654 (0.5587) S>C
data: 44 bytes
------------------------------------
250 UAA09843 Message accepted for delivery
------------------------------------

13 949464307.0864 (0.5797) C>S
```

```
data: 6 bytes
------------------------------------
QUIT
------------------------------------
14 949464307.1127 (0.6059) S>C
data: 40 bytes
------------------------------------
221 speedy.rtfm.com closing connection
------------------------------------

Client FIN
Server FIN
```

　送信側が最初に受信側に接続したとき、受信側は識別情報（通常はホスト名とソフトウェアのバージョン番号が含まれる）付きのバナーを送信します。この例では、セグメント1から、サーバがSendmail 8.9.1であることがわかります。

　送信側は、最初にHELOまたはEHLOというコマンドを送信します。RFC 821に記載されている従来のSMTPでは、HELOコマンドが使われていました。RFC 1425[監訳注3]でSMTPにさまざまな拡張が加えられましたが、EHLOコマンドは、送信側がその変更された仕様に準拠していることを示します。どちらのコマンドにも、送信側の自称するホスト名を含める必要があります。この例では、送信側のホスト名はromeo.rtfm.comです。

　受信側は、EHLOに対して、自分自身のホスト名とサポートしている拡張の一覧を返します。この例のサーバは、EXPN、VERB、8BITMIMEなど、さまざまな拡張をサポートしていることがわかります。

　これ以降の接続も同じような流れで進みます。送信側は、メッセージを送信したユーザをMAILコマンドで、またメッセージの受信者をRCPTコマンドで識別します。どちらの場合も、受信側サーバは状態コード250を返し、コマンドが正常に完了したことを通知しています。

　送信者と受信者が確認できれば、送信側エージェントはDATAコマンドを使って実際のメッセージを送信できるようになります。受信側は354を返し、メッセージを送信するよう送信側に知らせます。実際のメッセージはセグメント10に示されたとおりです。SMTPでは、ピリオドだけを含む1行（つまり「.CRLF」）により、データの終わりを通知します。セグメント11がこの部分に当たります。セグメント12で、受信側はメッセージを受け付けたことと、それを配送できる状態になったことを通知しています。

　この後、送信側エージェントは、MAIL、RCPT、DATAの順にコマンドを繰り返して、さらに別のメッセージを送信することもできます。この例では、ほかに送信するメッセージがないので、送信側エージェントがQUITを使って接続を終了しています。

◆3.　RFC 1869を経て、本書監訳時点（2003年11月）ではRFC 2821となっています。

10.5 RFC 822 と MIME

RFC 822 では、非常に単純な形式のメッセージを規定しています。メッセージは複数のヘッダ行とメッセージ本文から構成され、各ヘッダ行は、以下のように、ヘッダ名とコロン、値から構成されます。

From: ekr@rtfm.com

メッセージ本文の内容については、ほぼ自由な形式です。RFC 822 では、メッセージ本文のデータが ASCII 文字に限られていましたが、MIME によってバイナリデータも使用できるようになりました。図 10.3 は、筆者が自分宛に送信したメールメッセージの簡単な例です。2 つの長い Received ヘッダ行が複数行にわたって表示されていることに注意してください。ヘッダ行のうち空白文字で始まっているものは前の行の続きで、折り返されて表示されていることを表しています。

図 10.3
電子メールメッセージ

```
From ekr@Network-Alchemy.COM Tue Feb 8 09:25:10 2000
Received: from Hydrogen.Network-Alchemy.COM (Hydrogen.Network-Alchemy.COM
 [199.46.17.130]) by speedy.rtfm.com (8.9.1/8.6.4) with ESMTP id JAA04954
 for <ekr@rtfm.com>; Tue, 8 Feb 2000 09:25:09 -0800 (PST)
Received: (from ekr@localhost) by Hydrogen.Network-Alchemy.COM
 (8.8.7/8.8.8) id JAA05750 for ekr@rtfm.com; Tue, 8 Feb 2000 09:23:52
 -0800 (PST) (envelope-from ekr)
Date: Tue, 8 Feb 2000 09:23:52 -0800 (PST)
From: Eric Rescorla <ekr@Network-Alchemy.COM>
Message-Id: <200002081723.JAA05750@Hydrogen.Network-Alchemy.COM>
To: ekr@rtfm.com
Subject: Test message

How about this?
```

　この書式は、以前に説明した HTTP のリクエストとレスポンスの書式と非常によく似ています。それもそのはずで、HTTP メッセージは電子メールメッセージを参考に作成されたものなのです。このメッセージの Received 行を見ると、メールパスの途中にある SMTP サーバが、メッセージに新しいヘッダ行を追加していることがわかります。実は、クライアントの MUA が作成したのは To と Subject という最後の 2 つのヘッダ行だけです。それ以外は、各サーバがデータを処理するたびに、メッセージの先頭に追加した独自のヘッダ行です。

　具体的には、クライアントの MUA が hydrogen.network-alchemy.com にあるローカルの MTA にメッセージを渡したときに、メッセージの送信日時を示す Date フィールド、送信者を示す From フィールド、およびこのメッセージの「追跡番号」を示す Message-Id フィールドが、サーバによって自動的に追加されています。From フィールドの処理は、実装によって異なることに注意してください。このフィールドを自ら生成するメールクライアントもあり、その場合は、サーバがそれを変更することは普通はありません。

メッセージの先頭のFrom行と最初のReceivedヘッダを追加したのは、speedy.rtfm.comにある受信者のメールサーバです。このFrom行は、UNIXのmbox格納形式の一部として、特定のUNIXメーラだけが追加します。

10.5.1 Received行

Received行は、メッセージが通過してきたメールシステムのパスの記録です。各サーバがメッセージを処理するときに、メッセージの先頭に独自のReceived行をそれぞれ追加していきます。

これらのヘッダを見てみると、元のメッセージがhydrogen.network-alchemy.comというマシン上のekrというユーザによって送信されたことがわかります。ユーザはメールサーバにSMTPで接続するのではなく、直接メールサーバを呼び出しています(実際は、Mailコマンドを使ってSendmailを呼び出しています)。hydrogen.network-alchemy.comは、speedy.rtfm.com(rtfm.comドメインのメールサーバ)に直接接続し、メッセージを配信しています。speedy.rtfm.comはメッセージをディスクに書き込んで、ユーザが読める状態にしています。

10.5.2 送信者の識別情報

お気付きのとおり、メッセージには誰が送信者かを示す情報が2つ含まれています。1つはメッセージの先頭のFrom行です。コロンが付いていないことからもわかるように、これはヘッダ行ではありません。この行は、Sendmailがディスクにデータを書き込む前に追加したものです。メーラによっては、別の書式を使うものもあります。この行は「トランスポート識別子(transport identity)」を表すと考えることができます。つまり、送信側SMTPエージェントがMAILコマンドで使用した識別情報です。メッセージ内のFrom行は「メッセージ識別子(message identity)」とでもいうべきもので、メッセージの送信者がメッセージに挿入した識別情報です。SMTPはこの識別情報を無視します。

この例では、ユーザが送信側エージェントをネットワーク経由ではなくプログラムとして呼び出しているので、エージェントはユーザの識別情報を確認し、適切なMAILコマンドを生成することができます。一方、ユーザは新しいFromヘッダを作成し、それを送信側エージェントに送信させることが可能です。このため、Fromヘッダは信頼できません。後ほど説明しますが、MAILコマンドの内容も信頼できません。

10.6 電子メールアドレス

インターネットメールでは、識別方法として電子メールアドレスが使われます。電子メールアドレスは、宛先への到達方法(参照)を示すためと、送信者の識別情報を示すための両方の目的で使用されます。したがって、メールの送受信を安全に行う方法を理解するには、アドレス指定の仕組みをよく理解する必要があります。

インターネットメールのアドレス指定は、非常に複雑になる場合があります。特に、アドレスには、次にメールを転送するサーバを経路内の各サーバに指示するための、あらゆる種類のルーティング情報を含めることができます。DNSとMXレコードが登場するまでは、次のように「bangパス」にルーティング情報を入れてアドレスを指定することがよくありました。

```
foo!bar!ekr
```

このアドレスは、メールをホスト foo に送信することを意味しています。foo はそれを、ホスト bar のユーザ ekr に送る必要があります。幸い、現在のインターネットでは、このような習慣はほぼ廃れており、アドレスは次のように簡単に表記することができます。

```
local-part@domain
```

domain の部分は、宛先マシンの DNS ドメイン名と考えて構いません。厳密には違うのですが(「10.9 MX レコード」の、メールの中継と MX レコードについての解説で詳しく説明します)、考え方としては近いといえます。

local-part の部分は、メールボックスと考えることができます。これも厳密には違うのですが、そのようなものだと考えてください。この部分は実際のユーザに対応しているとは限りません。例えば、サーバの外部で実行されているメーリングリストに対応していたり、別のユーザのエイリアスだったりする場合があります。現に、マシンには postmaster というアドレスを用意することになっていますが、普通は postmaster ユーザを作成する代わりに、このアドレスを管理者のアカウントへのエイリアスにします。

図 10.4
電子メールアドレス

```
postmaster@example.com
└──────┬──────┘ └────┬────┘
   local-part      domain
```

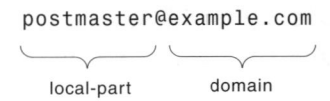

図10.4 では、例を使って、local-part と domain の部分を示しています。このアドレスは、example.com ドメインの postmaster というメールボックスを示しています。

10.7 メールの中継

ここまでに見てきた例では、メッセージは送信者のローカルメールサーバから受信者のローカルメールサーバに直接送られていました。しかし多くの場合は、途中にほかのサーバが介在しています。このような状況は、ネットワークのセグメント化、特にファイアウォールによる分離が原因となって、よく起こります。

第7章で説明したように、多くのファイアウォールはプロキシ経由でしか通信の通過を許可しません。そのため、ファイアウォールには通信をプロキシ処理する何らかのSMTPエージェントが必要です。HTTPプロキシとは違い、SMTPプロキシは双方向です。つまり、外部から受信したメッセージを内部のSMTPサーバに送信するだけでなく、内部からのメッセージを外部のサーバに転送します。したがって、送信側と受信側の両方がファイアウォールの内側にある場合には、すべてのメッセージが最低4つのSMTPサーバ(送信側のローカルのメールサーバ、送信側のファイアウォール、受信側のファイアウォール、および受信側のローカルのメールサーバ)を通過することになります。

電子メールの中継において必ず直面するセキュリティ上の課題は、不正な中継ホストにメールを読まれたり、メールを改竄および偽造されたりしないようにすることです。HTTPSでは、中継ホストを排除することでこの問題を解決しました。CONNECTメソッドを使用すると、クライアントとサーバ間でエンドツーエンドの接続を確立することができます。しかし、SMTPはストアアンドフォワード方式なので、この方法は不可能です。SSLを使用する場合は、信頼できる中継ホストだけを通じて接続するような工夫が必要です。

10.7.1 部署ごとのサーバ

企業が複数のサーバを部署ごとに設置して、社内の各部署がそれぞれのサーバを使うようにすることがよくあります。例えば、経理部と技術部で別々のサーバを使うような場合です。それぞれの部署でのニーズの違いを考慮して、技術者はUNIXマシンとSendmailを利用し、経理担当者はNTマシンとExchangeを利用するというように、技術部と経理部のサーバを異なるOSで稼働させることも考えられます。

企業が部署ごとにサーバを設置するもう1つの目的は、負荷分散です。電子メールは往々にしてかなりのディスク領域を占有します。そのため大規模な組織では、大容量のディスクを搭載した1台のマシンではなく、小容量のディスクを搭載した複数のマシンを配置することがあります。また、この方法には、組織内に単一障害点を作らないという利点もあります。

しかしながら実際には、どの部署のホストに利用していたとしても、1つのメールボックスであるかのようなアドレス指定によって、このような複雑な仕組みが見えないようにするのが望ましいでしょう。これを実現するには、すべてのメールが何らかの中央

サーバを経由し、そこから各部署のサーバに振り分けられるようにする必要があります。図 10.5 に、そのような構成を示します。

図 10.5
組織化されたサーバ

```
                salesman@sales.example.com宛のメール
                              ↓
                    ┌──────────────────┐
                    │  main.example.com │
                    └──────────────────┘
                    ↙        ↓         ↘ salesman@sales.example.com
    ┌──────────────┐ ┌──────────────┐ ┌──────────────────┐
    │eng.example.com│ │corp.example.com│ │sales.example.com│
    └──────────────┘ └──────────────┘ └──────────────────┘
```

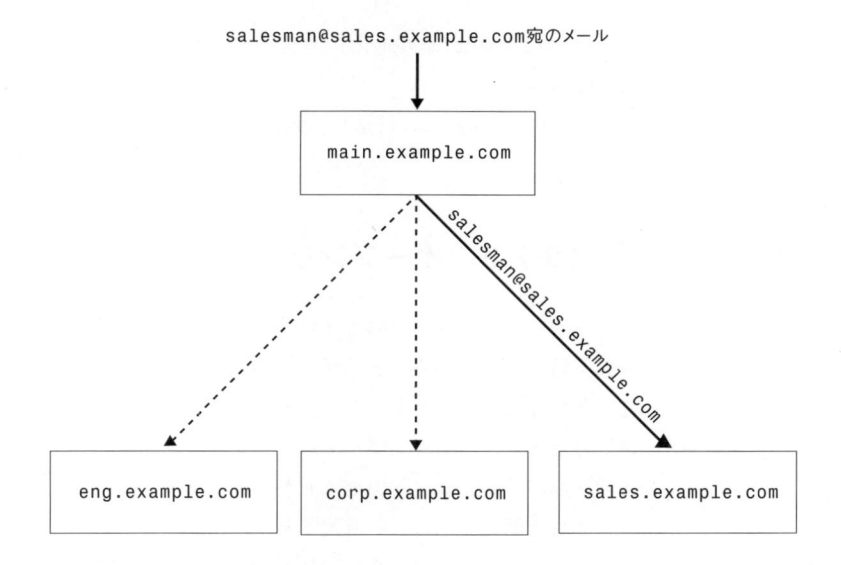

図 10.5 では、ExampleCo という会社（ドメインは example.com）に中央サーバが 1 台設置されています。ExampleCo 社には、技術部（engineering）、経営管理部（corporate management）、営業部（sales）の 3 つの部署があり、それぞれが独自の SMTP サーバを持っています。salesman 宛のメッセージが届くと、最初に main.example.com がそれを受け取り、sales.example.com に中継すべきメッセージであると判断します。

すべての部署のサーバに同じドメインを持たせると、サーバ間でユーザ名を同期させる必要が生じてしまいます。この短所を避けるため、組織によっては部署ごとにドメインを分けてサーバを運用しているところもあります。そうしたシステムでは、foo@corp.example.com という形式の電子メールアドレスが使われるのが普通です。このような組織でも、純粋に管理上の理由またはファイアウォールの都合で、外部からのすべてのメールを 1 台のメールサーバで受信していることがあります。

10.7.2　スマートホスト

独自のメールサーバを運用している組織では、外部への配信をすべて 1 台のサーバに任せたほうが望ましいことがよくあります。そこで、各部署のサーバがすべてのメッセージをメインのサーバへと中継するように設定します。このメインサーバは、しばしば「スマートホスト（smart host）」と呼ばれます。

スマートホストを設置する利点は、複雑なメールの設定が、すべて 1 つの管理ポイントで行えることです。各部署のサーバは、常にスマートホストへと転送すればよいので、ルーティングが非常に単純になり、設定が容易になります。もっとも、現在のインターネットではメールのルーティングが全般的にかなり単純になっているので、これは以前

ほど大きな利点とはいえません。しかし、スマートホストを使えばメール配送の管理を一元化できるので、今でもよく利用されています。

図10.6は、図10.5と同じサーバ構成ですが、この図では`eng.example.com`のユーザが`recipient@rtfm.com`という電子メールアドレスにメッセージを送信しています。`main.example.com`マシンはスマートホストなので、`eng.example.com`はメッセージを`main.example.com`に送り、`main.example.com`がそれを`rtfm.com`に送信する手配をします。

10.7.3　オープンリレー

インターネットが今日のように普及するまでは、ある組織がネットワークのほかの部分に常時接続していることは稀で、1〜2台のほかのメールサーバにときどき接続するだけということもありました。これらのメールサーバは、ネットワーク宛のメールを受け取るとともに、ネットワークから外部へのメールを中継していました。そのためメールサーバの設定では、どのホストからどのホスト宛のメール通信でも受け付け、可能な限りそれを配送することが慣習であり、礼儀でもありました。このような設定は「オープンリレー(open relay：第三者中継)」と呼ばれます。

こうした設定はあまり一般的ではなくなりましたが、いまだに多くのメールエージェントがオープンリレーに設定されています(特に米国以外)。ダイレクトメールの電子メール版である「スパム」(頼んでもいないのに大量に送られてくる宣伝用の電子メール)の増加から、最近ではオープンリレーが問題視されています。

スパムを阻止する戦術として一般的なのは、スパム業者のネットワークからのSMTPの接続を拒否することです。多くの組織が既知のスパム業者を一覧にして提供しているので、このリストに記載されたメール送信者を拒否するようにメールサーバを設定することができます。しかしスパム業者も、これに対抗するため、意識の低いオープンリレーを介してメールを送信してきます。このため管理者は、正規のマシンからのメールまで拒否してしまうか、それともそれらのマシンを経由して中継されてくるスパムを受け取るかという、難しい選択を迫られます。拒否を選択する場合は、既知のスパム業者と同様にオープンリレーサーバの一覧を入手できるので、それを利用します。

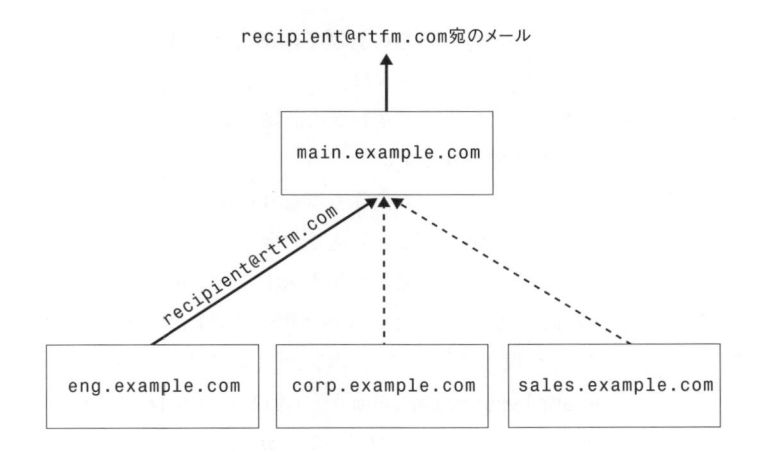

図 10.6
スマートホスト

```
                    recipient@rtfm.com 宛のメール
                              ↑
                    ┌──────────────────┐
                    │  main.example.com │
                    └──────────────────┘
                      ↖     ↑     ↖
               recipient@rtfm.com
        ┌──────────────┐ ┌──────────────┐ ┌──────────────┐
        │eng.example.com│ │corp.example.com│ │sales.example.com│
        └──────────────┘ └──────────────┘ └──────────────┘
```

ここでのセキュリティの課題は、承認されたマシンに対しては(たとえそのマシンが自分のネットワークに属していなくても)中継を許可し、承認されていないマシンに対しては中継を禁止することです。SSLを利用すると、こちらのサーバを中継ホストとして使おうとする送信者に強力な認証を提供し、承認されたマシンとして認証を受けた送信者のメールだけを中継することができます。

10.8 仮想ホスト

すでに述べたとおり、ISPの顧客が独自の電子メールドメインを持ちたいと望むことがよくあります。こうした顧客はダイヤルアップ回線経由で接続していることが多く、インターネットに常時接続することができません。このような場合、ISPでは顧客の代わりにメールを受信し、顧客はリモートからメールを読めるように準備します。SMTPのRCPTコマンドはメール受信者のドメイン名を識別するので、SMTPでは簡単に仮想ホストをサポートすることができます。しかしながら、HTTPの場合と同様に、セキュリティを追加しても同じようにきちんと機能するよう配慮する必要があります。

10.9 MXレコード

ここまでの説明では、サーバが特定の受信者にメールを配送する際に、どうやって接続先のサーバを調べるのかという問題には触れませんでした。メールのルーティングの概念は単純ですが、いくつか考慮すべき微妙な問題があります。

一般に、メールサーバにはダム(dumb)サーバとスマートホストの2種類があります。

ダムサーバは、自らの管理下にあるメールボックス宛のメールを認識し、配送します。それ以外のメッセージは、スマートホストに渡して配送を依頼します。したがって、ダムサーバにはルーティングの問題はありません。スマートホストを認識するように設定するだけで済みます。

　スマートホストの動作もかなり単純だろうと思われるかもしれません。電子メールアドレスのdomain部分を見て、指定されたサーバに接続すればよいように思えるからです。しかし、配送先が仮想ホストである場合は、そうはいきません。例として、mail.exampleisp.comというISPサーバが1台あり、このサーバでexamplecustomer.comという仮想ドメインをホスティングしているとします。まず1つの方法として、examplecustomer.comからmail.exampleisp.comのIPアドレスを指し示すDNSのAレコードを登録することが考えられます。しかし、こうしてしまうと、examplecustomer.comというマシンが実際にはインターネット上に存在しないにもかかわらず、Telnetのようなほかのサービスでもこのドメインを利用できるように見えてしまいます。

　より良い解決策は、メール専用のレコード、すなわちMXレコードを使うことです。MXレコードは、自身の参照先が、要求されたドメインへのメールの中継ホストであることを送信側に伝えます。図10.7のように、MXレコードを複数登録することもできます。

図 10.7
microsoft.com の MX レコード

```
microsoft.com preference = 10, mail exchanger = mail2.microsoft.com
microsoft.com preference = 10, mail exchanger = mail3.microsoft.com
microsoft.com preference = 10, mail exchanger = mail4.microsoft.com
microsoft.com preference = 10, mail exchanger = mail5.microsoft.com
microsoft.com preference = 10, mail exchanger = mail1.microsoft.com
```

　図10.7は、nslookupコマンドで取得したmicrosoft.comドメインのMXレコードです。mail1からmail5までの5台のマシンのレコードがあることがわかります。各レコードに優先値(preference)が設定されていることに注目してください。この値を使うと、送信側が接続を試みるメールサーバの順序を指定することができます。つまり、MXレコードでは、通信を特定のリンクに優先的に振り分けることができるのです。Aレコードには優先値がないので、このようなことはできません。

　ただ残念ながら、このようなメールの中継はセキュリティ上の問題を引き起こします。DNSは信頼できないので、取得するMXレコードが偽造されたものでないという保証はありません。このため、CNAMEの場合と同様に、接続時にはメールサーバの名前(例：mail1.microsoft.com)ではなく、受信者のドメイン(例：microsoft.com)をサーバの証明書と照合する必要があります。後述しますが、これは管理面の問題につながります。

10.10 クライアントからのメールアクセス

多くのクライアントはローカルなメールサーバと同じマシン上で実行され、ディスクからデータを読み込むことができます。しかし、POPやIMAPなどのネットワークプロトコルを通じてメールにアクセスしなければならないクライアントも数多くあります。当然、このようなクライアントとサーバ間の接続も安全な方法で行われなければなりません。これらのプロトコルを安全にする方法は、本章の範疇を越えていますが、クライアントがメールを安全に取得しない限り、サーバ間のリンクを安全にするだけでは無意味だということを忘れないでください。もちろん、クライアントとサーバ間の通信の保護にはSSLがよく使われます（[Newman1999]）。そして、各プロトコルでSSLを使用するときは、いくつかのデリケートな問題に対処する必要があります。第7章のガイドラインを復習した後で、これらの基準について検討すると有益でしょう。

10.11 プロトコルの選択

図10.2で見たように、SMTPにはすでに拡張メカニズムが用意されています。安全なSMTPを実装する際のプロトコルの選択でも、この拡張を使って上方向ネゴシエーションを採用するのが自然です。しかも、このアプローチはシステム管理者にとってはるかに都合がよいものです。というのも、SMTPの通信は必ずといってよいほどファイアウォールを通過するからです。わざわざ別のポートを開けずに済むなら、それに越したことはありません。

10.12 クライアント認証

メール環境では、実際には2種類のクライアント認証を扱います。「認証された中継（authenticated relaying）」と「送信元の認証（originator authentication）」です。認証された中継の目的は、中継を可能にしつつ、特定の送信側サーバにのみサービスを提供できるようにすることです。送信元の認証の目的は、メッセージの送信者に関する情報を受信者に提供することです。「10.5 RFC 822とMIME」で説明したとおり、これは電子メールに要求される重要な機能です。受信者にとっては、送信者を認証できる必要があります。

残念ながら、SMTPの性質上、送信者のユーザを認証することは非常に困難です。送信側のサーバは、通常はクライアントではなくシステムプロセスによって制御されています。そのため、サーバがユーザの鍵素材を持っていることはほとんどありません。よって、送信側サーバの認証を提供するのが精一杯です。もちろん、送信側サーバがクライアントであるユーザの識別情報を主張することもできますが、受信側が送信側サーバを信頼できなければ意味がありません。「10.23 参照情報における整合性の詳細」で説明するように、クライアントとサーバの間で中継が行われる可能性を考慮すると、事態はさらに難しくなります。

10.13 参照情報における整合性

前に述べたように、インターネットメールでは電子メールアドレスを参照情報に使います。参照情報における整合性とは、メールを正当な受信者に送り届けられるかどうかということです。残念ながら、受信側メールサーバは、ユーザが直接制御していないことがほとんどです。配信時にユーザのマシンがオンラインでないことさえあります。結局は、送信元の認証の場合と同様に、理想的とはいえない手段に甘んじることになります。つまり参照情報における整合性とは、適切なサーバにメールを配送し、そのサーバがメールを正当なユーザに安全に配送してくれることを当てにする、という程度の意味にしかなりません。

10.14 接続のセマンティクス

一般的なメールサーバに送られるメールメッセージの数は、一般的なWebサーバに送られるHTTPリクエストの数よりはるかに少ないので、セッションの再開についてそれほど気にする必要はありません。もちろん、強制切断攻撃の防止に努める必要はありますが、コマンド指向であるというSMTPの性質がここでは有利に働きます。つまり、接続を終了すべき時とすべきでない時が、通常は非常に明確です。

10.15 STARTTLS

　電子メールのセキュリティの問題を設計の観点から理解したところで、STARTTLSの説明に入ります。SMTP over TLSの標準的な手法は、RFC 2487に記載されています（[Hoffman1999a]）。また、ここまでに説明してきた要件がSTARTTLSによってどの程度満たされるのかも検証していきます。

　最初に、STARTTLSを使った簡単なトランザクションを取り上げます。これを通じて、STARTTLS拡張を使ってSMTPをSMTP over TLSにアップグレードする方法を見ていきます。また、いつものように、接続の終了を処理する方法を説明します。

　RFC 2487で規定されている動作を明確に理解したら、その動作が現実のさまざまな要件とどのようにかかわるのかを検討します。具体的には、メッセージをTLSで送信するように要求できるかどうかという問題、そして、STARTTLSと仮想ホストとの相互関係を取り上げます。

　最後に、STARTTLSが実際にどのようなセキュリティを提供するかを考察します。また、「セキュリティインジケータ」でメッセージパスの各リンクに適用された保護を表示する問題点について検証します。認証された中継、送信元の認証、および参照情報における整合性をSMTPで提供する際の問題点についても考えます。

10.16 STARTTLSの概要

　RFC 2487は、TLSの仕様を規定したRFC 2246とほぼ同時に発表されました。SMTP over TLSはしばらく前から使われていましたが、RFC 2487によってその使用法の規則が明文化されました。ポートの分離方式（SMTPS）も少しの間使われていましたが、あまり普及しないままSTARTTLSに取って代わられました。

　STARTTLSでは、RFC 1869［Klensin1995］◆監訳注4に記載されているSMTP拡張メカニズムを使います。サーバは拡張の1つとしてSTARTTLSを提示し、クライアントはSTARTTLSコマンドで応答します。次に、クライアントとサーバはTLS Handshakeを行います。Handshakeが完了すると、クライアントとサーバは接続開始時と同様に再びEHLOから対話をやり直します。

◆4. 本書監訳時点（2003年11月）では、RFC 2821になっています。

図 10.8
STARTTLS による
アップグレード

```
New TCP connection: romeo(2515) <-> mike(25)
1 950072479.5489 (0.0225) S>C
data: 25 bytes
---------------------------------------
220 mike.rtfm.com ESMTP
---------------------------------------

2 950072479.5490 (0.0226) C>S
data: 21 bytes
---------------------------------------
EHLO romeo.rtfm.com
---------------------------------------

3 950072479.5495 (0.0231) S>C
data: 63 bytes
---------------------------------------
250-mike.rtfm.com
250-PIPELINING
250-STARTTLS
250 8BITMIME
---------------------------------------

4 950072479.5496 (0.0232) C>S
data: 10 bytes
---------------------------------------
STARTTLS
---------------------------------------

5 950072479.5536 (0.0272) S>C
data: 19 bytes
---------------------------------------
220 ready for tls
---------------------------------------

6 950072479.6269 (0.1004) C>S SSLv2 compatible client hello
    Version 3.1
    cipher suites
        TLS_DHE_DSS_WITH_RC4_128_SHA
        TLS_DHE_DSS_WITH_RC2_56_CBC_SHA
        TLS_RSA_EXPORT1024_WITH_RC4_56_SHA
        TLS_DHE_DSS_EXPORT1024_WITH_DES_CBC_SHA
        これ以降の暗号スイートのリストは省略

7 950072479.7353 (0.1084) S>C Handshake
    ServerHello
      session_id[32]=
        73 bf d5 04 ac 45 c1 7e a6 04 82 d0
        ae 5c ed db f8 8f b4 2b f5 9e d0 6c
        52 08 87 20 16 0e 4d 54
      cipherSuite            TLS_RSA_WITH_3DES_EDE_CBC_SHA
      compressionMethod               NULL
8 950072479.7353 (0.0000) S>C Handshake
    Certificate
9 950072479.7353 (0.0000) S>C Handshake
    ServerHelloDone
10 950072479.7380 (0.0027) C>S Handshake
     ClientKeyExchange
11 950072479.7380 (0.0000) C>S ChangeCipherSpec
12 950072479.7380 (0.0000) C>S Handshake
     Finished
13 950072479.7702 (0.0321) S>C ChangeCipherSpec
14 950072479.7702 (0.0000) S>C Handshake
     Finished

    クライアントが新しいEHLOでSMTPセッションを再開する

15 950072479.7707 (0.0004) C>S application_data
     data: 21 bytes
```

```
            -----------------------------------
            EHLO romeo.rtfm.com
            -----------------------------------
    16 950072479.7714 (0.0007) S>C application_data
        data: 49 bytes
            -----------------------------------
            250-mike.rtfm.com
            250-PIPELINING
            250 8BITMIME
            -----------------------------------
    17 950072479.7716 (0.0002) C>S application_data
        data: 32 bytes
            -----------------------------------
            MAIL FROM:<ekr@romeo.rtfm.com>
            -----------------------------------
    18 950072479.7723 (0.0006) S>C application_data
        data: 8 bytes
            -----------------------------------
            250 ok
            -----------------------------------
    19 950072479.7724 (0.0001) C>S application_data
        data: 29 bytes
            -----------------------------------
            RCPT TO:<ekr@mike.rtfm.com>
            -----------------------------------
    20 950072479.7731 (0.0006) S>C application_data
        data: 8 bytes
            -----------------------------------
            250 ok
            -----------------------------------
    21 950072479.7732 (0.0001) C>S application_data
        data: 6 bytes
            -----------------------------------
            DATA
            -----------------------------------
    22 950072479.7749 (0.0016) S>C application_data
        data: 14 bytes
            -----------------------------------
            354 go ahead
            -----------------------------------
```

クライアントが実際のメッセージを送信する

```
    23 950072479.7752 (0.0003) C>S application_data
        data: 244 bytes
            -----------------------------------
            Received: (qmail 21198 invoked by uid 556); 9 Feb 2000 05:01:19 -0000
            Date: 9 Feb 2000 05:01:19 -0000
            Message-ID: <20000209050119.21197.qmail@romeo.rtfm.com>
            From: ekr@romeo.rtfm.com
            To: ekr@mike.rtfm.com
            Subject: test

            test message

            -----------------------------------
    24 950072479.8403 (0.0650) S>C application_data
        data: 27 bytes
            -----------------------------------
            250 ok 950048042 qp 25454
            -----------------------------------
```

クライアントが接続を終了する

```
    25 950072479.8404 (0.0001) C>S application_data
        data: 6 bytes
            -----------------------------------
            QUIT
```

```
                -----------------------------------
                Client FIN
             26 950072479.8412 (0.0007) S>C application_data
                   data: 19 bytes
                -----------------------------------
                   221 mike.rtfm.com
                -----------------------------------
                Server FIN
```

　図10.8のトレースは、STARTTLSによってアップグレードされるSMTPによる接続の開始を示しています。このトレースは、広く使われているqmailにSTARTTLSをサポートするパッチを当てて生成しましたが、ほかのMTAでも同じようなトレースが生成されます。

　先ほどの例と同様に、セグメント1ではサーバが220というリプライコードを送信し、自らの識別情報を示しています。次に、クライアントがEHLOコマンドを送信しています。今回は、サーバは応答時にSTARTTLS拡張を提示し、STARTTLSコマンドを処理できることを通知しています（セグメント3）。

　最初のSMTPトレース（図10.2）では、この時点で、クライアントがMAILコマンドを発行してメッセージの送信を開始していました。しかし、ここではクライアントはSTARTTLSコマンドを発行し、セグメント4のTLS Handshakeを開始しています。

　セグメント5で、サーバは`220 ready for tls`を返し、クライアントにClientHelloメッセージで処理を進めるように促しています。ここで注意してほしいのは、サーバがEHLOに対するレスポンスでSTARTTLSを提示しても、実際にクライアントからSTARTTLSをリクエストされると拒否をする場合があるという点です。実際、証明書なしで設定されたqmailは、そのように振る舞います。

　セグメント6には、クライアントのClientHelloメッセージが含まれています。クライアントが実際に提示しているのはSSLv2と下位互換のHandshakeだという点に注意してください。HTTPアップグレードとは異なり、SSLもしくはTLSサーバやクライアントのそれぞれについて、どのバージョンをサポートすべきかに関しては、RFC 2487の規定はあまり明確ではありません。TLSという言葉が使われた場合、TLSはサポートするがSSLv2やSSLv3はサポートしないという意味が含まれます。しかし、現在利用可能なSTARTTLSの実装の多くは、SSLv2やSSLv3もサポートするツールキットを用いているので、通常はSSLv2を提示します。

　残りのHandshake（レコード7〜16）は通常どおりに完了しています。ここで注目すべき特徴は、サーバがクライアント認証を一切要求していない点です。これは、STARTTLSの実装においてはかなり一般的な特徴です。したがって、受信側サーバには、送信側サーバを暗号技術に関する方法で識別することはできません。実のところ標準では、そのような識別はすべきでないことが暗示されています。その理由については「10.18 TLSを要求する場合」で説明します。

　Handshakeが完了すると、クライアントはネゴシエートされた新たなTLSの通信路を通じて、暗号化されたEHLOを送信します。TLSを使って暗号化されていることを除けば、メールの配信は通常どおりに進行します。

10.17 接続の終了

図10.8で、クライアントはclose_notifyメッセージを送信せずに接続を終了しています。つまり、QUITコマンドを送信しただけで、自分側の接続を終了しています。同様に、サーバは221レスポンスを送信した時点で自分側の接続を終了しています。close_notifyメッセージの目的は、強制切断攻撃を防ぐことにありました。このような接続の終了時の振る舞いは、強制切断攻撃の脅威につながらないでしょうか。

まず、明らかにこの接続は攻撃を受けていません。しかし、そもそも攻撃を受ける可能性はあったのでしょうか。答は「ノー」です。QUITと221が交換されていることから、双方が接続の終了を望んでいたことは明らかです。これらのメッセージはTLS経由で送信されているので、攻撃者による改竄の可能性はありません。第7章で、アプリケーションのプロトコルがデータの終わりを示す独自のデータ終了マーカを持っている場合はclose_notifyメッセージが不要だと述べましたが、これはまさにそのケースです。

10.17.1 その他の状況

SMTPでは、接続している双方が、お互いの送信する順番を常に把握しています。また、コマンドや応答の長さがどれくらいかも把握しています。こうした便利な特性によって、プロトコルメッセージ内やプロトコルメッセージ間で予期しない終了が生じたかどうかを、簡単に判断することができます。

エラーが発生すると、メールサーバは(一定の間隔を置いて)自動的に再送を行います。このため、予期しない終了への適切な対策は、ログに記録を残して処理を継続することです。しかしながら、未完遂な終了が繰り返し起きている場合は、DoS攻撃を受けている可能性があるため、調査が必要です。

一般に、エージェントは部分的なメッセージを処理すべきではありません。したがって、コマンドや電子メールメッセージの一部しか受け取らなかったエージェントは、それを処理すべきではありません。同様に、メールの受け付けを通知する250レスポンスが実際に返るまで、送信側は受信側がメールを受信したと見なすべきではありません。

10.17.2 再開

SSLの仕様で決められているとおり、エージェントはclose_notifyメッセージで終了されたセッションを再開してはなりません。したがって、図10.8のセッションは再開できません。SMTPでは、これはHTTPのときほど重要な問題ではありません。なぜなら、送信者が短時間のうちに再接続を繰り返すことは、普通はないからです。それでも、close_notifyメッセージを送信するのが正しい実装です。

10.18 TLSを要求する場合

メッセージをTLSで転送するようにメールサーバを設定したい場合があります。技術的にも、送受信を別々に設定することが可能です。例えば、メールが誰から送られてきたかは問題にならないが、自分が送信するメールはセキュリティを確保したいという場合があります。逆に、認証された送信元からのメールだけを受け付けて、自分は誰にでもメールを送れるようにしたい場合もあります。残念ながら、送受信の両方でTLSを要求することはあまり望ましくありません。

10.18.1 送信にTLSを要求する場合

メールの送信にTLSを要求するのは簡単です。STARTTLS拡張を提示しないサーバへの接続を拒否すればよいからです。しかし、ほとんどのサーバはSTARTTLSをサポートしていないので、送信しようとするメッセージの大部分が返送されることになってしまいます。特定のメッセージをTLSで送信するよう、ユーザが指定できればよいのですが、TLSによる転送を示すマークをメッセージに付ける標準的な方法はありません。そのため、メールを中継するほかのMTAに対してTLSを要求することはできません。

10.18.2 受信にTLSを要求する場合

RFC 2487では、すべての受信に対してTLSを要求するための手段を提供しています。受信側サーバがコマンド(EHLO、NOOP、STARTTLS、QUITを除く)に対して次のように応答するという方法です。

```
530 Must issue a STARTTLS command first
```

しかしRFC 2487では、公開されているメールサーバをこのように設定することを明示的に禁止しています◆監訳注5。ただし例外があって、TLSで認証された適切な通信路を通じて送られてきたものでなければ、サーバが通信の中継を拒否できます(「10.21 認証された中継」を参照)。この規則の目的は、管理者が相互運用性を損なうような設定をするのを防ぐことです。すべての接続でTLSを要求すると、電子メールはインターネットの大部分から閉め出されてしまいます。しかしながら、この規則は受信側にメール送信者の認証を要求することを禁じるものなので、SMTP over TLSによるセキュリティの強制を難しくしているのも事実です。

◆5. 閉じたシステム間では、この方法で可能です。

10.19 仮想ホスト

第9章で見たように、HTTPでは上方向ネゴシエーション（HTTPアップグレード）によって、仮想ホストをうまく扱うことができます。STARTTLSも、仮想ホストにきちんと対応していると期待したいところなのですが、残念ながら仕様に不備があり、STARTTLSでは仮想ホストをうまく扱うことができません。HTTPアップグレードでは、クライアントはHostヘッダを使って接続先の仮想ホストを指定します。同じように、送信側がSMTPヘッダの最初の数セグメントのどこかでホストを指定することはできないものでしょうか。

しかし、TLS Handshakeに先立つTCPセグメント（1〜5）のどこを見ても、送信側では受信者の仮想ホストを識別するdomainを指定していません。RCPTコマンドを発行するときになって初めて、送信側は受信者のdomainを指定しますが、TLSによる接続がネゴシエートされた後では遅すぎます。

この問題の解決策は、送信側が受信者のdomainをSTARTTLSコマンドの引数として指定することです。local-partは不要であり、秘密にしておきたいので指定しません。こうすれば、仮想ホストが正しく機能するようになります。これはSTARTTLS自体の問題ではなく、単なる仕様上の不備であることに注意してください。この問題は、RFC 2487がDraft Standardに昇格する前に修正するよう提案されています。

10.20 セキュリティインジケータ

当然ながら、メッセージの転送で適用されたセキュリティ特性については、ユーザが判断できたほうがよいでしょう。メッセージは、ディスクに書き込まれた後でクライアントによって読み出されるため、この情報はメッセージヘッダに挿入するのが理にかなっています。そうすれば、この情報を伝えるためにメール読み取り用のプロトコルを変更する手間も省けます。

図10.9に、この手順の一例を示します。これは、図10.8で送信されたメッセージが、配信後にディスクに書き込まれたときの状態です。下から2番目のReceivedヘッダに、DES-CBC3-SHA encrypted SMTPという部分があります。送信側が認証を使用していた場合、このヘッダ行には送信側が認証に使用した証明書、またはそれに相当する送信者の識別情報のインジケータ（indicator）も含まれます。

図10.9
STARTTLSで配信されたメッセージ

```
From ekr@romeo.rtfm.com Tue Feb 08 22:14:02 2000
Return-Path: <ekr@romeo.rtfm.com>
Delivered-To: ekr@mike.rtfm.com
Received: (qmail 25454 invoked from network); 8 Feb 2000 22:14:02 -0000
Received: from romeo.rtfm.com (216.98.239.227)
  by mike.rtfm.com with DES-CBC3-SHA encrypted SMTP; 8 Feb 2000 22:14:02 -0000
Received: (qmail 21198 invoked by uid 556); 9 Feb 2000 05:01:19 -0000
Date: 9 Feb 2000 05:01:19 -0000
Message-ID: <20000209050119.21197.qmail@romeo.rtfm.com>
From: ekr@romeo.rtfm.com
To: ekr@mike.rtfm.com
Subject: test

test message
```

10.20.1 インジケータの解釈

　この種のセキュリティ情報をヘッダに配置する方法を厳密に定めた標準はありません。RFC 822は、情報を入れるべきヘッダ内の位置（withキーワードの後ろ）に関して指針を示していますが、それ以外はある程度実装に任されています。同様に、クライアントプログラムがこの情報の解釈を試みることも可能ですが、結局はユーザに表示するという手段に頼らざるを得ないでしょう。ちなみに、多くのクライアントは、特に指定されない限りReceivedヘッダをユーザに表示しません。

10.20.2 最終ホップ

　ヘッダには、暗号技術に関するメッセージ認証は、いかなる形でも施されていません。したがって、ユーザが目にするのは、最後のReceivedヘッダ（ユーザのローカルメールサーバが最終ホップで作成したヘッダ）に関する直接情報ぐらいです。受信者が自分のローカルなメールサーバを信頼できなければセキュリティの意味がないため、受信者は自分のメールサーバは偽のヘッダを作成することはないと確信できるはずです。しかし、それ以外のヘッダは途中のエージェントによって改竄されている可能性があります。
　したがって、送信側から受信側に至るすべての経路でメッセージのセキュリティについて保証を得るためには、接続の途中にあるすべてのホストが信頼できなければなりません。さらに、これらのホストは認証されていなければなりません。さもないと、攻撃者が、信頼できる送信者を装う可能性があります。Receivedフィールドの書式は標準化されていないので、この判断を自動的に行うことは現実には不可能で、ユーザが行う必要があります。

10.21 認証された中継

　証明書を用いるクライアント認証をSTARTTLSで使用する方法には、認証された中継と送信元の認証の2種類があります。ここでは認証された中継を扱い、次節で送信元の認証を解説します。

　認証された中継の目的は、認識できるサーバには中継サービスを提供する一方で、認識できないサーバを拒否できるようにすることです。「10.7 メールの中継」で説明したように、オープンリレーはしばしばスパム業者の餌食になります。それでも、サイトによってはメールを中継せざるを得ない場合があります。中継元のマシンがすべてメールサーバと同じファイアウォール内にある場合は、ほとんどの場合IPを用いる認証を使うことができます。しかし、ファイアウォールが設置されていなかったり、ネットのほかの場所にあるマシンを中継する必要があったりして、IPを用いる認証を利用できないこともよくあります。

　このような場合は、証明書を用いるクライアント認証を使って中継サービスを制限するのが適切です。ここで、興味深いケースが2つあります。1つは、送信側がすでにTLSを使って接続している場合、もう1つは、送信側がTLSを使わずに接続している場合です。どちらの場合も、サーバはRCPTコマンドを調べて、中継がリクエストされているかどうかを確認する必要があります。

　送信側がTLSを使って接続している場合、サーバは中継をリクエストする許可を受けたサーバの一覧と、送信側の証明書とを照合する必要があります。証明書が提示されていない場合は、サーバは再Handshakeをリクエストしなければなりません。これは、第9章で紹介した、HTTPサーバがクライアントを認証するために再Handshakeを要求する事例に似ています。

　RFC 2487の規定は、送信側がTLSをまったく使用していない場合にどうすべきかについて、あまり明確にしていません。しかし、おそらく受信側サーバは530レスポンスを送信し、送信側にTLSを使うように通知してから、TLS Handshakeの最中にクライアント認証を要求することになるでしょう。

10.22 送信元の認証

クライアント認証のもう1つの用途は、送信元の認証です。送信元の認証の目的は、受信者に送信者の身元の保証を与えることです。偽造された電子メールで騙されないためにも、これは受信者にとって有益です。しかし残念ながら、送信元の認証とSTARTTLSは相性が良くありません。

RFC 2487ではTLSを要求することを禁止しているので、TLS経由のクライアント認証を要求することができないのは明らかです。そのため、実際にはいかなる送信元の認証も実施することはできません。しかしサーバは、TLSをネゴシエートしているときに、いつでもクライアント認証を要求することができます。この場合、送信側サーバがSTARTTLSを使用していて、証明書を持っていれば、受信側サーバは少なくとも最終ホップで誰がデータを送信したかを知ることができます。受信者が本当に幸運なら、すべてのホップがTLSを使用していて、すべての送信側がすべての受信側からクライアント認証を受けているかもしれません。このような場合は、送信元が誰かを特定できる希望がいくらかあります。

しかしながら、そのためにはユーザがReceivedヘッダを調べて、メッセージを処理したすべてのホストが信頼でき、メッセージのパスに含まれていることを確認する必要があります。各受信側サーバが、各送信側の証明書チェーン全体をヘッダに追加することはまずないので、これはきわめて困難です。したがって、送信元およびパス内の各サーバが使用した証明書を、自らが信頼するCAで検証できるかどうかを最終受信者が判断することはできません。

そうすると結局、SMTPでTLSを使用して送信元の認証を行うための妙案はほとんどないことになります。この結論は、STARTTLSの詳細がもたらしたものではなく、TLSのモデルとSMTPサービスのモデルとの相互関係に付きまとう一般的な問題です。たとえ各種のヘッダが標準化され、正規の送信者と不正な送信者を自動的に区別することが技術的に可能になったとしても、やはり途中のすべてのホストを信頼する必要があります。これは根本的に無理な要求です。したがって受信側は、送信側が自称するとおりの存在であることや、メッセージが経路全体で暗号化されていたことに関する保証を得ることはできません。

10.23 参照情報における整合性の詳細

参照情報における整合性に関しても、状況はほとんど変わりません。「10.2 インターネットメールのセキュリティ」で述べたように、送信者は、メッセージが受信者に確実に配信されるかどうかと、転送中に保護されるかどうかを確認できるようにすることを求めます。しかし残念ながら、SMTPとSTARTTLSの仕組み上、これはほぼ不可能です。

10.23.1　安全な参照情報

最初に直面する問題は、電子メールアドレスの宛先にメールを安全に送信できることを示す識別子が何も含まれないことです。理由は明白で、そのような識別子があっても無意味だからです。受信者には、接続の送信者側のサーバに関することは何もわかりません。受信者が知ることができるのは、接続の自分側のサーバに関することだけです。

図 10.10
セキュリティ対応のサーバと非対応のサーバを含むネットワーク

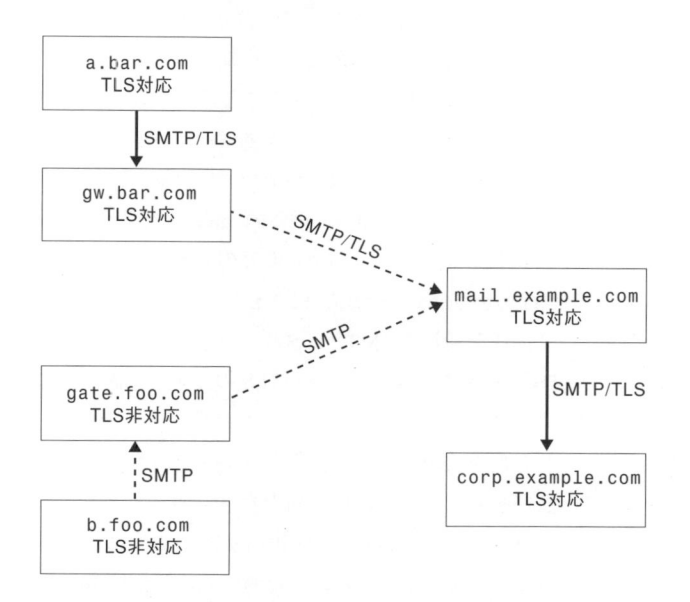

図10.10のネットワーク環境をユーザ foo@corp.example.com の立場から考えてみましょう。このユーザは、サーバが example.com ドメインを検索すると、mail.example.com を指し示すMXレコードが返されることを知っています。また、mail.example.com と corp.example.com がTLSに対応していることも知っています。したがって、最終ホップは安全に配信されること、mail.example.com に接続するサーバがTLS対応であれば、安全に接続できることがわかります。しかし、このユーザにわかるのはそこまでです。

実際、図 10.10 で送信側にあたる 2 種類の異なるユーザは、それぞれ異なるセキュリティ特性を持ちます。`a.bar.com` のユーザは、`corp.example.com` まで、ずっと暗号化されたリンクを介してメールを送信することができます。これに対して、`b.foo.com` から送信されたメールは、`mail.example.com` まで安全でない通信路を通じて転送され、そこから `corp.example.com` までの最終ホップで暗号化されます。個々の送信者がどのような方法でメールを送信してくるかを受信者が予測するための合理的な方法はありません。

「そちらが TLS 対応ならば、TLS を使ってこちらにメールを送信してください」という意味の識別子を使う程度のことは確かに可能です。しかし、現在の電子メールアドレスの書式にはそのような識別子を入れる余地がなく、別の書式のアドレスが必要になります。これでは労多くして功少なしです。

10.23.2 セキュリティの強制

受信者が TLS の接続を通じて電子メールを受信することを望んでいるという意味の、何らかの外部情報を送信者が持っているとします。さらに、送信者は自分のローカルサーバが TLS 対応であることを知っているとします。送信者が自分の SMTP エージェントを TLS 対応として設定することはできるのですが、これはほとんど効果がありません。

図 10.10 のネットワークをもう一度見てください。`a.bar.com` のユーザが `foo@corp.example.com` にメールを送るとします。ユーザは自分と受信者が TLS に対応していることを知っているので、TLS を使うように自分のエージェントを設定し、エージェントは `gw.bar.com` までの経路で TLS を使います。しかし、`gw.bar.com` は `mail.example.com` と TLS をネゴシエートすることを知らないので、能動的な攻撃者は接続を通常の SMTP にダウングレードすることができます。この攻撃に必要なのは、EHLO 応答を改竄し、STARTTLS の提案を削除することだけです。残りの接続を変更する必要はありません。

目的を実現するには、途中のすべてのサーバに TLS を使うように指示する何らかの方法が必要です。これは、新たなメールヘッダを追加するか、STARTTLS 拡張に何か引数を付ける(こちらのほうが現実的です)ことによって実現できるでしょう。当然、このような拡張を使用すると、送信側と受信側を結ぶパス内のいずれかのサーバが TLS に対応していない場合に、メールが戻されてしまいます。しかし、セキュリティのために相互運用性を犠牲にすることも時には必要なので、その価値があるかもしれません。ただ、すぐにわかりますが、実際にはそうではありません。

10.23.3 中継 vs. セキュリティ

SMTP ではメッセージが中継される可能性があります。そのため、メッセージパス全体に TLS を適用しようとする試みは、残念ながら打ち砕かれます。図 10.10 を再び例にとります。ただし、今回は DNS スプーフィング攻撃によって、`corp.example.com` の

MX レコードが攻撃者によって偽造されているとします。本来の MX レコードは次のとおりです。

```
corp.example.com preference = 10, mail exchanger=mail.example.com
```

このレコードを攻撃者が次のように書き換えました。

```
corp.example.com preference = 10, mail exchanger=mail.attacker.com
```

これにより、a.bar.com が配信しようとしたメッセージは、図 10.11 に示すパスを通過するようになります(攻撃者が親切にも、メッセージを破棄せずに配送してくれると仮定した場合)。どのホップでも、メッセージが今までどおり TLS を使って転送されていることに注目してください。

しかも、MX レコードの内容は攻撃者によるサーバの証明書と一致しています。チェーンに新たな中継ホストが加わっただけだからです。こうなると、TLS を要求するだけでは不十分なのが明らかであり、転送先の中継ホストの身元を各サーバに確認させる必要があります。第 7 章で、有効な証明書を持っているだけでは参照情報における整合性には不十分だと述べたので、これは特に意外なことではないはずです。

図 10.11
偽のメール中継ホスト

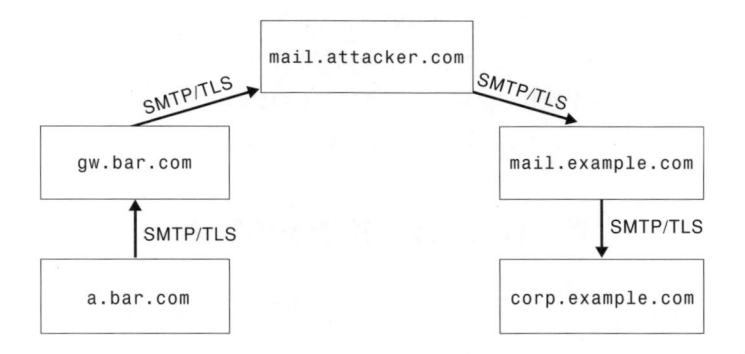

ここで直面するのは、図 10.11 のパスには根本的におかしい部分がどこにもないという問題です。この例では、余分に加わった中継ホストが攻撃者ですが、このようなトポロジは比較的よく使われています。「10.7 メールの中継」で説明したように、組織 A から組織 B へのメールが当事者以外の組織を経由することも珍しくありません。このため、RCPT コマンドの電子メールアドレスを証明書上のホスト名と照合することはできません。

多少なりとも効果があるとわかっている唯一の方法は、特定のホストに対する正規の中継ホストすべてに、ホストの domain を識別情報とする証明書を持たせることです。この方法は安全ですが、すべての中継ホストを手動で設定しなければならないため、結局は破綻します。さらに悪いことに、失効処理を慎重に行わないと、いずれかのサーバが危殆化した場合に、対象ドメインに対するすべての通信が永続的に危殆化します。Secure DNS であれば、MX レコードが正しいことがわかるので、MX レコードの名前とサーバ証明書を照合することができます。しかし、Secure DNS の導入は今のところ一般

的ではなく、この方法は現実的ではありません。

結局、STARTTLS はメッセージのセキュリティ特性を希望する送信者に対して、現実的な保証を何も与えられないという結論だけが残ります。たとえ、送信者がメールを TLS 以外では送信しないつもりでいても、メッセージが目的の受信者に安全に配送されるという保証はありません。メッセージが完全な形で届いたかどうかもまったくわかりません。繰り返しますが、この問題は STARTTLS そのものとは無関係です。ホップごとの接続を TLS により安全にしようとする際に、必ず付きまとう問題です。ホップごとのセキュリティでは、2 つのエンドポイント間のセキュリティは保証されません。

10.24 CONNECT を使えない理由

ここで直面している SMTP の問題は、中継ホストの存在に関連するものです。HTTPS では、実質的に中継ホストをバイパスすることで、プロキシなどの媒体に対応しています。CONNECT メソッドは、HTTPS による接続の邪魔をしないようにプロキシに指示します。クライアントとサーバの間にエンドツーエンドな通信路を確立することにより、HTTPS では、STARTTLS では不可能なセキュリティ特性を保証することができます。

そこで、CONNECT の何らかのバリエーションを利用すれば、Web プロキシにトンネルを通して接続するように、SMTP の中継ホストにトンネルを通して接続できるのではないかという疑問が浮かびます。残念ながら、これには技術と管理の両面で問題があります。

10.24.1 技術上の問題

この方法が直面する 1 つの技術上の問題は、接続されていないサーバへの中継が完全にとぎれてしまうことです。「10.3 インターネットメールの概要」で述べたように、組織によっては、メールを取得するのにごくまれにしかネットに接続しない場合があります。このようなネットワークでは、着信するメールの保管場所として中継ホストを利用しています。当然、ネットに接続していないサーバにトンネルを使って接続することはできません。

この問題はおそらく、最終的な中継ホストを受信者のローカルサーバとすることで対処できるでしょう。受信者のドメインの適切な証明書を最終的な中継ホストに対して発行し、送信側と TLS による接続のネゴシエートを許可するようにします。さもないと、このようなネットワークは暗号化されたメールをまったく受け取れなくなってしまいます。よって、この方法がよいでしょう。

メールサーバのソフトウェアは、このような形で運用するようには設計されていません。メッセージをキューに入れて、それらを空き時間に処理するように作られています。

そのおかげで、一時的なネットワーク障害にも対処できるのです。各サーバを経由するトンネルを用いた接続は、ソフトウェアのアーキテクチャを大幅に変更する必要があります。それに加えて、両方のネットワークが同時にオンラインになっていなくてもメールが配信されるべきであるという、インターネットメール環境の重要で普遍的な原則、すなわち、ストアアンドフォワードの原則を破ることになります。

最後に、送信側クライアントに対する影響もあります。現在の環境では、メールは「送りっぱなし (fire and forget)」です。クライアントがローカルメールサーバにメールを送信したら、ユーザはネットワークへの接続を切断し、それ以降の配送の処理を任せることができます。しかし、クライアントがトンネルを使って相手のサーバに接続するようになったら、クライアントはオンラインであり続けなくてはなりません。それに、たとえ受信者のサーバがダウンしていても、メールが再送されるようにしなければなりません。ユーザは、たいてい一度に数分程度しか接続しないので、これを受け入れることは実際には難しいでしょう。

10.24.2　管理上の問題

さらに厄介なのが管理上での問題です。Webサーバと異なり、メールサーバはたいていファイアウォールの内側にあります。HTTPのCONNECTでは、クライアントがファイアウォールの内側からトンネルを通じて外部に出ることだけが可能です。ここで論じている方法では、送信側がトンネルを通じてファイアウォールの内側に入るようになっています。ファイアウォールの内側にあるメールサーバへの暗号化された接続を可能にすることは、当然ながら管理者に大きな不安を与えます。特に、UNIXで主流のメールプログラムであるSendmailは、セキュリティ問題では悪名が高く、なおさらです。

10.25　STARTTLSの利点

「10.2 インターネットメールのセキュリティ」で、インターネットメールのセキュリティプロトコルに求められるいくつかの性質を挙げました。送信者は、メールが受信者に安全に配送されることを求めます。受信者は、送信者を認証し、メッセージが途中で改竄されていないかどうかを確認できることを求めます。第9章で見たように、HTTPSではこれらの目標すべてが満たされています。しかし、これまで見てきたとおり、STARTTLSではこのいずれの性質も実現していません。当然ながら、「STARTTLSは何の役に立つのか」という疑問が浮かびます。

10.25.1 パッシブ攻撃

STARTTLS に関してこれまで述べてきた攻撃では、man-in-the-middle 攻撃による介入や、送信側の DNS キャッシュの書き換えなど、いずれも攻撃者がネットワークを不正操作する手口が使われています。つまり、攻撃者が通信当事者の一人を装って、対抗策を欺く手法です。これは十分に警戒すべき攻撃であることは確かですが、仕掛けるのが比較的難しい攻撃であることも確かです。その上、攻撃者がオンラインでデータを送信する必要があるため、攻撃者を突き止めやすいという側面もあります。したがって、STARTTLS がパッシブ攻撃の阻止にどう役立つのかという点は考察に値するはずです。

STARTTLS は、単に日和見的な暗号にのみ目を向けるなら、つまりアクティブ攻撃を無視するのなら役に立ちます。送信側は不正なゲートウェイへの接続を心配する必要がないので、中継ホストのすり替えをベースにした攻撃はすべてなくなり、ダウングレード攻撃もなくなります。実際に心配する必要があるのは、各サーバが STARTTLS をサポートしているかどうかという点だけになります。メッセージが転送されるパス内のすべてのサーバが STARTTLS をサポートしていれば、配送時にメッセージの機密を守ることができます。もちろん、ゲートウェイでメールが読まれることはないという信頼は、常に必要です。ゲートウェイが第三者に属するか否かによって、この前提の妥当性が左右されます。

また、「TLS 必須」というフラグも必要なくなります。サーバは必要に応じて自動的にアップグレードを行います。しかし、このようなフラグを導入することでサーバがメールを安全に配送できない場合は、フラグを戻すように指定することは可能です。

アクティブ攻撃のことを心配しなければ、証明書はこの状況でほとんど価値を持ちません。証明書の主な目的は、能動的な攻撃者が正規の受信者の鍵を自分の鍵とすり替えるのを防ぐことです。ここではこの攻撃を検討の対象外としているので、証明書はあまり意味を持ちません。証明書をすべて廃して、単に匿名 DH を使うことも可能です。「10.8 仮想ホスト」で見たように、証明書が正規の受信者を表しているかどうかを確認することは、SMTP の難問の 1 つであるため、ある意味、これはやむを得ない手段です。

10.25.2 送信側認証の欠如

機密性はともかくとして、認証やメッセージ完全性について語ることは無意味です。認証の目的は、アクティブ攻撃を受けてもメッセージの保証を提供することにあります。繰り返しますが、ここではこの種の攻撃を検討の範囲外としているので、認証と完全性も議論の範囲外です。

10.26 プログラミングの問題

　SMTP over TLS を実装するために、特に新しい知識は必要ありません。しかし、SMTP には、HTTPS では気にする必要がなかった小さな問題がいくつかあります。これ以降は、STARTTLS 拡張の実装と、サーバの起動の2つの問題を取り上げます。サンプルコードが必要なほど難しい問題ではありませんが、注目しておくだけの重要性はあります。

10.27 STARTTLS の実装

　STARTTLS の実装方法は、概念的には HTTPS の CONNECT メソッドの実装方法と同じです。どちらの場合も、クライアントはアプリケーション層の Handshake を平文で行ってから、SSL/TLS に移行する必要があります。サーバコードはクライアントコードに似ています。しかしながら、STARTTLS のほうが CONNECT より少し複雑です。HTTPS クライアントはプロキシに接続することを知っており、CONNECT の処理は単純なので、クライアント側は HTTP エンジンを実際に呼び出さずに書くことができます。しかしながら、STARTTLS は上方向ネゴシエーション方式なので、通常は SMTP エンジンに接続します。

▼ 10.27.1 状態

　注意を必要とする主な問題は、SMTP エンジンの状態です。TLS Handshake の前に提示またはネゴシエートされた拡張は、いったん Handshake が完了したら、接続に適用されないことが RFC 2487 に明記されています。したがって実装では、いったん TLS Handshake が完了したら、すべての状態を破棄して拡張を再ネゴシエートする準備が必要です。このような要件が設けられているのには、2つの理由があります。第1に、攻撃者が拡張の提示を不正操作した可能性があるためです。第2に、TLS の使用中にサーバが別のサービスを提供する可能性があるためです。

▼ 10.27.2 ネットワークアクセス

　効率上の理由から、SMTP の実装でネットワークの読み書きをバッファに格納することがよくあります。実装によっては stdio を使用するものもありますが、独自のネットワークバッファコードを使用するものもあります。いずれにせよ、SSL の実装ではネットワークに対する読み書きを行う必要があります。大部分の SSL の実装では、何らかの抽象的なネットワーク API を用意して、アプリケーションで独自の I/O ルーチンを提供

できるようにしています。図 10.12 に示すように、OpenSSL では BIO オブジェクトを使ってこれを行います。

図 10.12
OpenSSL の BIO の初期化

── sclient.c
```
26    ssl=SSL_new(ctx);
27    sbio=BIO_new_socket(sock,BIO_NOCLOSE);
28    SSL_set_bio(ssl,sbio,sbio);
```
── sclient.c

この抽象化によりユーザは、BIO で表すことさえできれば独自の I/O ルーチンを提供することができます。理屈の上では、PureTLS でもユーザが InputStream および OutputStream オブジェクトを提供して同じことができます。しかし、すでに述べたとおり、この機能は現在のところ PureTLS では利用できません。なお、バッファが一度に 1 行ずつ読み込むように SMTP が実装されている場合は、TLS のデータは行指向ではないため、TLS Handshake の前に無効にしておく必要があります。

SSL ツールキットが交換可能なネットワーク API を提供していない場合、ツールキットはほぼ間違いなくソケットから直接読み書きを行います。その場合、SMTP の実装では、raw ソケットをツールキットに提供できるような工夫が必要になります。STARTTLS では、コマンドと応答の長さが常にわかっており、SSL Handshake の開始もわかっているので、これは比較的容易です。したがって、SSL Handshake の一部が SMTP 用のバッファにトラップされる心配はありません。

10.28　サーバの起動

メールサーバを Web サーバと同じように稼働させることは珍しくありません。つまり、クライアントからの接続を単独のサーバプロセスで受け付けて、接続を処理する新しい制御スレッドを作成する方法です。この種のプログラムの書き方は、すでに第 8 章で紹介しました。しかし、UNIX システム上のメールサーバは、大部分がこれとは異なる形で設定されます。UNIX には、inetd と呼ばれるプログラムがあります。inetd は「スーパーサーバ」で、さまざまなポートに対する接続を待ち受け、接続の種類に応じて、設定ファイルで指定されたプログラムを実行します。この方法は、負荷が軽いサーバであれば通常はうまく機能しますが、SSL を使うときには問題になります。

第 8 章で述べたように、通常の SSL の主体は、鍵素材、乱数などを含む SSL コンテキストを一度だけ初期化します。そして、それ以降のすべての接続にこのコンテキストを使います。当然、メールサーバを inetd から実行している場合は、電子メールを 1 通受け取るたびにコンテキストオブジェクトを作成する必要があります。これは 2 つの問題を引き起こします。まず、鍵素材にアクセスするために、サーバにアクセスする手配が必要なこと、そして、初期化が高速で行われるようにする必要があることです。

10.28.1　鍵素材

　第5章で見たように、鍵素材を保護する標準的な方法は、パスフレーズで暗号化することです。HTTPSサーバのように単独のサーバプロセスを実行している場合は、システムの起動時にユーザにパスフレーズの入力を求めることができます。これは無人での起動が難しくなるので多少不便ですが、不可能なことではありません。けれども、サーバをinetdから実行する場合は、この方法は利用できません。

　このような状況で取るべき一般的な解決策は、秘密鍵を平文のままディスク上に置いて、ファイルのアクセス権限またはACLで保護することです。もう少し高度な解決策としては、マシンの起動時に単独のサーバプロセスを起動する方法があります。このプロセスは、起動時にユーザに対してパスワードの入力を求めます。メールサーバプログラムはこのサーバに照会し、鍵素材を取得します。サーバプログラムへのアクセスは、ファイルのアクセス権限またはACLで制御します。

　この方法の利点は、鍵素材がディスク上で暗号化されたままになることです。したがって、マシンを停止した場合は、再起動するためにパスフレーズが必要になります。これにより、サーバの悪用をある程度防ぐことができます。当然、鍵がハードウェアに格納されている場合、システムはこのような攻撃を受けにくくなります。

10.28.2　高速な初期化

　コンテキストオブジェクトを用意する主な目的の1つは、時間のかかる初期化を一度で済ませるためでした。つまり、時間のかかる初期化段階がある場合は、それをどうにかして回避する必要があります。起動時に時間を取る主な処理は、一時的な鍵と乱数のシードの生成です。このデータをあらかじめ計算し、ファイルに保存しておくことができます。第9章で見たように、サーバはこのデータを起動時にファイルから読み込むことができます。

10.29 まとめ

　SSLの設計者が目指したのは、SSLを汎用のセキュリティ層として利用できるようにすることでしたが、SSLは特にSMTPとうまく連携するように設計されたわけではありません。そのため、SMTPのモデルとSSLが提供するサービスには、かなり大きなずれがあります。しかし、メールメッセージに対するセキュリティの必要性が増加するにしたがって、SSLを使ってSMTPを安全にする試みがなれるようになりました。本章では、SMTPでTLSを使用する標準的な方法と、この方法が抱えるいくつかの問題点を取り上げました。

- 電子メールはストアアンドフォワードのシステムです。送信側エージェントはSMTPを使って、パス内の次のサーバにメッセージを送信します。サーバはできる限りそのメッセージを配信するように努めます。
- RFC 2487では、TLSを使って個々のSMTPリンクを保護するための方法が規定されています。クライアントとサーバが通常のSMTPによる接続からSMTP over TLSへのアップグレードをネゴシエートするためのSTARTTLS拡張が紹介されています。
- 中継ホストは問題になり得ます。セキュリティが確保されるのは個々のSMTPリンクなので、クライアントとサーバ間の各中継ホストは信頼しなければなりません。しかも、中継ホストの検出はDNSを使って行われるので、攻撃者が中継ホストを装うのを防ぐことは困難です。
- 送信者はセキュリティ特性を決定できません。電子メールアドレスには、転送通信路のセキュリティに関する情報が含まれないので、送信者はメッセージの機密が守られるかどうかを確認できません。
- 受信者は送信者を認証できません。RFC 2487では、受信メールにTLSを要求することを禁止しています。たとえTLSが使われていても、中継ホストが存在するために、元の送信者を特定することは非常に困難です。
- STARTTLSはパッシブ攻撃を保護します。送信側と受信側の両方のサーバがTLSに対応していれば、デフォルトでTLSによる接続をネゴシエートするので、スニッフィングを防ぐことができます。

第11章
さまざまな手法との比較

> 「金槌しか持っていなければ、あらゆる問題を釘として扱いたくなるだろう」
>
> ("If you only have a hammer, you tend to see every problem as a nail.")
>
> ─ Abraham Maslow

11.1 はじめに

　ここまでの章ではSSLに焦点を当て、その設計目標や仕組み、使用方法を解説してきました。また、SSLによって保護される2つのアプリケーション層プロトコルとして、HTTPとSMTPを紹介しました。

　ここまでの説明によって、SSLの仕組みと用途はよく理解できたはずです。そこで、この最終章では視野をもっと広げましょう。第9章と第10章で説明したように、SSLで対処するのが非常に難しいセキュリティに関する処理もあります。中には、ほかのセキュリティ技術を使えば、より簡明かつ簡単に対処できる処理もたくさんあります。最適な方法を選択するには、ほかの手法についても知らなければなりません。アプリケーションを安全にする手段をSSLしか知らないというだけの理由で、盲目的にSSLを採用しているケースも、実際によく見受けられます。

　本章では、SSL以外の3つのセキュリティプロトコルについて説明します。最初に紹介するのは、IPパケットのセキュリティを担うIPsec(Internet Protocol Security)です。IPsecはSSLよりも低い層で動作しますが、SSLと同じようなセキュリティサービスを数多く備えています。その一方で、SSLと同じ制約もいくつか抱えています。

　次に、オブジェクトセキュリティについて解説します。オブジェクトセキュリティは、通信路を暗号化するのではなく、保護されたオブジェクトをクリアチャネルに送信します。個々のプロトコルオブジェクトを保護しなければならないので、一般にはアプリケーションごとにオブジェクトセキュリティのためのプロトコルが必要になります。この手法に関しては、HTTPトランザクションを保護するSecure HTTPと、インターネットメールを保護するためのS/MIMEの2つを紹介します。

11.2 エンドツーエンド通信の特性

　本章では、プロトコルスタックのいくつかの層に位置するプロトコルについて見ていきます。これから説明していくとおり、高い層にいくほど(アプリケーション層に近くなるほど)、より優れたセキュリティサービスを提供できるようになります。この特性は、エンドツーエンドの通信で論点になる特性でもあります。Saltzer、Reed、Clarkは、この特性について次のようにうまくまとめています([Saltzer1984])。

　ある機能を正しく完璧に実装するためには、通信システムのエンドポイントに位置するアプリケーションについての知識を持つ必要がある。また、そのアプリケーションと連携して動作する必要もある。したがって、通信システムだけでその機能を提供す

ることはできない(場合によっては、通信システムが提供する不完全な機能が、パフォーマンスの向上に役立つこともあります)。

［Saltzer1984］は、コンピュータサイエンスにおける偉大な論文の1つで、ネットワーキングについて理解しようとするすべての人が読んでおくべき内容です。この論説を要約すると、すべての通信システムにはネットワークデバイスやコンピュータ、プログラムといった、通信の全体像を認識しない媒体が中間に存在していて、これらの媒体はデータが正しく処理されることを保証できません。［Voydock1983］では、特にセキュリティに関してこの点を強調しています。

この論説は明快であり、論旨を直感的に理解できます。また、HTTPとSMTPについてここまで見てきた内容とも一致します。プロキシと中継ホストを除けば、HTTPSとSMTP over TLSはそれなりにうまく動作します。HTTPSをプロキシと連携させるには、トンネルを使ってプロキシ内を通るようにする(つまりエンドツーエンドな通信路を作成する)必要がありました。また、SMTP over TLSによるセキュリティは、中継ホストが介入すると破綻します。

11.3 エンドツーエンドの議論とSMTP

エンドツーエンドの問題について理解するには、具体例を見るのが最も簡単でしょう。SMTP over TLSの場合、「通信システムのエンドポイント」にあるアプリケーションは、送信者と受信者が使用する電子メールプログラムです。しかし、SMTP over TLSはもっと低いレベル(メール中継ホスト間のメール転送)でセキュリティを提供します。このため、適切なセキュリティサービスを提供することができません。このことはさまざまな場面で確認できますが、ここではその中の「最終ホップ配送」と「中継」という2つを紹介します。

11.3.1 最終ホップ配送

エンドユーザへのメールの配送は、SMTPによって行われるわけではありませんでした。この部分の処理は、IMAPやPOPのようなほかのプロトコルを使うか、単にディスクからメールを読み出すだけです。つまり、サーバとメールクライアントとの間の通信路は、常に危殆化される可能性があります。そのためSMTP over TLSでは、サーバとメールクライアントとの間のデータの完全性や機密性を保証する手段はありません。

SSL上で実行するなど、何らかの方法でこのプロトコルを保護したとしても、やはりローカルなメールサーバは危殆化される可能性があります。その場合には、結局メッセージも危殆化されてしまいます。リンクレベルのセキュリティ手法では、この問題を

解決することはできません。しかし、メールプログラムがエンドツーエンドのセキュリティを提供すれば、このような攻撃を防ぐことができます。

11.3.2　中継

中継に関しても同じような問題があります。SMTP over TLS は、リンクレベルでセキュリティを実現します。中継間のリンクは保護されますが、中継そのものは危殆化される可能性があります。さらに悪いことに、SMTP over TLS には、次のホップを暗号化すべきだという指示はもとより、そのホップの識別情報すら伝達する手段がありません。したがって、攻撃者が man-in-the-middle 攻撃で介入したり、SMTP による接続をダウングレードしたりする可能性があります。この場合も、エンドツーエンドのセキュリティにより攻撃を回避することができます。

11.3.3　エンドツーエンドによる解決策

これらの問題を解決する方法はエンドツーエンドのセキュリティです。受信者とローカルのメールサーバとの間には SMTP による接続が存在しないので、HTTP の CONNECT のようにして SMTP トンネルを確立することはできません。この場合の正しいアプローチは、セキュリティを確保したオブジェクトを作成し、通常の SMTP によりそのオブジェクトを転送するという方法です。「11.17 S/MIME」～「11.21 S/MIME の全体像」で説明するとおり、S/MIME はまさにこのアプローチを実現するプロトコルです。

11.4　その他のプロトコル

ここでは、IPsec、Secure HTTP、S/MIME という 3 つのプロトコルについて見ていきます。これらのプログラムは、これまでに説明してきた SSL の機能のうち、すべてではなく一部を備えています。IPsec は、IP でセキュリティを実現する汎用の手段です。つまり、SSL がコネクション指向の転送で実行されるすべてのアプリケーションにセキュリティを実現するのと同様に、IPsec は IP 上で実行されるすべてのアプリケーションに対して汎用のセキュリティを実現します。Secure HTTP と S/MIME は、どちらも特定のアプリケーション層プロトコル用に設計された、オブジェクトセキュリティのためのプロトコルです。Secure HTTP は、HTTP のリクエストとレスポンスを個別の保護されたオブジェクトとして扱うことによって、これらのリクエストとレスポンスのセキュリティを確保します。S/MIME は、個々の電子メールメッセージのセキュリティを確保します。

プロトコルスタックにおける各プロトコルの関係を、図 11.1 に示します。網かけされているものがセキュリティプロトコルです。最下部は IP です。基本的に、すべてのデー

タはIPを使って転送されます。IPsecは、IPにセキュリティサービスを追加する拡張機能にすぎません。したがって、IP上で実行できるすべてのアプリケーション（TCPやUDPの上で実行されるものを含めて）は、IPsec上でも簡単に実行することができます。なお、この図ではUDPがIPsecの上にしか示されていませんが、IP上でも実行できます。

図 11.1
プロトコルスタック内のセキュリティプロトコルの位置付け

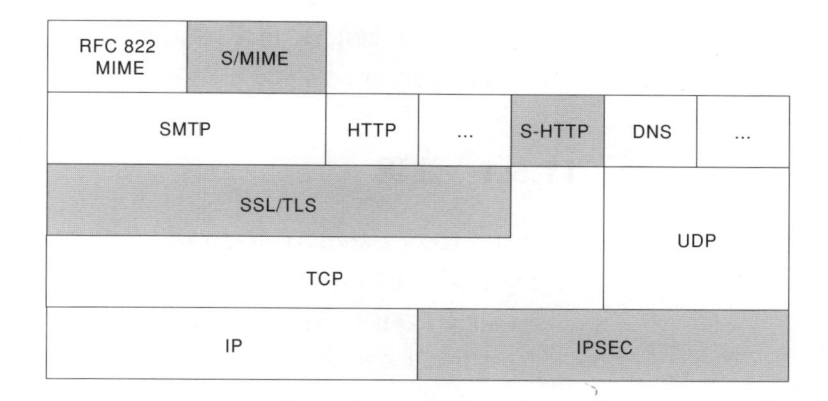

RFC 822 MIME	S/MIME				
SMTP	HTTP	...	S-HTTP	DNS	...
SSL/TLS				UDP	
TCP					
IP			IPSEC		

　理論的には、SSLはすべてのコネクション指向の転送で実行できます。しかし、実際にはTCP上で使われる場合がほとんどです。このため、TCP上に配置されるプロトコルは、通常はSSL上に配置することもできます。図11.1では、SMTP、HTTP、Secure HTTPの3つがこの例に相当します。HTTPとSMTPは、ここではSSL上の層として示していますが、当然TCPのすぐ上に配置することもできます。

　図11.1の最上部にはRFC 822/MIMEメッセージがあります。これらはSMTPの上に置かれています。S/MIMEメッセージは特殊なMIMEメッセージで、セキュリティを提供します。したがって、RFC 822/MIMEメッセージとまったく同じように、SMTP上に配置することができます。

11.5　IPsec

▼Internet Engineering Task Force

　IPsecとは、IETF▼のIP Securityワーキンググループによって標準化された、さまざまなテクノロジを指す包括的な用語です。これらのテクノロジは、RFC 2408『Internet Security Association and Key Management Protocol（ISAKMP）』［Maughan1998］、RFC 2409『Internet Key Exchange（IKE）』［Harkins1998］、RFC 2402『Authentication Header（AH）』［Kent1998a］、RFC 2406『Encapsulating Security Payload（ESP）』［Kent1998b］に記述されています。これらのテクノロジが連携して、IPによる通信にセキュリティを実現します。RFC 2401［Kent1998c］では、IPsecのアーキテクチャについて記述しています。

SSLと同様、IPsecには、ISAKMPとIKEが提供する鍵交換およびパラメータ管理の機能と、AHとESPが提供するデータ保護機能があります。これらの機能の間を橋渡しするのが、SA（Security Association）です。ISAKMPとIKEはSAを確立するために使用され、AHとESPはSAを使ってデータを保護します。SSLとは異なり、鍵管理と通信保護の機能は完全に別物です。ほかの方法でSAを確立できれば、IKEなしでAHとESPを使うこともできます。理論的には、IPsec以外のプロトコルの鍵交換にIKEを使うことも可能ですが、実際にはこのような例はありません。

11.5.1 注釈

IPsecとSSLを比較するためには、IPsecの基本的な仕組みを理解する必要があります。そこで、まずIPsecの概要から説明を始めます。まずは3つの主要なコンポーネントであるSA、ISAKMPおよびIKE、AHおよびESPについて説明します。次に、これらがどのように連携してIPによる通信を保護するのかを見ていきます。最後に、IPsecとSSLとでセキュリティを確保した接続を比較し、両者の長所と短所を説明します。

11.6 Security Association

IPsecのSA（Security Association）は、SSLのセッションとおおよそ同じです。つまり、2つのホスト間でデータを転送するためにネゴシエートするアルゴリズムや、使用する鍵素材が共通しています。しかし、SAは、SSLセッションとは異なり、一方通行です。したがって、2つのホストが安全に通信するためには、各方向に1つずつSAが必要です。それぞれのSAにはSPI（Security Parameter Index）があります。SPIは、SAを識別する32ビット値です。SPIはグローバルに一意でなくても構いませんが、SPI、送信元IPアドレス、プロトコル（AHまたはESP）の組み合わせは一意でなければなりません。SPIは保護されたパケット1つひとつに含まれて転送されるので、意図的に短く作成されています。SPIが長いと、ネットワークの帯域幅を消費しすぎるからです。

11.7 ISAKMPとIKE

AHまたはESPを使ってデータを送信するためには、まずSAを確立しなければなりません。IPsecのアーキテクチャに関するドキュメント（RFC 2401）は、SAを確立する手法を2つ定義しています。1つは手動鍵設定で、もう1つはISAKMP（Internet Security

Association and Key Management Protocol）および IKE（Internet Key Exchange）によるものです。手動鍵設定は、両方のホストで鍵とアルゴリズムを手動で設定する方法です。ISAKMP および IKE は、SSL の Handshake に似た方法で、鍵とセッションの管理を自動的に行います。

　ISAKMP は、SA と鍵をネゴシエートするための汎用的なフレームワークを提供します。このフレームワークが、ハンドシェイク段階とメッセージ、アルゴリズムのネゴシエート方法を定義しています。しかし、特定の鍵交換手法は用意されていません。IKE は、DH に基づく鍵交換を行います。

　IKE 鍵交換は STS［Diffie1992］、Oakley［Orman1998］、SKEME［Krawczyk1995］に基づいています。通信する二者は DH 共有値（公開鍵）を交換し、共通鍵を使って通信の暗号化用の鍵とメッセージ認証を行います。DH 共有値は、電子署名、公開鍵暗号化、共有秘密を使ってメッセージ認証することができます。DH を使っているので、PFS が自動的に得られるようになるのがポイントです（PFS については第 5 章を参照）。IKE では実装の際、プライベートなグループを使うこともできますが、ほとんどの場合はいずれかのパブリックなグループを使用します。これとは対照的に、SSL では、グループの選択はサーバに委ねられています。

11.7.1 識別情報の保護

　IKE が提供する独自の機能として、DH 共有値を交換する二者の識別情報を保護するというものがあります。メインモード（Main Mode）では、DH 共有値は平文で交換されますが、証明書と認証データは暗号化されます。図 11.2 にこのモードの仕組みを示します。

図 11.2
IKE のメインモード

イニシエータ　　　　　　　　　　　　　　　　　レスポンダ
　　　　　→　　　　（1）　SA の提案　　　　　　→
　　　　　←　　　　（2）　選択したアルゴリズム　←
　　　　　→　　　　（3）　DH 共有値, Nonce　　　→
　　　　　←　　　　（4）　DH 共有値, Nonce　　　←
　　　　　→　　　　（5）　暗号化された証明書と認証データ　→
　　　　　←　　　　（6）　暗号化された証明書と認証データ　←

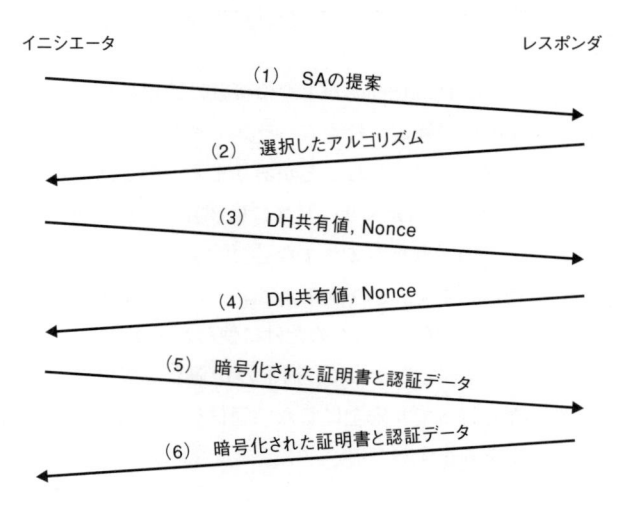

　IP 層ではサーバとクライアントの区別がないので、IKE は両者を区別しません。その代わり、最初のパケットを送信した側をイニシエータ（Initiator）、2 番目のパケットを送信した側をレスポンダ（Responder）と呼びます。この図では、イニシエータを左側に、レスポンダを右側に示しています。ハンドシェイクは、イニシエータとレスポンダが 1 つ

ずつメッセージを送信する「交換(exchange)」を繰り返すことによって実行されます。したがって、メインモードでは3つの交換が行われます。

1回目の交換では、イニシエータが、自分がサポートできるいくつかのアルゴリズムを提案します。レスポンダはその中から1つを選択します。2回目の交換では、双方がNonce(SSLのrandom値に対応する無作為な文字列)とそれぞれのDH共有値を送ります。最後に、3回目の交換では、DH共有値や交換のそのほかの部分に対する署名を交換します。

このハンドシェイクの結果は、DHとクライアント認証を使用したSSL Handshakeとほぼ同じになります。SSLでは、クライアントとサーバが相互に認証され、互いに同意した鍵とアルゴリズムを共有します。SSLはサーバだけを認証できますが、IKEではそのような一方向の認証を行うことはできません。

メインモードで3つのメッセージ交換を行うのは、両者の識別情報をスニッフィングから守るためです。識別情報の保護は、1つのホストが複数の識別情報を持っていて、特定のハンドシェイクにどの識別情報を使用しているかを攻撃者に知られたくない場合に特に有用です。IKEでは、まず匿名DH交換を行い、その後暗号化された通信路を通じて残りの交換を行うため、パッシブ攻撃によって二者の識別情報が判別されるのを防ぐことができます。しかし、このような保護が必要ない場合には、これらの交換をすべて1つの交換にまとめることができます。これはIKEアグレッシブモード(Aggressive Mode)と呼ばれます。なお、SSLでも、匿名DH交換の後に通常の交換を行うことによって、識別情報の保護を実現することは可能です。しかし、鍵合意の段階が複数必要となるので、IKEメインモードに比べるとずっと煩雑です。

11.7.2　2つのフェーズによる処理

SSL Handshakeが1つの接続に適用されるのに対し、IKEは2つのコンピュータ間のすべての通信に対するパラメータを確立します。しかし、通信の種類によって、異なる保護が必要になることがあります。例えば、Telnetセッションにはおそらく暗号化が必要ですが、DNSサービスには認証のみが必要です。

このようなさまざまな必要性を満たすために、IKEでは2つのフェーズによる処理を使用します。2つのコンピュータ間における1回目のIKEハンドシェイクは、ISAKMPでSAを確立するためだけに使われます。このSAは、以降のIKE通信の転送だけに使われます。したがって、通常のIP通信を実際に転送するためには、別のIKEハンドシェイクを行って、安全にしたい通信(プロトコル、ポート番号など)用のSAを確立する必要があります。

IKEには、これらの新しいハンドシェイク用に特殊なクイックモード(Quick Mode)が用意されています。クイックモードはSSLセッションの再開と似ており、新しく鍵交換を行うことなく、元のSAから鍵素材を生成することができます。また、新しい接続にPFSが必要な場合は、新しいDH鍵合意を行うこともできます。この場合も、認証段階は省略されます。交換は認証された通信路上で行われるので、暗黙的に認証されている

ことになります。クイックモードでは、各方向に1つずつSAをセットアップします。

11.7.3　ISAKMPの転送

　SSLでは、データ転送に使われるTCPの接続上でHandshakeが行われます。ISAKMPは一般に、1つの接続ではなく2つのコンピュータ間の通信パラメータを確立するためのものなので、このような方法でハンドシェイクを行うのは不可能です。ISAKMP通信には、UDPポート500が指定されています。

　UDPを使用しているために、パケットが送信者から受信者へと配布されることが保証されなくなります。このため、すべてのISAKMPの実装では転送タイマーを管理しなければなりません。特定のメッセージに対する応答がない場合に、そのメッセージを再送できるようにするためです。これにより、プログラミングの面で、SSLにはない複雑さが生まれてしまいます。

　UDPを使う場合の深刻な問題点の1つは、UDPとファイアウォールとの相互作用にあります。多くのファイアウォールはUDPを完全にブロックします。したがって、IPsecホストがファイアウォール内にある場合は、ポート500のUDP通信を通過させるか、もしくはプロキシで処理するようファイアウォールを設定する必要があります。このためにはファイアウォール管理者の許可が必要ですが、ファイアウォールに穴(特にUDP受信用)を開けるのは危険だと考えられているので、許可されることは少ないでしょう。

11.8　AHとESP

　SSLでは1つの統一されたレコード形式を使いますが、IPsecにはAH(Authentication Header)とESP(Encapsulating Security Payload)という2つの形式があり、機能が若干異なります。AHがメッセージ認証と再送攻撃対策(anti-replay)のみを提供するのに対し、ESPは通信暗号化に加え、メッセージ認証と再送攻撃対策をオプションで提供します。

11.8.1　AH

　AHの目的は、IPデータと、IPヘッダのできるだけ多くの部分を認証する新しいIPヘッダを提供することです。AHは、データと大部分のヘッダをMAC処理することでこれを実現します。一部のヘッダフィールドは転送中に変わる可能性があるので、MACからは除外されます。図11.3は、AHによるパケットの保護を図示したものです(AHの追加前と追加後)。MACセクションは網かけされています(ヘッダは全体が網かけされていますが、実際にMAC処理されるのはヘッダの一部だけです)。

図 11.3
AH による保護

```
前  | IPヘッダ | TCPヘッダ | TCPデータ |

後  | IPヘッダ | 認証ヘッダ（AH） | TCPヘッダ | TCPデータ |
```

　AH ヘッダには、MAC に含まれるシーケンス番号も含まれます。この番号は、再送を検出するために使われます。通常どおりに動作しているネットワークでも、中間のルータの再送機能によって、再送攻撃のように見えることがあります。再送を検出する理由は、単に、ホストの TCP 層と UDP 層が互いのパケットを 1 回しか受け取らないようにするためです。TCP は再送されたパケットを自動的に処理して拒否するので、再送の回避が必要になるのは主に UDP です。

11.8.2　ESP

　ESP は、暗号化を提供するほか、オプションで IP パケットのペイロードに対する認証も実現します。AH とは異なり、ヘッダはまったく保護されません。保護されるのはメッセージのペイロードだけです。ESP は、暗号化または認証、もしくはその両方を提供することができます。図 11.4 に、ESP を適用する前と後のパケットを示します。網かけされているのが保護されたセクションです。

図 11.4
ESP による保護

```
前  | IPヘッダ | TCPヘッダ | TCPデータ |

後  | IPヘッダ | ESPヘッダ | TCPヘッダ | TCPデータ |
```

11.8.3　トンネルモード

　ESP はヘッダを保護しないため、送信元と宛先のアドレスが攻撃者に見られてしまう（または変更されてしまう）可能性があります。AH と ESP はどちらも、「トンネルモード（Tunnel Mode）」というモードを用意しており（先ほど説明した単純なモードは「トランスポートモード（Transport Mode）」といいます）、このモードでは IP パケット全体が保護されます。つまり、保護するパケットを、AH または ESP を適用したほかのパケットによって暗号化するのです。図 11.5 に、ESP を適用する前後のパケットを示します。

図 11.5
ESPのトンネルモード

前: | IPヘッダ | TCPヘッダ | TCPデータ |

後: | 外側のIPヘッダ | ESPヘッダ | 内側のIPヘッダ | TCPヘッダ | TCPデータ |

　一般には、2つのホスト間の通信にはトランスポートモードを使うべきです。トンネルモードのようにヘッダを繰り返すのは不要であるばかりか、帯域幅を無駄にしてしまいます。送信側と受信側のアドレスは暗黙的にSAに含まれているので、暗号論的な検証をする必要はありません。トンネルモードは、主にVPN（Virtual Private Network）を作成する際に使われます。2つのIPsec対応ルータを設定し、この2つの間を行き来するすべての通信が暗号化されるようにします。ネットワークがまるでプライベートな専用回線を通して接続されているように見えることから、このようなシステムをVPNといいます。VPNでトンネルモードを使う必要があるのは、IPアドレスが、ルータの背後にあるコンピュータを指している可能性があるためです。

11.9　IPsecの全体像

　ではここで、あるホストが、まだ一度も通信したことのないほかのホストにパケットを送ろうとした場合に、何が起こるかを考えてみましょう。まず、パケットを送る前に、データを保護するためのSAをセットアップする必要があります。したがって、必要なSAをセットアップするためのIKE交換を行う間、パケットの送信は保留しておきます。SAのネゴシエーションが終わったら、パケットを保護して送信します。
　パケットを受け取ったホストは、まずSPI（AHヘッダまたはESPヘッダの中）を見て、それが既知のSAに対応しているかどうかを判断します。対応している場合は、パケットに適用されている保護を解除して、データをIPスタックに渡します。これらのすべての動作は、アプリケーションプログラムに対しては透過的に行われます。アプリケーション側では、通常のネットワーク呼び出しを行えば、データの保護および保護解除が自動的に行われます。

11.9.1　ポリシー

　ここまでは、IKEがネゴシエートする保護の種類を、各ホストがどのように判断するかという問題には触れずにきました。一般には、2つのメカニズムが考えられます。1つ目は、システム管理者がホストのポリシーを設定することです。これらのポリシーでは、宛先ホスト、ポート、プロトコルに応じて、ネゴシエートする保護の種類を指定します。

したがって、アプリケーションは、そのコードを一切変更することなく、規定のセキュリティを利用することができます。

場合によっては、セキュリティサービスをアプリケーションから直接制御したいこともあります。これを実現するための2つ目のメカニズムは、OSからソケットAPIに拡張機能を提供することです。そして、そのソケットに対してネゴシエートするセキュリティをアプリケーションで制御できるようにすることです。当然ながら、アプリケーションもこれらの拡張機能を利用するように修正する必要があります。

通信の種類に応じて複数のポリシーを使用する場合は、特定のホストに対するSAがあっても、保護の種類が正しくないことがあり得ます。その場合、IKEは新しいSAをネゴシエートしなければなりません。また、受け取ったパケットのSAが、そのパケットの種類に対応したポリシーに一致しないこともあり得ます。その場合は、IPスタックでデータを拒否する必要があります（通常は何らかのICMPエラーを生成します）。このようなエラーを受け取った場合、送信側では適切なIPsec SAをネゴシエートする必要があります。

11.10　IPsec vs. SSL

　IPsecとSSLは、数多くの相違点があるものの、概念的にはとてもよく似ています。どちらのプロトコルも、鍵とパラメータをネゴシエートするハンドシェイクの段階があり、その後のデータ転送段階に入ってから通信を保護します。トランスポートモードでESPを使う場合、IPsecはSSLとほとんど同じように動作します。つまり、通信データに対しては認証を行いますが、IPヘッダに対しては行いません。しかし、IPsecではTCPメッセージが保護されるので、TCP FINを使用して接続を安全に閉じることができます。特別なIPsec終了メッセージは必要ありません。

　多くの場合、IPsecはSSLとほぼ同じと考えることができます。SSLでは、TCP上のすべての通信を保護することができます。一方、IPsecでは、IP上のすべての通信（UDPを含む）を保護できます。SSLの場合はソケット呼び出しをSSLソケット呼び出しに置き換える必要がありますが、IPsecはアプリケーションをまったく変更せずに追加することができます。アプリケーションをIPsec対応にしたい場合でも、SSLレコードのフレーミングが原因となる特別なI/O動作に対応する必要がなく、基本的なソケット呼び出しを使うことができます。これは、ネットワークに関するコードの大半が他人によって作られたものである場合に、特に便利です。SSLを使う場合は、このコードをすべて変更しなければなりません。IPsecの場合は、基本的に何も変更しなくて済みます。

　しかしIPsecは、アプリケーションには介入せずに済みますが、OSには介入する必要があります。AHとESPを実行するためのコードは、IPスタックに含めなければなりません。ほとんどのシステムでは、スタックはOSカーネルに含まれています。ISAKMP/

IKEコードはユーザ空間で実装できますが、AH/ESPコードからアクセスできるような形でSA用のカーネルテーブルエントリを作成できるコードでなければなりません。したがって、IPsecを導入するということは、まったく新しいOSをインストールするということになります。

11.10.1 エンドポイント真正性

SSLとは異なり、ISAKMPの場合は、接続の両端で認証が必要です。ほとんどの通信では、クライアントの識別情報は重要ではないので、これは不都合です。ただし、ISAKMPでは、共有秘密情報に基づく認証が可能です。SSLにはこの機能がありません。これらの違いは、それぞれのプロトコルにおける単なる設計上の選択の違いです。セキュリティをトランスポート層に置いた場合とIP層に置いた場合との間で生じる本質的な違いというわけではありません。

11.10.2 中間媒体

HTTPSはトンネルを使ってプロキシを通過することができますが、SMTP over TLSでは、中継ホストに直接接続してメールを配送する必要があります。この違いは、メール配布の「ストアアンドフォワード」という性質に起因しています。IPsecでは、トンネルを使って中間媒体(intermediary)を通過することはできません。

HTTPSでトンネルを使ってプロキシを通過した際には、プロキシに対してTCPの接続を確立しなければなりませんでした。したがって、プロキシはTCP通信を読み取ることができなければなりません。プロキシが読み取れないのはアプリケーション層の通信でした。IPsecはIP層で保護を行うので、このような分離は不可能になります。中間媒体でIPsecを提供するのが精一杯です。アプリケーションレベルの中間媒体が介入した場合、SSLではエンドツーエンドの保護を行えることもありますが、IPsecではリンク保護しか提供できません。

中間媒体に対するもう1つの手法として、IPsecで保護する接続に関しては中間媒体を完全に迂回し、宛先ホストに直接接続するという方法があります。しかし、一般にはこの方法は使用できません。ファイアウォールプロキシはアクセス制御のためにあるので、IPsecを使うためといえども、これに穴を開けるということは、その目的が覆されることになります。さらに、SMTPの場合、中継ホストはメールシステムに不可欠であり、迂回することはできません。送信側のホストは、中継ホスト以外にメールを送信する先を知りません。

11.10.3 仮想ホスト

第9章と第10章で見たとおり、宛先ホストの識別情報を通知する上方向ネゴシエーション手法を使えば、SSLではIPのエイリアスを行わなくても仮想ホストを使用できま

す。しかし、IPsecでは、IPsec SAが確立されるまではアプリケーション層プロトコルによるデータ転送は存在しないので、上方向ネゴシエーションというものはあり得ません。したがって、仮想ホストを実装するためにはIPのエイリアスが唯一の手段となります。

11.10.4　NAT

　ルータがNAT（Network Address Translation）の機能を提供する場合、IPsecは完全に破綻します。NATは、数多くのコンピュータで少数のIPアドレスを使用するための手法です◆監訳注1。それぞれのコンピュータには独自のプライベートIPアドレスが割り当てられています。プライベートなIPアドレスのコンピュータからデータを転送する際には、NATルータがグローバルIPアドレスへの変換を担当します（NATルータには、変換に使えるグローバルIPアドレスがいくつか割り当てられています）。逆に、データを受信する際には、グローバルIPアドレスがプライベートIPアドレスに変換されます。

　IPsecでは、IPアドレスによって識別される特定のホストに対してSAを確立する必要があるので、NATを使用すると、NATルータの背後にあるコンピュータからIPsecを実行する場合に大きな問題が生じます（ただし、IPsecを使うホストの数が少ない場合は、それらのホストに固定アドレスを与えるようルータを設定することもできます）。これとは対照的に、SSLはNATの影響をまったく受けません。NATを利用することの賛否については、幅広い（時に激しい）議論があり（[Rekhter1994] [Lear1994] [Rekhter1996]）、この良し悪しはそれぞれの視点によって変わってきます。それでも、NATが広く採用されていることは事実であり、NATルータの背後にあるホストがIPsecを使用できないというのは問題です◆監訳注2。

11.10.5　結論

　IPsec反対派がその理由として挙げるのは、TCP/IPスタックを変更しなければならないという点です。一方、賛成派の理由は、セキュリティを確保するためにアプリケーションを変更する必要がないという点です。実際には、セキュリティを必要とするアプリケーションは少数であり、OSを変更するのはとても厄介なので、単にアプリケーション単位でSSLを使用するほうが好まれます。しかし、IPv6にはセキュリティサポートが必要なので、IPv6がいつかエンドシステムで広く採用されたときには、IPv4にもセキュリティを追加するよい機会となるでしょう。また、Windows 2000にはIPsecが実装されているので、Windows 2000のみに対応するアプリケーションの場合は、IPsecは非常に魅力的な選択肢です。

◆1.　この手法は、一般に「NAPT（Network Address Port Translation）」もしくは「IPマスカレード」と呼ばれています。

◆2.　本書監訳時点（2003年11月）では「NAT Traversal（Negotiation of NAT-Traversal in the IKE）」という対応技術などもあります。

IPsecの最も一般的な用途は、VPNを構築するというものです。これは、IPsecの得意分野といえます。1つのルータをアップグレードするのはとても単純な作業で、IPsec対応のルータは広く出回っています。このようなルータをネットワークに導入すれば、リモートなネットワークへの安全な接続を簡単に確立できます。1つのネットワークからほかのネットワークへのすべての通信は、ゲートウェイルータによって自動的に暗号化されます。これが、VPNを構築するための最も単純な方法です。

　将来的にIPsecがエンドユーザのコンピュータで広く利用できるようになると想定すれば、IPsecによる手軽なセキュリティは広く普及するかもしれません。SMTP over TLSに関して説明したように、能動的なダウングレードに対する保護が一切なかったとしても、手軽にセキュリティを確保できれば、とても便利です。この方法では、設定や管理にはほとんど負担をかけることなく、受動的なスニッフィング攻撃から通信を保護することができます。したがって、HTTPSをHTTP over IPsecに置き換えるのは困難ですが、SMTP over TLSをSMTP over IPsecに置き換えるのはとても魅力的な方法です。

11.11　Secure HTTP

　Secure HTTP（S-HTTP）［Rescorla1999a］は、HTTPを使って送信されるメッセージを保護するためのシンタックス（syntax）を定めています。HTTPSでは個々のHTTPメッセージの内容や境界をほとんど無視しますが、S-HTTPはそれぞれのHTTPリクエストとレスポンスを1単位として扱い、個々に保護します。このためS-HTTPでは、クライアントとサーバとの間のさまざまなメッセージを、それぞれ別々の方法で保護することができ、メッセージレベルの電子署名と否認防止を提供することができます。

　S-HTTPは、メッセージ形式とネゴシエーションシンタックスという2つの要素に大別できます。メッセージ形式は、個々のメッセージをカプセル化および保護するためのものです。ネゴシエーションシンタックスは、データの保護方法と鍵素材の提示方法について、クライアントとサーバの両方が意見を伝えられるようにするものです。

> ◇　**打ち明け話**：筆者はSecure HTTPの主要な設計者の一人であり、何年もの間、Secure HTTPのツールキットを販売する企業に勤めていました。このため、Secure HTTPとSSLの相対的なメリットについてはよく理解しています。しかしその一方で、意見が偏っている可能性もあります。本書では、できるだけ客観的に利点と欠点を紹介するように心がけるつもりです。

11.11.1　メッセージ形式

S-HTTPのメッセージ形式は、RFC 2630［Housley1999b］に記述されているCMS（Cryptographic Message Syntax）をベースにしたものです。CMSは、S/MIMEで使用するように設計されたPKCS #7［RSA1993c］のバリエーションです。一般に、S-HTTPメッセージはHTTPのリクエストやレスポンスと似ていますが、本文はCMSメッセージです。保護された本文には、クライアントやサーバが送信した実際のHTTPリクエストまたはHTTPレスポンスが含まれています。つまり、ヘッダとメッセージ本文が保護されます。

11.11.2　暗号化オプション

S-HTTPの設計目標の1つに、HTTPと同じメッセージモデルを使用することがありました。そこでS-HTTPでは、SSLとは異なり、クライアントとサーバ間で複数のラウンドトリップによるハンドシェイクを行わないようになっています。その代わり、S-HTTPのリンクを含むWebページには、ネゴシエーション情報も含める必要があります。この情報は、リンクを逆参照することによって生成されるリクエストに、どの保護を適用するかを判断するために使用されます。クライアントが先にサーバに接続する必要はありません。S-HTTPクライアントも同様に、リクエストのヘッダにネゴシエーション情報を含めます。これは、応答の保護方法をサーバに伝えるためのものです。

11.11.3　注釈

ここでの目的は、第9章で説明したHTTPSとS-HTTPを比較することです。両者の違いを理解するためには、S-HTTPの仕組みを十分に理解する必要があります。したがって、最初にS-HTTPの概要から見ていきます。まずはCMSと、S-HTTPメッセージの形式について説明します。その後、暗号技術に関するオプションとネゴシエーションの手順について見ていきます。最後に、ネゴシエーションとメッセージ形式が連携してHTTP通信を保護する仕組みを紹介し、例を示します。

さらに、S-HTTPについてしっかりと理解したところで、HTTPSと比較した場合の利点と欠点を見ていきます。S-HTTPはメッセージ指向であることから、一般にHTTPSよりも柔軟性に富んでいます。また、HTTPSでは不可能な、メッセージレベルの署名と否認防止を提供することもできます。さらに、プロキシや仮想ホストとの連携も明確です。S-HTTPの主な欠点は、クライアント側でもサーバ側でも、実装がはるかに複雑であるという点です。

11.12 CMS

CMSは、メッセージを暗号論的に保護するための代表的なプロトコルであり、任意のコンテンツに対して暗号化と電子署名を提供します。すべてのCMSメッセージには、適用されている暗号技術に関する拡張の形式を示す型があります。CMSメッセージを再帰的にカプセル化して、複数の拡張を適用することもできます。CMSでは Data、SignedData、EnvelopedData、EncryptedData、DigestedDataの6つの基本型が定義されています。しかし、S-HTTPでは SignedData と EnvelopedData しか使わないので、ここではこの2つだけを紹介します。

11.12.1 SignedData

SignedData メッセージには、コンテンツと、そのコンテンツに対する1つ以上の署名が含まれています。通常どおり、コンテンツはダイジェスト化され、そのダイジェストは送信者の秘密鍵を使って電子署名されます。メッセージには、そのメッセージに署名するために利用された鍵を証明する、適切な証明書を含めることができます（通常は含めます）。また、メッセージには、証明書の有効性を確認するためのCRLを含めることもできます。

コンテンツを持たない SignedData メッセージを使用することもできます。これは「分離署名(detached signature)」と呼ばれ、分離されたデータに対する署名を表します。

11.12.2 EnvelopedData

EnvelopedData メッセージには、暗号化されたデータが含まれます。データは、無作為に生成された対称型のコンテンツ暗号化鍵(CEK：Content Encryption Key)を使って暗号化されます。暗号化されたコンテンツは、1つ以上の RecipientInfo ブロックを含むラッパー（暗号化などの処理）にカプセル化されます。それぞれの RecipientInfo ブロックには、特定の受信者用に暗号化されたCEKが含まれています。

CEKを暗号化する方法は3つあります。1つ目はRSAを使う場合で、CEKは単に受信者の公開鍵を使って暗号化されます。2つ目はDHを使う場合で、CEKは送信者と受信者で一組のDH共有秘密を使って暗号化されます。ただし、2つで一組のDH共有秘密を使ってメッセージを直接暗号化するわけではありません。なぜなら、そのようにすると、受信者ごとにメッセージ全体を再暗号化しなければならないからです。2つで一組のDH共有秘密によりCEKを暗号化することで、送信者は、受信者ごとに新たに暗号化されたCEKを生成することが可能になります。そして最後の方法は、送信者と受信者が共有する、対称型の鍵暗号化鍵(KEK：Key Encryption Key)を使ってCEKを暗号化するものです。KEKの共有方法は、CEKの解説の域を出てしまうため、ここでは説明しませ

ん。とにかく、S-HTTPにはこのような鍵を確立する方法が用意されています。これについては「11.14 暗号技術に関するオプション」で説明します。

11.12.3 署名と暗号化

CMSには、署名と暗号化の両方を行うコンテントタイプはありません。両方の拡張機能を適用するには、再帰的に拡張するコンテンツを使用しなければなりません。したがって、まずデータに署名して`SignedData`を生成します。そして、その`SignedData`を暗号化プロセスに対する入力として使用し、`EnvelopedData`を生成します。このメッセージを読み出す際には、この手順を逆に実行します。

11.13 メッセージ形式

HTTPSとは異なり、S-HTTPメッセージはHTTPメッセージと同じポートを使用します。S-HTTPメッセージは、サーバがS-HTTPリクエストを識別し、リクエストを処理する前に拡張機能を除去しやすいように設計されています。そのためS-HTTPでは、`Secure`という特殊なメソッドを使用してリクエストを行います。`Request-URI`には機密情報が含まれている可能性があるので、「`*`」に置き換えられます。図11.6に典型的なS-HTTPリクエストを示します。

図11.6 S-HTTPメッセージ

```
Secure * Secure-HTTP/1.4
Content-Type: message/http
Content-Privacy-Domain: CMS
```
（バイナリCMSメッセージは省略）

`Content-Privacy-Domain: CMS`という行は、リクエスト本体（この例では省略）がCMSメッセージであることを示しています。この行は、S-HTTPがMIME Object Security Services（MOSS）と呼ばれるもう1つの（あまり一般的ではない）メッセージのセキュリティメカニズムをサポートしているため、必要になります。CMSメッセージを復号すると、その内容はS-HTTPを使用しない場合にクライアントが送るのと同じHTTPリクエストです（`Content-Type: message/http`という行がこれを表しています）。

S-HTTPレスポンスも、S-HTTPリクエストに似た形式です。レスポンスが成功したか失敗したかは機密情報である可能性があるため、HTTPレスポンス全体を暗号化します。ステータス行は、常に次のようになります。

```
Secure-HTTP/1.4 200 OK
```

S-HTTPは、もともとPKCS #7を使って設計され、その後CMS向けに修正されました。CMSはMACを使用した対称型メッセージ認証をサポートしていますが、PKCS #7はこれをサポートしていません。したがって、S-HTTPには、メッセージに付加するための`MAC-Info`ヘッダ行も用意されています。

11.14 暗号技術に関するオプション

第9章で説明したとおり、HTTPSのURLは`https`というスキームによってHTTPのURLと区別できます。しかし、クライアントに与えられる情報はこれだけです。どの暗号化スイートを使用するかは、SSL Handshake中に判断されます。S-HTTPにも、`shttp`という独自のスキームがあります。しかしながら、情報の大部分は暗号技術に関するオプションによって示されます。これらのオプションは、メッセージを送信するとき、送信者がどのような通信形態を取るかについての受信側での想定を示しています。

サーバのオプションは、関連付けられたHTMLアンカーに含まれているのが普通です。RFC 2659［Rescorla1999b］に、この手順についての記述があります。クライアントのオプションは、リクエストの内側のヘッダ（S-HTTPヘッダではなくHTTPヘッダ）に含まれます。クライアントがURLを逆参照する場合は、まず対応するオプションを探し、それを使って送信するメッセージの種類を判断します。サーバがレスポンスを送信する際には、まず、クライアントのリクエストのHTTPヘッダに含まれるクライアントのオプションを調べます。

S-HTTPには、本当の意味でのネゴシエーションは存在しません。その代わり送信側は、自分の設定と受信側の設定との兼ね合いを考えて、両者が許容できる拡張のセットを判断します。その後、これらの拡張をメッセージに適用し、それを送信します。暗号技術に関するオプションの位置付けは異なりますが、この点ではサーバもクライアントも同じように動作します。

暗号技術に関するオプションには、鍵素材とネゴシエーションヘッダの2種類の情報が含まれています。鍵素材には、メッセージを保護する際に使われる鍵や証明書などが含まれます。ネゴシエーションヘッダには、アルゴリズムや鍵の長さなど、使用する暗号化技術に関する情報が含まれています。

11.14.1 鍵素材

鍵素材オプションは、そのメッセージへの応答に使用する鍵素材を、一方から他方に送信するためのものです。サーバは、HTMLページ上のリンクに証明書を含め、クライアントはその証明書を使用して、そのリンクに対する要求を暗号化することができます。また、S-HTTPでは、`Key-Assign`行を使用して共通鍵を共有することができます。RSA

暗号化は負荷の高い処理なので、クライアントとサーバでそれぞれ1回しか行わないのが理想的です。したがって、クライアントがサーバに暗号化データを送る場合は、サーバに共通鍵を渡し、サーバはこれをKEKとして使用して、その応答のCEKを暗号化します。

11.14.2 ネゴシエーションヘッダ

SSLでは、使用できるすべての拡張オプションが1つのパッケージになっています。つまり、鍵交換アルゴリズム、認証アルゴリズム、暗号化アルゴリズム、メッセージ認証アルゴリズムが、暗号スイートによってまとめて定義されます。一方、S-HTTPにはより多くの選択肢があり、これらを組み合わせて使用することができます。

S-HTTPでは、コンテンツに対する電子署名(sign)、コンテンツの暗号化(encrypt)、コンテンツの対称型メッセージ認証(auth)の3種類のプライバシー拡張をネゴシエーションすることができます。これらの拡張は任意の組み合わせで使用できますが、authとsignを同時に使うのは冗長でしょう。

これらの拡張ごとにアルゴリズムをネゴシエートすることができます。さらに、コンテンツ暗号化アルゴリズムとは別に、鍵交換アルゴリズム(公開鍵か対称型鍵か)をネゴシエートすることもできます。また、電子署名を適用する場合に、送信側がどの種類の鍵を使って署名すべきかを指定することもできます。

最後に、ネゴシエーションヘッダには、送信時に主体が使用する拡張についての情報を含めることもできます。つまりサーバは、要求に対する応答に使用すべきメッセージの種類を、クライアントに指示することができます。クライアントは、サーバの実際の応答と、暗号技術に関するオプションで指定されている動作とを比較する必要があります。図11.7 は、サーバが送信した単独のネゴシエーションヘッダの例です。

図 11.7
ネゴシエーションヘッダ

```
SHTTP-Symmetric-Content-Algorithms: orig-optional=DES-CBC, DES-EDE3-CBC;
    recv-require=DES-EDE3-CBC
```

図11.7のヘッダ行には、このリンクを3DESを使って逆参照しなければならないこと(recv-require=DES-EDE3-CBC)、サーバはレスポンスにDESおよび3DESのどちらでも使用できること(orig-optional=DES-CBC, DES-EDE3-CBC)が示されています。

S-HTTPでは、ネゴシエーションできるこのような項目が8つ定義されているため、暗号技術に関するオプションは長くなります。この問題を軽減する目的から、RFC 2660ではデフォルト値が定義されています。オプションの値がデフォルトである場合は、そのオプションを省略することができます。

S-HTTPでネゴシエーションできるパラメータを以下にまとめます。

・メッセージ形式
　CMSまたはMOSS

- 証明書の種類

    X.509、暗号化された PKCS #7

- 鍵交換アルゴリズム

    DH、RSA、Inband、Outband

- 署名アルゴリズム

    RSA、DSS

- メッセージダイジェストアルゴリズム

    MD5、SHA-1、HMAC

- コンテンツ用の共通鍵暗号化アルゴリズム

    DES、3DES、DESX、CDMF、IDEA

- 共通鍵暗号化アルゴリズム

    DES、3DES、DESX、CDMF、IDEA

- プライバシー拡張

    署名、暗号化、認証、またはこれらの組み合わせ

CMS で DES、DESX、CDMF を使うことを指定するパラメータはありません。しかしながら、S-HTTP の実装では、新しいコンテンツ暗号化アルゴリズムを追加する方法が 1 つだけあります。新しいアルゴリズムをサポートしていると通知することにより、その手法をサポートしていることを暗黙的に示すことができるのです。

11.15 S-HTTP の全体像

S-HTTP の仕組みを理解するには、具体例を見るのが一番でしょう。図 11.8 は、Secure-HTTP のリンクを含むページを示しています。クライアントは HTTP を通してこのページを取得するのが一般的ですが、クライアントがどのようにしてこのページに到達するかは重要ではありません。

図 11.8
S-HTTP リンクを含むページ

```
<CERTS FMT=PKCS-7>
  (証明書は省略)
</CERTS>
<A DN="CN=Test Server, O=RTFM, Inc., C=US"
   CRYPTOPTS="
     SHTTP-Privacy-Enhancements: recv-required=encrypt;
     SHTTP-Key-Exchange-Algorithms: recv-required=RSA;
     SHTTP-Symmetric-Content-Algorithms: recv-required=DES-EDE3-CBC"
   HREF="shttp://www.rtfm.com/test.html">
   Click here to dereference</A>
```

CERTS 要素には、base64 でエンコードされた PKCS #7 証明書チェーンが含まれています。この例ではこれを省略しています。アンカーには、関連する暗号技術に関するオ

プションが含まれています。DN フィールドにはサーバの識別名が含まれています。サーバの証明書と識別名が別々に示されていることに注意してください。CERTS 要素は単なる勧告にすぎません。DN 属性は、サーバの鍵を探すために使われます。

CRYPTOPTS 属性には、ネゴシエーションヘッダが含まれています。この例でサーバがクライアントに要求している内容は、鍵交換に RSA を、共通鍵暗号化方式として 3DES を使うことです。最後に、HREF 属性には通常どおりリソースの URL が含まれていますが、スキームとして shttp が指定されています。

クライアントがリンクを逆参照する際には、サーバからの指定どおり、鍵交換には RSA を、共通鍵暗号化方式には 3DES を使用して要求を暗号化します。また、Key-Assign ヘッダを使用して、共通鍵をサーバに渡します。この暗号化された要求を図 11.9 に示します。この要求 (および本章で示すすべてのメッセージ) は crypto-vision で記載します。暗号化された情報をバイナリデータの塊として示しても意味がないので、本書では、それを復号した場合に見ることのできる内容を示します。メッセージのほかの部分と区別するために、この部分は等幅の斜体フォントにしてあります。

図 11.9
S-HTTP リクエスト

```
Secure * Secure-HTTP/1.4
Content-Type: message/http
Content-Privacy-Domain: CMS

GET /secret HTTP/1.0
Security-Scheme: S-HTTP/1.4
User-Agent: Web-O-Vision 1.2beta
Accept: *.*
Key-Assign: Inband,1,reply,des-ecb,des-ede3-ecb;
        787878787878787878787878787878787878787878
SHTTP-Privacy-Enhancements: recv-required=encrypt,auth
SHTTP-Symmetric-Content-Algorithms: recv-required=DES-EDE3-CBC
SHTTP-Key-Exchange-Algorithms: recv-required=inband
SHTTP-Symmetric-Header-Algorithms: recv-required=DES-EDE3-ECB
  (空行)
```

HTTP リクエストに通常含まれるヘッダ (Security-Scheme や User-Agent など) が、リクエスト内部の暗号化された部分に含まれていることがわかります。これらのヘッダも機密情報である可能性があるので、保護しなければなりません。

最後の 4 つのヘッダ行は、S-HTTP のネゴシエーションヘッダです。Key-Assign 行には Inband 鍵があります。この鍵を使うと、サーバは別の RSA 操作を実行しなくても暗号化されたメッセージを返すことができます。また、この鍵によって、クライアントは、SSL の場合と同様に、暗号化されたメッセージを秘密鍵なしで受け取ることができます。クライアントはそれぞれの要求に対してフレッシュな鍵を生成する必要があります。この鍵のラベルは 1 です。

最後の 3 つのヘッダ行は、3DES を使ってレスポンスを暗号化しなければならないことをサーバに伝えています。サーバは、このリクエストで受け取った Inband 鍵を使って、3DES で CEK を暗号化しなければなりません。また、メッセージ全体に対してメッセージダイジェストを使用する必要があります。

最後に、このメッセージに対するサーバのレスポンスを図 11.10 に示します。これも

crypto-vision です。サーバは指示どおりに inband:1 を CEK として使い、クライアントへのメッセージを暗号化しています。これはさらに CMS ラッパー内に隠されます。サーバは、MAC-Info 行に含まれる HMAC 値を計算する際にも inband:1 を使用しています。実際の HTTP ヘッダは暗号化され、メッセージダイジェストされていることに注意してください。このヘッダには機密情報が含まれる可能性があるので、保護しなければなりません。つまり、S-HTTP ステータス行は OK でも、内部の HTTP ステータス行ではエラーになっている S-HTTP レスポンスを受け取ることがあり得ます。

図 11.10
S-HTTP レスポンス

```
Secure-HTTP/1.4 200 OK
Content-Type: message/http
MAC-Info:31ff8122,rsa-sha-hmac,
    a51d612e5f3d0fbb3d8837ca351fcec879e5e3a6,inband:1
Content-Privacy-Domain: CMS

HTTP/1.0 200 OK
Security-Scheme: S-HTTP/1.4
Content-Type: text/html

Congratulations, you've won.
```

▌ 11.15.1　クライアント認証

S-HTTP は、リクエストメッセージを認証することによってクライアントを認証します。メッセージを認証する方法としては、メッセージに対する電子署名と MAC の 2 つがあります。電子署名が否認防止を提供するのに対し、MAC は完全性と送信側の認証を高速にチェックするだけです。電子署名は、メッセージの送信者と、送信者の証明書を関連付けます。MAC は、そのメッセージが MAC 鍵を持つ人によって送られたものであることを受信者が確認するためのものです。

▌ 11.15.2　参照情報における整合性

S-HTTP の参照情報における整合性を維持するのはとても簡単です。参照を含むページには、リクエストを暗号化するための暗号技術に関する情報も一緒に含まれているので、クライアントはその情報を使えばよいのです。したがって、サーバの証明書が実際にサーバの DNS 名に一致する必要はありません。必要なのは、サーバの証明書の有効性を確認することだけです。クライアントは、証明書からサーバの ID 情報を知ることができます。

メッセージは個々に認証されるので、参照をサーバの応答に対応付けるための何らかの方法が必要です。そうしないと、攻撃者がクライアントへの古いレスポンスを再送する可能性があります。これを実現するために、クライアントは Key-Assign を使って鍵を提供し、サーバはその鍵を使ってレスポンスを暗号化または MAC します。元の要求を復号できなければ鍵を入手することはできないので、鍵を入手したということは、サーバの秘密鍵を知っているということを暗に意味します。このようにして、レスポンスをリクエストに対応付けることができます。

11.15.3　自動オプション生成

　S-HTTPの最大の特徴は、同じサイト上のリソースであっても、それぞれのリクエストに対して異なる暗号技術に関する拡張のセットを使うという点です。これによって大きな柔軟性が生まれますが、その一方で管理者の負担がかなり大きくなります。デフォルト値を使用しても、S-HTTPネゴシエーションヘッダを手動で作成するのは困難です。さらに、HTMLファイルにオプションを書き込むということは、その組織のポリシーが変わった場合に、リソースへの参照が含まれるすべてのページを編集しなければならなくなるということです。

　これよりも優れた方法として、サーバにオプションを自動的に作成させる方法があります。このためには、リンクを識別することのできる原始的なHTMLパーザがサーバ上に必要です。リンクを見つけたら、サーバはそのリソースに関連付けられているアクセス制御ポリシーを探し、そのリンクに適したオプションを自動的に生成します。初期のS-HTTPサーバはこの機能をサポートしていなかったため、管理作業はとても大変でした。

　図11.9のSecurity-Schemeヘッダフィールドを見てください。これは、S-HTTPによって追加された新しいHTTPヘッダで、S-HTTPに対応していることをクライアントがサーバに知らせるためのものです。このヘッダにより、サーバはS-HTTP対応ブラウザ向けのページだけを書き換えることが可能になります。S-HTTPによるHTMLの修正は、HTML対応ブラウザで表示したときには不可視にすべきものですが、この情報をページの一部として表示するブラウザもあります。そこで、このヘッダを指定しておけば、S-HTTPリンクを含むページをS-HTTP非対応のブラウザで表示したときに、余分なコードが表示されるのを防ぐことができます。

11.15.4　ステートレスな操作

　すでに見たとおり、クライアントはKey-Assignヘッダを使って、サーバのレスポンスに使用する共通鍵をサーバに渡すことができます。もちろん、サーバの暗号技術に関するオプションでも同じことを行えますが、このためには通常、サーバが鍵を記憶しておく必要があります。また、サーバプロセスは複数あるので、それらの間でこの鍵を通信するような工夫が必要です。SSLセッションキャッシュにおいても、同じ問題があったことを思い出してください。

　しかしながら、S-HTTPでは、サーバの状態を作成しなくてもこの問題に対処できます。送信者はKey-Assignヘッダを使って、鍵に任意の名前を割り当てることができます。この名前を利用すれば、一時的な鍵を保存しなくて済みます。すべてのサーバプロセスは、1つのマスターCEKを共有します。Key-Assignに使用する新しい一時的な鍵を作成する際には、ラベルからその鍵を生成できるようにします。このための最も簡単な方法は、マスターCEKを使用して鍵を暗号化し、それをラベルとして使うことです。

$$Label = E(MasterCEK, Key)$$

または、次に示すように、ラベルを無作為に生成し、それを使って鍵を生成することもできます。

$$Key = HMAC(MasterCEK, Label)$$

暗号化されたマスターシークレットをセッションIDとして使えば、SSLでもこの方法を使えるのでしょうか。残念ながら、これは2つの理由で不可能です。まず、このようにするにはセッションIDとマスターシークレットが同じ長さでなければなりませんが、セッションIDは32バイトしかなく、マスターシークレットは48バイトであるためです。また、SSLでは、正しく終了していないセッションを再開することができません。このため、セッションを無効化できなければなりませんが、そのためにはプロセス間通信が必要となります。しかしながら、セッションを無効化しても、セキュリティがそれほど向上するわけではなく、セッションの無効化を行っていない実装は数多くあります。よって、セッションIDが短すぎるという点が主な障害になっているといえます。

11.16　S-HTTP vs. HTTPS

一般に、セキュリティを実現するプロトコルがアプリケーション層に近いほど、より柔軟で強力なセキュリティサービスを提供することができます。しかしながら、この柔軟性を得るために複雑さが増し、実装の手間が増えることも少なくありません。S-HTTPはHTTPSよりもずっと柔軟で、Web環境との相性も優れていますが、実装と普及はずっと困難になります。

11.16.1　柔軟性

HTTPSとS-HTTPの違いとして最も大きいのは、S-HTTPのほうがはるかに柔軟性が高いという点です。原則では、S-HTTP対応のWebサーバ上のすべてのリソースは、取得に際してそれぞれ異なる暗号技術に関する拡張のセットを要求することができます。しかし実際には、ここまでの柔軟性が必要とされることは稀で、3〜5種類程度のポリシーしか使わないということがほとんどです。HTTPSの場合はこの程度のポリシーを扱うのも困難で、通常は仮想ホストや複数のポート（各ポリシーに1つずつ）を使うといった力業に頼らざるを得ません。第9章で説明したとおり、HTTPSでは、Webサイトの一部のみでクライアント認証を行う場合でも、それらのページに対するHandshake全体を再度実行しなければなりません。S-HTTPの場合は、そのリンクに対するオプションを

変更するだけで済みます。

しかしながら、S-HTTPの柔軟性には高価な代償が伴います。ページごとに決断を下すというのは、管理者にとってはとても面倒な作業です。サーバの設計とユーザインタフェースが優れていれば、この管理上の負担を最小限に抑えることができますが、このためには、HTTPS対応サーバを作成する場合と比べてずっと多くのプログラミング作業が必要となります。

11.16.2　否認防止

HTTPSでは実現できないS-HTTPの機能の1つが、否認防止です。SSLはさまざまなHTTPメッセージの境界を一切認識せず、メッセージ認証にはMACを使用するので、特定のリクエストまたはレスポンスを証明する手段はありません。これに対し、S-HTTPはメッセージ単位で署名を行うので、該当するメッセージに署名するだけで証明することができます。クライアントとサーバの両方が、適切なオプションを設定するだけで、このサービスを簡単に要求することができます。

S-HTTPの署名機能では、サーバが、署名済みのドキュメントをキャッシュに保存することもできます。これにより、サーバが署名コードを1回だけ実行すれば、複数のクライアントに対して同じ文書を何度も渡すことができます。これは、機密情報ではないが、完全性を確保する必要があるという静的なオブジェクトに適した方法です。

11.16.3　プロキシ

単純なケースでは、S-HTTPプロキシはHTTPSの`CONNECT`とまったく同じように動作することができます。しかしながら、S-HTTPのメッセージ構造はプロキシに対して明確化されているので、高度なプロキシはこの情報を利用することができます。例えば、プロキシはメッセージの境界を認識して、アイドル状態の接続をシャットダウンすることができます。さらに高度なプロキシになると、S-HTTPで取得した暗号化されていない静的な文書に対する応答をキャッシュに保存することができます。このため、S-HTTPプロキシは、プログラムや、長期にわたって使われるデータファイルなどの署名付きコンテンツをキャッシュに保存することができます。

11.16.4　仮想ホスト

S-HTTPと仮想ホストの連携は単純です。S-HTTPは暗号技術に関するオプションによってサーバのDNを提供するので、それぞれの仮想ホストに対して別々の証明書を使う必要がありません。別々の証明書を使いたい場合でも、CMSメッセージでは受信者のDNを明確に指定するので、サーバはメッセージを簡単に解読できます。メッセージを解読したら、サーバは`Host`ヘッダにアクセスして、適切に処理することができます。

11.16.5 ユーザにとっての使い勝手

暗号技術に関するオプションをアンカーに含めるという方法の欠点は、URL だけでリソースを取得できなくなるという点です。クライアントは、アンカーに含まれる暗号技術に関するオプションも送らなければなりません。https: という URL はユーザがブラウザに直接入力できますが、shttp: という URL の場合は、同じように使っても意味がないことになります。RFC 2660 には、ブラウザがサーバに汎用の暗号技術に関するオプションを要求できるようにする方法が記述されていますが、サーバはどのリソースがリクエストされるかを知ることができません。この点では、S-HTTP は HTTPS よりも柔軟であるとはいえません。

S-HTTP と HTTPS が最初に登場したとき、shttp: の URL の不便さは大きな欠点であるように見えました。ユーザが URL をブラウザに直接入力することはきわめて一般的な習慣であり、Web 全体を保護するとしたら、ユーザが shttp: という URL を入力できなければ困ります。しかし結局のところ、ほとんどの Web サイトがサイトのごく一部にのみセキュリティを使用し、保護されていない部分から保護されている部分への移動には https: というリンクを使用しました。つまり、URL はほとんどの場合 HTML ページ内に表記されるため、暗号技術に関するオプションを指定する場所も問題にならないのです。

11.16.6 実装の容易さ

実装の難しさの点では、S-HTTP と SSL はほとんど同程度です。しかし、これらを既存のソフトウェアに統合する際の難しさは異なります。すでに述べたとおり、S-HTTP の場合は、HTML ページを書き直して暗号技術に関するオプションを挿入するため、サーバ側での多大なサポートが必要となります。HTTPS の場合は、このような労力は必要ありません。しかしながら、これは、Web デザイナが HTML を明示的に編集して、HTTPS 経由でリソースにアクセスできるようにしなければならないということです。S-HTTP で使われるような書き換えの方法を使用すれば、管理者はアクセス制御の設定を変更するだけでよく、後はサーバがページを自動的に変換して、必要に応じてアクセスを保護するようにします。

S-HTTP では、クライアント側でも HTTPS よりずっと多くの対応が必要になります。まず、暗号技術に関するオプションを取り出すために HTML パーザを修正しなければなりません。このような作業は HTTPS では一切必要ありません。また、S-HTTP のほうが操作モードが多いため、メッセージ処理の種類に応じてユーザインタフェースの違いを反映できなければなりません。HTTPS はもっと現実的で、メッセージが保護されているかいないかを示すだけで済みます。

これをバグと見なすか特徴と見なすかは、状況によって異なります。S-HTTP の状態が、「保護されている」「保護されていない」の 2 つだけで足りないのは、S-HTTP が柔軟

性の非常に高いセキュリティモデルであるからこそです。したがって、S-HTTPに用意されている付加的な機能に価値を見出せるならば、それをユーザに提示するための手段も必要なものといえるでしょう。一方、これが不要な機能だと思うのであれば、ユーザインタフェースの実装の手間が増えるだけです。

要するに、S-HTTPを実装するには、HTTPSよりもプログラミングに関する手間がはるかに多くなります。さらに、この手順はツールキットを使って切り離すことはできず、ブラウザやサーバと密接に統合する必要があります。S-HTTPはHTTPSよりもずっと深くHTMLとHTTPに統合されているので、このような違いが生じるのは特に驚くべきことではありません。

11.16.7 結論

技術的な視点から見ると、S-HTTPの大きな柔軟性とWebとの密接な統合は、コストと利点の両方を伴います。S-HTTPによって、否認防止やデータの事前署名など、HTTPSでは不可能な機能を提供することができます。また、仮想ホストやプロキシとの関係はずっとすっきりしています。しかしながら、S-HTTPの実装は、その分だけHTTPSよりもずっと骨が折れる作業になります。

また、HTTPSを実装する際に必要となる細かい作業は、このプロトコルのセキュリティを確保するためのものです。これに対し、S-HTTPを実装する際に生じる細かい作業は、このプロトコルを便利にするためのものです。したがって、ナイーブなHTTPSの実装では、終了や参照情報における整合性を正しく処理できない可能性があります。一方、ナイーブなS-HTTPの実装では、管理者が手間をかけ、HTML文書を手動で編集しなければならない可能性があります。ユーザはセキュリティよりも利便性に重点を置く傾向があるので、ナイーブなS-HTTPの実装は、ナイーブなHTTPSの実装と比べて、ずっと価値が低くなります。

1995～1996年頃には、HTTPSとS-HTTPのどちらが主要なWebセキュリティプロトコルになるかはまったくわかりませんでしたが、現在では結果が明らかになっています。HTTPSが勝者です。どちらにも技術的な利点はありますが、主要なブラウザとサーバはすべてHTTPSを実装しており、S-HTTPは実装していません。したがって、現実にはS-HTTPを使うという選択肢はないのです。

11.17　S/MIME

S/MIMEは、電子メールメッセージに、メッセージに特化したセキュリティサービスを提供します。Webが登場する前は、電子メールは最も重要なネットワークサービスでした(今でもそうかもしれません)。したがって、これを標準化しようという試みは数多くありました。IETFだけを見ても、電子メールのセキュリティ標準は少なくとも4つ(PEM、MOSS、OpenPGP、S/MIME)あります。これらのプロトコルは、すべて基本的に同じ手法を使用しています。電子メールメッセージを1つのオブジェクトとして扱い、そのオブジェクトに対してセキュリティサービスを提供するという方法です。各プロトコルの違いは、主にメッセージ形式と信頼モデルにあります。

S/MIMEバージョン2［Dusse1998］は、もともとRSA Labsによって開発され、RSAの暗号技術に関するメッセージ形式であるPKCS #7［RSA1993c］を使用していました。PKCS #7が鍵交換用にサポートしていたのはRSAのみだったため、S/MIME v2もRSAしかサポートしていませんでした。S/MIME v3［Ramsdell1999］を標準化するためにIETFのS/MIMEワーキンググループが作成されたときには、主な目標の1つとして、RSA以外のアルゴリズムをサポートすることが掲げられました。こうして、PKCS #7が改訂され、ほかの鍵交換アルゴリズムと署名アルゴリズムをサポートするCMS［Housley1999b］が作成されました。

11.17.1　注釈

ここでの目的は、S/MIMEと、SMTP over TLSを使った電子メール転送の保護を比較することです。S-HTTPのときと同様に、まずはS/MIMEの仕組みを理解するために必要な事柄を説明します。CMSについてはすでに「11.12 CMS」で説明しましたが、S/MIMEにおけるCMSの使用についても(特に、データに署名があり、暗号化されていない場合について)少し説明しなければならないことがあります。最後に、S/MIMEのアルゴリズム選択について説明します。電子メールはストアアンドフォワード方式なので、使用するアルゴリズムを送信者に確実に知らせるには、特別な対処が必要です。

S/MIMEの知識を身に付けたら、次はSMTP over TLSと比べた場合の利点と欠点を見ていきます。第10章で説明したとおり、SMTP over TLSは、電子メールの保護に関してはあまり優れていません。これに対して、S/MIMEはすばらしい効果を持っています。SMTP over TLSの利点といえば、クライアント側でのサポートがあまり必要ないということくらいです。

11.18　基本的な S/MIME 形式

　　MIMEでは、`Content-Type`行を使用して、電子メールメッセージに任意のコンテンツを含めることができます。S/MIMEでは、CMSによってカプセル化されたMIMEメッセージであることを示すために、`application/pkcs7-mime`コンテントタイプを使用します。つまり、CMS本文を取り出すと、その中にはMIME本文が含まれています。図11.11に例を示します。これも crypto-vision です。

図 11.11
暗号化された S/MIME メッセージ

```
From: ekr@rtfm.com
Subject:Test message
Content-Type: application/pkcs7-mime; smime-type=enveloped-data
```

Content-Type: text/plain

This is an encrypted message.

　　メッセージの`Subject`行が、暗号化されていない部分に含まれていることがわかります。したがって、いずれにしても`Subject`は暗号論的に保護されません。実際には、通常のメールヘッダはどれも暗号化されません。これらのヘッダを保護するには、これらを内部コンテンツのヘッダセクションに含める必要があります。

11.19　署名のみ

　　図11.11には暗号化されたメッセージを示しました。署名付きのメッセージを準備するための最も簡単な方法は、これとほとんど同じですが、CMSの`SignedData`タイプを使うという点だけが異なります。もちろん、`smime-type`パラメータは`signed-data`になります。この方法は単純ですが、大きな欠点があります。それは、S/MIMEに対応していないクライアントではメッセージを読むことができないということです。暗号化されたメッセージを読むためには、当然ながらその暗号化に対応したクライアントが必要です。しかし、慎重に構造化された署名付きのメッセージの場合は、必ずしもそうとは限りません。

　　メッセージに署名があり、暗号化されていない場合は、S/MIME対応のクライアントを持っていない受信者でもそれを読めるようにするのが理想的です。こうすれば、受信者がS/MIMEに対応しているかどうかにかかわらず、送信者はメッセージに署名を追加することができます。また、署名付きのメッセージを複数の受信者に送ることもあります。これは、メッセージを検証できる受信者が何人かいる場合には便利な方法ですが、すべての受信者がメッセージを読める必要があります。

しかし、application/pkcs7-mimeによってメッセージを単純にCMS SignedDataとして表現すると、この目的は達成できません。ほとんどのMIMEクライアントは、認識できないタイプのコンテンツを、何もせずにディスクに保存します。クライアントがそのデータを表示しようとしても、CMSがバイナリ形式であることから、データからCMSラッパーを区別するのは大変です。標準的なツールだと、バイナリデータをまったく表示できないでしょう。

11.19.1 multipart/signed

以上のような問題に対する解決法は、CMSの分離署名を使うことです。また、multipart/signedという別の暗号化手法を使う必要もあります。MIMEでは、任意のコンテンツタイプのデータのみならず、1つのメッセージ内に複数のコンテンツタイプを指定した部分を含めることができます。multipartタイプは、この目的で使用します。multipart/signedでは、メッセージが2つの部分から構成されます。1つ目は、S/MIMEでラップ◆監訳注3しなかった場合の実際のオブジェクトです。2つ目は、メッセージに対するCMSの分離署名です。図11.12に例を示します。

図 11.12
multipart/signed メッセージ

```
Content-Type: multipart/signed; protocol="application/pkcs7-signature";
    micalg=sha1; boundary=boundaryYYY

--boundaryYYY
Content-Type: text/plain

This is a clear-signed message.
--boundaryYYY
Content-Type: application/pkcs7-signature
Content-Transfer-Encoding: base64

(署名は省略)
--boundaryYYY--
```

--boundaryYYY という行は、各部分の区切りを示しています。すべてのMIME対応エージェントは、本文の最初の部分がtext/plain形式であることを確認し、ユーザに対して表示することができます。2番目の部分は、無視するか、またはディスクに保存するかをユーザに尋ねることができます。どちらにしてもユーザは、署名に邪魔されることなく、署名付きメッセージを読むことができます。ユーザがMIME対応のメールクライアントを持っていない場合でも、署名データがCMSラッパーのバイナリデータから分離されていれば、コンテンツを表示できる可能性はずっと高くなります。

◆3. ここでの「ラップ」は、カプセル化のことを指します。

11.19.2　S/MIME と S-HTTP

　S/MIME によるカプセル化は、基本的に S-HTTP のメッセージ形式と同じ特徴を持ちます。S-HTTP は S/MIME よりも前に設計されたため、独自のメッセージ形式を使用しています。S-HTTP が設計されたのがもっと後だったら、S-HTTP ネゴシエーションで何の問題もなく S/MIME カプセル化を使用できるようになっていたでしょうし、これが最善の選択肢となったことでしょう。

11.20　アルゴリズムの選択

　ストアアンドフォワードという電子メールの性質により、送信者と受信者がアルゴリズムや鍵をネゴシエートすることは不可能です。原理的には、送信者と受信者がそれまでに一度も通信したことがないという場合もあり得ます。送信者は、受信者の公開鍵（ディレクトリから入手可能）を持っていればよいのです。

　しかし、最初のメッセージを送信した後であれば、返信の際に使用してほしい拡張を送信者から受信者に伝えることができます。これは、輸出用と米国内用のクライアント間の相互運用性を確保するためには特に重要です。したがって、S/MIME 署名メッセージには、署名者の設定を示す能力属性（capability attribute）を含めることができます。

11.20.1　能力属性

　送信者がサポートしている暗号技術に関するアルゴリズムを指定するには、`SMIMECapabilities` 属性を使います。これは、送信者が所望するアルゴリズムの単なるリストです。少なくとも、次の種類のアルゴリズムを含めることができます。

- 署名アルゴリズム
- 共通鍵暗号化方式アルゴリズム
- 鍵暗号化アルゴリズム（CEK の暗号化方法）

　能力属性は、ユーザの設定を提示するための、非常に汎用性の高いメカニズムです。優先度の高い順にアルゴリズムを指定するので、ユーザは自分がサポートしているアルゴリズムを示すだけでなく、その優先順位も指定することができます。さらに、`preferSignedData` を使うと、自分宛のメッセージに署名を追加してほしいと知らせることができます。各実装では、認識できない能力識別子は無視することになっているので、将来的に識別子が追加される可能性があります。

11.20.2 アルゴリズムの選択

ここで注目すべきなのは、暗号化アルゴリズムの選択だけです。というのも、鍵確立アルゴリズムは受信者の鍵によって定義されるので、受信者が複数の鍵を持っているという稀なケースを除いては、選択の余地はありません(受信者が複数の鍵を持っている場合は、送信者がいずれかを選ぶことができます)。また、ダイジェストアルゴリズムにも理論上は選択肢がありますが、実際には、ほぼ例外なく SHA-1 がサポートされています。多くのバリエーションがあるのは、暗号化アルゴリズムに関してだけです。特に、輸出用クライアントのうち、RC2-40 だけをサポートしているものが数多くあります。当然のことですが、受信者がサポートしている暗号化アルゴリズムを使ってメッセージを暗号化することが重要です。RFC 2633 には、次の3つの状況についての記述があります。

- **能力属性がわかっている場合**
  送信者が受信者の能力属性を知っている場合は、話は簡単です。受信者がサポートしているアルゴリズムの中から1つを選択します。RFC 2633 では、受信者が最も推奨する暗号化アルゴリズムを使用すべきだとしていますが、送信側は、受信側では優先度が低いが、送信側では優先度が高いアルゴリズムを選択することもできます。なお、ディレクトリが存在する場合は、送信側が証明書を取得するときに、受信側の能力属性を取得できることも少なくありません。
- **能力属性はわからないが、使用している暗号化アルゴリズムがわかっている場合**
  送信側が受信側から暗号化メッセージを受け取り、能力属性については何も知らないという場合には、受信側がそのメッセージで使用したのと同じ暗号化アルゴリズムを使用するのが最も安全です。
- **能力属性がわからない場合**
  S/MIMEv3 では 3DES のサポートが必須なので、受信側が S/MIMEv3 をサポートしていることがわかっている場合は、3DES を使ってメッセージを送るのが最も安全です。しかし、S/MIMEv2 では RC2-40 のサポートが必須であり、RC2-40 しかサポートしていない輸出用クライアントが数多くあるので、RC2-40 を使用することで最大限の相互運用性を実現できます(その代わり、セキュリティの犠牲は甚大です)。RC2-40 は弱いアルゴリズムなので、一般には 3DES を使うのが最善の方法です。

11.20.3 能力属性ディスカバリー

前述の3つの基準を基に、何回かの電子メールの交換を経て、送信側と受信側が互いの能力属性についての理解を深めたら、一種のアルゴリズムネゴシエーションが行われます。Alice と Bob との間で電子メールを交換する場合について考えてみましょう。どちらも RSA 鍵を持っており、3DES をサポートしていますが、どちらも互いの能力属性については知りません。図 11.13 に、両者の間で交わされる最初の3つのメッセージを示します。

図 11.13
S/MIME における能力属性ディスカバリー

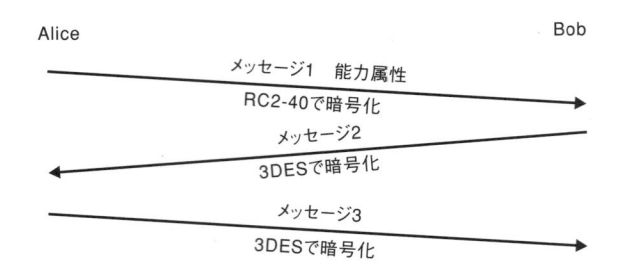

```
Alice                                                    Bob
  ────────────────────────────────────────────────────▶
              メッセージ1　能力属性
              RC2-40で暗号化
  ◀────────────────────────────────────────────────────
              メッセージ2
              3DESで暗号化
  ────────────────────────────────────────────────────▶
              メッセージ3
              3DESで暗号化
```

　Aliceは、自分が送信した最初のメッセージをBobが必ず読めるように、これをRC2-40により送信します（平文で送ることもできます）。Aliceは3DESをサポートしているので、そのことを示す能力属性も含めます。したがって、Bobが返信する際には、3DESを使ってメッセージを暗号化します。Bobは、自分が3DESをサポートしていることをAliceに知らせるための能力属性を含める必要はなく、ただ3DESを使用します。Aliceの最後のメッセージでも3DESを使用しています。

11.21　S/MIMEの全体像

　S/MIMEのさまざまなコンポーネントを紹介したところで、次は、これらが連携して1つのセキュリティサービスを提供する仕組みを見ていくことにしましょう。AliceがBobにメッセージを送信するとします。Aliceは、どこかのディレクトリから入手するなどの方法で、すでにBobの証明書と能力属性を取得していると仮定します。

11.21.1　エンドポイントの識別

　AliceはディレクトリからBobの証明書を取得して検証しますが、それが本当にBobの証明書であることを、どのようにして確かめるのでしょうか。SSLでは、証明書とDNS名を突き合わせなければならないという問題によく遭遇しました。S/MIMEでも似た問題がありますが、ここではDNS名ではなく、電子メールアドレスと証明書を突き合わせます。解決法もSSLとよく似ています。証明書には、識別名の一部として、または`subjectAltName`拡張の`emailAddress`値の中に電子メールアドレスを含めることができます。したがって、Bobの証明書には、このいずれかの場所に彼の電子メールアドレスが含まれており、これがBobの証明書だと確認できるようになっています。

11.21.2　メッセージの送信

　Bobの証明書さえ入手すれば、Bobしか読むことのできないメッセージを生成するのは簡単です。Aliceは、無作為に生成したCEKを使ってメッセージを暗号化します。こ

のCEKを、通常どおりBobの公開鍵を使って暗号化します。Aliceは、暗号化の前に自分の署名をメッセージに追加することもできます。その後、任意の通信路を通じてメッセージをBobに送ります。この時点では、暗号化されていない通常のSMTPを使用してもまったく安全です。

11.21.3　送信者の認証

メッセージを受け取ったBobは、2つのことを実行できなければなりません。メッセージを読むことと、メッセージとその送信者を認証することです。メッセージを読むのは簡単で、通常どおり、自分の秘密鍵を使ってCEKを復号し、CEKを使ってメッセージを解読します。これらの処理はすべてBobのMUAが自動的に行います。

メッセージ署名の検証も同じく簡単です。Bobはまず、メッセージの暗号技術に関する識別情報を確認します。ただし第10章でも説明したとおり、電子メールメッセージのFromヘッダには、メッセージ送信者を示す、暗号技術に関係しない識別子が含まれています。このヘッダは送信者が自由に指定できるので、受信者のMUAは、これがメッセージの署名に使われた証明書と一致するかどうかを確認する必要があります。一致しない場合は、ユーザが騙されることのないよう、MUAが何らかの形でそれをユーザに報告する必要があります。

11.21.4　複数の署名者

ある状況では、1つのメッセージに複数の送信者の署名をしたいことがあります。実際にメッセージが2人の人物から送られる場合を考えてみてください。普通の手紙ならば、2人とも署名するはずです。同じように、電子メールメッセージの場合も、2人ともが電子署名を追加することができます。CMSでは1つのメッセージに複数の署名を追加できるので、署名者がまったく別々のネットワーク、または別々のコンピュータにいる場合でも、S/MIMEではこれを簡単に行えます。

11.21.5　複数の受信者

複数の人が署名するよりもさらに一般的なのは、受信者が複数いることです。複数の受信者にメッセージを送り、すべてに対するメッセージを暗号化することは、ごく一般的なケースです。S/MIMEでは、これをとても効率的に行えます。1つのCEKを使ってメッセージを暗号化し、独立した`RecipientInfo`構造体の中で、そのCEKを受信者ごとに暗号化します。メッセージを暗号化するのは1回だけなので、CPUの使用時間も帯域幅も節約できます。大規模なメーリングリストの場合には、メーリングリスト全体で1つの対称型メーリングリスト鍵を共有し、これを使ってCEKを暗号化するという機能も用意されています。

11.21.6 開封確認

S/MIMEの便利な機能として、開封確認を返すというものがあります。これはRFC 2634［Hoffman1999b］に記述されています。開封確認は、受信者がメッセージを受け取ったこと、メッセージが破損していなかったことを送信者が確認できるようにするためのものです。送信者は、属性を使って、受信者に開封確認を要求することができます。メッセージを受け取った受信者は、開封確認を含む署名付きの応答を生成します。しかしながら、送信者が受信者に開封確認の生成を強要することはできません。これは、受信者の協力の下で行われることです。受信者のソフトウェアでは開封確認を自動的に生成すべきですが、この機能が無効になっていることもあります。したがって、開封確認が返されれば受信者がメッセージを受け取ったことが証明されますが、逆に開封確認が返されなかったからといって、必ずしもメッセージが受け取られなかったということにはなりません。

11.22 普及の障害

S/MIMEを使用するためには3つの要素が必要です。つまり、S/MIME対応のクライアント、証明書、ほかのユーザの証明書へのアクセス手段です。まずS/MIME対応のクライアントですが、これは一般的になりつつあります。S/MIMEを実装するのはSSLほど難しくなく、Netscape CommunicatorやMicrosoftのOutlook Expressをはじめ、SSLをサポートするブラウザの多くが、今ではS/MIMEをサポートしています。本書執筆時点では、OpenSSLさえもS/MIMEを一部サポートしています。しかしながら、残りの要件である証明書と証明書へのアクセスは、そう簡単にはいきません。

11.22.1 証明書

証明書は商用のCAから広く入手可能です。しかし、サーバだけではなくエンドユーザも証明書を持っていなければならないという点で、S/MIMEはこれまでに説明してきたシステムと根本的に異なっています。ユーザの数はサーバの数よりもはるかに多いので、これは大きな障害となります。したがって、これまでのところ、証明書の配布はあまり進んでいません。

証明書の配布に関する問題の1つは、証明書がユーザの電子メールアドレスを証明しなければならないという点です。これには社会的な問題があります。つまり、ユーザが特定の電子メールアドレスを持っているという主張を証明できるのは誰か、という問題です。当然ながらユーザ自身は信頼できません。理論上は、電子メールアドレスが所属するドメインの所有者が、そのユーザの識別情報を証明すべきです。しかし、こうする

とシステム管理者が介入しなければならず、非常に不便です。

強力とはいえませんが、よく使われているのは、ある電子メールアドレスを持つメールを受け取れることをCAに対して証明するよう、ユーザに強制することです。一般には、CAが無作為な文字列を含む電子メールメッセージをユーザに送信し、ユーザがそのメッセージに対して返信することによって証明書を受け取ります。当然、このプロトコルはさまざまな攻撃(単純なスニッフィングなど)の標的となりますが、これを特定のユーザに対して行うのは1回だけなので、攻撃を行っても意味がありません。とはいえ、Secure DNSなどに基づいた、より優れた証明書発行手順が必要です。

11.22.2 証明書の入手

普及に関するもう1つの問題は、ほかのユーザの証明書を入手することです。相手の証明書がなければ、暗号化された電子メールをそのユーザに送ることは不可能です。ディレクトリサービスから証明書を入手できるのが理想的ですが、実際には、ディレクトリサービスはいくつか存在するものの、普及しているとはいえません。

グローバルなディレクトリサービスがないとすると、最善の方法は、自分が送信するすべてのメッセージに署名を追加することです。こうすれば、メッセージを受け取るすべての受信者があなたの証明書を入手し、あなたへのメッセージを暗号化できるようになります。自分が受信者の場合、署名付きメッセージを受け取ったら、電子メールアドレスと証明書とのマッピングを保存することができます。これにより、自分が受け取った電子メールの送信者すべてに対して、暗号化された電子メールを送信できるようになります。時間が経つにつれ、自分が通信するほとんどの相手はあなたの証明書を持ち、暗号化された電子メールをあなたに送信できるようになります。ディレクトリが普及するまでの間は、このローカルキャッシュが最善の方法でしょう。

11.23　S/MIME vs. SMTP over TLS

第10章で、SMTP over TLSは電子メールのセキュリティ保護には適していないと述べました。これとは対照的に、S/MIMEは電子メールの保護に関して非常に優れています。主な理由は、正しい抽象化された層(送信者と受信者のMUA)で問題に対処しているためです。

11.23.1 エンドツーエンドのセキュリティ

S/MIMEは、エンドツーエンドのセキュリティを実現します。メッセージは送信者によって暗号化と署名が行われ、受信者によって復号と検証が行われます。メッセージは

保護された状態でネットワーク上に転送されます。これに対し、SMTP over TLS では、メールクライアントとそのローカルサーバとの間の「最終ホップ」となるリンクを保護できないことがしばしばあります。なぜなら、これらのリンクでは SMTP を使用せず、MAPI や POP などのほかのプロトコルを使うからです。S/MIME の場合は、暗号化されるメッセージは単なる MIME データであり、あらゆる転送で使用できるので、このような問題はありません。

11.23.2　否認防止

SSL と TLS では、メッセージ完全性のために MAC を使用するので、否認防止機能はまったくありません。S/MIME は電子署名を使用し、メッセージ全体に署名するので、署名付き S/MIME メッセージを一人の受信者から別の受信者へ転送しても、署名は元の検証可能な状態のままです。

11.23.3　中継ホスト

送信者と受信者の両方のローカルなメールサーバが SMTP over TLS をサポートしていても、メッセージが TLS に対応していない中継ホストを経由しなければならない場合には、メッセージは保護されません。これに対し、S/MIME では、メールサーバがセキュリティに対応している必要がありません。エンドユーザのプログラムが S/MIME をサポートしていればよいだけです。

S/MIME では、中継ホストに対して 1 つの協力を求めます。それは、メッセージの内容を破損しないことです。署名は特殊なバイト表現なので、中継ホストがバイトストリームを破損すると、署名を検証することができなくなります。SMTP に準拠した中継ホストの場合はこのような問題は起きませんが、メッセージがほかの種類の中継ホストを通ることはよくあります。S/MIME は既知の変形に対してはある程度強化されていますが、中継ホストによって、修復できないほどにメッセージが破損させられることはあり得ます。しかし、このような中継ホストはまず間違いなく SMTP over TLS にも準拠していないので、S/MIME が SMTP over TLS よりも不利になることはあり得ません。

11.23.4　仮想ホスト

S/MIME はメールサーバからの協力を一切必要としないので、仮想ホストはまったく問題なく機能します。送信者と受信者の証明書は、特定のサーバではなくそれぞれの電子メールアドレスに関連付けられているので、ユーザが ISP を変更しても、自分のクレデンシャル◆監訳注4 を変更する必要はありません。

◆4.　クレデンシャル（credential）とは、セキュリティ関連属性のことで、パスワードや電子証明書などを指します。ISP を変更すると通常はメールアドレスなどが変わりますが、クレデンシャルを変更する必要がないことを説明しています。

11.23.5 結論

全般に、S/MIMEはSMTP over TLSよりもずっと優れた解決策です。S/MIMEが抱える唯一の大きな障害は、普及が難しいということです。しかし、S/MIME対応のメールクライアントは徐々に増えつつあり、証明書もある程度は利用できるようになっています。SMTP over TLSがS/MIMEよりも唯一優っている点は、転送中の電子メールを日和見的に保護できるという点です。しかし、この目的には、IPsecのほうがはるかに適しています。

11.24 適切な解決策の選択

本章ではさまざまな手法を見てきました。十分な知識が身に付いたところで、次は、どのような場合にSSLが適しているか、また、もっと上位の層または下位の層で問題に対処したほうがよいのはどのような場合か、ということを一般的な視点から考えていきます。

一般に、通信モデルが単純な場合には、SSLはうまく動作します。通信モデルが単純かどうかを判断する基準は数多くありますが、一般には、二者間のやり取りが、TCPによる直接接続に近ければ近いほど単純であると見なされます。環境が複雑になるほど、SSLで十分なセキュリティを提供するのは難しくなります。

11.24.1 直接接続

SSLで十分なセキュリティを提供するには、クライアントとサーバの間に何らかの形で直接接続が必要です。SMTPに関する問題の多くは、直接接続がないために起きていました。HTTPSで満足な結果を得ることができたのは、プロキシにトンネルを提供させることによって、直接接続をシミュレートできたためです。

直接接続が存在しない場合には、オブジェクトセキュリティによる解決のほうが適切です。S-HTTPはプロキシへの対処に関してはSSLよりもいくらか優れていますし、もちろんS/MIMEではメール中継ホストはまったく問題になりません。一般には、中間媒体によってオブジェクトが破損される可能性を排除できれば、オブジェクトセキュリティの手法のほうが優れた選択です。

11.24.2 TCPのみの場合

UDPを介して通信するプロトコル(DNSなど)について考えてみましょう。SSLではTCPの通信路が必要なため、SSLを使ってこれを保護することは不可能です。しかし、

IPsecはプロトコルスタックでは低い層に位置するので、UDPデータを保護することができます。同様に、DNSSEC（RFC 2535 ［Eastlake1999］）のような、実際のDNSのデータを保護するオブジェクトセキュリティのための手法でもUDPを用いたDNSのデータを保護できます。この場合は、名前解決のためだけにIPsecの通信路をセットアップする必要がないDNSSECのほうが、適切な解決策といえます。

11.24.3　二者間のみの通信

　SSLの接続は本質的に一対一の接続なので、二者間のみの通信であれば、SSLはうまく機能します。多対多通信の場合は、オブジェクトセキュリティのほうがずっと明確に対応します。SSLでも多対多通信をシミュレートすることはできますが、オブジェクトセキュリティによる方法と比べると、スマートさの面で大きく劣ります。

　多数の受信者にメッセージを送る場合を考えてみましょう。SSLの場合は、新しい相手にメッセージを送るたびに、メッセージを暗号化し直さなければなりません。オブジェクトセキュリティでは、受信者ごとにCEKを暗号化し直すだけで済みます。これによってCPUと帯域幅の両方を節約できます。メッセージに署名が追加されているだけの場合は、CEKを暗号化し直す必要さえなく、まったく同じメッセージを複数の受信者に送ることができます。この機能は、同じ署名付きコンテンツを繰り返し送信するとき（署名付きソフトウェアを配布する場合など）に特に重要です。オフラインの状態でコンテンツに署名し、署名したそのファイルを保護されていないサーバ上に置きます。したがって、仮にサーバが危殆化されても、攻撃者が偽のソフトウェアを配布することはできません。

11.24.4　単純なセキュリティサービス

　SSLは、提供するセキュリティサービスが単純な場合に最適な選択肢です。転送されるオブジェクトについては何も知らないので、否認防止やタイムスタンプ、開封確認のようなサービスを提供することはできません。これらのサービスを利用するには、アプリケーション層のサービスであるオブジェクトセキュリティのためのプロトコルが必要です。

11.25 まとめ

　SSL は便利で柔軟なセキュリティツールですが、これが唯一の選択肢というわけではありません。適切な手法を選択するためには、ほかの手法についても理解しておくことが重要です。本章では、視野を広げるために、ほかのプロトコルを3つ紹介しました。任意のネットワークデータを保護するためのIPsec、HTTP トランザクションを保護するためのSecure HTTP、電子メールメッセージを保護するためのS/MIME です。

- エンドツーエンドでは、アプリケーションに適切なセキュリティを提供するのはそのアプリケーション自身です。HTTP と電子メールはアプリケーション層のプロトコルなので、これらのセキュリティはアプリケーション層で提供しなければなりません。HTTPS はこの要件をほぼ満たしています。SMTP over TLS はこの点を満たしておらず、そのために多くの欠点が生まれています。
- セキュリティプロトコルは、高い層ほど柔軟性が増します。エンドツーエンドでは、高い層のプロトコルほど、アプリケーションが必要とするセキュリティをより厳密に提供することができます。特に、オブジェクトセキュリティプロトコルは、否認防止などの高度な機能を提供することができます。一般には、特に問題がない限り、高い層のセキュリティメカニズムを使用したほうがよいでしょう。
- 低い層のセキュリティプロトコルは汎用性が高くなります。セキュリティを適用するのがプロトコルスタック内の低い位置になるほど、より多くの通信に対処することができます。S-HTTP と S/MIME では1つのサービスしか保護できませんが、SSL では TCP 上のすべてのサービスを保護することができ、IPsec ではすべての TCP/IP 通信を保護できます。
- IPsec はすべてのネットワークデータに対するセキュリティを提供します。SSL とは異なり、IPsec は2つのホスト間のすべての通信を保護します。つまり、IPsec をいったん導入すれば、すべてのアプリケーションがそのセキュリティを利用することができます。しかしながら、IPsec はプロトコルスタック内で SSL よりも低い層に位置するので、通信路内の中間媒体による介入の影響を受けやすくなります。
- Secure-HTTP は HTTP トランザクションを保護します。S-HTTP ではそれぞれの HTTP リクエストとレスポンスを個別のメッセージとして扱います。このため、メッセージのセキュリティ特性やオブジェクトセキュリティをより柔軟にネゴシエートすることができます。
- S/MIME は電子メールメッセージのセキュリティを提供します。S/MIME では個々のメッセージが保護されます。S/MIME ではエンドツーエンドの保護が可能であり、電子メールのストアアンドフォワードモデルにも合致します。また、本当の送信者と受信者の認証も可能です。

・SSL はリアルタイムの TCP サービスに適しています。通信する二者が TCP によって直接接続されている場合は、SSL が最適です。両者が TCP 以外を使用している場合は、IPsec のほうが適しているでしょう。つまり、通信の両端が直接接続されていない場合は、アプリケーションレベルのセキュリティプロトコルが適しています。SSL は、保護に有利なアプリケーションセキュリティと、汎用性の高い IP レベルのセキュリティとの間の妥協点といえます。

付録A
サンプルコード

A.1 第8章のサンプルコード

ここでは、第8章で紹介したサンプルプログラムの全コードを記載します。これらのプログラムのソースコードファイルは、著者のWebサイト(`http://www.rtfm.com/sslbook/examples`)からダウンロードできます。

A.1.1 Cによるサンプルプログラム

次の図A.1は、このサンプルプログラムの中の各ソースコードの依存関係を示しています。

図A.1 ソースコードの依存関係

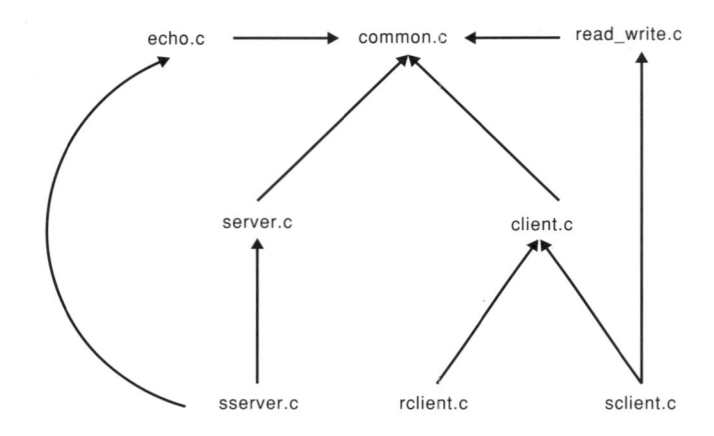

common.cには、クライアントとサーバに共通の初期化コードや、エラー時の終了ルーチンなど、共通に利用するユーティリティ関数が含まれています。

server.cにはサーバで利用するユーティリティ関数が含まれています。これは主に初期化用ですが、ソケットを作成およびバインドするための`tcp_listen()`もあります。

client.cは、connect()のラッパー◆監訳注1である`tcp_connect()`と、検証用のルーチンである`check_cert_chain()`を提供します。

echo.cには、サーバが実行するエコー処理用の主なループが含まれています。

sserver.cはサーバのメインプログラムです。ソケット上で接続要求を待ち受け、`accept()`と`echo()`を繰り返します。

read_write.cには、`select()`を使って多重I/O処理を実行する、クライアント用のコードが含まれています。

sclient.cはクライアントのメインプログラムです。サーバに接続し、`read_write()`を使ってデータを読み書きします。

◆1. ここでいうラッパーは、一種のインタフェースプログラムのことを指します。

rclient.cは、OpenSSLでのセッション再開を実現するためのスタブクライアントです。

――――――――――――――――――――――――――――――――――――― common.h
```
1    #ifndef _common_h
2    #define _common_h

3    #include <stdio.h>
4    #include <stdlib.h>
5    #include <errno.h>
6    #include <sys/types.h>
7    #include <sys/socket.h>
8    #include <netinet/in.h>
9    #include <netinet/tcp.h>
10   #include <netdb.h>
11   #include <fcntl.h>
12   #include <signal.h>

13   #include <openssl/ssl.h>

14   #define CA_LIST "root.pem"
15   #define HOST "localhost"
16   #define RANDOM "random.pem"
17   #define PORT 4433
18   #define BUFSIZZ 1024

19   extern BIO *bio_err;
20   int berr_exit (char *string);
21   int err_exit(char *string);

22   SSL_CTX *initialize_ctx(char *keyfile, char *password);
23   void destroy_ctx(SSL_CTX *ctx);

24   #endif
```
――――――――――――――――――――――――――――――――――――― common.h

――――――――――――――――――――――――――――――――――――― common.c
```
1    #include "common.h"

2    BIO *bio_err=0;
3    static char *pass;
4    static int password_cb(char *buf,int num,int rwflag,void *userdata);
5    static void sigpipe_handle(int x);

6    /* 単純なエラーと終了ルーチン */
7    int err_exit(string)
8      char *string;
9      {
10     fprintf(stderr,"%s\n",string);
11     exit(0);
12     }

13   /* SSLエラーを表示して終了する */
14   int berr_exit(string)
15     char *string;
16     {
17       BIO_printf(bio_err,"%s\n",string);
18       ERR_print_errors(bio_err);
19       exit(0);
20     }

21   /* パスワードコードはスレッドセーフではない */
22   static int password_cb(char *buf,int num,int rwflag,void *userdata)
23     {
24        if(num<strlen(pass)+1)
```

```
25        return(0);

26      strcpy(buf,pass);
27      return(strlen(pass));
28    }
29  static void sigpipe_handle(int x){
30  }
31  SSL_CTX *initialize_ctx(keyfile,password)
32    char *keyfile;
33    char *password;
34    {
35      SSL_METHOD *meth;
36      SSL_CTX *ctx;
37      if(!bio_err){
38        /* グローバルなシステムの初期化 */
39        SSL_library_init();
40        SSL_load_error_strings();

41        /* エラーの書き込みコンテキスト */
42        bio_err=BIO_new_fp(stderr,BIO_NOCLOSE);
43      }

44      /* SIGPIPEハンドラをセットアップする */
45      signal(SIGPIPE,sigpipe_handle);

46      /* コンテキストを作成する */
47      meth=SSLv3_method();
48      ctx=SSL_CTX_new(meth);

49      /* 鍵と証明書をロードする */
50      if(!(SSL_CTX_use_certificate_file(ctx,keyfile,SSL_FILETYPE_PEM)))
51        berr_exit("Couldn't read certificate file");

52      pass=password;
53      SSL_CTX_set_default_passwd_cb(ctx,password_cb);
54      if(!(SSL_CTX_use_PrivateKey_file(ctx,keyfile,SSL_FILETYPE_PEM)))
55      berr_exit("Couldn't read key file");

56      /* 信頼するCAをロードする */
57      if(!(SSL_CTX_load_verify_locations(ctx,CA_LIST,0)))
58        berr_exit("Couldn't read CA list");
59      SSL_CTX_set_verify_depth(ctx,1);

60      /* 乱数のファイルをロードする */
61      if(!(RAND_load_file(RANDOM,1024*1024)))
62        berr_exit("Couldn't load randomness");

63      return ctx;
64    }
65  void destroy_ctx(ctx)
66    SSL_CTX *ctx;
67    {
68      SSL_CTX_free(ctx);
69    }
```
――――――――――――――――――――――――――――― common.c

――――――――――――――――――――――――――――― echo.h
```
1  #ifndef _echo_h
2  #define _echo_h

3  void echo(SSL *ssl,int sock);

4  #endif
```
――――――――――――――――――――――――――――― echo.h

```
                                                                              echo.c
1    #include "common.h"

2    void echo(ssl,s)
3      SSL *ssl;
4      int s;
5      {
6        char buf[BUFSIZZ];
7        int r,len,offset;

8        while(1){
9          /* まず、データを読み取る*/
10         r=SSL_read(ssl,buf,BUFSIZZ);
11         switch(SSL_get_error(ssl,r)){
12           case SSL_ERROR_NONE:
13             len=r;
14             break;
15           case SSL_ERROR_ZERO_RETURN:
16             goto end;
17           default:
18             berr_exit("SSLread problem");
19         }

20         /* 次に、すべてを書き終えるまで書き込みを続ける */
21         offset=0;

22         while(len){
23           r=SSL_write(ssl,buf+offset,len);
24           switch(SSL_get_error(ssl,r)){
25             case SSL_ERROR_NONE:
26               len-=r;
27               offset+=r;
28               break;
29             default:
30               berr_exit("SSLwrite problem");
31           }
32         }
33       }
34    end:
35      SSL_shutdown(ssl);
36      SSL_free(ssl);
37      close(s);
38    }
```
                                                                              echo.c

                                                                        read_write.h
```
1    #ifndef _read_write_h
2    #define _read_write_h

3    void read_write(SSL *ssl,int sock);

4    #endif
```
                                                                        read_write.h

                                                                        read_write.c
```
1    #include "common.h"

2    /*キーボードから読み取りサーバに書き込む
3      サーバから読み取りキーボードに書き込む

4      select()を使って多重化を行う
5    */
6    void read_write(ssl,sock)
7      SSL *ssl;
8      {
9        int width;
10       int r,c2sl=0,c2s_offset=0;
11       fd_set readfds,writefds;
```

```
12      int shutdown_wait=0;
13      char c2s[BUFSIZZ],s2c[BUFSIZZ];
14      int ofcmode;

15      /* まずソケットを非ブロックにする */
16      ofcmode=fcntl(sock,F_GETFL,0);
17      ofcmode|=O_NDELAY;
18      if(fcntl(sock,F_SETFL,ofcmode))
19        err_exit("Couldn't make socket nonblocking");

20      width=sock+1;
21      while(1){
22        FD_ZERO(&readfds);
23        FD_ZERO(&writefds);

24        FD_SET(sock,&readfds);

25        /* 書き込むデータがまだある場合は、読み取りを行わない */
26        if(c2sl)
27          FD_SET(sock,&writefds);
28        else
29          FD_SET(fileno(stdin),&readfds);

30        r=select(width,&readfds,&writefds,0,0);
31        if(r==0)
32          continue;

33        /* 読み取るデータがあるかどうかチェックする */
34        if(FD_ISSET(sock,&readfds)){
35          do{
36            r=SSL_read(ssl,s2c,BUFSIZZ);

37            switch(SSL_get_error(ssl,r)){
38              case SSL_ERROR_NONE:
39                fwrite(s2c,1,r,stdout);
40                break;
41              case SSL_ERROR_ZERO_RETURN:
42                /* データの終わり */
43                if(!shutdown_wait)
44                  SSL_shutdown(ssl);
45                gotoend;
46                break;
47              case SSL_ERROR_WANT_READ:
48                break;
49              default:
50                berr_exit("SSLread problem");
51            }
52          }while (SSL_pending(ssl));
53        }

54        /* コンソールからの入力をチェックする */
55        if(FD_ISSET(fileno(stdin),&readfds)){
56          c2sl=read(fileno(stdin),c2s,BUFSIZZ);
57        if(c2sl==0){
58          shutdown_wait=1;
59        if(SSL_shutdown(ssl))
60          return;
61        }
62        c2s_offset=0;
63        }

64        /* 書き込むデータがある場合は、書き込みを試行する */
65        if(c2sl&& FD_ISSET(sock,&writefds)){
66          r=SSL_write(ssl,c2s+c2s_offset,c2sl);

67          switch(SSL_get_error(ssl,r)){
68            /* 何かを書き込んだ */
69            case SSL_ERROR_NONE:
```

```
70          c2sl-=r;
71          c2s_offset+=r;
72          break;

73        /* ブロックされた */
74        case SSL_ERROR_WANT_WRITE:
75          break;
76        /* その他のエラー */
77        default:
78          berr_exit("SSLwrite problem");
79        }
80      }

81    }
82  end:
83    SSL_free(ssl);
84    close(sock);
85    return;
86  }
```
──────────────────── read_write.c

──────────────────── server.h
```
1   #ifndef _server_h
2   #define _server_h

3   #define KEYFILE "server.pem"
4   #define PASSWORD "password"
5   #define DHFILE "dh1024.pem"

6   int tcp_listen(void);
7   void load_dh_params(SSL_CTX *ctx,char *file);
8   void generate_eph_rsa_key(SSL_CTX *ctx);

9   #endif
```
──────────────────── server.h

──────────────────── server.c
```
1   #include "common.h"
2   #include "server.h"

3   int tcp_listen()
4     {
5       int sock;
6       struct sockaddr_in sin;
7       int val=1;

8       if((sock=socket(AF_INET,SOCK_STREAM,0))<0)
9         err_exit("Couldn't make socket");

10      memset(&sin,0,sizeof(sin));
11      sin.sin_addr.s_addr=INADDR_ANY;
12      sin.sin_family=AF_INET;
13      sin.sin_port=htons(PORT);
14      setsockopt(sock,SOL_SOCKET,SO_REUSEADDR,&val,sizeof(val));

15      if(bind(sock,(struct sockaddr *)&sin,sizeof(sin))<0)
16        berr_exit("Couldn't bind");
17      listen(sock,5);

18      return(sock);
19    }

20  void load_dh_params(ctx,file)
21    SSL_CTX *ctx;
22    char *file;
23    {
24      DH *ret=0;
25      BIO *bio;
```

```
26        if ((bio=BIO_new_file(file,"r")) == NULL)
27          berr_exit("Couldn't open DH file");

28        ret=PEM_read_bio_DHparams(bio,NULL,NULL,NULL);
29        BIO_free(bio);
30        if(SSL_CTX_set_tmp_dh(ctx,ret)<0)
31          berr_exit("Couldn't set DH parameters");
32      }

33   void generate_eph_rsa_key(ctx)
34     SSL_CTX *ctx;
35     {
36       RSA *rsa;

37       rsa=RSA_generate_key(512,RSA_F4,NULL,NULL);

38       if (!SSL_CTX_set_tmp_rsa(ctx,rsa))
39         berr_exit("Couldn't set RSA key");

40       RSA_free(rsa);
41     }
```
───────────────────────────────────── server.c

───────────────────────────────────── client.h
```
1   #ifndef _client_h
2   #define _client_h

3   #define KEYFILE "client.pem"
4   #define PASSWORD "password"

5   int tcp_connect(void);
6   void check_cert_chain(SSL *ssl,char *host);

7   #endif
```
───────────────────────────────────── client.h

───────────────────────────────────── client.c
```
1   #include "common.h"

2   int tcp_connect()
3     {
4       struct hostent *hp;
5       struct sockaddr_in addr;
6       int sock;

7       if(!(hp=gethostbyname(HOST)))
8         berr_exit("Couldn't resolve host");
9       memset(&addr,0,sizeof(addr));
10      addr.sin_addr=*(struct in_addr*)hp->h_addr_list[0];
11      addr.sin_family=AF_INET;
12      addr.sin_port=htons(PORT);

13      if((sock=socket(AF_INET,SOCK_STREAM,IPPROTO_TCP))<0)
14        err_exit("Couldn't create socket");
15      if(connect(sock,(struct sockaddr *)&addr,sizeof(addr))<0)
16        err_exit("Couldn't connect socket");

17      return sock;
18    }

19  /* Common Nameがホスト名と一致することを確認する */
20  void check_cert_chain(ssl,host)
21    SSL *ssl;
22    char *host;
23    {
24      X509 *peer;
25      char peer_CN[256];
```

```
26        if(SSL_get_verify_result(ssl)!=X509_V_OK)
27          berr_exit("Certificate doesn't verify");
28        /* 証明書チェーンをチェックする
29           チェーンの長さは、ctxで深さを設定したときに、
30           OpenSSLによって自動的にチェックされる

31           ここでは、Common Nameが一致することを
32           確認するだけでよい
33        */
34        /* Common Nameをチェックする */
35        peer=SSL_get_peer_certificate(ssl);
36        X509_NAME_get_text_by_NID(X509_get_subject_name(peer),
37          NID_commonName, peer_CN, 256);
38        if(strcasecmp(peer_CN,host))
39          err_exit("Common name doesn't match host name");
40      }
```
──────────────── client.c

──────────────── sserver.c
```
1   /* 単純なSSLエコーサーバ */
2   #include "common.h"
3   #include "server.h"
4   #include "echo.h"

5   static int s_server_session_id_context = 1;
6   int main(argc,argv)
7     int argc;
8     char **argv;
9     {
10    int sock,s;
11    BIO *sbio;
12    SSL_CTX *ctx;
13    SSL *ssl;
14    int r;

15    /* SSLコンテキストを作成する */
16    ctx=initialize_ctx(KEYFILE,PASSWORD);
17    load_dh_params(ctx,DHFILE);
18    generate_eph_rsa_key(ctx);

19    SSL_CTX_set_session_id_context(ctx,(void*)&s_server_session_id_context,
20      sizeof s_server_session_id_context);

21    sock=tcp_listen();

22    while(1){
23      if((s=accept(sock,0,0))<0)
24        err_exit("Problem accepting");

25      sbio=BIO_new_socket(s,BIO_NOCLOSE);
26      ssl=SSL_new(ctx);
27      SSL_set_bio(ssl,sbio,sbio);

28      if((r=SSL_accept(ssl)<=0))
29        berr_exit("SSL accept error");

30      echo(ssl,s);
31    }
32    destroy_ctx(ctx);
33    exit(0);
34  }
```
──────────────── sserver.c

──────────────── sclient.c
```
1   /* 単純なSSLクライアント

2   サーバに接続し、ターミナルとサーバとの間で
```

```
 3      データを転送する
 4     */
 5    #include "common.h"
 6    #include "client.h"
 7    #include "read_write.h"
 8    int main(argc,argv)
 9      int argc;
10      char **argv;
11      {
12        SSL_CTX *ctx;
13        SSL *ssl;
14        BIO *sbio;
15        int sock;

16        /* SSLコンテキストを作成する */
17        ctx=initialize_ctx(KEYFILE,PASSWORD);

18        /* TCPソケットに接続する */
19        sock=tcp_connect();

20        /* SSLソケットに接続する */
21        ssl=SSL_new(ctx);
22        sbio=BIO_new_socket(sock,BIO_NOCLOSE);
23        SSL_set_bio(ssl,sbio,sbio);
24        if(SSL_connect(ssl)<=0)
25          berr_exit("SSL connect error");
26        check_cert_chain(ssl,HOST);

27        /* 読み込みと書き込み */
28        read_write(ssl,sock);

29        destroy_ctx(ctx);
30      }
```
───────── sclient.c

───────── rclient.c
```
 1    /* セッション再開のデモ用のSSLクライアント */
 2    #include "common.h"
 3    #include "client.h"
 4    #include "read_write.h"

 5    int main(argc,argv)
 6      int argc;
 7      char **argv;
 8      {
 9        SSL_CTX *ctx;
10        SSL *ssl;
11        BIO *sbio;
12        SSL_SESSION *sess;
13        int sock;

14        /* SSLコンテキストを作成する */
15        ctx=initialize_ctx(KEYFILE,PASSWORD);

16        /* TCPソケットに接続する */
17        sock=tcp_connect();

18        /* SSLソケットに接続する */
19        ssl=SSL_new(ctx);
20        sbio=BIO_new_socket(sock,BIO_NOCLOSE);
21        SSL_set_bio(ssl,sbio,sbio);
22        if(SSL_connect(ssl)<=0)
23          berr_exit("SSL connect error (first connect)");
24        check_cert_chain(ssl,HOST);

25        /* 切断して再接続する */
26        sess=SSL_get_session(ssl); /* セッションを集める */
27        SSL_shutdown(ssl);
```

```
28        close(sock);

29        sock=tcp_connect();
30        ssl=SSL_new(ctx);
31        sbio=BIO_new_socket(sock,BIO_NOCLOSE);
32        SSL_set_bio(ssl,sbio,sbio);
33        SSL_set_session(ssl,sess);  /* ここで再開する */
34        if(SSL_connect(ssl)<=0)
35          berr_exit("SSL connect error (second connect)");
36        check_cert_chain(ssl,HOST);

37        /* もう一度すべてを終了する */
38        SSL_shutdown(ssl);
39        close(sock);
40        destroy_ctx(ctx);
41      }
```
― rclient.c

A.1.2 Java によるサンプルプログラム

次の図 A.2 は、Java のサンプルプログラムの Java クラス階層を示しています。線よりも上のクラスは標準 Java クラス、線よりも下のクラスはサンプルプログラムのクラスです。破線矢印は継承による依存性がないことを示します。したがって、Server は Demo から派生していますが、ReadWrite は単に使用しているだけです。

図 A.2 ソースコードの依存関係

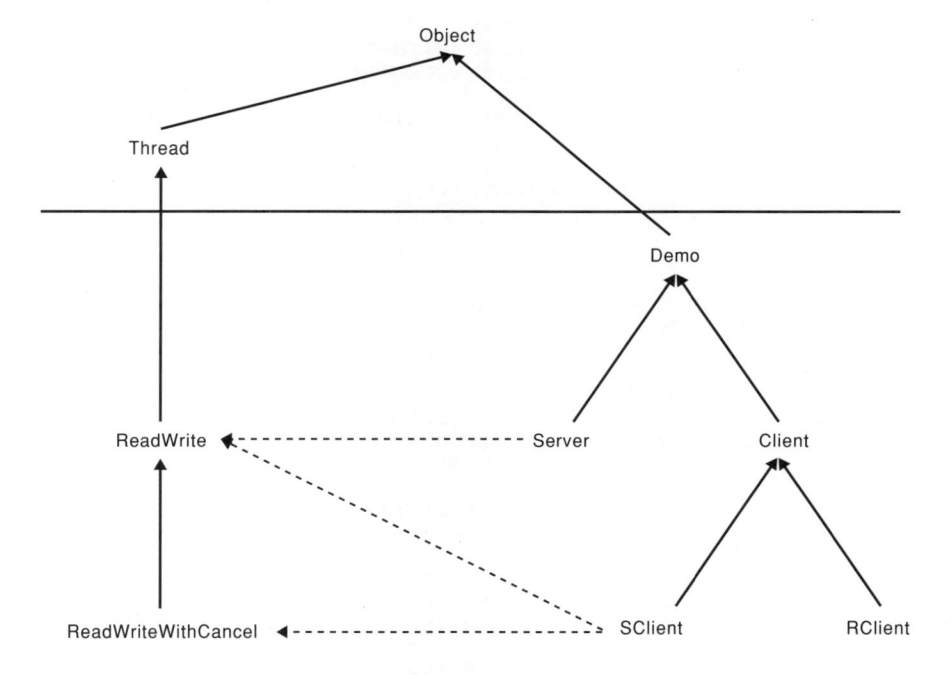

```
                           Object
                            ↑
                            |
           Thread ──────────┘
─────────────┼──────────────────────────────────────────
             |                         Demo
             |                          ↑
             |                   ┌──────┴──────┐
       ReadWrite ◄─ ─ ─ ─ ─ ─ Server         Client
             ↑                                 ↑
             |                          ┌──────┴──────┐
  ReadWriteWithCancel ◄─ ─ ─ ─ ─ ─ ─ SClient        RClient
```

Demo クラスには、共通の定数定義と、共通の初期化ルーチンが含まれています。
ReadWrite クラスは、データを InputStream からコピーし、また OutputStream にコピーするスレッドインスタンスを生成します。InputStream でデータの終わりを受け取ると、OutputStream に close_notify を送ります。

ReadWriteWithCancel は ReadWrite の特殊なバージョンで、データの終わりを受け取ったときにほかのスレッドに通知します。

Server はサーバプログラムです。SSLServerSocket を作成し、accept() と ReadWrite との間でループします。

Client にはクライアントの共通機能が含まれています。特に、汎用の接続関数と、サーバ証明書をチェックするコードが含まれています。

SClient はクライアントのメインプログラムです。サーバに接続し、ReadWrite と ReadWriteWithCancel を使って、サーバとの間でデータをやり取りします。

RClient は、PureTLS を使ったセッション再開のデモ用のスタブクライアントです。

──────────────────────────────── ReadWrite.java

```
1    import COM.claymoresystems.sslg.*;
2    import COM.claymoresystems.ptls.*;
3    import java.io.*;

4    /** in (InputStream) から out (OutputStream) に
5      データをコピーするだけのクラス
6    */
7    public class ReadWrite extends Thread {
8        protected SSLSocket s;
9        protected InputStream in;
10       protected OutputStream out;

11       /** ReadWriteオブジェクトを作成する

12           @param s は、使用するソケットを表す
13           @param in は、読み取るストリームを表す
14           @param out は、書き込むストリームを表す
15       */
16       public ReadWrite(SSLSocket s,InputStream in,OutputStream out){
17         this.s=s;
18         this.in=in;
19         this.out=out;
20       }

21       /** inからoutにデータをコピーする */
22       public void run() {
23         byte[] buf=new byte[1024];
24         int read;

25         try {
26           while(true){
27             // スレッドが終了したかどうかをチェックする
28             if(isInterrupted())
29               break;

30             // データを読み取る
31             read=in.read(buf);

32             // 利用できるデータがなくなったら終了する
33             if(read==-1)
34               break;

35             // データを書き出す
36             out.write(buf,0,read);
37           }

38         } catch (IOException e){
39           // run()ではIOExceptionをスローできない
40           thrownew InternalError(e.toString());
```

```
41        }
42        // 後処理
43        onEOD();
44      }
45      protected void onEOD(){
46        try {
47          s.sendClose();
48        } catch (IOException e){
49          ; // 壊れたパイプを無視する
50        }
51      }
52    }
```
─────────────────── ReadWrite.java

─────────────────── ReadWriteWithCancel.java
```
1   import COM.claymoresystems.sslg.*;
2   import COM.claymoresystems.ptls.*;
3   import java.io.*;

4   /** ReadWriteを単純に拡張したクラス

5       ソケットでデータの終わりを受け取ったら、
6       割り込みを送信してスレッドを「取り消す」
7   */
8   public class ReadWriteWithCancel extends ReadWrite {
9       protected ReadWrite cancel;

10      public ReadWriteWithCancel(SSLSocket s,InputStream in,OutputStream out,
11        ReadWrite cancel){
12        super(s,in,out);
13        this.cancel=cancel;
14      }

15      protected void onEOD(){
16        if(cancel.isAlive()){
17          cancel.interrupt();
18          try {
19            cancel.join();
20          } catch (InterruptedException e){
21            thrownew InternalError(e.toString());
22          }
23        }
24      }
25    }
```
─────────────────── ReadWriteWithCancel.java

─────────────────── Demo.java
```
1   import COM.claymoresystems.sslg.*;
2   import COM.claymoresystems.ptls.*;

3   public class Demo {
4       public static final String host= "localhost";
5       public static final int port= 4433;
6       public static final String root= "root.pem";
7       public static final String random= "random.pem";

8       static SSLContext createSSLContext(String keyfile,String password){
9         SSLContext ctx=new SSLContext();

10        try {
11          ctx.loadRootCertificates(root);
12          ctx.loadEAYKeyFile(keyfile,password);
13          ctx.useRandomnessFile(random,password);
14        } catch (Exception e){
15          thrownew InternalError(e.toString());
```

```
16      }
17      return ctx;
18    }
19  }
```
―― Demo.java

Client.javaはこの位置に記述するべきでしたが、著者の手違いもあって、この付録から省略されてしまいました。ここにClient.javaを記述すると、ページをもう一度割り当てなければならなかったため、今回は諦めました。しかしながら、290ページにClient.javaのソースコードを記述していますし、著者のWebサイト（http://www.rtfm.com）からも取得できます。

―― Server.java
```
1   /** 単純なSSLエコーサーバ */
2   import COM.claymoresystems.sslg.*;
3   import COM.claymoresystems.ptls.*;
4   import java.io.*;
5   public class Server extends Demo {
6       protected static final String keyfile="server.pem";
7       protected static final String password="password";
8       protected static final String dh="dh1024.pem";
9       protected static boolean requireclientauth=true;
10      protected SSLSocket sock;
11      protected InputStream in;
12      protected OutputStream out;
13      public static void main(String []args)
14        throws IOException {
15        SSLContext ctx=createSSLContext(keyfile,password);

16        // DHグループをロードする
17        ctx.loadDHParams(dh);

18        SSLServerSocket listen=new SSLServerSocket(ctx,port);

19        while(true){
20          SSLSocket s=(SSLSocket)listen.accept();

21          // この接続を新しいスレッドで処理する
22          ReadWrite rw=new ReadWrite(s,s.getInputStream(),
23            s.getOutputStream());
24          rw.start();
25        }
26      }
27  }
```
―― Server.java
―― SClient.java
```
1   /* 単純なSSLクライアント
2      サーバに接続し、ターミナルとサーバとの間で
3      データを転送する
4   */
5   import COM.claymoresystems.sslg.*;
6   import COM.claymoresystems.ptls.*;
7   import java.io.*;
8   public class SClient extends Client {
9       public static void main(String []args)
```

```
10        throws IOException,InterruptedException {
11        SSLContext ctx=createSSLContext(keyfile,password);
12        SSLSocket s=connect(ctx,host,port);

13        // このスレッドはコンソールからデータを読み取り、それをサーバに書き込む
14        ReadWrite c2s=new ReadWrite(s,System.in,s.getOutputStream());
15        c2s.start();

16        // このスレッドはサーバからデータを読み取り、コンソールにそれを書き込む
17        ReadWriteWithCancel s2c=new ReadWriteWithCancel(s,
18        s.getInputStream(),System.out,c2s);
19        s2c.start();
20        s2c.setPriority(Thread.MAX_PRIORITY);
21        s2c.join();
22    }
23 }
```
──────────────────────────────── SClient.java

──────────────────────────────── RClient.java
```
1  /* セッション再開のデモ用SSLクライアント */
2  import COM.claymoresystems.sslg.*;
3  import COM.claymoresystems.ptls.*;
4  import java.io.*;

5  public class RClient extends Client {
6      public static void main(String []args)
7      throws IOException {
8      SSLContext ctx=createSSLContext(keyfile,password);

9        /* 接続して閉じる */
10       SSLSocket s=connect(ctx,host,port);
11       s.close();

12       /* 再接続する：自動的に再開が行われる */
13       s=connect(ctx,host,port);
14       s.close();
15    }
16 }
```
──────────────────────────────── RClient.java

A.2 第9章のサンプルコード

第9章で紹介したサンプルプログラム pclient.c および mserver.c の全コードを記載します。mod_ssl の中で、プロセス間セッションのキャッシュを行う部分のコードも記載します。

A.2.1 HTTPS の例

第9章で紹介したプログラムは、HTTPS で一般に使われているさまざまな SSL の適用をデモンストレーションしたものです。これらは、第8章のサンプルプログラムと同じフレームワークに基づいて作成されています。これらのプログラムのソースコードも著者の Web サイト (http://www.rtfm.com/sslbook/examples) からダウンロードできます。

pclient はプロキシ対応のクライアントです。HTTP CONNECT メソッドを使ってプロキシに接続し、トンネルを通してサーバと通信します。

mserver は、複数のクライアントを別々のサーバプロセスで同時に処理できる SSL サーバです。基本的に、これは Java で Server が行っているのと同じ処理です。

──────────────────────────── pclient.c

```
1   /* プロキシ対応のSSLクライアント
2      sclientと似ているが、プロキシしかサポートしない
3   */
4   #include <string.h>
5   #include "common.h"
6   #include "client.h"
7   #include "read_write.h"

8   #define PROXY "localhost"
9   #define PROXY_PORT 8080
10  #define REAL_HOST "localhost"
11  #define REAL_PORT 4433

12  int writestr(sock,str)
13    int sock;
14    char *str;
15    {
16      int len=strlen(str);
17      int r,wrote=0;

18      while(len){
19        r=write(sock,str,len);
20        if(r<=0)
21          err_exit("Write error");
22        len-=r;
23        str+=r;
24        wrote+=r;
25      }

26      return (wrote);
```

```c
27    }
28  int readline(sock,buf,len)
29    int sock;
30    char *buf;
31    int len;
32    {
33      int n,r;
34      char *ptr=buf;

35      for(n=0;n<len;n++){
36        r=read(sock,ptr,1);

37        if(r<=0)
38          err_exit("Read error");

39        if(*ptr=='\n'){
40          *ptr=0;

41          /* CRがある場合は抜き取る */
42          if(buf[n-1]=='\r'){
43            buf[n-1]=0;
44            n--;
45          }

46          return(n);
47        }

48        *ptr++;
49      }

50      err_exit("Buffertoo short");
51    }
52  int proxy_connect(){
53      struct hostent *hp;
54      struct sockaddr_in addr;
55      int sock;
56      BIO *sbio;

57      char buf[1024];
58      char *protocol, *response_code;

59      /* ホストではなくプロキシに接続する */
60      if(!(hp=gethostbyname(PROXY)))
61        berr_exit("Couldn't resolve host");
62      memset(&addr,0,sizeof(addr));
63      addr.sin_addr=*(struct in_addr*)hp->h_addr_list[0];
64      addr.sin_family=AF_INET;
65      addr.sin_port=htons(PROXY_PORT);

66      if((sock=socket(AF_INET,SOCK_STREAM,IPPROTO_TCP))<0)
67        err_exit("Couldn't create socket");
68      if(connect(sock,(struct sockaddr *)&addr,sizeof(addr))<0)
69        err_exit("Couldn't connect socket");

70      /* 接続したので、プロキシにリクエストを送る */
71      sprintf(buf,"CONNECT %s:%d HTTP/1.0\r\n\r\n",REAL_HOST,REAL_PORT);
72      writestr(sock,buf);

73      /* レスポンスを読み取る */
74      if(readline(sock,buf,sizeof(buf))==0)
75        err_exit("Empty response from proxy");

76      if((protocol=strtok(buf," "))<0)
77        err_exit("Couldn't parse server response: getting protocol");
78      if(strncmp(protocol,"HTTP",4))
```

```
 79        err_exit("Unrecognized protocol");
 80      if((response_code=strtok(0," "))<0)
 81        err_exit("Couldn't parse server response: getting response code");
 82      if(strcmp(response_code,"200"))
 83        err_exit("Received error from proxy server");

 84      /* ヘッダの終わりを示す空行を探す */
 85      while(readline(sock,buf,sizeof(buf))>0) {
 86        ;
 87      }

 88      return(sock);
 89    }

 90    int main(argc,argv)
 91      int argc;
 92      char **argv;
 93      {
 94        SSL_CTX *ctx;
 95        SSL *ssl;
 96        BIO *sbio;
 97        int sock;

 98        /* SSLコンテキストを作成する */
 99        ctx=initialize_ctx(KEYFILE,PASSWORD);

100        /* TCPソケットに接続する */
101        sock=proxy_connect();

102        /* SSLソケットに接続する */
103        ssl=SSL_new(ctx);
104        sbio=BIO_new_socket(sock,BIO_NOCLOSE);
105        SSL_set_bio(ssl,sbio,sbio);
106        if(SSL_connect(ssl)<=0)
107          berr_exit("SSL connect error");
108        check_cert_chain(ssl,HOST);

109        /* 読み取りと書き込み */
110        read_write(ssl,sock);

111        destroy_ctx(ctx);
112      }
```
――――――――――――――――――――――――――――――――― pclient.c

――――――――――――――――――――――――――――――――― mserver.c
```
  1   /* マルチプロセスSSLサーバ */
  2   #include "common.h"
  3   #include "server.h"
  4   #include "echo.h"

  5   int main(argc,argv)
  6   int argc;
  7   char **argv;
  8   {
  9     int sock,s;
 10     BIO *sbio;
 11     SSL_CTX *ctx;
 12     SSL *ssl;
 13     int r;
 14     pid_t pid;

 15     /* SSLコンテキストを作成する */
 16     ctx=initialize_ctx(KEYFILE,PASSWORD);
 17     load_dh_params(ctx,DHFILE);
 18     generate_eph_rsa_key(ctx);

 19     sock=tcp_listen();
```

```
20      while(1){
21        if((s=accept(sock,0,0))<0)
22          err_exit("Problem accepting");

23        if(pid=fork()){
24          close(s);
25        }
26        else {
27          sbio=BIO_new_socket(s,BIO_NOCLOSE);
28          ssl=SSL_new(ctx);
29          SSL_set_bio(ssl,sbio,sbio);

30          if((r=SSL_accept(ssl)<=0))
31            berr_exit("SSL accept error");

32            echo(ssl,s);
33        }
34      }
35      destroy_ctx(ctx);
36      exit(0);
```
——————————————————————————— mserver.c

A.2.2 mod_ssl セッションのキャッシュ

Apache は広く普及している Web サーバです。mod_ssl は、その Apache に、OpenSSL による SSL/TLS をサポートするためのモジュールです。Apache は主に UNIX システムで使われており、プロセスを利用して複数のクライアントの同時処理を実現します。第9章で説明したとおり、複数のプロセス間でセッションを共有するためには、特別な処理が必要です。これ以降は、そのためのコードを見ていきます。

OpenSSL には、1つのプログラム内で機能する、独自のセッションキャッシュ用のコードが用意されています。もっと高度な要件を持つアプリケーションプログラムに対応するため、各プログラムが独自のセッション処理コードを挿入するためのフックも数多く用意されています。ここではまず、mod_ssl で使われているフックを見ていきます。

次に、mod_ssl に用意されたセッションキャッシュ用のコードについて説明します。実際には、mod_ssl では2種類のセッションキャッシュがサポートされています。1つ目は、dbm を使ってセッション ID をディスクに保存するものです。これは、ポータビリティが高い方法です。2つ目は、共有メモリセグメントを使用するものです。こちらは、より高速な方法です。mod_ssl のフックは、さまざまな実装の切り替えを行う汎用性の高い関数を呼び出します。

■フック

——————————————————————————— ssl_engine_kernel.c
```
167     /*
168      * このコールバック関数は、新しいSSL_SESSIONが内部OpenSSLセッション
169      * キャッシュに追加されたとき、OpenSSLによって実行される。
170      * このフックによりSSL_SESSIONをプロセス間ディスクキャッシュにも保
171      * 存し、事前に生成されたほかのApacheサーバプロセスとも共有できるようにする。
172      */
173     int ssl_callback_NewSessionCacheEntry(SSL *ssl, SSL_SESSION *pNew)
174     {
175         conn_rec *conn;
176         server_rec *s;
```

```
177          SSLSrvConfigRec *sc;
178          long t;
179          BOOL rc;
180          /*
181           * OpenSSLコンテキストを介してApacheコンテキストを取得する
182           */
183          conn = (conn_rec *)SSL_get_app_data(ssl);
184          s = conn->server;
185          sc = mySrvConfig(s);
186          /*
187           * 内部OpenSSLキャッシュにもタイムアウトを設定する。
188           * これにより、本当に必要な場合のみプロセス間キャッシュを調べることができる。
189           */
190          t = sc->nSessionCacheTimeout;
191          SSL_set_timeout(pNew, t);
192          /*
193           * 同じ有効期限を使用してSSL_SESSIONをプロセス間キャッシュに保存し、
194           * ここでも自動的に期限切れになるようにする。
195           */
196          t = (SSL_get_time(pNew) + sc->nSessionCacheTimeout);
197          rc = ssl_scache_store(s, pNew, t);
198          /*
199           * このキャッシュ操作をログに記録する
200           */
201          ssl_log(s, SSL_LOG_TRACE, "Inter-Process Session Cache: "
202                  "request=SET status=%s id=%s timeout=%ds (session caching)",
203                  rc == TRUE ? "OK" : "BAD",
204                  ssl_scache_id2sz(pNew->session_id, pNew->session_id_length),
205                  t-time(NULL));
206          /*
207           * 0を返す。OpenSSLにとって、これはpNewがまだ有効であり、
208           * SSL_SESSION_free()によって解放されていないことを示す。
209           */
210          return 0;
211      }
212  /*
213   * このコールバック関数は、OpenSSLの内部キャッシュでSSL_SESSION
214   * が検索され、見つからなかった場合にOpenSSLによって実行される。
215   * この関数を使って、プロセス間ディスクキャッシュでSSL_SESSIONを検索する。
216   * SSL_SESSIONはおそらく事前に生成されたいずれかのApacheサーバプロセスによって、
217   * このキャッシュに保存されている。
218   */
219  SSL_SESSION *ssl_callback_GetSessionCacheEntry(
220      SSL *ssl, unsigned char *id, int idlen, int *pCopy)
221  {
222      conn_rec *conn;
223      server_rec *s;
224      SSL_SESSION *pSession;
225          /*
226           * OpenSSLコンテキストからApacheコンテキストを取得する
227           */
228          conn = (conn_rec *)SSL_get_app_data(ssl);
229          s = conn->server;
230          /*
231           * プロセス間キャッシュからSSL_SESSIONの取得を試みる
232           */
233          pSession = ssl_scache_retrieve(s, id, idlen);
234          /*
235           * このキャッシュ操作をログに記録する
236           */
```

```
237            if (pSession != NULL)
238                ssl_log(s, SSL_LOG_TRACE, "Inter-Process Session Cache: "
239                        "request=GET status=FOUND id=%s (session reuse)",
240                        ssl_scache_id2sz(id, idlen));
241            else
242                ssl_log(s, SSL_LOG_TRACE, "Inter-Process Session Cache: "
243                        "request=GET status=MISSED id=%s (session renewal)",
244                        ssl_scache_id2sz(id, idlen));
245            /*
246             * NULLまたは取得したSSL_SESSIONを返す。ただし、
247             * SSL_SESSIONへの参照はもう維持していないので、SSLライブラリで
248             * SSL_SESSIONの参照カウントをインクリメントしないことを伝える
249             * （pCopyを0に設定することによって）。
250             */
251            *pCopy = 0;
252            return pSession;
253        }
254        /*
255         * このコールバック関数は、内部OpenSSLキャッシュから
256         * SSL_SESSIONが削除されたときに、OpenSSLによって呼び出される。
257         * これを使って、プロセス間ディスクキャッシュのSSL_SESSIONも
258         * 削除する。
259         */
260        void ssl_callback_DelSessionCacheEntry(
261            SSL_CTX *ctx, SSL_SESSION *pSession)
262        {
263            server_rec *s;

264            /*
265             * OpenSSLコンテキストを通してApacheコンテキストを取得する
266             */
267            s = (server_rec *)SSL_CTX_get_app_data(ctx);
268            if (s == NULL) /* サーバのシャットダウン時にApacheがすでに終了している */
269                return;
270            /*
271             * プロセス間キャッシュからSSL_SESSIONを削除する
272             */
273            ssl_scache_remove(s, pSession);

274            /*
275             * このキャッシュ操作をログに記録する
276             */
277            ssl_log(s, SSL_LOG_TRACE, "Inter-Process Session Cache: "
278                    "request=REM status=OK id=%s (session dead)",
279                    ssl_scache_id2sz(pSession->session_id,
280                    pSession->session_id_length));

281            return;
282        }
```
―――――――――――――――――――――――――――― ssl_engine_kernel.c

OpenSSLには、セッションの作成、取得、削除の3つのセッションキャッシュフックが用意されています。mod_sslのフック関数は、基本的には次の節で説明するキャッシュ関数のラッパーです。これらの関数で実際に行っているのは、キャッシュ関数を呼び出して結果をログに記録することだけです。

●セッションの作成

173～211行目　　セッション作成を行うコードは、唯一の複雑なフックです。mod_sslのプロセス間キャッシュは、OpenSSL内部キャッシュでの検索が失敗したときにだけ使うものです。したがって、セッションを再開するのと同じプロセスによってセッションが作成された

場合は、再開のために、プロセス間キャッシュにアクセスする必要はありません。しかしながら、エントリは両方のキャッシュ内に作成しなければならないので、新しいセッションが作成される際には常に ssl_callback_NewSessionCacheEntry() が呼び出されます。この関数は3つの処理を行います。内部キャッシュのタイムアウトを設定し、ssl_scache_store() を使ってプロセス間キャッシュエントリを作成し、結果をログに記録します。

● セッションの取得

219〜253 行目

ssl_callback_GetSessionCacheEntry() は、クライアントがセッションの再開を要求し、OpenSSL の内部キャッシュにセッションが見つからない場合に呼び出されます。ssl_scache_retrieve() を呼び出してキャッシュエントリを取得し、結果をログに記録します。

● セッションの削除

260〜282 行目

ssl_callback_DelSessionCacheEntry() は、Alert をキャッチした場合や未完遂な終了 (premature close) を受け取った場合など、セッションが無効になったときに呼び出されます。この関数では、単に ssl_scache_remove() を呼び出してセッションを削除し、結果をログに記録します。

■ セッションキャッシュ用の汎用コード

ssl_engine_scache.c

```
108     BOOL ssl_scache_store(server_rec *s, SSL_SESSION *pSession, int timeout)
109     {
110         SSLModConfigRec *mc = myModConfig();
111         ssl_scinfo_t SCI;
112         UCHAR buf[MAX_SESSION_DER];
113         UCHAR *b;
114         BOOL rc = FALSE;

115         /* 鍵を追加する */
116         SCI.ucaKey = pSession->session_id;
117         SCI.nKey = pSession->session_id_length;

118         /* セッションをデータストリームに変換する */
119         SCI.ucaData = b = buf;
120         SCI.nData = i2d_SSL_SESSION(pSession, &b);
121         SCI.tExpiresAt = timeout;

122         /* そして保存する */
123         if (mc->nSessionCacheMode == SSL_SCMODE_DBM)
124             rc = ssl_scache_dbm_store(s, &SCI);
125         else if (mc->nSessionCacheMode == SSL_SCMODE_SHM)
126             rc = ssl_scache_shm_store(s, &SCI);
127     #ifdef SSL_VENDOR
128         ap_hook_use("ap::mod_ssl::vendor::scache_store",
129                     AP_HOOK_SIG3(void,ptr,ptr), AP_HOOK_ALL, s, &SCI);
130     #endif

131         /* 通常の期限切れを処理する */
132         ssl_scache_expire(s, time(NULL));

133         return rc;
134     }
```

```
135    SSL_SESSION *ssl_scache_retrieve(server_rec *s, UCHAR *id, int idlen)
136    {
137        SSLModConfigRec *mc = myModConfig();
138        SSL_SESSION *pSession = NULL;
139        ssl_scinfo_t SCI;
140        time_t tNow;

141        /* 現在時刻を判別する */
142        tNow = time(NULL);

143        /* 通常の期限切れを処理する */
144        ssl_scache_expire(s, tNow);

145        /* キャッシュクエリを作成する */
146        SCI.ucaKey = id;
147        SCI.nKey = idlen;
148        SCI.ucaData = NULL;
149        SCI.nData = 0;
150        SCI.tExpiresAt = 0;

151        /* キャッシュクエリを実行する */
152        if (mc->nSessionCacheMode == SSL_SCMODE_DBM)
153            ssl_scache_dbm_retrieve(s, &SCI);
154        else if (mc->nSessionCacheMode == SSL_SCMODE_SHM)
155            ssl_scache_shm_retrieve(s, &SCI);
156    #ifdef SSL_VENDOR
157        ap_hook_use("ap::mod_ssl::vendor::scache_retrieve",
158                    AP_HOOK_SIG3(void,ptr,ptr), AP_HOOK_ALL, s, &SCI);
159    #endif

160        /* 見つからない場合はすぐに戻る */
161        if (SCI.ucaData == NULL)
162            return NULL;

163        /* 有効期限を確認する */
164        if (SCI.tExpiresAt <= tNow) {
165            if (mc->nSessionCacheMode == SSL_SCMODE_DBM)
166                ssl_scache_dbm_remove(s, &SCI);
167            else if (mc->nSessionCacheMode == SSL_SCMODE_SHM)
168                ssl_scache_shm_remove(s, &SCI);
169    #ifdef SSL_VENDOR
170            ap_hook_use("ap::mod_ssl::vendor::scache_remove",
171                        AP_HOOK_SIG3(void,ptr,ptr), AP_HOOK_ALL, s, &SCI);
172    #endif
173            return NULL;
174        }

175        /* 結果を取り出してそれを返す */
176        pSession = d2i_SSL_SESSION(NULL, &SCI.ucaData, SCI.nData);
177        return pSession;
178    }
179    void ssl_scache_remove(server_rec *s, SSL_SESSION *pSession)
180    {
181        SSLModConfigRec *mc = myModConfig();
182        ssl_scinfo_t SCI;

183        /* キャッシュクエリを作成する */
184        SCI.ucaKey = pSession->session_id;
185        SCI.nKey = pSession->session_id_length;
186        SCI.ucaData = NULL;
187        SCI.nData = 0;
188        SCI.tExpiresAt = 0;

189        /* 削除する */
190        if (mc->nSessionCacheMode == SSL_SCMODE_DBM)
191            ssl_scache_dbm_remove(s, &SCI);
192        else if (mc->nSessionCacheMode == SSL_SCMODE_SHM)
```

```
193            ssl_scache_shm_remove(s, &SCI);
194  #ifdef SSL_VENDOR
195      ap_hook_use("ap::mod_ssl::vendor::scache_remove",
196                  AP_HOOK_SIG3(void,ptr,ptr), AP_HOOK_ALL, s, &SCI);
197  #endif
198      return;
199  }
200  void ssl_scache_expire(server_rec *s, time_t now)
201  {
202      SSLModConfigRec *mc = myModConfig();
203      SSLSrvConfigRec *sc = mySrvConfig(s);
204      static time_t last = 0;
205
206      /*
207       * まだアクセスしていないセッションキャッシュエントリの
208       * 期限切れ処理は、随時行うようにする
209       */
210      if (now < last+sc->nSessionCacheTimeout)
210          return;
211      last = now;
212
213      /*
214       * 次に、期限切れ処理を行う
215       */
215      if (mc->nSessionCacheMode == SSL_SCMODE_DBM)
216          ssl_scache_dbm_expire(s, now);
217      else if (mc->nSessionCacheMode == SSL_SCMODE_SHM)
218          ssl_scache_shm_expire(s, now);
219
219      return;
220  }
```
―――― ssl_engine_scache.c

　mod_sslでセッションキャッシュを実行するコードは、汎用のコードと、プロセス間共有を実行する下位実装のコードとに分けることができます。汎用のコードでは、期限切れ処理を適切なタイミングで行い、期限切れになったセッションを再開できないようにします。これ以外の負荷のかかる作業は、すべてプロセス間共有を実行する下位実装のコードによって実行されます。

●セッションの保存

108〜134行目　　ssl_scache_store()では、セッションオブジェクトの直列化を行います。その後、適切なセッションキャッシュのためのメソッドを呼び出し、実際にセッションの共有を行います。最後に、期限切れのキャッシュを処理する関数を呼び出します。

●セッションの取得

135〜178行目　　ssl_scache_retrieve()では、まず適切なセッションキャッシュ用のメソッドを呼び出し、セッションオブジェクトをロードします。オブジェクトが見つかった場合は、期限切れになっていないかどうか確認します。セッションが期限切れになっている場合は、自動的にそれをキャッシュから削除します。期限切れになっていない場合は、シリアライズされたオブジェクトをもとに戻して返します。

●セッションの削除

179〜199行目　　`ssl_scache_remove()`は、単に下位実装のキャッシュ用のメソッドを呼び出し、エントリを削除します。

●キャッシュの期限切れ処理

200〜245行目　　`ssl_scache_expire()`は、mod_sslのセッションキャッシュ用フックから直接呼び出されることはありません。ただ、ときどきセッションキャッシュ内を調べて、古いエントリを削除する必要があります。そうしないと、セッションキャッシュは際限なく大きくなってしまいます。この関数は、新しいセッションオブジェクトが作成されたときに自動的に呼び出されます。mod_sslでは、セッションが期限切れになる間隔を管理者が設定することができますが、ほとんど場合、`ssl_scache_expire()`はこの期間内に呼び出され、210行目でreturnされています。それ以外の場合、`ssl_scache_expire()`は適切な期限切れ処理のためのメソッドを呼び出します。

■DBMセッションキャッシュ

ssl_engine_scache.c

```
368    BOOL ssl_scache_dbm_store(server_rec *s, ssl_scinfo_t *SCI)
369    {
370        SSLModConfigRec *mc = myModConfig();
371        DBM *dbm;
372        datum dbmkey;
373        datum dbmval;

374        /* DBMファイルに保存するバイト数が多くなりすぎないように注意する */
375    #ifdef SSL_USE_SDBM
376        if ((SCI->nKey + SCI->nData) >= PAIRMAX)
377            return FALSE;
378    #else
379        if ((SCI->nKey + SCI->nData) >= 950 /* 少なくとも約1KB以下 */)
380            return FALSE;
381    #endif

382        /* DBM鍵を作成する */
383        dbmkey.dptr  = (char *)(SCI->ucaKey);
384        dbmkey.dsize = SCI->nKey;

385        /* DBM値を作成する */
386        dbmval.dsize = sizeof(time_t) + SCI->nData;
387        dbmval.dptr  = (char *)malloc(dbmval.dsize);
388        if (dbmval.dptr == NULL)
389            return FALSE;
390        memcpy((char *)dbmval.dptr, &SCI->tExpiresAt, sizeof(time_t));
391        memcpy((char *)dbmval.dptr+sizeof(time_t), SCI->ucaData, SCI->nData);

392        /* そしてそれをDBMファイルに保存する */
393        ssl_mutex_on(s);
394        if ((dbm = ssl_dbm_open(mc->szSessionCacheDataFile,
395                                O_RDWR, SSL_DBM_FILE_MODE)) == NULL) {
396            ssl_log(s, SSL_LOG_ERROR|SSL_ADD_ERRNO,
397                    "Cannot open SSLSessionCache DBM file '%s' for writing (store)",
398                    mc->szSessionCacheDataFile);
399            ssl_mutex_off(s);
400            free(dbmval.dptr);
401            return FALSE;
402        }
403        if (ssl_dbm_store(dbm, dbmkey, dbmval, DBM_INSERT) < 0) {
404            ssl_log(s, SSL_LOG_ERROR|SSL_ADD_ERRNO,
405                    "Cannot store SSL session to DBM file '%s'",
```

```
406                        mc->szSessionCacheDataFile);
407           ssl_dbm_close(dbm);
408           ssl_mutex_off(s);
409           free(dbmval.dptr);
410           return FALSE;
411       }
412       ssl_dbm_close(dbm);
413       ssl_mutex_off(s);

414       /* 一時バッファを開放する */
415       free(dbmval.dptr);

416       return TRUE;
417   }

418   void ssl_scache_dbm_retrieve(server_rec *s, ssl_scinfo_t *SCI)
419   {
420       SSLModConfigRec *mc = myModConfig();
421       DBM *dbm;
422       datum dbmkey;
423       datum dbmval;

424       /* 結果を初期化する */
425       SCI->ucaData = NULL;
426       SCI->nData = 0;
427       SCI->tExpiresAt = 0;

428       /* DBM鍵と値を作成する */
429       dbmkey.dptr  = (char *)(SCI->ucaKey);
430       dbmkey.dsize = SCI->nKey;

431       /* そしてそれをDBMファイルから取得する */
432       ssl_mutex_on(s);
433       if ((dbm = ssl_dbm_open(mc->szSessionCacheDataFile,
434                               O_RDONLY, SSL_DBM_FILE_MODE)) == NULL) {
435           ssl_log(s, SSL_LOG_ERROR|SSL_ADD_ERRNO,
436                   "Cannot open SSLSessionCache DBM file '%s' for reading (fetch)",
437                   mc->szSessionCacheDataFile);
438           ssl_mutex_off(s);
439           return;
440       }
441       dbmval = ssl_dbm_fetch(dbm, dbmkey);
442       ssl_dbm_close(dbm);
443       ssl_mutex_off(s);
444       /* 見つからない場合はすぐにreturnする*/
445       if (dbmval.dptr == NULL || dbmval.dsize <= sizeof(time_t))
446           return;

447       /* 情報をSCIにコピーする */
448       SCI->nData   = dbmval.dsize-sizeof(time_t);
449       SCI->ucaData = (UCHAR *)malloc(SCI->nData);
450       if (SCI->ucaData == NULL) {
451           SCI->nData = 0;
452           return;
453       }
454       memcpy(SCI->ucaData, (char *)dbmval.dptr+sizeof(time_t), SCI->nData);
455       memcpy(&SCI->tExpiresAt, dbmval.dptr, sizeof(time_t));

456       return;
457   }

458   void ssl_scache_dbm_remove(server_rec *s, ssl_scinfo_t *SCI)
459   {
460       SSLModConfigRec *mc = myModConfig();
461       DBM *dbm;
462       datum dbmkey;

463       /* DBM鍵と値を作成する */
```

```
464         dbmkey.dptr = (char *)(SCI->ucaKey);
465         dbmkey.dsize = SCI->nKey;

466         /* そしてそれをDBMファイルから削除する */
467         ssl_mutex_on(s);
468         if ((dbm = ssl_dbm_open(mc->szSessionCacheDataFile,
469                                 O_RDWR, SSL_DBM_FILE_MODE)) == NULL) {
470             ssl_log(s, SSL_LOG_ERROR|SSL_ADD_ERRNO,
471                     "Cannot open SSLSessionCache DBM file '%s' for writing (delete)",
472                     mc->szSessionCacheDataFile);
473             ssl_mutex_off(s);
474             return;
475         }
476         ssl_dbm_delete(dbm, dbmkey);
477         ssl_dbm_close(dbm);
478         ssl_mutex_off(s);

479         return;
480     }

481     void ssl_scache_dbm_expire(server_rec *s, time_t tNow)
482     {
483         SSLModConfigRec *mc = myModConfig();
484         DBM *dbm;
485         datum dbmkey;
486         datum dbmval;
487         pool *p;
488         time_t tExpiresAt;
489         int nElements = 0;
490         int nDeleted = 0;
491         int bDelete;
492         datum *keylist;
493         int keyidx;
494         int i;

495         /*
496          * ここでは細心の注意が必要
497          * 期限切れになったものの削除は、すべてのDBMライブラリで要素を
498          * 反復処理すると同時に実行されるわけではない
499          * まったく問題なく削除できるものもあれば、できないものもある
500          * そこで、処理速度は遅くても安全な方法で削除する必要がある
501          * まず、すべての要素を反復処理し、期限切れのものを記憶しておく
502          * 2回目の反復で、期限切れの要素をすべて削除する
503          * さらに確実に安全な状態にするため、DBMファイルを再び開く
504          */

505     #define KEYMAX 1024

506         ssl_mutex_on(s);
507         for (;;) {
508             /* メモリサブプールの鍵配列を割り当てる */
509             if ((p = ap_make_sub_pool(NULL)) == NULL)
510                 break;
511             if ((keylist = ap_palloc(p, sizeof(dbmkey)*KEYMAX)) == NULL) {
512                 ap_destroy_pool(p);
513                 break;
514             }

515             /* 1巡目：DBMデータベースをスキャンする */
516             keyidx = 0;
517             if ((dbm = ssl_dbm_open(mc->szSessionCacheDataFile,
518                                     O_RDWR, SSL_DBM_FILE_MODE)) == NULL) {
519                 ssl_log(s, SSL_LOG_ERROR|SSL_ADD_ERRNO,
520                         "Cannot open SSLSessionCache DBM file '%s' for scanning",
521                         mc->szSessionCacheDataFile);
522                 ap_destroy_pool(p);
523                 break;
524             }
```

```
525         dbmkey = ssl_dbm_firstkey(dbm);
526         while (dbmkey.dptr != NULL) {
527             nElements++;
528             bDelete = FALSE;
529             dbmval = ssl_dbm_fetch(dbm, dbmkey);
530             if (dbmval.dsize <= sizeof(time_t) || dbmval.dptr == NULL)
531                 bDelete = TRUE;
532             else {
533                 memcpy(&tExpiresAt, dbmval.dptr, sizeof(time_t));
534                 if (tExpiresAt <= tNow)
535                     bDelete = TRUE;
536             }
537             if(bDelete) {
538                 if ((keylist[keyidx].dptr = ap_palloc(p, dbmkey.dsize)) != NULL) {
539                     memcpy(keylist[keyidx].dptr, dbmkey.dptr, dbmkey.dsize);
540                     keylist[keyidx].dsize = dbnkey.dsize;
541                     keyidx++;
542                     if (keyidx == KEYMAX)
543                         break;
544                 }
545             }
546             dbmkey = ssl_dbm_nextkey(dbm);
547         }
548         ssl_dbm_close(dbm);

549         /* 2巡目：期限切れの要素を削除する */
550         if ((dbm = ssl_dbm_open(mc->szSessionCacheDataFile,
551                                 O_RDWR, SSL_DBM_FILE_MODE)) == NULL) {
552             ssl_log(s, SSL_LOG_ERROR|SSL_ADD_ERRNO,
553                     "Cannot re-open SSLSessionCache DBM file '%s' for expiring",
554                     mc->szSessionCacheDataFile);
555             ap_destroy_pool(p);
556             break;
557         }
558         for (i = 0; i < keyidx; i++) {
559             ssl_dbm_delete(dbm, keylist[i]);
560             nDeleted++;
561         }
562         ssl_dbm_close(dbm);

563         /* 一時プールを破棄する */
564         ap_destroy_pool(p);
565         if (keyidx < KEYMAX)
566             break;
567     }
568     ssl_mutex_off(s);

569     ssl_log(s, SSL_LOG_TRACE, "Inter-Process Session Cache (DBM) Expiry: "
570             "old: %d, new: %d, removed: %d", nElements, nElements-nDeleted, nDeleted);
571     return;
572 }
```

———————————————————————————— ssl_engine_scache.c

DBMは、UNIXの標準的なパッケージで、キー◆監訳注2 と値による単純なデータベースを提供するものです。ルックアップ用のキーとデータ値を一対一に関連付けて、任意の対を生成することができます。要は、自動的にサイズ調整を行う大きなハッシュテーブルなのですが、データはディスクファイルに保存され、プロセス間で共有できます。

DBMでは、高速にルックアップを行うため、すべてのキーについてインデックスを保持しています。ただし、DBMは同時アクセス用の設計になっていないため、データ

◆2.　ここでいうキーは、暗号化鍵などの鍵ではなく、検索のためのキーを指します。

ベースの更新を検出してインデックスを再ロードさせる手段はありません。インデックスが再ロードされるのは、データベースが開かれたときだけです。同様に、データベースの一部はキャッシュに保存されますが、それが書き出されるのはデータベースを閉じるときだけです。したがって、複数のプロセスでデータベースを使うためには、各プロセスがデータにアクセスするたびにデータベースを開いて、閉じなければなりません。mod_sslにおけるDBM処理用のコードで複雑な部分は、ほとんどがこの対処のためのコードです。

● セッションの作成

368〜417行目

まず最初に、DBMのキーと値を作成します。キーは単なるセッションIDです。値には、時刻とシリアライズされたセッションオブジェクトが含まれます。値は1バイトの文字列でなければならないので、それに併せてまとめる必要があります。これは385〜391行目で行っています。キーと値を保存する準備が整ったら、ほかのプロセスが書き込まないようにデータベースをロックしなければなりません。mod_sslはプロセス間ミューテックをサポートしており、ここではこれを使っています(393行目)。データベースをロックしたら、データベースを開き、キーと値の対を保存します。これがすべて終わったら、データベースを閉じてロックを解放します。

● セッションの取得

418〜457行目

セッションの取得では、セッションの保存のときと逆の手順で処理を行うだけです。mod_sslでは、読み取りと書き込みでミューテックが区別されていないことに注意してください。2つのプロセスが同時に同じDBMファイルを読み込んでも、一般には安全です。セッションの作成よりも再開の使用頻度が高いシステムでは、読み取りロックと書き込みロックを使用してもよいでしょう。したがって、複数のプロセスが互いをブロックすることなく、データベースを同時に読み取ることができます。セッションを取得したら、1つにまとめていた有効期限とセッションオブジェクトを取り出し、呼び出し元に返します(448〜453行目)。

● セッションの削除

458〜480行目

`ssl_scache_dbm_remove()`は、お馴染みのパターンの繰り返しです。まずデータベースをロックし、その後で削除を行います。その次にデータベースのロックを解除します。

● セッションの期限切れ処理

481〜572行目

セッションの削除では、巧みな処理を行っています。理論的には、データベースをリニアにスキャンし、期限切れの要素を削除していけばよいのですが、残念ながら多くの古いDBMの実装では、スキャンと削除を同時に行おうとすると、データベースが破損してしまいます。したがって、期限切れ要素の削除は2巡目に行います。1巡目(515〜548行目)ではデータベースをスキャンし、期限切れのすべてのセッションに関するリストを作成します。2巡目(549〜567行目)では、リスト内の各エントリを削除します。効率が悪いため、あまり頻繁に使う手法ではありません。

■共有メモリによるセッションキャッシュ

DBMのセッションキャッシュはとても低速です。キャッシュへの保存やエントリの取得を行うたびに、毎回データベースをロックし、2つのファイル（インデックスファイルとデータファイル）を開き、ディスクからデータを読み取り、ファイルを閉じ、データベースのロックを解除しなければなりません。これによって、プロセスにはかなりの量のオーバーヘッドが加わります。このため、mod_sslには共有メモリを利用した高速な方法が用意されています。これは、ディスクではなくメモリ内にデータを保存するキーと値のデータベースを作成するという方法です。その後、複数のプロセスからアクセスできるように、このメモリを共有メモリセグメントに置きます。

ssl_session_cache.c

```
752  BOOL ssl_scache_shm_store(server_rec *s, ssl_scinfo_t *SCI)
753  {
754      SSLModConfigRec *mc = myModConfig();
755      void *vp;

756      ssl_mutex_on(s);
757      if (table_insert_kd(mc->tSessionCacheDataTable,
758                          SCI->ucaKey, SCI->nKey,
759                          NULL,sizeof(time_t)+SCI->nData,
760                          NULL, &vp, 1) != TABLE_ERROR_NONE) {
761          ssl_mutex_off(s);
762          return FALSE;
763      }
764      memcpy(vp, &SCI->tExpiresAt, sizeof(time_t));
765      memcpy((char *)vp+sizeof(time_t), SCI->ucaData, SCI->nData);
766      ssl_mutex_off(s);
767      return TRUE;
768  }
769  void ssl_scache_shm_retrieve(server_rec *s, ssl_scinfo_t *SCI)
770  {
771      SSLModConfigRec *mc = myModConfig();
772      void *vp;
773      int n;

774      /* 結果を初期化する */
775      SCI->ucaData = NULL;
776      SCI->nData = 0;
777      SCI->tExpiresAt = 0;

778      /* テーブル内でキーを検索する */
779      ssl_mutex_on(s);
780      if (table_retrieve(mc->tSessionCacheDataTable,
781                         SCI->ucaKey, SCI->nKey,
782                         &vp, &n) != TABLE_ERROR_NONE) {
783          ssl_mutex_off(s);
784          return;
785      }

786      /* 情報をSCIにコピーする */
787      SCI->nData = n-sizeof(time_t);
788      SCI->ucaData = (UCHAR *)malloc(SCI->nData);
789      if (SCI->ucaData == NULL) {
790          SCI->nData = 0;
791          ssl_mutex_off(s);
792          return;
793      }
794      memcpy(&SCI->tExpiresAt,vp, sizeof(time_t));
795      memcpy(SCI->ucaData, (char *)vp+sizeof(time_t), SCI->nData);
```

```c
796        ssl_mutex_off(s);
797        return;
798    }
799    void ssl_scache_shm_remove(server_rec *s, ssl_scinfo_t *SCI)
800    {
801        SSLModConfigRec *mc = myModConfig();

802        /* テーブル内のキーに対する値を削除する */
803        ssl_mutex_on(s);
804        table_delete(mc->tSessionCacheDataTable,
805                SCI->ucaKey, SCI->nKey, NULL, NULL);
806        ssl_mutex_off(s);
807        return;
808    }
809    void ssl_scache_shm_expire(server_rec *s, time_t tNow)
810    {
811        SSLModConfigRec *mc = myModConfig();
812        table_linear_t iterator;
813        time_t tExpiresAt;
814        void *vpKey;
815        void *vpKeyThis;
816        void *vpData;
817        int nKey;
818        int nKeyThis;
819        int nData;
820        int nElements = 0;
821        int nDeleted = 0;
822        int bDelete;
823        int rc;

824        ssl_mutex_on(s);
825        if (table_first_r(mc->tSessionCacheDataTable, &iterator,
826                    &vpKey, &nKey, &vpData, &nData) == TABLE_ERROR_NONE) {
827            do {
828                bDelete = FALSE;
829                nElements++;
830                if (nData < sizeof(time_t) || vpData == NULL)
831                    bDelete = TRUE;
832                else {
833                    memcpy(&tExpiresAt,vpData, sizeof(time_t));
834                    if (tExpiresAt< = tNow)
835                        bDelete = TRUE;
836                }
837                vpKeyThis = vpKey;
838                nKeyThis = nKey;
839                rc= table_next_r(mc->tSessionCacheDataTable, &iterator,
840                            &vpKey, &nKey, &vpData, &nData);
841                if(bDelete) {
842                    table_delete(mc->tSessionCacheDataTable,
843                            vpKeyThis, nKeyThis, NULL, NULL);
844                    nDeleted++;
845                }
846            } while (rc == TABLE_ERROR_NONE);
847        }
848        ssl_mutex_off(s);
849        ssl_log(s, SSL_LOG_TRACE, "Inter-Process Session Cache (SHM) Expiry: "
850            "old: %d, new: %d, removed: %d", nElements, nElements-nDeleted, nDeleted);
851        return;
852    }
```

ssl_session_cache.c

共有メモリを使ったセッションキャッシュのコードは、DBMを使ったコードに非常によく似ています。プログラミングの観点から見た大きな違いは、DBMではなくハッシュテーブル(`table_insert_kd()`など)を使っているという点です。ただし、DBMのAPIは基本的にはハッシュテーブルなので、主な違いは、どの関数を呼び出すかという点だけです。

●セッションの保存

752〜769行目

DBMコードと同様に、まずは`ssl_mutex_on()`を使ってキャッシュをロックし、その後データを保存します。ここでの主な違いは、DBMの場合のように実際にデータベースを開く必要がないという点です。これは明らかにパフォーマンスの大きな改善になります。

●セッションの取得

769〜898行目

この部分にも同じことがいえます。

●セッションの削除

799〜808行目

ここも同じです。

●キャッシュの期限切れ処理

809〜852行目

キャッシュの期限切れ処理は、DBMよりもずっと単純です。ハッシュテーブルの実装では、スキャンの最中に削除を正しく行うことができるので、1巡で期限切れの処理を終えることができます。これ以外の点は、DBMコードとほぼ同じです。

付録 B

SSLv2

B.1　はじめに

　本書では、SSLv3 と TLS に焦点を当ててきました。しかし、SSLv3 の実装の大部分は SSLv2 の実装でもあり、多くの人がアクセスする Web サイトの中には SSLv2 しかサポートしないものもあります。そこで付録 B では、SSLv2 の概要について、[Hickman1995] に記述されている内容を紹介します。はじめに SSLv2 の仕組みについて簡単に説明しますが、SSLv3 のように細かくは解説せず、IPsec、SHTTP、S/MIME について大筋を紹介する程度の説明にとどめておきます。

　Netscape 社は、SSLv3 の設計に取りかかる前に、前述した Taher Elgamal をはじめとする暗号研究者をセキュリティ専門のスタッフとして採用しました。その上、SSLv3 は、セキュリティコンサルタント（Paul Kocher）の支援を得て設計されています。しかし SSLv2 を設計した時点では、Netscape 社（当時の Mosaic Communications 社）はセキュリティの専門家を一人も雇っていませんでした。このため、セキュリティの分野では特に何の資格も経験もなかった Kipp Hickman が SSLv2 の設計を担当することになったのです。心配されたとおり、SSLv2 にはセキュリティ上の欠陥が複数見つかり、結局は SSLv3 を開発せざるを得なくなったというわけです。

　SSLv2 の仕組みを概説した後は、SSLv2 が抱える問題について説明します。最初に SSLv2 に欠けている機能について、次にセキュリティ上の欠陥について、1 つひとつ説明します。簡単なクレジットカードの取り引きが攻撃されてしまうほどの欠陥ではありませんが、それでもきわめて重大であることには変わりありません。ここでは、こうした問題について解説していきます。これらの問題が SSLv3 でどのように修正されたかはすでに説明しましたが、Microsoft 社が Private Communications Technology（PCT）で修正した方法について考えるのも興味深いものです。最後に、SSLv1 の顛末を簡単に説明してこの付録を終えます。

B.2　SSLv2 の概要

　SSLv2 と SSLv3 は同じモデルを採用しており、Handshake のプロセスによって鍵の確立とアルゴリズムのネゴシエーションを行います。Handshake が終了したら、その鍵とアルゴリズムを使って、アプリケーションのデータ通信を暗号化します。実際には、SSLv2 の Handshake でやり取りされるメッセージの多くは、SSLv3 の Handshake と似た名前を持ち、フィールドの値もあまり変わりません。これは SSLv3 の設計者による意図的なものと考えて間違いないでしょう。図 B.1 は、SSLv2 の Handshake の一例です。

図 B.1
SSLv2 の Handshake

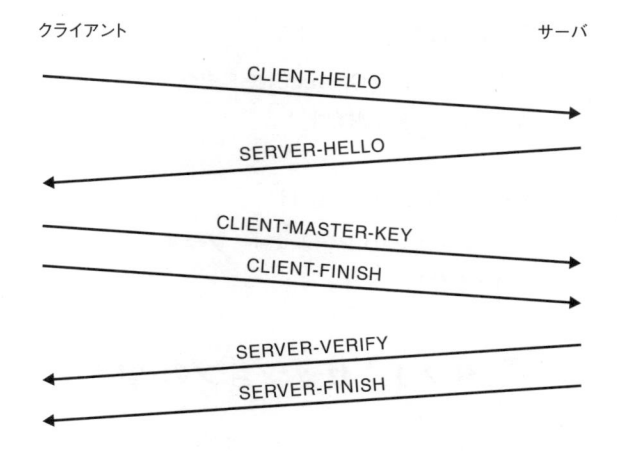

```
クライアント                              サーバ
    ——————CLIENT-HELLO——————→
    ←—————SERVER-HELLO——————
    ——————CLIENT-MASTER-KEY—→
    ——————CLIENT-FINISH—————→
    ←—————SERVER-VERIFY—————
    ←—————SERVER-FINISH—————
```

■CLIENT-HELLO

このメッセージで、クライアントは自分がサポートする暗号の種類、乱数 CHALLENGE、および（必要に応じて）セッション ID を含めたリストを送信します。CHALLENGE は SSLv3 で使用される乱数値とほぼ同じ役割を果たします。つまり、セッション鍵を更新して、クライアントがリプレイ攻撃を検出できるようにします。SSLv3 と同様、セッション ID はセッションを再開する場合に使用します。

■SERVER-HELLO

サーバはこのメッセージで、クライアントの暗号リストの中から自分がサポートするものを選び、サーバの証明書と一緒に送信します。SSLv3 とは異なり、最終的にどの暗号を使用するかはクライアントが選択しますが、サーバは自分がサポートしない暗号をリストから削除することができます。また、サーバは CONNECTION-ID も送信しますが、これは SSLv3 で使用するサーバの乱数値とほぼ同じ目的を果たします。

■CLIENT-MASTER-KEY

サーバの公開鍵を使ってマスター鍵を暗号化し、送信します。この暗号化を輸出可能な方法で処理するために、マスター鍵は暗号化される部分と平文の部分に分割されます。したがって、40 ビットの RC4 であれば、40 ビットを暗号化し、88 ビットは平文のままとなります。次にダイジェスト関数を使用して、マスター鍵を暗号化鍵と MAC 鍵に変換します。このメッセージでは、暗号化に必要であれば IV▼も（平文のまま）送信されます。

▼Initialization Vector

■CLIENT-FINISH

暗号化される最初のメッセージです。CONNECTION-ID を含み、クライアントが暗号化鍵を知っていることを証明します。

■SERVER-VERIFY

暗号化されたCHALLENGEを含みます。このメッセージで、サーバが暗号化鍵を知っていることを証明します。

■SERVER-FINISH

セッションIDを含みます。クライアントは、セッションを再開したい場合にセッションIDを使用します。

B.2.1　セッションの再開

SSLv2でもセッション再開モードが利用できます。サーバはクライアントからセッションIDを受け取ったことを認識すると、SERVER-HELLOメッセージにフラグをセットします。セッションを再開する際、クライアントはCLIENT-MASTER-KEYメッセージを省略し、クライアントとサーバはマスター鍵を再利用します。

B.2.2　クライアント認証

SSLv2のクライアント認証はごく簡単なものです。サーバはREQUEST-CERTIFICATEと呼ばれるメッセージを追加し、これを使ってクライアントに認証をリクエストします。このメッセージには、クライアントが署名するデータの生成に使うチャレンジが含まれます。これに対し、クライアントはCLIENT-CERTIFICATEメッセージを送ります。このメッセージにはクライアントの証明書とチャレンジを使って生成した署名、クライアントの暗号化鍵、およびサーバの暗号化鍵が含まれます。

B.2.3　データ転送

SSLv2のデータ転送は、細かい点で違いが見られるものの、SSLv3とよく似ています。データは分割されて一連のレコードとして扱われ、各レコードに対して別々にMACが生成されるほか、暗号化もレコードごとに行われます。このMACはHMACではなく、SSLv2のためだけに用意された関数ですが、重大な弱点は報告されていません。

B.3 欠けている機能

SSLv2 には、欲しい機能がいくつか欠けています。いずれも絶対に必要というわけではありませんが、ないと不便なので、SSLv3 の設計の際に追加されています。

B.3.1 証明書のチェーン

SSLv2 では、クライアントとサーバがそれぞれ 1 つずつしか証明書を送信できません。このため、ルート CA が直接証明書に署名する必要があります。第 5 章で説明したように、ルート CA を一つ用意して、その CA が署名する複数の CA によってユーザを証明できると非常に便利です。これは SSLv2 では不可能でしたが、SSLv3 ではクライアントとサーバが任意の長さの証明書チェーンを持つことができます。

B.3.2 米国内用と輸出対応用のクライアントに同じ RSA 鍵を利用する

SSLv2 が設計されたとき、512 ビットよりも大きい鍵を使用して鍵交換を行うソフトウェアを輸出することは、米国の輸出規制によって禁止されていました。しかし、標準的かそれ以上のセキュリティを備えたアプリケーションでは、1024 ビット、あるいは 512 ビットの鍵がすでに一般化していたため、サーバで強力な（128 ビットの）暗号化を処理したければ、1024 ビットの RSA 鍵が必要になることは間違いありませんでした。しかし、この鍵が鍵交換にも使用されるため、輸出対応のクライアントに同じ鍵を提供することができず、サーバは 2 つの鍵を使い分けなければなりませんでした。

ところが Netscape 社は、最初に SSLv2 を Navigator に組み込んだとき、輸出対応のクライアントから長い鍵が送信されないかどうかテストしていませんでした。輸出可能なバージョンの Navigator が、1024 ビットの RSA をサポートしていたのです。にもかかわらず、どういうわけか Netscape 社は輸出の承認を得ることができました。NSA が Navigator を調査した際これに気付かなかったのか、あるいは単に黙殺したのか、（少なくとも著者には）定かではありません。いずれにしても、この一件によって、それまでなら許可されなかった数社のソフトウェアが同じように承認を得ることになりました。

SSLv3 が設計されるとき、NSA の調査がより厳しくなるという通告がありました。そこで SSLv3 では、輸出規制に従うため、長い RSA 鍵を使って 512 ビットの一時的な RSA 鍵を署名するようにしました。SSLv3 が鍵を 1 つしか使用せず、規制に従うことができたのは、このようなトリックを採用したからです。

B.4 セキュリティ上の問題

B.4.1 輸出可能なバージョンのメッセージ認証

SSLv2では、メッセージ認証に暗号化と同じ鍵を使用します。したがって、輸出可能なバージョンでRC4を使用する場合、暗号化鍵とMAC鍵がベースとするのはわずか40ビットのシークレットデータであり、エントロピーも40ビットになります。このため、輸出可能なバージョンでは、機密性に関する攻撃のみならず完全性に関する攻撃も簡単に仕掛けられてしまいます。攻撃者は、マスター鍵のシークレットの40ビットすべてを片っ端から探せばいいからです。40ビットの鍵空間を徹底的に探すくらいのことは、平凡な攻撃者でも十分にとり得る手段です。

これとは対照的に、SSLv3ではマスター鍵にサイズの大きいものを使用し、鍵を生成する段階でエントロピーを低くします。片っ端から探せば暗号化鍵は見つかるかもしれませんが、この暗号化鍵からマスターシークレットを見つけ出すことはできません。したがって、暗号化は脆弱でも(あるいは使用しなくも)MAC鍵は強力です。SSLv3では、強度の低い暗号化を使用している場合でも、完全性に関する攻撃を仕掛けるのはかなり厄介です。

B.4.2 脆弱なMAC

SSLv2のMACへの攻撃が実際に成功したという報告はありませんが、HMACほど強力でないことは間違いありません。特に、MD5しか使用せず、SHA-1を使用できないのは問題です。最近になって、MD5の強度に問題があることがわかったため([Dobbertin1996])、このことは致命的とは言わないまでも、望ましくありません。しかし、MD5が攻撃されたのと、HMACが開発されたのは、SSLv2が公開された後でしたから、設計者にしてもある程度は仕方がなかったのかもしれません。いずれにしても、SHA-1をネゴシエーションできないのはあまりにも不便です。

B.4.3 ダウングレード

SSLv2では、Handshakeが何も保護されません。このため、通信を行う双方が強力な暗号をサポートしていても、脆弱な暗号をネゴシエーションするように攻撃者に操作される可能性があります。SSLv3では、Finishedメッセージを使ってこの問題を解決しています。Finishedメッセージには、Handshake全体のメッセージダイジェストが含まれます。

B.4.4　強制終了攻撃

SSLv2では、TCPによる接続の終了をもってデータが終了したと見なされます。これでは、強制終了攻撃の標的にされてしまいます。攻撃者がTCPのFINを送信するだけで、それを受信した側はデータが終了したと騙されてしまうのです。SSLv3では接続の終了を明示的に通知することで、この問題を解決しています。

B.4.5　クライアント認証の転写

後述するPCTの仕様［Benaloh1995］では、SSLv2のクライアント認証に対する、手間のかからない深刻な攻撃について記述されています。Webサイトのセキュリティを確保するために、通常のSSLによる接続でアクセスできるコンテンツと、クライアント認証が要求されるコンテンツがサイトに混在してしまう状況を考えてみてください。輸出可能な暗号を使用する場合、SSLv2のメッセージ認証は非常に脆弱なので、Webサイトで保護が必要な部分には、サーバが強力な暗号化を施す必要があります。さもないと、攻撃者が簡単にコネクションを乗っ取りクライアントになりすます恐れがあるからです。

次のような状況を想像してみてください。クライアントが輸出可能な暗号を使ってサーバへ接続しているところに、攻撃者が40ビットの鍵空間を片っ端から探してコネクションを乗っ取り、マスター鍵と読み取り／書き込み用の鍵を手に入れたとします。その後、クライアントはおそらくもう一度リクエストを送り、サーバに再接続するでしょう。このとき、図B.2のような手順の認証転写攻撃（authentication transfer attack）が仕掛けられてしまいます。

攻撃者は、クライアントとサーバの間のTCP接続を傍受し、クライアントのCLIENT-HELLOを読み取ります。次に、128ビットの暗号を提示し、クライアントのチャレンジを使って、自分からサーバへのコネクションを開きます。続いてSERVER-HELLOを、コネクションの再開に同意するように作成してクライアントに送信します。その後、攻撃者はCLIENT-MASTER-KEYメッセージを作成してサーバに送信しますが、マスター鍵は本来のコネクションと同じものを使い、その鍵全体をサーバのRSA鍵で暗号化します。この時点で、クライアントはコネクションを再開しているため、クライアントと攻撃者との間、およびサーバと攻撃者との間のマスター鍵は、どちらも本来のコネクションと同じものになっています。

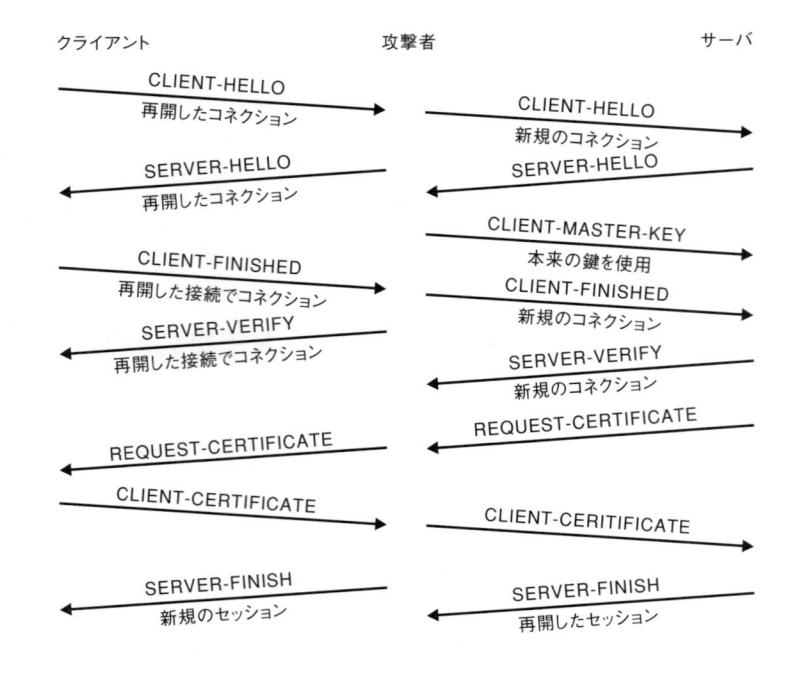

図 B.2
SSLv2 の認証転写攻撃

```
クライアント              攻撃者                 サーバ
     ───CLIENT-HELLO──→
       再開したコネクション
                              ───CLIENT-HELLO──→
                                新規のコネクション
     ←──SERVER-HELLO───
       再開したコネクション
                              ←──SERVER-HELLO───
                              ───CLIENT-MASTER-KEY──→
                                 本来の鍵を使用
     ───CLIENT-FINISHED──→
       再開した接続でコネクション
                              ───CLIENT-FINISHED──→
                                新規のコネクション
     ←──SERVER-VERIFY───
       再開した接続でコネクション
                              ←──SERVER-VERIFY───
                                新規のコネクション
     ←──REQUEST-CERTIFICATE───
                              ←──REQUEST-CERTIFICATE───
     ───CLIENT-CERTIFICATE──→
                              ───CLIENT-CERITIFICATE──→
     ←──SERVER-FINISH───
        新規のセッション
                              ←──SERVER-FINISH───
                                再開したセッション
```

　サーバはREQUEST-CERTIFICATEメッセージを使ってクライアントに認証を要求しますが、そのメッセージは攻撃者によってクライアントに転送されます。クライアントはこれにCLIENT-CERTIFICATEメッセージで応答します。既に説明したとおり、この署名付きデータは、クライアントの書き込み用の鍵、サーバの書き込み用の鍵、およびチャレンジにより構成されています。そして、これらはすべて、クライアントと攻撃者との間のコネクション、攻撃者とサーバとの間のコネクションで同じものです。したがって、攻撃者はCLIENT-CERTIFICATEメッセージをサーバへそのまま転送するだけで、クライアントが強力な暗号化により認証されて接続したようにサーバに見せかけることができるのです。もちろん、実際にはクライアントは攻撃者との接続になっています。この攻撃は、SSLv3やTLSでは認証鍵と暗号化鍵が異なるため不可能です。

B.5 PCT

Microsoft 社は、SSLv2 のセキュリティ上の欠陥を解決するため、Private Communications Technology（PCT）と呼ばれる独自の SSLv2 の改良版プロトコルを設計しました。PCT では、SSLv2 の重大な欠陥(特に暗号選択の操作と認証の脆弱性の問題)が修正されています。また、Handshake のプロセスがいくらか簡素化されており、接続の確立に必要なラウンドトリップの回数が少なくなっています。なお、暗号スイートをより柔軟に選択できるようにも改良されています。

B.5.1 Verify Prelude フィールド

SSLv3 は Finished メッセージを使って、ダウングレード攻撃を防止しています。PCT でも CLIENT-MASTER-KEY メッセージの verify-prelude フィールドを使って、これと同じ保護を実現しています。verify-prelude には、クライアントとサーバの hello メッセージの MAC が含まれており、接続のダウングレードの操作をサーバで検出可能にしています。verify-prelude は鍵交換の際に送信されるため、サーバは改竄行為を発見した時点ですぐに接続を拒否することができます。これに対し SSLv3 では、接続の確立がすべて完了するまで攻撃を検出できません。

B.5.2 メッセージ完全性の強化

PCT では、メッセージ認証がセキュリティ確保◆監訳注1 とは独立して行われます。SSLv3 と同じくサイズの大きいマスター鍵を送信し、この鍵を使って MAC 鍵と暗号化鍵を別々に生成します。40 ビットの暗号化鍵を使用した場合でも、MAC 鍵は強力です。したがって、暗号化鍵が破られたとしても、メッセージの完全性が損なわれることはありません。

B.5.3 クライアント認証の改善

SSLv2 における認証転写攻撃は、どの暗号スイートを使った場合でも CLIENT-CERTIFICATE メッセージが常に同じである性質を利用したものです。PCT では、この攻撃を、クライアントが verify-prelude フィールドを署名することで回避しました。このフィールドは暗号スイートに依存するため、認証転写攻撃を仕掛けられなくなります。また、この攻撃は 40 ビットの暗号スイートを使った接続で、マスターシークレットが破られた場合に実行されます。サイズの大きいマスター鍵が必ず(輸出可能バージョンでも)使用される PCT では、この攻撃は不可能です。

◆1. ここでは、機密性と完全性の確保を指していると考えられます。

B.5.4　分離された暗号スイート

SSLv2、SSLv3、TLS では、暗号技術に関するすべてのパラメータを、暗号スイートとして定義された1つの値により指定します。これに対し PCT では、暗号、ハッシュ、証明書、鍵交換アルゴリズムを別々に指定します。また、これらは互いに直交して指定できます。つまり、暗号化アルゴリズムを鍵の長さと無関係に指定できるのです。この手法のメリットは、アルゴリズムを新しく組み合わせるたびに、暗号スイートとして登録する必要がないことです。

SSLv3 の設計者がこの手法を採用しなかったのは、アルゴリズムを別々に指定すると、不適切な、あるいは安全を損なう組み合わせを許可してしまうという理由からでした。これにはあまり説得力がありません。暗号スイートとしてまとめて指定する場合でも、不適切な組み合わせ(例えば 4096 ビットの RSA 鍵と DES など)を登録する可能性があるからです。逆に、これまでの章でも説明したように、SSLv3 で暗号スイートを別々に指定する際、登録されてはいないが、有益ないくつかの暗号スイートを利用できなくなったという不具合も生じています(例えば、DH/DSS with RC4)。

B.5.5　下位互換性

SSLv3 でもそうですが、PCT でも SSLv2 との下位互換性が維持できれば便利です。それには、PCT の CLIENT-HELLO メッセージを SSLv2 の CLIENT-HELLO メッセージとして表現できなければなりません。しかし、SSL のバージョン番号は Microsoft 社の管轄外だったため、Netscape 社のようにバージョン 3 を使用できず、何らかの手立てが必要でした。そこで設計者は、クライアントが PCT をサポートすることを示す暗号化スイートを新しく定義しました。つまり、SSLv2 のサーバはこの暗号スイートを受け取っても認識しないため、SSLv2 のまま処理を行いますが、PCT サーバであれば認識できるため、PCT の Handshake を実行できるというわけです。

この下位互換性にはもう1つ問題がありました。それは、PCT がアルゴリズムを別々に選択できることです。これに対し、設計者たちは、すべてのアルゴリズムを SSLv2 の暗号スイートの形で表現した後、ビットマスクを使って各クラスに区別する、という方法で対応しました。図 B.3 は、互換性を持つ PCT の CLIENT-HELLO メッセージのダンプの一部です。

実際には、この CLIENT-HELLO メッセージは SSLv2、PCT、SSLv3/TLS のいずれにも使用できます。そのため、メッセージには SSLv3/TLS の暗号スイート(SSLv2 の暗号スイートとして表現)も見ることができます。1行目ではクライアントが PCT を使用すること、2～3行目では X.509 証明書チェーンと、そのままの X.509 証明書の両方をサポートすることがわかります。また、4～5行は MD5 と SHA-1 をサポートすること、6行目は RSA 鍵交換をサポートすることを示しています。

10～11行目と21～22行目に特に注目してください。PCT では暗号化と MAC のアルゴリズムを4バイトの長さで指定するため、SSLv2 の暗号スイートを2つ使って表現し、

前半部分に1つ目を、後半部分に2つ目を指定する必要があります。10〜11行では、128ビットのRC4と128ビットのMACがこの方法で指定されています。PCTは暗号スイートを別々に指定し、SSLv2で指定する空間(3バイト)にうまくおさまらないため、このような方法で指定する必要があるのです。

B.5.6 結論

PCTが登場したとき、Webブラウザの市場を圧倒的に支配していたのがNetscape社だったため、PCTよりもSSLv3のほうがはるかに重要視されていました。このため、Microsoft社以外、どの主要ベンダもPCTを実装しませんでした。その後、Microsoft社のInternet ExplorerがNetscapeを追い越して優勢となりましたが、PCTを救うには遅すぎました。PCTが、SSLv3/TLSよりも洗練された設計上の選択を具体化できたかどうかは、議論の余地が残るところです。しかし、SSLv3がこれほど広く普及しているにもかかわらず、PCTをあえて使用する重要な理由は何もありません。

図B.3
PCTのCLIENT-HELLO

```
1  8f 80 01 PCT_SSL_COMPAT | PCT_VERSION_1
2  80 00 03 PCT_SSL_CERT_TYPE | PCT1_CERT_X509_CHAIN
3  80 00 01 PCT_SSL_CERT_TYPE | PCT1_CERT_X509
4  81 00 01 PCT_SSL_HASH_TYPE | PCT1_HASH_MD5
5  81 00 03 PCT_SSL_HASH_TYPE | PCT1_HASH_SHA
6  82 00 01 PCT_SSL_EXCH_TYPE | PCT1_EXCH_RSA_PKCS1
7  00 00 04 TLS_RSA_WITH_RC4_128_MD5
8  00 00 05 TLS_RSA_WITH_RC4_128_SHA
9  00 00 0a TLS_RSA_WITH_3DES_EDE_CBC_SHA
10 83 00 04 PCT_SSL_CIPHER_TYPE_1ST_HALF | PCT1_CIPHER_RC4
11 84 80 40 PCT_SSL_CIPHER_TYPE_2ND_HALF | PCT1_ENC_BITS_128 | PCT1_MAC_BITS_128
12 01 00 80 SSL2_RC4_128_WITH_MD5
13 07 00 c0 SSL2_DES_192_EDE3_CBC_WITH_MD5
14 03 00 80 SSL2_RC2_128_CBC_WITH_MD5
15 00 00 09 TLS_RSA_WITH_DES_CBC_SHA
16 06 00 40 SSL2_DES_64_CBC_WITH_MD5
17 00 00 64 TLS_RSA_EXPORT1024_WITH_RC4_56_SHA
18 00 00 62 TLS_RSA_EXPORT1024_WITH_DES_CBC_SHA
19 00 00 03 TLS_RSA_EXPORT_WITH_RC4_40_MD5
20 00 00 06 TLS_RSA_EXPORT_WITH_RC2_CBC_40_MD5
21 83 00 04 PCT_SSL_CIPHER_TYPE_1ST_HALF | PCT1_CIPHER_RC4
22 84 28 40 PCT_SSL_CIPHER_TYPE_2ND_HALF | PCT1_ENC_BITS_40 | PCT1_MAC_BITS_128
23 02 00 80 SSL2_RC4_128_EXPORT40_WITH_MD5
24 04 00 80 SSL2_RC2_128_CBC_EXPORT40_WITH_MD5
25 00 00 13 TLS_DHE_DSS_WITH_3DES_EDE_CBC_SHA
26 00 00 12 TLS_DHE_DSS_WITH_DES_CBC_SHA
27 00 00 63 TLS_DHE_DSS_EXPORT1024_WITH_DES_CBC_SHA
```

B.6 SSLv1 について

　ここまで読んで、「SSLv3 と SSLv2 はわかったが、SSLv1 はどうなったのだろう」と思った読者も多いはずです。Netscape 社が実際に SSL バージョン 1 の仕様を公開したり、外部で実装したりすることはありませんでした。この付録では SSLv2 にセキュリティ上の欠陥が複数含まれていること、いずれもそれほど重大ではないが、注意深く設計すれば回避できた問題であることを説明しましたが、SSLv1 のドラフトにもこれらの欠陥がすべて存在し、さらに非常に深刻な欠陥まであることがレビューの時点でわかっていました。具体的には、完全性の確保に脆弱な部分があったのです。

　SSLv1 のごく初期のドラフトでは、メッセージの完全性が一切確保されていませんでした。ほとんど信じられないことですが、RC4 も、攻撃者が平文を改竄することができるようなやり方で使用していました。さらに、シーケンス番号を使用していませんでした。要するに、リプレイ攻撃に対してまったく無防備な状態だったのです。

　その後のバージョンでシーケンス番号とチェックサムが追加されましたが、このチェックサムには CRC（Cyclic Redundancy Check）が使用されました。CRC は MD5 と異なり、不可逆でもなければ衝突回避型でもありません。このため RC4 を使用した場合はメッセージの完全性に関する攻撃を防止できませんでした。すなわち、攻撃者は暗号文を改竄し、CRC に対応する改竄を推測できました。よって、メッセージの改竄を検知することはできませんでした。設計者たちは、SSLv2 をリリースする直前に完全性に関する攻撃の危険に気付き、MAC を MD5 に変更して問題を解決しました。この一件は、問題を Netscape 社に指摘した Allan Schiffman と Martin Abadi の功績によるところが大きかったようです。

参考文献

すべての RFC 文章は、2.2 節で述べた IETF の Web サイト (http://www.ietf.org) から自由にダウンロードできます。

［Abbott1988］ Abbott, S., and Keung, S., *CryptoSwift (ver.2) Performance on Netscape Enterprise Server* (April, 1988).

http://www.rainbow.com/isglabs/isglabs/NS351-CSv2-NT-perf/NS351-CSv2.html

ハードウェアアクセラレーションを使用した場合と未使用の場合の、商業サーバ (この言い方はどこか時代遅れですが) のパフォーマンスについて

［Anderson1999］ Anderson, R., Biham, A., and Knudsen, L., Serpent: A Proposal for the Advanced Encryption Standard (1999).

http://csrc.nist.gov/encryption/aes/round2/AESAlgs/Serpent/Serpent.pdf

［ANSI1985］ ANSI, "American National Standard for Financial Institution Key Management (wholesale)," ANSI X9.17 (1985).

3DES について

［ANSI1986］ ANSI, "American National Standard for Financial Institution Message Authentication (Wholesale)," ANSI X9.9 (Revised) (1986).

DES-CBC MAC に関する多くの規格の 1 つ

［ANSI1995］ ANSI, "Public key cryptography for the financial services industry - Certificate management," ANSI X9.57 (1995).

［ANSI1998］ ANSI, "Agreement of Symmetric Keys Using Diffie-Hellman and MQV Algorithms," ANSI X9.42 draft (1998).

［Atkins1996］ Atkins, D., Stallings, W., and Zimmermann, P., "PGP Message Exchange Formats," RFC 1991 (August 1996).

［Balenson1993］ Balenson, D., "Privacy Enhancement for Internet Electronic Mail: Part III: Algorithms, Modes, and Identifiers," RFC 1423 (February 1993).

［Banes1999］ Banes, J., and Harrington, R., "56-bit Export Cipher Suites for TLS," draft-ietftls-56-bit-ciphersuites-00.txt (April 1999).

［Banes2000］ Banes, J., *Personal communication.* (2000).

［Bellare1995］ Bellare, M., and Rogaw ay, P., "Optimal asymmetric encryption padding," *Advances in Cryptology - Eurocrypt 94 Proceedings*, Springer-Verlag, Berlin (1995).

［Bellovin1995］ Bellovin, S.M., "Using the Domain Name System for System Break-ins" in *5th USENIX UNIX Security Symposium*, p. 199-208, USENIX, Salt Lake City, UT (June 5-7, 1995).

［Benaloh1995］ Benaloh, J., Lampson, B., Simon, D., Spies, T., and Yee, B., "Private Communication Technology Protocol," draft-microsoft-PCT-01.txt (September 1995).

PCT の 2 番目のドラフト

［Berners-Lee1994］ Berners-Lee, T., Masinter, L., and McCahill, M., "Uniform Resource Locators," RFC 1738 (December 1994).

［Berners-Lee1998］ Berners-Lee, T., Fielding, R., and Masinter, L., "Uniform Resource Identifiers (URI)," RFC 2396 (August 1998).

［Biham1991a］ Biham, E., Shamir, A., and Differential Cryptanalyis of DES-like Cryptosystems, *Advances in Cryptology-CRYPTO '90 Proceedings*, p. 2-21, Springer-Verlag, Berlin (1991).

［Biham1991b］ Biham, E., Shamir, A., and Differential Cryptanalyis of DES-like Cryptosystems, *Journal of Cryptology*, 4, 1, p. 3-72 (1991).

［Biham1993a］ Biham, E., and Shamir, A., "Differential Analysis of the Full 16-Round DES," *Advances in Cryptology-CRYPTO '92 Proceedings*, p. 487-496, Springer-Verlag, Berlin (1993).

［Biham1993b］ Biham, E., and Shamir, A., *Differential Analysis of the Data Encryption Standard*, Springer-Verlag, New York, N.Y. (1993).

［Blaze1996］ Blaze, M., Diffie, W., Rivest, R., Schneier, B., Shimomura, T., Thompson, E., and Weiner, M., *Minimal Key Lengths for Symmetric Ciphers to Pro vide Adequate Commercial Security* (January 1996).

［Blaze1999］ Blaze, M., Feigenbaum, J., Ionnidis, J., and Keromytis, A., "The Keynote Trust Management System, Version 2," RFC 2704 (September 1999).

［Bleichenbacher1998］ Bleichenbacher, D., "Chosen Ciphertext Attacks against Protocols Based on RSA Encryption Standard PKCS #1," *Advances in Cryptology - CRYPTO 98*, p. 1-12 (1998).

［Bleichenbacher1999］ Bleichenbacher, D., *Personal communication.* (1999).

［Boe1999］ Boe, M., "TLS-based Telnet Security," draft-ietf-tn3270-telnet-tls-03.txt (October 1999).
TLS 上の Telnet はまだ標準化されてないが、このドキュメントに記述された方法が今のところ最も優れている

［Burwick1999］ Burwick, C., Coppersmith, D., D'Avignon, E., Genarro, R., Halevi, S., Jutla, C., Matyas, S.M. Jr., O'Connor, L., Peyravian, M., Safford, D., and Zunic, N., *MARS, a Candidate Cipher for AES*, IBM Corporation (September 1999).
http://www.research.ibm.com/security/mars.pdf

［Cocks1973］ Cocks, C., "A Note on Non-Secret Encryption," CESG Report, CESG (1973).
http://www.cesg.gov.uk/about/nsecret/notense.htm
CESG が考案した技術(現在の RSA)について

［Crispin1996］ Crispin, M., "Internet Message Access Protocol-Version 4rev1," RFC 2060 (December 1996).

［Crocker1982］ Crocker, D., "Standard for the Format of ARPA Internet Text Messages," RFC 822 (August 1982).
インターネット e-mail メッセージの基本規格

［Daemen1999］ Daemen, J., and Rijmen, V., *AES Proposal: Rijndael* (March 1999).
http://factor-h.planetaclix.pt/files/rijndael.pdf

［Dai2000］ Dai, W., Crypto++ 3.1 Benchmarks (2000).
http://www.eskimo.com/~weidai/benchmarks.html
Crypto++ パッケージの作者(Wei Dai)によるベンチマーク

［Dierks1999］ Dierks, T., and Allen, C., "The TLS Protocol Version 1.0," RFC 2246 (January1999).

［Diffie1976］ Diffie, W., and Hellman, M.E., "New directions in cryptography," *IEEE Transactions on Information Theory*, 22, 6, p. 655-654 (1976).

［Diffie1992］ Diffie, W., van Oorschot, P.C., and Wiener, M.J., "Authentication and AuthenticatedKey Exchanges," *Designs, Codes, and Cryptography*, 2, p. 102-125 (1992).

IKEの基盤である認証付きDH形式、STSプロトコル(Station to Station)について

［Dobbertin1996］ Dobbertin, H., "The Status of MD5 After a Recent Attack," *CryptoBytes*, 2, 2,RSA Laboratories (Summer 1996).

［Dusse1998］ Dusse, S., Hossman, P., Ramsdell, B., Lundblade, L., and Repka, L., "S/MIME Version 2 Message Specification," RFC 2311 (March 1998).

［Eastlake1994］Eastlake, D. 3rd., Crocker, S., and Schiller, J., "Randomness Recommendations for Security," RFC 1750 (December 1994).

［Eastlake1999］ Eastlake, D., 3rd., "Domain Name System Security Extensions," RFC 2535 (March 1999).

［Ellis1970］ Ellis, J.H., *The Possibility of Non-Secret Encryption*, CESG (1970).

http://www.cesg.gov.uk/about/nsecret/possnse.htm

［Ellis1987］ Ellis, J.H., *The Story of Non-Secret Encryption*, CESG (1987).

http://www.cesg.gov.uk/about/nsecret/ellis.htm

［Ellison1999］ Ellison, C., Frantz, B., Lampson, B., Rivest, R., Thomas, B., and Ylonen, T., "SPKI Certificate Theory," RFC 2693 (September 1999).

［Fielding1999］ Fielding, R., Gettys, J., Mogul, J., Frystyk, H., Masinter, L., Leach, P., and Berners-Lee, T., "Hypertext Transfer Protocol," RFC 2616 (June 1999).

［Ford-Hutchinson2000］ Ford-Hutchinson, Paul, Carpenter, M., Hudson, T., Murray, E., and Wiegand, V., "Securing FTP with TLS," draft-murray-auth-ftp-ssl-05.txt (January 2000).

TLS上のFTPはまだ標準化されていないが、このドキュメントがデファクトスタンダードである

［Freed1996a］ Freed, N., and Borenstein, N., "Multipurpose Internet Mail Extensions (MIME) Part One: Format of Internet Message Bodies," RFC 2045 (November 1996).

［Freed1996b］ Freed, N., and Borenstein, N., "Multipurpose Internet Mail Extensions (MIME) Part Two: Media Types," RFC 2046 (November 1996).

［Freed1996c］ Freed, N., Klensin, J., and Postel, J., "Multipurpose Internet Mail Extensions (MIME) Part Four: Registration Procedures," RFC 2048 (November, 1996).

［Freed1996d］ Freed, N., and Borenstein, N., "Multipurpose Internet Mail Extensions (MIME) Part Five: Conformance Criteria and Examples," RFC 2049 (November 1996).

［Freier1996］ Freier, A.O., Karlton, P., and Kocher, P.C., *The SSL Protocol Version 3.0* (November 1996).

http://home.netscape.com/eng/ssl3/draft302.txt

SSLv3に関する最新のドラフト。SSLv3はIETF RFCの形式では発表されなかったことに注意。このドキュメントとNetscapeの実装を合わせたものが、デファクトスタンダードとなっている

［Gilmore1998］ Gilmore, J. (Ed.), Cracking DES: Secrets of Encryption Research, Wiretap Politics & Chip Design, O'Reilly & Associates (May 1998).

DES解読専用ハードウェアエンジンの組み立て方

［Goland1999］ Goland, Y., Whitehead, E., Faizi, A., Carter, S., and Jensen, D., "HTTP Extensions for Distributed Authoring-WEBDAV ," RFC 2518 (February 1999).

［Goldberg1996］ Goldberg, I., and Wagner, D., "Randomness and the Netscape Browser," *Dr. Dobb's Journal* (January 1996).

NetscapeのPRNGシードにおける脆弱性に関する論文

［Harkins1998］ Harkins, D., Carrel, D., and The Internet Key Exchange (IKE), RFC 2409 (November 1998).

［Hennessey1996］ Hennessey, J., Goldberg, D., and Patterson, D.A., *Computer Architecture: A Quantitative Approach*, 2ed., Morgan Kaufmann (January 1996).

RISC考案者によるプロセッサ設計に関する定番書
（邦訳：『コンピュータ・アーキテクチャ―設計・実現・評価の定量的アプローチ』、日経BP社）

［Hickman1995］ Hickman, K., The SSL Protocol (February 1995).

http://www.netscape.com/eng/security/SSL_2.html

SSLv2の仕様書

［Hoffman1999a］ Hoffman, P., "SMTP Service Extension for Secure SMTP over TLS," RFC 2487 (January 1999).

TLS上のSMTPに関する規格

［Hoffman1999b］ Hoffman, P., "Enhanced Security Services for S/MIME," RFC 2634 (June 1999).

［Housley1999a］ Housley, R., Ford, W., Polk, W., and Solo, D., "Internet X.509 Public Key Infrastructure Certificate and CRL Profile," RFC 2459 (January 1999).

［Housley1999b］ Housley, R., "Cryptographic Message Syntax," RFC 2630 (June 1999).

CMSとは、Diffie-HellmanとDSAをサポートするようにPKCS #7を拡張したものである

［IANA］ IANA, Well Known Ports.

http://www.iana.org/numbers.htm

割当て済みウェルノウンポートの一覧

［ITU1988a］ ITU, "The Directory-Authentication Framework," ITU Recommendation X.509 (1988).

［ITU1988b］ ITU, "The Directory-Models," ITU Recommendation X.500 (1988).

［ITU1988c］ ITU, "Specification of Abstract Syntax Notation One (ASN.1)," ITU Recommendation X.208 (1988).

［ITU1988d］ ITU, "Specification of Basic Encoding Rules for Abstract Syntax Notation One (ASN.1)," ITU Recommendation X.209 (1988).

［Jablon1996］ Jablon, D., "Strong Password-only Authenticate Key Exchange," *ACM Computer Communications Review*, 26, 5 (October 1996).

［Jacobsen1988］Jacobsen, V., "Congestion Avoidance and Control," *Computer Communication Review*, 18, 4, p. 314-329 (August 1988).

［JavaSoft1999］ JavaSoft, Java Secure Socket Extension (JSSE 1.0) (1999).

http://java.sun.com/products/jsse/

Sunが提供するフリーで「非商業的」なSSL/TLSの実装

［Johnson1993］ Johnson, D.B., Matyas, S.M., Le, A.V., and Wilkins, J.D., "Design of the Commercial Data Masking Facility Data Privacy Algorithm" in *1st ACM Conference on Computer and Communications Security*, p. 93-96, ACM Press (1993).

［Joncheray1995］Joncheray, L., "A Simple Active Attack Against TCP" in *5th USENIX UNIX Security Symposium*, p. 7-19, USENIX, Salt Lake City, UT (June 5-7, 1995).

［Kaliski1993］Kaliski, B., "Privacy Enhancement for Internet Electronic Mail: Part IV: Key Certification and Related Services," RFC 1424 (February 1993).

［Kaliski1998a］Kaliski, B., and Staddon, J., "PKCS #1: RSA Cryptography Specifications Version 2.0," RFC 2437 (October 1998).

［Kaliski1998b］Kaliski, B.S., Jr., "Compatible cofactor multiplication for Diffie-Hellman primitives," *Electronics Letters*, 34, 25, p. 2396-2397 (December 1998).

［Kaufman1995］Kaufman, C., Perlman, R., and Speciner, M., *Network Security: Private Communications in a Public World*, Prentice-Hall, Englewood Cliffs, NJ (1995).
暗号とネットワークセキュリティに関する優れた入門書。通信セキュリティのための暗号化アプリケーションを主に扱う。(邦訳：『ネットワークセキュリティ』、ピアソン・エデュケーション)

［Kelsey1999］Kelsey, J., Schneier, B., and Ferguson, N., "Notes on the Design and Analysis of the Yarrow Cryptographic Pseudorandom Number Generator" in *Sixth Annual Workshop on Selected Areas in Cryptography*, Springer-Verlag, Berlin (August 1999).

［Kent1993］Kent, S., "Privacy Enhancement for Internet Electronic Mail: Part II: Certificate-Based Key Management," RFC 1422 (February 1993).

［Kent1998a］Kent, S., and Atkinson, R., "IP Authentication Header," RFC 2402 (November, 1998).

［Kent1998b］Kent, S., Atkinson, R., and RFC 2406, IP Encapsulating Security Payload (ESP) (November 1998).

［Kent1998c］Kent, S., and Atkinson, R., "Security Architecture for the Internet Protocol," RFC 2401 (November 1998).

［Keung］Keung, S., *Cryptoswift performance under SSL with file transfer* (19XX).
http://www.rainbow.com/isglabs/isglabs/SSLperformance/SSL+file%20performance.html

［Khare2000］Khare, R., and Lawrence, S., "Upgrading to TLS Within HTTP/1.1," RFC 2817 (May 2000).

［Klein1990］Klein, D.V., "Foiling the Cracker': A Survey of and Improvements to Password Security" (1990).
ユーザが選んだパスワードは簡単にクラックできることを示した優れた論文

［Klensin1995］Klensin, J., Freed, N., Rose, M., Stefferud, E., and Crocker, D., "SMTP Service Extensions," RFC 1869 (November 1995).

［Kocher1996a］Kocher, P., *A Quick Introduction to Revocation Trees* (1996).
http://www.valicert.com/pdf/Certificate_revocation_trees.pdf

［Kocher1996b］Kocher, P., *Timing Attacks on Implementation of Diffie-Hellman, RSA, DSS, and Other Systems* (1996).

［Kocher1999］Kocher, P., and Jun, B., *The Intel Random Number Generator* (April 1999).
Pentium Ⅲにおける Intel ハードウェア PRNG の分析についての論文

［Krawczyk1995］Krawczyk, H., *SKEME: A Versatile Secure Key Exchange Mechanism for Internet* (August 1995).

［Krawczyk1996］Krawczyk, H., *Personal communication.* (1996).
HMAC は、Dobbertin の MD5 への攻撃に強いと信じられている

［Krawczyk1997］ Krawczyk, H., Bellare, M., and Canetti, R., "HMAC: Keyed-Hashing for Message Authentication," RFC 2104 (February 1997).

［Lear1994］ Lear, E., Fair, E., and Kessler, T., "Network 10 Considered Harmful (Some Practices Shouldn't be Codified)," RFC 1627 (June 1994).
このRFC文章はNATに関するきわめて激しい論争を巻き起こした

［Lim1997］ Lim, C.H., and Lee, P.J., "A key recovery attack on discrete log-based schemes using a prime order subgroup" in *Advances in Cryptology-Crypto 97*, p. 249-263, Springer-Verlag, Berlin (1997).

［Linn1993］ Linn, J., "Privacy Enhancement for Internet Electronic Mail: Part I: Message Encryption and Authentication Procedures," RFC 1421 (February 1993).

［Maughan1998］ Maughan, D., Schertler, M., Schneider, M., and Turner, J., "Internet Security Association and Key Management Protocol (ISAKMP)," RFC 2408 (November 1998).

［Medvinsky1999］ Medvinsky, A., and Hur, M., "Addition of Kerberos Cipher Suites to Transport Layer Security (TLS)," RFC 2712 (October 1999).

［Menezes1996］ Menezes, A.J., van Oorschot, P.C., and Vanstone, S.A., *Handbook of Applied Cryptography*, CRC Press, Boca Raton, FL (1996).
入門書には不向きだが、暗号技術に対するテクニカルリファレンスとして大変有益である

［Microsoft2000］ Microsoft, Security Support Provider Interface (2000).
http://msdn.microsoft.com/library/default.asp?URL=/library/psdk/secspi/portalsspi_1545.htm
MicrosoftのSChannelを含む組み込み型セキュリティサービスに関するドキュメント

［Miller1987］ Miller, S., Neumann, B., Schiller, J., and Saltzer, J., "Kerberos Authentication and Authorization System," *Project Athena Technical Plan*, MIT Project Athena (December 1987).

［Mockapetris1987a］ Mockapetris, P.V., "Domain Names-Concepts and Facilities," RFC 1034 (November 1987).

［Mockapetris1987b］ Mockapetris, P.V., "Domain Names-Implementation and Specification," RFC 1035 (November 1987).

［Moeller1998］ Moeller, B., "Export-PKC attacks on SSL 3.0/TLS 1.0," *Message to IETF-TLS mailing list* (October 1998).
http://www.imc.org/ietf-tls/mail-archive/msg01671.html

［Mogul1995］ Mogul, Jeffrey C., "The Case for Persistent-Connection HTTP," Research Report 95/4 (May 1995).
http://www.research.digital.com/abstracts/95.4.html
HTTPが接続を維持することの利点を示した初期の論文

［Moore1996］Moore, K., "MIME (Multipurpose Internet Mail Extensions) Part Three: Message Header Extensions for Non-ASCII," RFC 2047 (November 1996).

［Myers1996］ Myers, J., and Rose, M., "Post Office Protocol-Version 3," RFC 1939 (May 1996).

［Myers1999］ Myers, M., Ankney, R., Malpani, A., Galperin, S., and Adams, C., " X.509 Internet Public Key Infrastructure Online Certificate Status Protocol-OCSP," RFC 2560 (June 1999).

［Nagle1984］ Nagle, J., "Congestion Control in IP/TCP Internetworks," RFC 0896 (Jan 1984).

［Needham1978］ Needham, R.M., and Schroeder, M.D., "Using Encryption for Authentication in Large Networks of Computers," *Communications of the ACM*, 21, p. 993-999 (December 1978).

［Netcraft2000］ Netcraft, *Netcraft Secure Web Server Survey* (January 2000).
　　Netcraftの好意により調査結果を入手

［Netscape1995a］ Netscape Communications Corp, SSL 2.0 Certificate Usage (1995).
　　http://www.netscape.com/eng/security/ssl_2.0_certificate.html
　　Netscapeのワイルドカード技術について

［Netscape1999a］ Netscape Communications Corp., *Netscape Certificate Extensions, Communicator 4.0 Version* (1999).
　　http://www.netscape.com/eng/security/comm4-cert-exts.html

［Neumann1951］ von Neumann, J., "Various Techniques Used in Connection with Random Digits," *Applied Mathematics Series*, 12, p. 36-38, U.S. National Bureau of Standards (1951).

［Newman1999］ Newman, C., "Using TLS with IMAP, POP3 and ACAP," RFC 2595 (June 1999).
　　IMAPとPOP、ACAPにおける上方向ネゴシエーションメカニズムについて

［NIST1993a］ National Institute of Standards and Technology (NIST), "Data Encryption Standard," FIPS PUB 46-2, U.S. Department of Commerce (December 1993).
　　DESドキュメントの再版。本質的には1977年に発表された文章と同内容である

［NIST1994a］ National Institute of Standards and Technology (NIST), and Secure Hash Standard, FIPS PUB 180-1, U.S. Department of Commerce (May 1994).
　　SHAドラフトの改訂版。SHA-1について

［NIST1994b］ National Institute of Standards and Technology, "Security Requirements for Cryptographic Modules," FIPS PUB 140-1, U.S. Department of Commerce (January 1994).
　　レベル1（FIPS認定アルゴリズムが少なくとも1つ必要。汎用コンピュータのOSは問わない）からレベル4（不正侵入を完全に防ぐことができる）までの、セキュリティモジュールの4つのレベルについて

［Orman1998］ Orman, H., "The OAKLEY Key Determination Protocol," RFC 2412 (November 1998).

［Padmanabhan1995］ Padmanabhan, V.N., "Improving World Wide Web Latency," UCB/CSD 95-875, Computer Science Division, University of California, Berkeley (May 1995).

［Postel1982］ Postel, J., "Simple Mail Transfer Protocol," RFC 821 (August 1982).
　　インターネットのメール転送の基本的標準

［Postel1985］ Postel, J., and Reynolds, J.K., "File Transfer Protocol," RFC 959 (October 1985).

［Postel1991a］ Postel, J., "Internet Protocol," RFC 791 (September 1991).
　　IPにおけるIETF標準

［Postel1991b］ Postel, J., "Internet Control Message Protocol," RFC 792 (September 1991).

［Postel1991c］ Postel, J., "Transmission Control Protocol," RFC 793 (September 1991).
　　TCPにおけるIETF標準

［Ramsdell1999］ Ramsdell, B., "S/MIME Version 3 Message Specification," RFC 2633 (June 1999).

［Rekhter1994］ Rekhter, Y., Moskowitz, B., Karrenberg, D., de Groot, G.J., and RFC 1597, *Address Allocation for Private Internets* (March 1994).
NAT と Network 10 についての最初の RFC

［Rekhter1996］ Rekhter, Y., Moskowitz, B., Karrenberg, D., de Groot, G.J., and Lear, E., RFC 1918 (February 1996).
NAT の議論が小休止をむかえたことを示すドキュメント

［Relyea1996］ Relyea, B., Appendix A-SSL Protocol Version 3.0 Specification Errata for Fortezza Implementations (November, 1996).
http://www.armadillo.huntsville.al.us/Fortezza_docs/ssl_fortezza.pdf
SSLv3 で FORTEZZA を使用する方法について

［Rescorla1999a］ Rescorla, E., and Schiffman, A., "The Secure HyperText Transfer Protocol," RFC 2660 (August 1999).

［Rescorla1999b］ Rescorla, E., and Schiffman, A., "Security Extensions for HTML," RFC 2659 (August 1999).

［Rescorla2000］ Rescorla, E., "HTTP over TLS," RFC 2818 (May 2000).

［Rivest1979］ Rivest, R.L., Shamir, A., and Adelman, L.M., "On Digital Signatures and Public Key Cryptosystems," Technical Report, MIT/LCS/TR-212, MIT Laboratory for Computer Science (January 1979).

［Rivest1983］ Rivest, R., Shamir, A., and Adleman, L.M., "Cryptographic communications system and method," US Patent 4405829 (September 1983).
RSA 特許

［Rivest1992］ Rivest, R., "The MD5 Message-Digest Algorithm," RFC 1321 (April 1992).

［Rivest1995］ Rivest, R., Robshaw, M.J.B., Sidney, R., and Yin, Y.L., *The RC6x Block Cipher* (August 1995).
http://csrc.nist.gov/encryption/aes/round2/AESAlgs/RC6/cipher.pdf

［Rivest1998］ Rivest, R., "A Description of the RC2(r) Encryption Algorithm," RFC 2268 (January 1998).

［RSA1993a］ Kaliski, B.S., Jr., "A Layman's Guide to a Subset of ASN.1, BER, and DER," Technical Note, RSA Laboratories (November 1993).
ASN.1、BER、DER のわかりやすい説明

［RSA1993b］ RSA Laboratories, "RSA Encryption Standard," PKCS #1 (November 1993).

［RSA1993c］ RSA Laboratories, "Cryptographic Message Syntax Version 1.5," PKCS #7 (November 1993).

［RSA1993d］ RSA Laboratories, "Password Based Encryption Standard," PKCS #5 (November 1993).

［RSA1999a］ RSA Laboratories, "Personal Information Exchange Syntax," PKCS #12 (June 1999).

［RSA1999b］ RSA Laboratories, "Password Based Encryption Standard," PKCS #5v2.0 (March 1999).

［Saltzer1984］ Saltzer, J.H., Reed, D.P., and Clark, D.D., "End-to-End Arguments in System Design," ACM Transactions in Computer Systems, 2, 4, p. 277-288 (November 1984).

基本的なネットワーク設計原理である End-to-End 論争における古典的な記述

［Schneier1996a］ Schneier, B., Applied Cryptography, 2ed., John Wiley & Sons, New York, N.Y. (1996).

暗号技術に関して定評のある書籍

［Schneier1996b］ Schneier, B., and Wagner, D., "Analysis of the SSL 3.0 Protocol," The Second USENIX Workshop on Electronic Commerce Proceedings, p. 29-40, USENIX Press (November 1996).

［Schneier1998］ Schneier, B., Kelsey, J., Whiting, D., Wagner, D., Hall, C., and Ferguson, N., Twofish: A 128-Bit Block Cipher (June 1998).

http://csrc.nist.gov/encryption/aes/round2/AESAlgs/Twofish/Twofish.pdf

［Schnorr1991］ Schnorr, K., "Method for Identifying Subscribers and for Generating and Verifying Electronic Signatures in a Data Exchange System," US Patent 4995082 (Feb 1991).

［Shamir1999］ Shamir, A., "Factoring Large Numbers with the TWINKLE Device," *Eurocrypt '99 Rump Session* (1999).

［Spero1994］ Spero, S., *Analysis of HTTP Performance Problems* (1994).

http://sunsite.unc.edu/mdma-release/http-prob.html

［Stevens1994］ Stevens, W.R., *TCP/IP Illustrated, Volume 1: The Protocols*, Addison-Wesley, Reading, MA (1994).

TCP/IP に関する古典的書籍
（邦訳：『詳細 TCP/IP　Vol.1』、ピアソン・エデュケーション）

［Voydock1983］ Voydock, V., and Kent, S.T., "Security mechanisms in high-level network protocols," ACM Computing Surveys, 15, p. 135-171 (1983).

ネットワーク上で暗号化セキュリティを実現する方法のいくつかに関する古い概説。初期のネットワークプロトコルに関して、第11章と同じことが数多く述べられている。Kent は、IPSec や PEM などを含む多くの公開／非公開セキュリティプロトコル設計において、重要な役割を果たした人物

［W3C2000］ W3C, *Naming and Addressing: URIs, URLs, ...* (2000).

http://www.w3.org/Addressing/

URI と URL の関係を扱った優れた手引き

［WAP1999a］ Wireless Application Protocol Forum, WAP WTLS (Nov 1999).

［Williamson1974］ Williamson, M., *Non-Secret Encryption Using a Finite Field*, CESG (1974).

http://www.cesg.gov.uk/about/nsecret/secenc.htm

CESG が考案した本質的には Diffie-Hellman であるシステムについて

［Williamson1976］ Williamson, M., *Thoughts on Cheaper Non Secret Encryption*, CESG (1976).

http://www.cesg.gov.uk/about/nsecret/cheapnse.htm

［Wu1998］ Wu, T., "The Secure Remote Password Protocol," *Proceedings of the 1998 Internet Society Network and Distributed Systems Security Symposium*, p. 97-111 (March 1998).

索　引

記号

/dev/random	318
3DES	8, 36
426 Upgrade Required	362
90/10 の法則	198

A

Access Control List	246
access_denied	146
ACL	246, 265
active attack	3
AES	37
AH	423
保護	424
Alert	141
Amdahl の法則	197
API	280
Application Programming Interface	280
arc	17
ASN.1	16
構造体	17
asymmetric cryptography	11
Attribute Value Assertion	290
authenticated relaying	393
Authentication Header	423
AVA	290

B

bad_certificate	144
bad_record_mac	143
Basic Constraints	178, 291
BER	16
brute-force attack	151
BXA	28

C

CA	12, 113, 284
canonical name	262
capability attribute	446
CBC	33
CBC ロールオーバー	34
CEK	431
Certificate	71, 76, 88, 124, 210, 216
Certificate Authority	13
Certificate Revocation List	15, 182, 266
certificate_expired	145
certificate_unknown	145
CertificateRequest	122
ssldump で出力	123
CertificateVerify	124
ssldump で出力	125
Challenge Handshake Authentication Protocol	247
ChangeCipherSpec	76, 92
CHAP	247
check_cert_chain()	293
Cipher Block Chaining	33
client authentication	54
Client.java	290
CLIENT-FINISH	491
CLIENT-HELLO	491
CLIENT-MASTER-KEY	491
ClientHello	71, 83

目的	84
ClientKeyExchange	71, 76, 90, 137, 211, 214, 216, 217
ssldump で出力	138
close_notify	76, 105, 274, 312, 346
closure handshake	59
CMS	430, 431
CN	15
CNAME	262
collision-residence	9
Commerce Accelerator	231
Common Name	15
common.c	288
common.h	288
confidentiality	4
CONNECT	349, 365
Content Encryption Key	431
context switch	204
control connection	273
credential	452
CRL	15, 182, 266
cryptanalytic attack	28
cryptographic	8
Cryptographic Message Syntax	430
Cryptography	7
Cryptology	7
cryptomath	44

D

data connection	273
Data Encryption Standard	8, 34
decode_error	146
decompression_failure	144
decrypt_error	146
decryption_failed	143
delayed ACK	236
Demo.java	285
Denial of Service attack	3
DER	16
DES	8, 34
detached signature	431
DH	41, 115
一時的－一時的モードの DH	42
一時的－長期的モードの DH	42
事前計算	220
長期的	220
DH/DSS	
ssldump	136
詳細	136
DHCP	121
DHE/DSS	
クライアント認証	217
バッファを拡張	239
DHE/DSS Handshake	238
DHE/DSS モード	
時間配分	215
DH グループ	285
differential cryptanalysis	47
Diffie-Hellman	41
DigestInfo 構造体	43
digital signature	12
Digital Signature Standard	44
Distinguished Name	14
DN	14
ワイルドカード	342
dNSName	341
DNS スプーフィング攻撃	406

DNSドメイン名	174
DoS攻撃	3
Downgrade attack	257
Draft Standard	52
DSA	43
DSS	43, 115
Handshake	116

E

ECB	33
echo()	296
effective key length	36
EHLO	384
Electronic CodeBook	33
Elliptic Curve	116
emailAddress	448
endpoint authentication	5
EnvelopedData	431
ephemeral RSA	29
ephemeral-ephemeral DH	42
ephemeral-static DH	42
ESP	424
保護	424
exhausted search	8
export_restriction	146
EXPORT1024暗号スイート	132

F

fatal	141
Finished	71, 76, 93
注意	94
FORTEZZA	118
Handshake	119
暗号スイート	140
エスクロー	139
詳細	138
制約	140

G

GoNative Provider	224
gprof(1)	201

H

Handshake	69, 207
オーバヘッドの軽減	253
セマンティクス	256
手順	69
バッファリング	238
並列化	240
handshake_failure	144
Handshakeメッセージ	71, 83
構造	82
HELO	384
HMAC	10, 222
HTML	323, 328
HTTP	323, 325
接続	332
プロキシ	332
リクエスト	325
レスポンス	326
HTTP over SSL	321, 337
接続のセマンティクス	336
HTTP over SSLクライアント	
シミュレーション	227, 228
HTTP Secure	337
HTTPS	62, 337
Referrer	360
URL	340
エンドポイント真正性	341
仮想ホスト	353
クライアント認証	355
再Handshake	356
失敗の際の振る舞い	342
接続の終了	346
プロキシ	349
プログラミングの問題	365
プロトコル識別子	340
リクエスト	338
https	340
HTTPサーバ	
シミュレーション	226
HyperText Markup Language	323
HyperText Transfer Protocol	323

I

I/O	198, 296
多重化	300, 304
IANA	251
identity	157
IESG	61, 256
IETF	52, 115
エリア	60
ワーキンググループ	60
IKE	421
2つのフェーズによる処理	422
識別情報の保護	421
illegal_parameter	145
IMAP	381
IMG	329
inetd	412
Initialization Vector	33
initialize_ctx()	286
Initiator	421
insufficient_security	147
integrity attack	34
internal_error	147
Internet Assigned Numbers Authority	251
Internet Engineering Steering Group	256
Internet Engineering Task Force	52
Internet Key Exchange	421
Internet Mail Access Protocol	381
Internet Security Association and Key Management P	420
iPivot	231
IPsec	419
NAT	428
SA	420
UDP	454
VPN	429
仮想ホスト	428
全体像	425
中間媒体	427
用途	429
IPマスカレード	428
ISAKMP	420
エンドポイント真正性	427
転送	423
iteration	166
IV	33, 139

J

Java	223
高速化	224
パフォーマンス	223
Java Secure Socket Extention	289
java.net	295
JSSE	289

K

KDC	11
KDF	23, 70, 96, 159, 166
KEA	118
KEK	431

Kerberos ... 11, 117
　　暗号スイート ... 118
Key Distribution Center ... 11
Key Encryption Key ... 431
key escrow ... 118
Key Exchange Algorithm ... 118
key expansion ... 58
key management problem ... 10
Key-Assign ... 433, 438
KeyUsage ... 178
known plaintext attack ... 8

L

LDAP ... 331
Lightweight Directory Access Protocol ... 331

M

MAC ... 9, 10, 46
MACアルゴリズム ... 101
Mail Application Programming Interface ... 381
Mail Transport Agent ... 381
Mail User Agent ... 381
main() ... 368
man-in-the-middle 攻撃 ... 12, 164, 245, 264, 267, 351
man-in-the-middle プロキシ ... 351
MAPI ... 381
Master Secret ... 21
master_secret
　　危殆化 ... 159
　　保護 ... 155
Maximum Segment Size ... 239
MD5 ... 9, 38
meet-in-the-middle 攻撃 ... 35
Message Authentication Code ... 9
Message Digest 5 ... 9
message identity ... 386
message integrity ... 4
million message attack ... 185
MIME ... 379, 385
modular exponentiation ... 41
MS ... 21
MSS ... 239
MTA ... 381
MUA ... 381
multipart/signed ... 445
MX ... 262
MXレコード ... 380, 391

N

Nagleアルゴリズム ... 236
　　無効化 ... 237
NAPT ... 428
nCipher ... 228
Netscape
　　証明書の拡張領域 ... 179
　　ワイルドカード ... 354
netscape-cert-type ... 179
Network Alchemy ... 231
no_certificate ... 144
no_renegotiation ... 112, 147
Nonce ... 22
nonrepudiation ... 12
NSA ... 28
Null暗号 ... 103

O

OAEP ... 189
Object Identifier ... 17
object signing ... 179
OID ... 17
open relay ... 390

OpenSSL ... 280
Optimal Asymmetric Encryption Padding ... 189
oracle ... 188
originator authentication ... 393

P

P_hash関数 ... 97
PAP ... 247
parse ... 210
passive attack ... 3
Password Authentication Protocol ... 247
password guessing attack ... 264
PCT ... 57, 497
　　下位互換性 ... 498
Perfect Forward Secrecy ... 42, 165, 272
Personal Identification Number ... 169
PFS ... 42, 165, 272
PIN ... 169
PKCS #1 ... 40
PKCS #12 ... 167
PKCS #5 ... 167
　　変換処理 ... 167
plaintext guessing attack ... 40
POP ... 381
Post Office Protocol ... 381
preferSignedData ... 446
premature close ... 276
PRF ... 94, 96
prime field ... 44
Private Communications Technology ... 497
PRNG ... 156, 171
　　シード ... 172
Proposed Standard ... 52
Pseudo-Random Function ... 94
Pseudo-Random Number Generator ... 156, 171
Public Key Cryptography ... 8, 10
PureTLS ... 280

R

Rainbow ... 228
Random Number Generator ... 90, 156
RC2 ... 8, 36
RC4 ... 8, 32
RDN ... 14, 290
read_write() ... 310
ReadWrite.java ... 303
ReadWrite.onEOD() ... 314
ReadWriteWithCancel ... 314
Received ... 386
RecipientInfo ... 449
record_overflow ... 144
Recordヘッダ ... 72
Referrer ... 360
rehandshake ... 112
Relative Distinguished Name ... 14, 290
reordering attack ... 101
replay attack ... 22
Request-URI ... 334
Responder ... 421
revoked_certificate ... 145
RFC 2487 ... 395
RFC 2817 ... 349
RFC 2818 ... 338
RFC 822 ... 379, 385
RNG ... 90, 156
roll back attack ... 90
RSA ... 39, 43, 209
　　PKCS #5 ... 167
　　クライアント認証 ... 211
　　電子署名 ... 43

S

S/MIME 18, 443
 エンドツーエンドのセキュリティ 451
 エンドポイントの識別 448
 開封確認 450
 仮想ホスト 452
 証明書 450
 全体像 448
 送信者の認証 449
 中継ホスト 452
 否認防止 452
 普及の障害 450
 複数の受信者 449
 複数の署名者 449
 メッセージの送信 448
S/MIME 形式 444
S-HTTP 429
 暗号化オプション 430
 暗号技術に関するオプション 433
 鍵素材 433
 仮想ホスト 440
 クライアント認証 437
 参照情報における整合性 437
 実装の容易さ 441
 自動オプション生成 438
 柔軟性 439
 ステートレスな操作 438
 全体像 435
 使い勝手 441
 特徴 438
 ネゴシエーションできるパラメータ 434
 ネゴシエーションヘッダ 434
 否認防止 440
 プロキシ 440
 ポート 432
 メッセージ 432
 メッセージ形式 430, 432
 リクエスト 432, 436
 レスポンス 437
SA 420
SafePassage 352
salt 98
salting 166
sclient.c 292
SClient.java 302
secret key cryptography 8
Secure DNS 407
Secure Hash Algorithm 1 9
Secure HTTP 429
Security Parameter Index 420
Security Association 420
select() 304, 310
separate port 251
server authentication 54
Server Gated Cryptography 29, 113
SERVER-FINISH 492
SERVER-HELLO 491
SERVER-VERIFY 492
ServerFortezzaParams 139
ServerHello 87
ServerHelloDone 71, 76, 90
ServerKeyExchange 111, 126, 213, 214, 215, 216
 ssldump で出力 127
SGC 29, 113, 132
 詳細 129
 接続 133
SHA-1 .... 9, 38
shared secret 59
shttp 433, 441
SignedData 431, 444
SKIPJACK 118
Small-Subgroup attack 189
SMIMECapabilities 446

SMTP 378, 379, 382
 CONNECT を使えない理由 408
 再開 399
 状態 411
 ネットワークアクセス 411
SMTP over TLS 377
 最終ホップ配送 417
 中間媒体 427
 中継 418
 プログラミングの問題 411
SMTPS 395
sniffing attack 263
SPI 420
sserver.c 289
SSL 53
 Alert 104, 142
 Handshake 69
 Record ヘッダ 72
 Web 62
 圧縮 75
 概要 51, 68
 基礎的な技術 67
 高度な技術 107
 コンテンツタイプ 73
 実装 65, 280
 仕様記述言語 79
 セキュリティ 154
 設計目標 54
 接続 75, 77
 その他のプロトコル 418
 妥当でない処理 249
 入手 64
 パフォーマンスの原則 241
 プロトコル 63
 ほかの手法 416
 歴史 57
SSL Handshake 235, 292
SSL Record プロトコル 72, 100
SSL_ERROR_WANT_READ 306
SSL_ERROR_WANT_WRITE 309
SSL_get_error() 298
SSL_pending() 306
SSL_shutdown() 312
ssldump 77
SSLeay 280
SSLSocket 289
SSLv1 500
SSLv2 .... 54, 489
 暗号スイート 149
 概要 490
 欠けている機能 493
 クライアント認証 492
 互換の暗号スイート 150
 セキュリティ上の問題 494
 セッションの再開 492
 データ転送 492
 バージョン 149
 乱数 149
SSLv3 .... 55, 58
 セッション ID 149
SSL クライアント認証 264
SSL サーバ
 負荷 225
SSL メッセージ
 バッファリング 208
 並列処理 208
Standard 52
STARTTLS 395
 アップグレード 396
 仮想ホスト 401
 クライアント認証 403
 参照情報 405
 実装 411
 受信 400
 送信 400

パッシブ攻撃の阻止 410
利点 409
state machine 92
Station-To-Station Protocol 269
Step-Up 113, 129
　Handshake 114
　詳細 129
　接続 129
store-and-forward 382
STS プロトコル 269
subjectAltName 174, 317, 341, 448
substitution attack 43
superencryption 35
symmetric cryptography 11

T

tamper 12
tamper-evident 6
tamper-proof 6
tamper-resistant 6
tcp_connect() 291
TCP/IP 55, 233
TCP ポート 255
TEK 139
threat model 2
timing attack 185
timing cryptanalysis 185
tinygrams 236
TLS 59
　Alert 142
　暗号スイート 86
　受信 400
　送信 400
TLSGold 284, 309
Token Encryption Key 139
transport identity 386
Triple-DES 8
truncation attack 26
TSP 20
Tunnel Mode 424

U

UDP 453
unexpected_message 142
Uniform Resource Identifier 331
Uniform Resource Locator 323
unknown_ca 145
unsupported_certificate 145
Upgrade 361
upward negotiation 251
URI 331
URL 174, 323, 330
user_cancelled 147

V

verify 12
Verify Prelude 497
Virtual Private Network 425
VPN 425

W

warning 141
Web
　セキュリティ 322
Web Distributed Authoring and Versioning 325
WebDAV 325
well-known ポート 255

X

X.509
　KeyUsage 178
　拡張領域 178
XOR 30

ア

アーク 17
アクセス制御リスト 246, 265
アクセラレータ 228
　クラスタ化 231
　チェーン化 231
アクティブ攻撃 3
アップグレード 361
　リクエスト 361
　クライアントが要求 361
　サーバが要求 362
　参照情報 363
　プロキシとの相性 363
　レスポンス 362
アルゴリズム
　処理時間 221
アンカー 328
暗号化 7
　用語 8
暗号解析攻撃 28
暗号学 7
暗号技術 7
暗号スイートのアップグレード 272
暗号数学 44
暗号文攻撃 8

イ

一時的 DH
　Handshake 116
一時的 RSA 29, 111
　Handshake 112
　鍵 285
　時間配分 213
　詳細 126
イテレーション 166
イニシエータ 421
インジケータ 401
　解釈 402
インターネット脅威モデル 2
インターネットメール
　概要 381
　クライアント認証 393
　参照情報 394
　セキュリティ 378, 443
　セキュリティの強制 406
　接続の終了 399
インラインアクセラレータ 229
　構成 230
　複数の 230
インライン画像 328

ウ

上方向ネゴシエーション 64, 251, 256, 361
　ダウングレード攻撃 258

エ

エラー処理 318
エンドツーエンド 416
エンドツーエンドのセキュリティ 250
エンドポイント真正性 5
エントロピー 166

オ

- オープンリレー 390
- オブジェクト識別子 17
- オブジェクト署名 179
- オラクル 188

カ

- 下位互換性 148
  - SSLv2 との下位互換性 148
- 改竄 12
- 改竄検知 6
- 改竄防止 6
- 鍵暗号化鍵 431
- 鍵拡張 58
- 鍵管理問題 10
- 鍵合意 39, 41
- 鍵素材の補給 272
- 鍵長 46
  - 共通鍵暗号化アルゴリズム 47
  - 公開鍵暗号化アルゴリズム 47
- 鍵の確立 39
- 鍵の作成 23
- 鍵の生成 96
  - SSLv3 99
- 鍵配送 39
- 仮想ホスト 324, 334, 353, 380, 391, 401
- 完全性
  - 攻撃 34, 160

キ

- キーエスクロー 118
- 疑似乱数関数 94
- 疑似乱数生成器 156, 171
  - シード 172
- 危殆化 180
  - 暗号化アルゴリズム 182
  - 影響 182, 184
  - 鍵確立アルゴリズム 181
  - 失効 182
  - ダイジェストアルゴリズム 183
  - 電子署名アルゴリズム 181
- 既知平文攻撃 8
- 基本型 79
- 機密性 4, 6, 245, 378
  - 攻撃 160
- キャッシュプロキシ 333
- 脅威モデル 2, 244
- 強制切断攻撃 26
- 共通鍵暗号化方式 8, 30, 32
- 共有秘密 59
- 共通名 15

ク

- クライアント認証 54, 110, 246, 271, 335, 355
  - Handshake 111
  - SSL クライアント認証 247
  - 詳細 122
  - ユーザ名とパスワード 246
- クライアント認証モード 211
  - 時間配分 212, 217
- クライアントの接続 289
- クレデンシャル 452

ケ

- 警告 141
- 検証 12

コ

- コーディング 279
- 公開鍵 209
- 公開鍵アルゴリズム
  - 比較 45
- 公開鍵暗号化方式 8, 10, 11
  - 鍵の確立 39
- 公開指数 39
- 構造体型 81
- コスト 196
  - 暗号技術に関する処理 201
- コネクション 109
- コンテキストスイッチ 204
- コンテキストの初期化 283
- コンテンツ暗号化鍵 431

サ

- サーバ証明書 245
- サーバ認証 54, 245
- サーバの秘密鍵 163
- 再 Handshake 112, 271
- 再送攻撃 22
- 最大セグメントサイズ 239
- 再ネゴシエーション 271
  - 暗号スイートのアップグレード 272
  - 鍵素材の補給 272
  - クライアント認証 271
- 参照情報 260, 336, 340, 394
  - 整合性 248, 260
- サンプルプログラム 280, 458
  - Java クラス階層 467
  - 依存関係 458
  - コンテキストの初期化 283
  - ソースコード 283
  - 第 8 章の 458
  - 第 9 章の 472
  - プラットフォーム 281

シ

- シード 172
- 識別情報
  - IP アドレス 261
  - 送信者 386
  - 代替 DNS 名 261
  - 代替形式 261
- 識別名 14
- 辞書攻撃 270
- 終了 312
- 終了 Handshake 59
- 状態マシン 92
- 証明機関 12
- 証明書 13
  - 受け入れられない 344
  - 拡張 15
  - 失効 15, 266
  - 発行 264
  - ホスト間通信 266
- 証明書失効リスト 15, 266
- 証明書チェーン
  - 階層 177
  - 確認 157
  - 検証 174
  - 成りすまし 177
  - 深さ 176
- 初期化ベクタ 33

ス

- スーパーサーバ 412
- ストアアンドフォワード 382
- ストリーム暗号 30, 103

スニッフィング攻撃 263, 360
スパム 390
スマートホスト 389
スループット 199, 200
スレッド 300

セ

制御コネクション 273
セキュリティ 1, 153
    Web 322
    一時的な鍵 163
    性質 4
    長期的な鍵 163
    電子メール 378
セキュリティインジケータ 401
セキュリティサービス 244
セキュリティプロトコル 419
設計 243
設計戦略 253
セッション 109
セッション ID 121
セッションキャッシュ 372
    マルチプロセスサーバ 373
セッション再開 108, 315
    Handshake 110
    Handshake メッセージ 121
    コスト 203
    仕組み 109
    詳細 120
接続の受け入れ 294
接続の終了 274, 346
    エラー処理 347
    強制切断攻撃 348
    セッション再開 347
    プログラミングエラー 347
セマンティクス 252, 256

ソ

総当たり探索 8
相互認証モード 211
送信元の認証 393, 404
相対識別名 14
素体 44
ソルティング 166
ソルト 98, 166

タ

ダイジェストアルゴリズム 38
    比較 38
対称暗号化方式 11
耐タンパ 6
タイニーグラム 236
タイミング暗号解析 185
タイミング攻撃
    攻撃の概要 185
    対策 187
ダウングレード攻撃
    https 340
    概要 191
    上方向ネゴシエーション 258
    対策 192
    適用の可能性 191
    ポートの分離 257
    輸出方式 191
    類似の攻撃手口 192
楕円曲線暗号 116
多重暗号化 35
ダムサーバ 392
単一障害点 2
誕生日のパラドックス 38

チ

小さな部分群攻撃
    概要 189
    対策 190
    適用の可能性 190
遅延 199, 200
遅延 ACK 236, 360
置換攻撃 43
チケット 11
致命的 141
長期的 DH 鍵 138, 220

ツ

ツールキット 280

テ

データコネクション 273
データレコード 23
適用の可能性
    タイミング攻撃 186
電子署名 12, 43
電子メール 378
    基本的な技術 379
    クライアント認証 393
    セキュリティ 443
    セキュリティ上の考慮事項 380
    中継 388
    中継ホスト 380
電子メールアドレス 387

ト

トランスポート識別子 386
トンネルモード 424

ナ

並べ替え攻撃 101

ニ

認証
    ユーザ名とパスワード 263
認証された中継 403

ネ

ネゴシエート 71

ノ

能力属性 446
能力属性ディスカバリー 447

ハ

パーズ 210
ハードウェアアクセラレーション 228
ハードウェアアクセラレータ 228
    インラインアクセラレータ 229
バイオメトリクス 170
排他的論理和 30
パスフレーズ 170
パスワード 166
パスワード推測攻撃 264
パッシブ攻撃 3, 410
ハッシュ 9
パフォーマンス 195
    DH 218
    DSA 204
    Handshake 201

Java	223
JavaとCの比較	224
OS	223
RSA	204
アルゴリズム	204
一時的RSA	205
基本法則	206
原則	197
データ転送	202
電子署名	205
ボトルネック	202
バリアント型	81
バルクデータの転送	206
ハンドシェイク	21

ヒ

非衝突一致性	9
非対称暗号化方式	11
否認防止	12, 249
秘密鍵	209
ストレージを使用しない	168
小さな	218
ハードウェアデバイスを使う	168
保護	155
保存	165
秘密情報の保護	161
コアダンプ	162
ディスクストレージ	162
メモリのロック	162
標準化団体	52
平文	7
平文推測攻撃	40

フ

ファイアウォール	250
ファイアウォールプロキシ	334
フォーム	329
負荷	225
不可逆性	9
復号	8
プラグイン	330
ブルートフォース攻撃	150
プロキシ	324, 332, 349
CONNECT	365
プロキシ対応クライアント	365
書き込み関数	367
接続	368
読み取り関数	368
リクエストを書き込む	368
レスポンスを読み取る	368
ブロック暗号	32, 103
プロトコル	233
選択	250
プロトコルスタック	419
分離署名	431, 445

ヘ

並列化	318
べき剰余	41
ベクタ型	79

ホ

ポートの分離	63, 251, 255
ダウングレード攻撃	257
法	39
ホスト	
ポリシー	425
ホスト間通信	266
ホップ・バイ・ホップ	363

本人性	157
クライアント	175
サーバ	174

マ

マスターCEK	438
マスターシークレット	21
マルチプロセスサーバ	370
OpenSSL	371
SSL	371

ミ

未完遂な終了	276
ミリオンメッセージ攻撃	185
攻撃の概要	187
対策	189
適用の可能性	188

メ

メールサーバ	
鍵素材	413
起動	412
高速な初期化	413
メッセージ完全性	6, 245
メッセージ識別子	386
メッセージダイジェスト	9
メッセージの完全性	4
メッセージヘッダ	401

ユ

有効鍵長	36
輸出規制	28
ユニフォームリソース識別子	331

ラ

乱数生成	171
乱数生成器	156, 284
ハードウェア	173

リ

離散対数問題	41, 116

ル

ルート	175
ルート証明書	175

レ

レコード	23
最適サイズ	222
シーケンス番号	25
レコード処理	221
レスポンダ	421
列挙型	80

ロ

ロールバック攻撃	90, 257

〈監訳者略歴〉

齋藤孝道（さいとう　たかみち）
東京工科大学コンピュータサイエンス学部 講師
博士（工学）
情報処理技術者試験センター 情報処理技術者試験委員

鬼頭利之（きとう　としゆき）
株式会社東芝 研究開発センター コンピュータ・ネットワークラボラトリー勤務

古森　貞（こもり　ただし）
三菱電機株式会社 情報技術総合研究所勤務

- 本書の内容に関する質問は、オーム社開発部「マスタリングTCP/IP　SSL/TLS編」係宛、E-mail（kaihatu@ohmsha.co.jp）または書状、FAX（03-3293-2825）にてお願いします。お受けできる質問は本書で紹介した内容に限らせていただきます。なお、電話での質問にはお答えできませんので、あらかじめご了承ください。
- 万一、落丁・乱丁の場合は、送料当社負担でお取替えいたします。当社販売管理部宛お送りください。
- 本書の一部の複写複製を希望される場合は、本書扉裏を参照してください。

JCLS＜㈱日本著作出版権管理システム委託出版物＞

マスタリングTCP/IP　SSL/TLS編

平成 15 年 11 月 28 日　第 1 版第 1 刷発行

著　　者　Eric Rescorla
　　　　　齋藤孝道
監訳者　鬼頭利之
　　　　古森　貞
企画編集　オーム社 開発局
発行者　佐藤政次
発行所　株式会社 オーム社
　　　　郵便番号　101-8460
　　　　東京都千代田区神田錦町3-1
　　　　電　話　03(3233)0641(代表)
　　　　URL　http://www.ohmsha.co.jp/

© オーム社 2003

組版　トップスタジオ　　印刷・製本　エヌ・ピー・エス
ISBN4-274-06542-1　Printed in Japan